Donkere dromen

Faye Kellerman

Donkere dromen

2006 – De Boekerij – Amsterdam

Oorspronkelijke titel: Street Dreams (Warner)
Vertaling: Els Franci-Ekeler
Omslagontwerp en beeld: marliesvisser.nl

ISBN-10: 90-225-4471-0
ISBN-13: 978-90-225-4471-6

© 2003 Faye Kellerman
© 2006 voor de Nederlandse taal: De Boekerij bv, Amsterdam

Published by arrangement with Lennart Sane Agency AB

Voor Jonathan

Proloog

Omdat de moord zo lang 'geheim' was gehouden, had hij mythologische proporties gekregen, maar nu had ze dan toch het tastbare bewijs dat het echt was gebeurd. In het holst van de nacht, veilig en wel in haar eigen huis, maakte Rina behoedzaam de grote envelop met het poststempel van München open. Met trillende vingers haalde ze de inhoud eruit: fotokopieën van documenten uit de jaren twintig. Haar moeder had altijd gezegd dat ze tien was toen het gebeurde, maar nu zag het ernaar uit dat ze nog jonger was geweest. De verbleekte pagina's waren moeilijk te ontcijferen, zelfs als alles in het Engels had gestaan, en haar kennis van het Jiddisj was ontoereikend om alles te kunnen lezen.

De envelop was die middag met de post gekomen, maar ze had nu pas de gelegenheid de inhoud te bekijken zonder afgeleid te worden door Peter en de kinderen.

Peter.

Ze had hem er niets over verteld. Het was spontaan gebeurd, tijdens een van haar wandelingen door de Beierse hoofdstad, toen Peter sliep om van de jetlag af te komen. Ze was gaan lopen om de hinderlijke rusteloosheid te verdrijven die haar kwelde sinds het vliegtuig in Duitsland was geland.

Het idee dat ze naar München was gegaan ter ontspanning! Haar excuus was dat ze maar een week had gehad om iets te organiseren en de keuzemogelijkheden daarom beperkt waren geweest, al was het vooral te wijten aan laksheid. Ze was zo moe geweest na het drama in New York, dat ze alles domweg had overgelaten aan derden. En het had doodgewoon gemoeten. Peter had op de rand van een zenuwinzinking gezeten. Ze móésten er een paar dagen tussenuit.

Het ging nu iets beter, vond ze, al was alles nog lang niet als vanouds. Rina was slechts in grote lijnen op de hoogte van wat er was gebeurd; ze

7

wist alleen wat Peter aan zijn meerderen en aan de pers had verteld over de moorden en zijn eigen verwondingen. Maar het was duidelijk dat er in zijn hoofd nog veel rondspookte. Incidenten waarover hij haar niets wilde vertellen, hoewel hij er godzijdank wel over had gepraat met zijn broer Randy, die eveneens rechercheur was, in Florida.

Randy was hun reddende engel geweest. Hij had erop gestaan dat ze zouden gaan, en hun de verzekering gegeven dat hij een oogje op Hannah zou houden, zodat Peters ouders die last niet in hun eentje hoefden te dragen. Vertwijfeling was de reden dat ze naar Europa waren gevlogen, een week in München, van begin tot eind geregeld door Rina's vriendin Ellie Nussburger.

'Ik snap zelf niet waarom ik dit doe,' had Rina tegen haar gezegd.

'Je zult er geen spijt van krijgen,' had Ellie geantwoord. 'Het zal heel anders zijn dan je denkt.'

Maar het was precies zo gegaan als ze had gedacht. Ze had pijn in haar buik gekregen zodra ze Duits als spreektaal had gehoord, en geweigerd naar Dachau te gaan, want het laatste waar Peter behoefte aan had, waren nog meer herinneringen aan dood en vernietiging, en eerlijk gezegd gold dat ook voor haarzelf. Maar ook zonder Dachau was de sfeer de hele week vrij somber geweest, omdat je onmogelijk over de keien van de Kaufingerstrasse en Marienplatz kon lopen zonder te denken aan al het joodse bloed dat op Duitse bodem was vergoten. Iedere keer dat ze langs de bierhal Hofbrauhaus liepen, was het alsof spookachtige stemmen daar luidkeels het 'Horst Wessellied' zongen.

De enige tegenhanger was Ellies werk. Ellie deed haar best een religieuze joodse gemeenschap op te bouwen, in plaats van die in de ovens te gooien. Het feit dat Ellie en haar man Larry in Duitsland waren gaan wonen, gaf blijk van hun non-conformistische instelling, maar Ellie was altijd al zo geweest. Rina herinnerde zich haar van de kleuterschool, toen ze allebei vijf waren. Met Poeriem hadden alle meisjes zich verkleed als koningin Ester of een niet nader genoemde prinses. En er waren de bekende ballerina's, clowns en vlinders. Ellie, daarentegen, was op school verschenen in een eigengemaakt kostuum dat eruitzag als de reclameborden waarmee mensen wel op straat liepen. Op de voorzijde was een blauwe lucht geschilderd, met dikke witte wolken en een grote vilten zon in het midden. De achterzijde was zwart, met glitters en een halve maan in de hoek.

'Als wat heb jij je verkleed?' had Amy Swartzberg aan Ellie gevraagd. Ellie had op een zo volwassen mogelijke toon geantwoord: 'Ik ben *Beresjiet*, de schepping van de zon en de maan. Het is een conceptueel kostuum!'

Rina had niet geweten wat conceptueel betekende, maar de manier waarop Ellie het woord uitsprak, maakte duidelijk dat het iets heel belangrijks was.

Vanaf het moment dat ze in Duitsland waren aangekomen, was Ellie zo hartelijk geweest, dat Rina's angsten gaandeweg waren verdwenen en het weer net zo was als vanouds. Ellies geestdrift was altijd al aanstekelijk geweest.

'Hiervan zou Hitler hebben gegriezeld, Rina, een heropleving van een joodse gemeenschap in de stad waar de nazibeweging is ontstaan.'

Geen erg grote opleving, vond Rina, maar je moest érgens beginnen. Er waren in München nu verscheidene synagogen, op de Viktualienmarkt had een Marokkaans-Franse jood een koosjere winkel, in Schwabing was een koosjere bakker en in het oude Isarvorstadt een koosjer restaurant. De bewoners van Beieren waren een heel apart volk. Wanneer ze dachten dat zij en Peter Amerikanen van Duitse afkomst waren, vanwege de achternaam Decker, gedroegen ze zich hartelijk en vriendelijk, vol eigendunk en trots. Zodra Rina in het Jiddisj tegen hen sprak, wat meteen duidelijk maakte dat ze joods was en waarschijnlijk familieleden had uit 'die tijd', bleven ze weliswaar beleefd, maar werd het gesprek gekunsteld en kozen ze hun woorden met zorg.

Al met al was het een heel aparte ervaring geweest, niet vrij en vrolijk, maar vol zelfbespiegelingen. Wel hadden ze genoten van het schitterende landschap toen ze hand in hand wandeltochten hadden gemaakt door de voorlopers van de Alpen en de natte bossen, waar de geur van de lente al in de lucht hing. De snelstromende riviertjes en de adembenemende uitzichten hadden Peters gekwelde geest veel goed gedaan. Maar hoe meer hij zich ontspande, des te nerveuzer werd ze zelf. Duitsland was niet alleen de plek waar haar volk was uitgeroeid, maar tevens het toneel van een persoonlijke tragedie, een onuitroeibaar kankergezwel op haar moeders ziel. Welke mystieke macht had haar ertoe aangezet dat politiebureau binnen te gaan en de balieagent te vragen waar ze informatie kon krijgen over een misdaad die vijfenzeventig jaar geleden was gepleegd? Op het moment zelf was het alleen maar haar bedoeling geweest haar bejaarde moeder gemoedsrust te bezorgen. Nu vroeg ze zich af of ze zich niet in een wespennest had gestoken.

Er was geen reden om de verbleekte herinneringen van een oude vrouw opnieuw kleur te geven, maar toen ze haar ogen over de pagina's van het politierapport liet gaan en haar grootmoeders naam zag – Regina, haar eigen Engelse naam – gevolgd door het woord *Totschlag*, wist ze dat ze dit tot het bittere einde moest uitzoeken.

1

Ik zag hem verwoed zwaaien met een witte vlag, als een man die zich overgeeft. Toen ik de patrouillewagen op een van de parkeerplaatsen in de steeg tot stilstand bracht, dwars op een zilverkleurige Mercedes S500, zag ik dat de vlag een servet was. De man was van top tot teen in het wit gekleed en had een lange, smoezelige schort voor dat tot ruim onder de knieën van zijn witte spijkerbroek reikte. Ondanks dat het avond was, glom zijn gezicht vochtig; al was dat niet zo vreemd, want het was koud en nevelig: het naargeestige weertype dat Los Angeles vaak trof in mei. Ik gaf aan de centrale door waar ik was en stapte uit, met mijn rechterhand op mijn knuppel, mijn linkerhand losjes langs mijn zij. Het stonk naar verrotting in de steeg, vanwege de vuilnisbakken van het restaurant. Vliegen lieten zich 's nachts meestal niet zien, maar zoemden hier bedrijvig rond.

De achterzijde van The Tango werd verlicht door een sterke, gele lamp boven de achterdeur. De man in het wit was klein van stuk, hooguit een meter zeventig, had een ruwe, lichtbruine huid en een zwarte snor. Hij bleef geagiteerd zwaaien en sprak in rad Spaans. Ik ving een paar woorden op, maar hoefde hem niet te verzoeken iets te vertalen, omdat ik het zelf al had gehoord: het gekrijs van een baby.

'Waar?' riep ik boven zijn woorden uit. '¿Dónde?'

'¡Aquí, aquí!' Hij wees naar een legergroene vuilniscontainer die tot aan de rand gevuld was met blauwe vuilniszakken.

'Bel een ambulance.' Ik holde naar de container en tilde er drie of vier vuilniszakken uit. Ik scheurde er eentje open en werd blootgesteld aan een smurrie van verlepte slabladeren, papperige groenten, stukken grauw vlees ter grootte van golfballen, en gestold vet. De ene na de andere zak reet ik open. Mijn keurige, gesteven uniform veranderde in moderne kunst naarmate de donkerblauwe stof steeds meer olie en vocht opzoog

11

van de groenten die die ochtend nog erg prijzig moesten zijn geweest. 'Ik heb hulp nodig! *¡Necesito ayuda! Ahorita.*'

'*¡Sí, sí!*' Hij haastte zich naar binnen.

Het krijsen werd steeds luider en dat was een goed teken, al kon ik het nog steeds niet precies plaatsen. Mijn hart bonkte toen ik de ene laag vuilniszakken na de andere doorzocht. Het was een diepe container. Ik zou erin moeten springen om alle zakken eruit te kunnen halen, maar ik wilde dat niet doen voordat ik wist waar mijn voeten terecht zouden komen. Drie mannen kwamen het restaurant uit.

'*¡Escalera!*' Een ladder! '*Yo necisito una escalera.*'

Een van de mannen ging weer naar binnen, de andere twee begonnen zakken uit de container op de grond te gooien.

'Voorzichtig, voorzichtig!' riep ik. 'We weten niet wat het is!' Ik hield een slag om de arm, alsof het net zo goed een dier kon zijn, een kat. Wanneer katten in het nauw zitten, krijsen ze precies zoals baby's. Maar we wisten allemaal dat dit geen kat was.

Eindelijk kwamen ze met de ladder. Ik klom snel naar boven en hees nog een paar zakken op tot ik de bodem kon zien, een cirkel van smerig metaal in het licht van mijn zaklantaarn. Ik ging op de rand van de container zitten, draaide me om, en liet me, met mijn handen om de rand, voorzichtig zakken. Ik pakte een willekeurige zak, maakte er een gat in en gooide hem over de rand zodra ik zeker wist dat degene die het geluid maakte, er niet in zat.

'Rustig aan, Cindy,' zei ik tegen mezelf. 'Verknoei dit niet.'

Iedere zak die ik wegpakte, bracht me dichter bij de bron van het geluid. Iemand had er de tijd voor genomen die diep weg te stoppen. Ik ziedde inmiddels van woede, maar hield mezelf in toom om mijn werk naar behoren te kunnen doen. Bij de onderste laag had ik beet. Een pasgeboren baby, een meisje. De navelstreng hing nog aan haar buikje, haar gezichtje en lijfje waren besmeurd, haar oogjes stijf dichtgeknepen. Ze krijste zonder tranen. Ik riep dat ze me iets moesten geven waar ik haar in kon wikkelen en kreeg een schoon, gesteven tafellaken aangereikt. Ik droogde het lijfje een beetje af, maakte het mondje en neusje zo goed mogelijk schoon en wikkelde de baby toen in het tafellaken, met navelstreng en al. Ik hield haar omhoog, zodat iemand haar van me kon aanpakken, en hees me over de rand van de container.

De man die met het servet had staan zwaaien, gaf me een vochtige handdoek. Ik wreef mijn handen ermee schoon en vroeg hem hoe hij heette.

'Martino Delacruz.'

'Goed gedaan, señor Delacruz!' Ik glimlachte naar hem. *'Buen trabajo.'* De man kreeg tranen in zijn ogen.

Ze gaven me het bundeltje weer terug. Ik vond zelf dat ik te vies was om de baby vast te houden, maar aangezien ik de enige vrouw in het groepje was, werd er van me verwacht dat ik alles van baby's wist.

Eerlijk gezegd was dat ook zo, omdat ik een halfzusje had dat achttien jaar jonger was dan ik. Haar moeder Rina, mijn stiefmoeder, was er na haar geboorte erg slecht aan toe geweest. Drie keer raden wie te hulp was geschoten toen mijn vader bijna instortte. Al kon je het hem niet kwalijk nemen. Rina had tussen leven en dood gezweefd.

Een voordeel was de zusterlijke band die eruit was voortgekomen, in ieder geval van mijn kant. Hannah Rosie Decker is mijn enige zusje en ze is niet alleen schattig om te zien, maar nog een erg leuk kind ook. Ik ben gek op haar. Ik mag het hele gezin van mijn vader trouwens graag. Rina's zonen zijn prima jongens, ik denk zelfs dat je niet nog meer van stief-broers kan houden dan ik van hen. Rina zelf weet mijn vader uitstekend op te vangen en dat mag best eens gezegd worden, want mijn pa is niet makkelijk in de omgang. Dat weet ik uit ervaring.

'Heeft iemand een ambulance gebeld?'

'Yo hable.' Delacruz gaf me nog een handdoek waarmee ik mijn vuile gezicht een beetje schoonmaakte.

'Dank u, señor.' Ik legde een schoon servet op mijn schouder en wieg-de de baby, die ik tegen mijn borst gedrukt hield. 'Zou u wat water met suiker kunnen opwarmen en daar een schoon servetje indopen? En dat mij dan brengen?'

De man repte zich weg. Het felle gekrijs van de baby was afgezwakt tot een zielig gepiep. Ik merkte opeens dat mijn wangen warm en nat waren, van pure opluchting dat dit incident zo goed was afgelopen. Delacruz kwam terug met het in suikerwater gedoopte servet. Ik pakte het van hem aan en stak de punt ervan in het mondje van de baby. Ze begon er honge-rig aan te zuigen. In de verte klonk een sirene.

'We zullen je snel naar het ziekenhuis brengen, kleintje. Al ben je een taaie, moet ik zeggen.'

Ik stonk een uur in de wind en gaf de baby weer aan Delacruz. *'Por fa-*

13

vor, geeft u haar aan de mensen van de ambulance. Ik moet mezelf wat opknappen.'

Hij nam het bundeltje van me over en begon met de baby heen en weer te lopen. Het was een van die momenten die je nooit vergeet: een macho die in het Spaans loopt te kirren tegen een baby'tje dat door iemand was gedumpt. Mijn werk bracht veel hartzeer met zich mee, maar ook heel bijzondere momenten.

Ik bewoog mijn schouders om het stijve gevoel eruit te krijgen dat ik aan alle spanning had overgehouden, ging via de achterdeur The Tango binnen en vroeg aan een van de bordenwassers waar ik mezelf kon opknappen. Op hetzelfde moment hoorde ik achter me iemand een ingehouden kreet slaken en ik draaide me om. Een man met een baret op maakte wapperende gebaren om me naar buiten te krijgen. 'Diet ies een restaurant! Diet ies geen vismarkt!'

'Iemand heeft een baby in jullie vuilcontainer gedumpt.' Ik keek hem met een priemende blik aan. 'Ik heb haar kunnen redden, maar daarvoor heb ik tientallen zakken afval moeten doorzoeken. Dus nu moet ik me even opknappen!'

De baret keek verward. 'Ier? Een *bébé*?'

'Ja. Hier. Een bébé!' Ik zag zeepbelletjes opstijgen uit een gootsteen. Zonder verder nog iets te zeggen, liep ik ernaartoe en stak mijn handen in het hete water. Ze konden me wat! Al het serviesgoed ging toch zeker wel in de vaatwasser? Nadat ik alle vettigheid van mijn handen had gewassen, deed ik de koudwaterkraan open en waste ik mijn gezicht. Een van de keukenbedienden was zo vriendelijk me een schone handdoek te geven. Ik droogde mijn gezicht en handen en keek op.

De ziekenwagen was gearriveerd. Het rode zwaailicht zwiepte door de keuken. Ik wees met een gestrekte wijsvinger naar de baret en keek hem met kille ogen aan. 'U bent nog niet van mij af. Denk erom dat u hier bent wanneer ik zo dadelijk terugkom.'

Het ambulancepersoneel was bezig met de baby en had de navelstreng al afgebonden. Ik bleef ernaar staan kijken. Een grote zwarte vrouw hield de baby in haar armen, terwijl een magere blanke jongen met een wat ziekelijke gelaatskleur behoedzaam het gezichtje van de baby schoonmaakte. Ze droegen allebei handschoenen.

'Hoe is het met haar?' vroeg ik.

Ze keken op. Het magere joch grijnsde toen hij mijn vuile uniform zag. 'Had u zo'n honger?'

Volgens zijn badge heette hij B. Hanover. Ik keek hem zo kil aan dat hij ineenkromp. 'Jee, het was maar een grapje, hoor.'

'Hoe is het met haar?' herhaalde ik.

Nu nam de vrouw het woord. Zij heette Y. Crumack. 'Voorlopig ziet alles er goed uit... een succesverhaal.'

'Dat is altijd prettig.'

Ze hadden de placenta van de baby in een zakje gedaan, dat een stukje verderop op de grond lag. Ze zouden het meenemen naar een medisch laboratorium om het te laten onderzoeken op ziekten en om het DNA van het kind te bepalen, wat van belang was voor de identificatie. Zonder enige reden raapte ik het zakje op.

Crumack zei: 'Dat hebben we nodig. Er moet een biopsie gedaan worden.'

'Weet ik. Waar brengt u haar naartoe?'

'Het kinderziekenhuis Mid-City Pediatric Hospital.'

'Aan Vermont?' vroeg ik.

'Een ander Mid-City ken ik niet,' zei Hanover. 'Enig idee wie de moeder is?'

'Geen flauw idee.'

'Het zou mooi zijn als u haar kon vinden,' zei Hanover.

'O ja? Goh, dat wist ik niet,' beet ik hem toe. 'Bedankt voor de tip.'

'U hoeft niet zo kribbig te doen,' beet Hanover terug.

Crumack maakte het achterportier open en bond de baby vast in een speciaal zitje. Het kind begon weer te krijsen, wat ik opvatte als een positief teken. Ik gaf Crumack het zakje met de placenta. Ze legde het in de ambulance.

'Zo te horen heeft ze honger,' zei ik.

'Ze is uitgehongerd,' antwoordde Crumack. 'Haar maagje is helemaal leeg.'

'Haar hoofd ziet er een beetje... ik weet niet... langgerekt uit. Hoe zou dat komen?'

'Vermoedelijk vanwege het persen door het geboortekanaal. Maar haar schedel lijkt niet beschadigd, en daar gaat het om. Ze heeft erg geboft, als je bedenkt wat er allemaal fout had kunnen gaan. Ze had vocht kunnen inslikken en stikken; ze had gewoon kunnen stikken; ze had geplet kunnen worden. Maar ze is nog helemaal heel.' Ze gaf me een schouderklopje. 'Mede dankzij u.'

Ik kreeg tranen in mijn ogen. 'Niet ik. U moet señor Delacruz bedanken,' zei ik. 'Hij heeft scherpe oren.'

De man kende genoeg Engels om te snappen dat dit een complimentje was. Hij glimlachte van oor tot oor.

'Enig idee wanneer ze is geboren?' vroeg ik aan de verpleegkundigen.

Hanover zei: 'Haar lichaamstemperatuur is nog redelijk op peil, maar tussen al die plastic zakken zat ze natuurlijk wel warm. Volgens mij is ze nog niet erg lang geleden gedumpt.'

'Hoelang geleden?' vroeg ik. 'Twee uur? Vier uur?'

'Zoiets,' zei Crumack. 'Uiterlijk zes.'

Ik keek op mijn horloge. Het was halfelf. 'Ze is dus op z'n vroegst rond vier of vijf uur vanmiddag in de container gegooid?'

'Dat denk ik.' Crumack draaide zich om naar haar partner. 'Kom, we gaan.'

Ik zei ten overvloede: 'Mid-City Pediatric!'

Hanover knikte, ging achter het stuur zitten, trok het portier dicht en reed met loeiende sirene en draaiende zwaailichten weg. Ik had opeens een eigenaardig leeg gevoel. Hoewel ik zelden nadacht over mijn biologische klok – ik was pas achtentwintig – werd ik me plotseling bewust van moederlijke gevoelens. Het was fijn om een medemens te troosten. Lang geleden was dat de voornaamste reden geweest dat ik bij de politie was gegaan.

Al had mijn vader indirect de doorslag gegeven.

Hij had me sterk afgeraden dit beroep te kiezen, maar omdat ik zo'n eigengereide dochter was, hadden zijn waarschuwingen precies het tegengestelde effect. Het had tot wat gespannen momenten geleid, maar de meeste daarvan waren snel opgelost. Ik hield echt van politiewerk en niet omdat ik met onopgeloste freudiaanse problemen worstelde. Al moet ik eerlijk zeggen dat ik vermoedelijk psychologe zou zijn geworden als ik was verwekt door een vader die psycholoog was, in plaats van door een vader die bij de politie zat.

Ik haakte de walkietalkie los van mijn riem, maakte contact met de centrale en vroeg of ze een rechercheur konden sturen.

2

'Wanneer is de container voor het laatst geleegd?'

Ik had het tegen André Racine, de souschef van The Tango. Hij was een stukje langer dan ik, ongeveer een meter achtenzeventig, had brede schouders en het begin van een buikje, dat over de kruiselings gestrikte banden van zijn schort puilde. Zijn baret stond schuin en zag eruit als een ingezakte soufflé. We stonden dicht bij de achterdeur, zodat ik in de gaten kon houden wat er buiten gebeurde.

'Iek weet dat 'ij 's nachts wordt geleegd. Soms slaan ze een dag over, maar nooit langer.'

'De achterdeur stond open. Hebben jullie geen gehuil gehoord, of iemand dic in de container rommelde?'

De man schudde zijn hoofd. 'Er ies altijd veel lawaai in de keuken, al die apparaten. Iek kan mezelf amper 'oren denken!'

Ik had met verschillende leden van het keukenpersoneel gesproken en die hadden allemaal hetzelfde gezegd. Ik kon het trouwens zelf bevestigen. Niet alleen was in de keuken het geraas van keukenapparatuur te horen, maar een van de mannen had de radio afgesteld op een Spaans station dat salsamuziek uitzond. En alsof deze kakofonie nog niet erg genoeg was, speelde er in het restaurant ook nog een live band, een jazzcombo met een elektrische gitaar, bas, piano en drums. Ik zou stapelgek worden van het lawaai, maar deze mannen waren waarschijnlijk allang blij dat ze vast werk hadden.

De achterdeur stond open, maar ze hielden de hordeur dicht om invasies van muizen, ratten en gevleugeld ongedierte te voorkomen. Door het gaas heen viel niet veel te zien en in mijn ogen zag nicmand van het personeel er verdacht uit en kreeg ik van niemand een onaangenaam gevoel. Integendeel, het waren erg vriendelijke mensen die me meteen te hulp waren geschoten. Nu waren ze moe van de emotionele belevenissen; ikzelf ook trouwens. Ik keek op van mijn notitieboekje, nam abrupt afscheid van de verblufte souschef en liep naar buiten om een beetje op adem te komen en orde te scheppen in mijn aantekeningen. Mijn dienst zat er bijna op en er was een rechercheur onderweg om het onderzoek over te nemen. Ik zette om te beginnen de namen van alle mensen die ik had ondervraagd in alfabetische volgorde. Bij iedere naam vermeldde ik het telefoonnummer van de persoon in kwestie, en wat voor werk hij deed. Ik wilde de rechercheur een ordelijk rapport geven… iets wat indruk zou maken.

Een paar minuten later kwam een auto aanrijden. Hij stopte midden in de steeg, waardoor alle auto's, inclusief de mijne, geblokkeerd werden. Greg Van Horn stapte uit en kwam naar me toe op zijn O-benen, die steeds verder leken door te zakken, niet omdat hij dik was, maar gedrongen en zwaargebouwd. Hij was begin zestig en zat op zijn pensioen te wachten. Hij was tweemaal getrouwd geweest en tweemaal gescheiden. Men zei dat hij een rokkenjager was, maar dan wel een verbitterde. Tegen mij deed hij altijd vriendelijk. Ik geloof dat hij vroeger wel eens met mijn vader had gewerkt, en dat ze wederzijds respect voor elkaar hadden.

Hij had een dikke bos ruig grijs haar en een rond, vlezig gezicht met een drankneus. In zijn blauwe pak zag hij er erg vierkant uit, maar hij zag er eigenlijk in alles wat hij droeg vierkant uit. Ik gaf hem binnen dertig seconden een samenvatting van de gebeurtenissen, liet hem toen mijn aantekeningen zien en wees naar de naam Martino Delacruz. 'Hij woont aan Western en hij werkt al zes jaar in The Tango.'

'Werkvergunning?' vroeg Van Horn.

'Heeft hij. Toen de ambulance weg was, heeft hij me die laten zien zonder dat ik erom had gevraagd.' Ik zweeg even. 'Niet dat het relevant is. Het is niet zo dat hij als getuige zal worden opgeroepen bij een rechtszaak.'

'Dat weet je nooit van tevoren, Decker.' Hij wreef met zijn dikke wijsvinger over de rug van zijn neus. Alsof hij jeuk had aan de binnenkant van zijn wijde neusgaten.

'Hij hoorde de baby huilen toen hij een vuilniszak in de container wilde gooien,' ging ik door. 'Hij wilde net de politie gaan bellen, toen hij mijn patrouillewagen zag. Zal ik hem er even bij roepen?'

Van Horns blik gleed over mijn gezicht en toen neerwaarts naar mijn borst. Zijn ogen vernauwden zich. 'Je mag je wel eens gaan omkleden.'

'Weet ik. Mijn dienst zit er over twintig minuten op, tenzij u wilt dat ik nog een poosje blijf.'

'Ik kan je misschien nog wel gebruiken. Hoe eerder we de moeder opsporen, hoe beter.'

Ik wierp een blik om me heen. 'Dit is geen woonwijk.'

'Nee, Hollywood Boulevard niet, maar iets verder naar het zuiden, tussen Hollywood en Sunset, zijn huizen en flats genoeg.'

'Wilt u dat ik vanavond nog een huis-aan-huisonderzoek doe?'

Hij keek op zijn horloge. 'Zoiets kost veel tijd. Is dat voor jou een probleem, Decker?'

'Nee, helemaal niet, meneer. Waar zal ik beginnen?'

Van Horn trok een vies gezicht. 'Je moet echt eerst een schoon uniform aantrekken, Decker.'

'Zal ik dat dan doen en daarna terugkomen?' Ik vroeg het zonder wrevel. Het was altijd verstandig om beleefd te zijn. Hoe minder ik als persoon opviel, hoe liever het me was.

'Ik neem aan dat je geen plannen hebt voor vanavond?'

'Alleen een dringende afspraak met mijn douche.'

Hij glimlachte en keek nogmaals op zijn horloge. 'Het is al laat... waarschijnlijk te laat voor een behoorlijk onderzoek.'

'Ik wil morgen wel terugkomen om u te helpen.'

'Ik denk niet dat je brigadier je daarvoor van jullie eigen rooster zal schrappen.'

'Het kan 's ochtends, in mijn eigen tijd.'

'Je bent ambitieus.'

'Dat zou u niet moeten verbazen. U weet waar ik vandaan kom.'

Nu grinnikte hij. 'Je zult het nog ver schoppen, Decker.'

Een groot compliment, uit de mond van Greg.

'Ik zal eerst een praatje maken met de mensen op jouw lijstje. Zet jij onderhand het terrein maar af en ga zoeken naar alles wat een aanwijzing zou kunnen zijn over wie de moeder is. Gezien het late uur kunnen we misschien het best een oproep om hulp laten uitzenden in het journaal van elf uur.'

Zijn woorden waren nog niet koud, of er kwam een reportagewagen aanrijden. 'U bent helderziende, meneer. Grijp uw kans.'

'ABC...' Weifeling in zijn ogen. 'Zit daar niet die nieuwslezeres die een rare witte lok in haar zwarte haar heeft? Net als een stinkdier?'

19

'Geen idee. Maar daar heb je ook NBC. De rest zal dan ook wel komen.'
Ik gaf hem een klopje op zijn schouder. 'Showtime.'

'Ben jij goed in deze dingen?'

'Ik?' Ik wees naar mijn borst. 'U bent de rechercheur met de gouden penning.'

'Maar jij hebt de baby gevonden.'

'Ja, maar mijn uniform is stinkend smerig en uw kostuum niet.' Ik hief afwerend mijn handen op. 'Ik ga het terrein wel afzetten en rondneuzen.'

'Zeker weten?' vroeg hij nog, maar hij trok zijn das al recht en streek met zijn handen over zijn haar. 'Nou, vooruit dan maar. Maak je niet druk, Decker, ik red me wel, maar je aanbod om morgen de mensen in de buurt te ondervragen, neem ik graag aan.'

'Dan doe ik dat.'

'Mooi. We regelen de details zo dadelijk nog wel. Eerst even die jongens te woord staan.'

'Goed.'

'Ik zal ze eens even laten zien hoe een ware rechercheur zich gedraagt.'

'Zo is dat.'

Van Horn stapte op de mensen af die met videocamera's in de aanslag klaarstonden. Hij leek op een cowboy die zich gereedmaakte voor een revolverduel.

In Hollywood is iedereen een filmster.

Een eind bij het restaurant vandaan zag ik een plas die niet op water leek en in het licht van mijn zaklantaarn een glanzend rode kleur bleek te hebben. Een onregelmatig spoor van druppels liep van de plas naar de container achter The Tango. Gezien de locatie dacht ik meteen aan een dakloze vrouw of een weggelopen tiener; in ieder geval iemand die bang en onstabiel was, want je moest wel echt ten einde raad zijn om in een steeg een baby ter wereld te brengen, moederziel alleen, tussen ratten en insecten.

Dit kon het bloed van een bevalling zijn, als we geluk hadden.

Als de moeder zich hier in de buurt ophield, zou dat het zoeken vergemakkelijken. Misschien had het geen zin om huis aan huis navraag te doen. Misschien was het beter dat ik op zoek ging naar de stakkers die leefden in de krochten van Hollywood, de stad die veel beloofde, maar zelden zijn beloften waarmaakte.

20

Nadat Greg Van Horn zijn kunstjes had vertoond voor de nieuwsploegen, liet ik hem de plas zien. Hij krabde aan zijn dikke neus terwijl hij het bloed bekeek.

'Een moord?' vroeg ik hem.

'Kunnen we niet uitsluiten.' Zijn kaken bewogen alsof hij op iets hards kauwde. 'Maar het lijkt mij niet. De vorm ervan lijkt niet te wijzen op een gewelddaad.'

'Een nette plas en het ontbreken van spatten op de muur.'

Van Horn knikte. 'Precies.'

'Misschien een dakloze vrouw. Wie zou er anders in een steeg gaan zitten?'

'Lijkt me ook.' Met zijn blik nog op de plas bloed gericht haalde hij zijn mobiele telefoon tevoorschijn. 'We moeten de jongens van de technische dienst er maar eens bij roepen.'

'Zal ik wat gaan rondkijken? Of ik ergens daklozen zie?'

'Heb je het terrein afgezet?'

'Ja. Ben ik mee klaar.'

'Dan mag je voor rechercheur gaan spelen.'

'Da's een stoot onder de gordel, Greg.' Ik glimlachte en zei: 'Oefening baart kunst.'

'Ik dacht dat je de vuurproef allang met succes had doorstaan?'

Nu glimlachte ik met oprecht genoegen. 'Dat is aardig van u. Dank u wel.'

'Ga nu maar gauw.'

Ik stapte over het gele lint en liep de lange steeg uit naar Hollywood Boulevard. Daar waren de stoepen niet met goud geplaveid, maar met zwarte sterren van steen in tegels van rood graniet. Iedere ster vertegenwoordigde een onderdeel van de entertainmentindustrie: tv, film, radio en de platenindustrie. Dankzij de recente opknapwerkzaamheden in deze wijk waren niet alleen de prijzen van het onroerend goed gestegen, maar was veel van de oude architectuur van de ondergang gered en waren de minder aangename aspecten van het straatleven verdwenen.

Ook in het westelijke deel van de straat was een opleving merkbaar, vermoedelijk net zoals een tiental jaren geleden met Times Square het geval was geweest. De mensen van de stedelijke bouwcommissie waren zo verstandig beroemde gebouwen, zoals de bioscopen Mann's Chinese Theatre, Egyptian en El Capitan, en carnavaleske attracties als Ripley's

Believe It or Not en het Hollywood Wax Museum een facelift te geven. Daarnaast waren er in de gerestaureerde sectoren opvallende winkelgalerijen verschenen en natuurlijk het spiksplinternieuwe theater van Kodak, uitgevoerd in zwart graniet en goud. Deze bezienswaardigheden trokken veel toeristen, die hoopten iets van de magie mee te krijgen of zich op zijn minst te kunnen koesteren in andermans roem.

Maar 's nachts kwamen nog steeds de roofdieren aangeslopen, de mensen die juist gedijen aan de rand van de maatschappij. De oostkant van Hollywood Boulevard was het domein van de tatoeagewinkels, borgstellers, goedkope kledingzaken, fastfoodrestaurants en motels waar absolute privacy gegarandeerd was.

The Tango zat op de grens tussen de oplevende oude glamour en de aftakelende sloppen. Naarmate de economische opleving verder oostwaarts kroop, kroop een deel van het neonlicht mee, maar dat was bij lange na niet genoeg om de donkere kieren en spleten te onthullen. Ik hoefde niet erg ver te lopen voordat ik iemand had gevonden. Ze zat op de stoep met haar rug tegen een etalageruit waarop een uitverkoop stond aangekondigd: 50 procent korting op alle kleding in de kelder. Ze zat met haar knieën opgetrokken tegen haar borst onder een dunne deken die ze onder haar kin vasthield. Haar leeftijd was niet te bepalen. Ze kon twintig zijn maar ook vijftig. Ze had vies, plakkerig haar en haar gezicht zat onder zo'n laag vuil dat je niet eens kon zien wat haar huidskleur was. In de grote, zwarte pupillen van haar roodomrande ogen lag een lege blik. Haar mond was een streep, de huid van haar gezicht zat strak gespannen over de beenderen. Naast haar stonden een bekertje voor munten, een aantal papieren zakken en een haveloze rugtas.

Ik gooide een dollar in het bekertje. Ze knikte maar maakte geen oogcontact. Toen ik naast haar ging zitten, verstijfde ze. Ze stonk naar zweet en misère, maar ik rook zelf ook niet al te fris.

'Wat is er met jou gebeurd?' vroeg ze met een schorre stem.

Ik trok mijn wenkbrauwen op. 'Hoe bedoel je?'

'Dat uniform mag wel eens naar de stomerij.'

'O… dat. Ik heb daarstraks in een vuilniscontainer zitten wroeten.'

'Dan hebben we iets gemeen.'

Ik glimlachte. 'Ik geloof niet dat we elkaar kennen.'

Ze keek naar haar bedekte knieën. 'Jij bent agent Cindy.'

Ik schoot in de lach. 'Sorry. Dus toch.'

'Het regende. Je hebt me een keer een lift gegeven... naar een opvang-centrum.'

Ik kneep mijn ogen half toe en bekeek haar aandachtig. 'Alice Anne?'

Een vage glimlach speelde om haar mond.

Ik trok een gezicht. 'Je had me beloofd dat je de fles zou laten staan.'

'En daar heb ik me aan gehouden.'

'Hoelang? Een dag?'

'Iets langer.'

'Foei.'

Ze bekeek me aandachtig. 'Wat is er gebeurd?'

'Ik heb onder in een vuilniscontainer een baby gevonden.'

'Getver!' zei Alice Anne. 'Wat erg! Leefde hij nog?'

'Zij. Het is een meisje. En ze leefde nog, ja.'

'Het is hier voor volwassenen al moeilijk genoeg.' Ze spuugde. 'Dit is geen plek voor baby's.'

'Weet je er iets van, Alice Anne?'

'Ik?' Ze klonk verbaasd. 'Het is niet mijn kind.'

'Dat bedoel ik niet. Heb je enig idee wie de moeder is?'

Ze zweeg.

'Vooruit, Alice Anne. We moeten haar zo snel mogelijk zien te vinden.'

'Ik weet niks.'

Daar was ik niet zo zeker van. 'Misschien heb je een zwangere vrouw gezien...'

'Er zijn hier wel honderd meisjes die zwanger zijn. Daarom zijn ze hier. Omdat ze zwanger zijn en nergens naartoe kunnen.'

'Waar kan ik die meisjes vinden?'

Ze bekeek me met een meewarige blik. 'Hoelang werk je hier al?'

'Alice...'

'Zo moeilijk is het niet. Alleen moet je niet in deze straat zijn.'

'Waar dan? Sunset?'

Alice Anne knikte.

Sunset Boulevard was de eerstvolgende grote straat ten zuiden van Hollywood Boulevard. De straat waar de prostituees werkten. De manne-lijke prostitués zaten weer een straat verder, op de Santa Monica Boule-vard. De mannen werkten over het algemeen op het terrein dat onder West Hollywood Sheriff viel, maar dwaalden soms af naar mijn wijk. Al die verkwiste levens. Je zou er moedeloos van worden. Maar Alice Anne had gelijk: een minderjarig, zwanger meisje had weinig keus als ze aan eten wilde komen.

Ik keek op mijn horloge. 'Ik zal er even doorheen rijden. Je kunt me niet toevallig wat namen geven?'

'Namen, pfff…' Ze trok haar knieën nog hoger op. 'Zo goed ken ik ze niet. Wil ik niet. Daarvoor blijven ze nooit lang genoeg.'

Ik pakte mijn portemonnee en gaf haar nog een dollar. 'Ga een beker warme chocolademelk kopen. En als je iets hoort over die gedumpte baby, bel me dan alsjeblieft.'

Ditmaal gaf ik haar mijn visitekaartje. Ze pakte het zowaar aan.

'En vertel het aan anderen,' zei ik. 'Als de moeder van die baby zich binnen drie dagen bij de politie meldt, zullen ze haar niets doen.'

'Ha!'

'Nee, echt. Dat staat in de wet.'

'Ja, dat kennen we.' Weer spuugde ze.

'Nou, als je iets hoort…'

'Ja, ja.'

Ik dwong haar oogcontact met me te maken. 'Je houdt toch niets voor me achter, hè?'

Alice Anne keek verontwaardigd. 'Hoor eens, agent Cindy, ik mag dan een rare, oude, dakloze vrouw zijn, die in haar leven veel te veel ellende heeft gekend, en ik neem wel eens een slok te veel uit de fles, omdat ik constant pijn in mijn donder heb, maar ik ben geen stompzinnige alcoholiste en ik moet niets hebben van babymoordenaars.'

Goed gezegd. Ik slaakte een zucht en zei: 'Zal ik je in hechtenis nemen?'

Alice Anne staarde me aan.

'Een bed en een warme douche,' legde ik uit.

'Nee.' Ze dook dieper weg onder de deken. 'Nee, bedankt. Maar als je zo graag de barmhartige Samaritaan wilt uithangen, mag je me nog wat geld geven.'

Ik haalde een briefje van vijf uit mijn portemonnee en liet het haar zien. 'Geef het niet allemaal bij één slijter uit.'

Ze lachte en sloot toen haar ogen.

Ik had verder niets meer te zeggen, dus stond ik op en liet haar alleen, hopelijk met iets prettiger gedachten.

3

Tegen halfeen was ik, gedoucht en weer in burger, op weg naar huis. Iemand moet me met een afstandsbediening een U-bocht hebben laten maken, want ik had pas door dat ik was gekeerd toen ik merkte dat ik de verkeerde kant uit reed.

Naar het ziekenhuis natuurlijk. Het idee dat die kleine baby bijna op de vuilnisbelt terecht was gekomen, liet me niet los. Ik moest haar zien in een andere omgeving, warm ingepakt, veilig onder een dekentje, gewassen en gevoed.

Het Mid-City Hospital stond ongeveer drie kilometer bij de plek vandaan waar de baby was gedumpt. Het was een Medicaid-ziekenhuis, wat inhield dat de meeste patiënten arm waren, maar desondanks had het een wereldwijde reputatie. Toen mijn zusje Hannah een kleine operatie moest ondergaan, had Rina erop gestaan dat ze in het Mid-City geholpen werd en niet in een van de grotere, financieel krachtiger ziekenhuizen in het welgestelde westerse deel van de stad.

Het was een modern, functioneel gebouw van vijf verdiepingen en men had pogingen gedaan het een licht en vrolijk interieur te geven – een muurschildering van ballonnen, een grote pluchen teddybeer met een armvol zuurstokken – maar tegen de geur van antiseptische middelen was niets te doen. Zodra je binnenkwam, wist je dat je in een ziekenhuis was.

Het was betrekkelijk rustig. Misschien toevallig, misschien omdat het zo laat was. De geüniformeerde bewaker bij de ingang keek verveeld. In de hal drentelden wat mensen rond, hoofdzakelijk latino moeders met kleine kinderen. Een Aziatisch gezinnetje – een moeder met drie kleine meisjes – zat stilletjes op de oranje plastic stoelen, hun handen op hun schoot gevouwen. Ze zeiden geen van allen iets.

Ik liep naar de met glas afgeschermde balie. De baliemedewerkster was een vrouw van middelbare leeftijd met een bril die haar ogen vergrootte. Ik wees naar het gezin. 'Worden zij al geholpen?'

'De Parks?'

'Ik weet niet hoe ze heten.'

'Ja, die worden al geholpen. Ze zitten te wachten tot de vader de Medic-aid-kaarten komt brengen. Hij werkt in een drankwinkel die de hele nacht open is en heeft geen personeel, dus moet hij de winkel afsluiten voordat hij hierheen kan komen.'

'Is een van de kinderen ziek?'

Ze kneep haar ogen iets toe. 'Waarom stelt u zoveel vragen?'

Ik pakte mijn portefeuille en liet haar mijn penning zien. 'Ik wil alleen maar zeker weten dat ze behandeld worden. Soms durven mensen niet om hulp te vragen, zelfs niet wanneer ze die nodig hebben.'

'Daar hebt u gelijk in. En waarmee kan ik u van dienst zijn?'

Ze was achterdochtig en dat nam ik haar niet kwalijk.

'Ongeveer twee uur geleden is er per ambulance een pasgeboren baby binnengebracht. De verpleegkundigen van de ambulance heten Crumack en Hanover. Ik ben de agent die de baby heeft gevonden. Ik zou haar graag willen zien, als het kan. Alleen maar om me ervan te overtuigen dat alles in orde is.'

'Mag ik uw penning nog een keer zien?'

Weer haalde ik mijn portefeuille tevoorschijn. Zelfs nadat ze mijn penning had bekeken, bleef ze op haar hoede. Ze verzocht me te wachten.

Dat deed ik.

Na een poosje verscheen er een tenger meisje dat eruitzag als begin twintig. Op haar badge stond Marnie Sears, Gediplomeerd Verpleegkundige, kraamafdeling. Ze verzocht me met haar mee te lopen en glimlachte steeds wanneer ze iets tegen me zei. Misschien voelde ze een verwantschap omdat we allebei rood haar hadden, al hield de gelijkenis tussen ons daarmee op. Zij was klein, tenger, snoezig... net een elfje, en ik was precies het tegenovergestelde. Maar wat kon je ook verwachten wanneer je verwekt was door een vader die een meter negentig lang was en honderdtien kilo woog! Het afgelopen jaar was ik trouwens erg afgevallen, en niet omdat ik op dieet was gegaan. Mijn gebrek aan eetlust was het gevolg van terugkerende nachtmerries over gniepige collega's die me van een hoge rots duwden. Volgens de psycholoog bij wie ik in behandeling was, duurt het wel even voordat blutsen in je onderbewustzijn zijn geheeld. Ik wachtte daar geduldig op, maar verwachtte niet veel.

Eerlijk gezegd ging het de laatste tijd iets beter. Ik had in ieder geval weer een beetje eetlust en zag er niet meer zo uitgemergeld uit. Ikzelf vond het lang niet gek dat ik eruitzag als een uitgehongerd fotomodel – prominente jukbeenderen, volle lippen, witte tanden, strakke kaaklijn – maar mijn ouders zaten er vreselijk over in. De paar kilo die ik nu weer was aangekomen, hadden mijn gezicht een zachtere trek gegeven, maar nog veel belangrijker was, dat ik een broodje kaas kon eten zonder brandend maagzuur te krijgen.

Marnie en ik namen de lift naar de kraamafdeling. Ze vertelde me dat de baby het goed maakte en dat haar lichaamstemperatuur alweer normaal was.

'Dat is geweldig.'

'U wilt haar alleen maar zien?'

Ik knikte. De lift stopte en de deuren gleden open. We liepen door de stille ziekenhuisgangen. Daar brandde erg fel licht, het deed pijn aan je ogen.

'Ze ligt op deze zaal.'

Marnie bleef staan bij een grote ruit. Toen ik keek, sloeg mijn hart een slag over. Wel vijftien piepkleine wezentjes die via allerlei buisjes en slangetjes in hun kleine lijfjes verbonden waren met machines. Verdorie, ik had wel eens biefstukken gegeten die meer wogen dan deze baby's! De allerkleinste kon amper meer wegen dan een pond. Ik had haar in de palm van mijn hand kunnen houden.

'Ze is de derde van rechts.'

Tussen twee van de pietepeuterige baby'tjes met de zuurstofmaskers en infuusslangetjes zag mijn meisje er erg fors en gezond uit. Geen slangetjes, geen zuurstofmasker, alleen maar een bobbel onder een roze dekentje, en een mutsje op haar hoofd. 'Goeie genade, wat lijkt ze hier groot.'

'Ze was vermoedelijk voldragen.'

Ik wilde haar oppakken. Ik wilde haar wiegen en haar voorhoofdje kussen. Ik vroeg aan Marnie: 'Mag ik haar even vasthouden?'

'De baby?'

'Ja.'

Marnie zuchtte. 'Officieel mag het niet… maar menselijk contact is erg belangrijk, zeker voor haar. Alleen moet u dan wel beschermende kleding aandoen.'

'Dat is goed.'

Marnie nam me mee naar een kamer en gaf me een wegwerpppak. Toen ik alle onderdelen had aangetrokken, was ik van top tot teen bedekt: broek, hes, mondkapje, mutsje, handschoenen, zelfs papieren overschoenen. Toen mocht ik met haar mee de zaal op en tilde ze de baby – zes pond en driehonderdvijftig gram, zevenenveertig centimeter – uit de hardplastic wieg. Ik moest gaan zitten en toen legde ze de slapende baby in mijn armen.

Haar gezichtje leek op zachte, wat bruinige boter, met piepkleine lipjes, flinterdunne oogleden en een dopneusje. Ik kreeg er tranen van in mijn ogen, maar kon ze niet wegpinken omdat ik latex handschoenen droeg, dus liet ik ze maar gewoon over mijn wangen rollen. Marnie keek bevreemd naar me. Ik haalde mijn schouders op.

'Het blijft een wonder. Ik weet dat het een cliché is, maar daarom is het niet minder waar.'

Het roodharige elfje glimlachte. 'Ik had niet gedacht dat u zo sentimenteel was.'

'Niet verder vertellen, hoor.'

De symfonie van de huilende stemmetjes was als oermuziek. Ik liet mijn blik over de minieme, te vroeg geboren wezentjes gaan. Al die leventjes, balancerend tussen leven en dood. Al die bezorgde ouders. Ik vroeg me af hoe mensen als Marnie in een kinderziekenhuis konden werken zonder er kapot aan te gaan.

Boven het ijle gehuil uit werd door de intercom een naam omgeroepen. Ik keek de verpleegkundige aan. 'Moet u ergens naartoe?'

'Ja. En ik kan u hier niet achterlaten zonder toezicht. Dat snapt u natuurlijk wel.'

'Natuurlijk. Nog een paar minuutjes?'

'Sorry. De plicht roept.'

Ik zuchtte en maakte aanstalten om de baby weer in de wieg te leggen. Haar lipjes tuitten zich, maakten smakgeluidjes en verslapten weer. Ik streelde haar wangetje met een latex vinger. 'Welterusten, kleintje.'

'U mag haar nog wel een poosje vasthouden, als u wilt.'

Degene die sprak had een zware stem. Ik keek op... en keek toen nog meer op.

Een lange, slanke man met een gladde, lichtbruine huid die strak over de hoge jukbeenderen gespannen stond. Hij leek een lang gezicht te hebben, al kon ik dat slecht beoordelen vanwege het mondkapje. Dat het onderste gedeelte van zijn gezicht was bedekt, legde nadruk op zijn prachtige ogen: groot, rond, met de kleur van bleke whisky, en daarboven gebogen zwarte wenkbrauwen en ongelooflijk lange wimpers.

Hoe kwam het toch dat mannen vaak veel mooiere wimpers hadden dan vrouwen?

Hij was gekleed in een blauw chirurgenpak en zijn haar zat verborgen onder een papieren mutsje. Hij droeg een blad vol injectiebuisjes, slangetjes, naalden en glazen plaatjes. Ik had mijn aandacht zo volledig bij de baby gehad, dat ik hem niet had zien binnenkomen.

Marnie zei: 'Ik moet naar Vier West. Ze mag hier niet blijven zonder toezicht.'

'Waarom niet? Is ze een misdadiger?'

'Nee echt, Koby. Je mag haar niet alleen laten met de baby. Als jij de zaal verlaat, moet zij ook gaan.'

'Ik zal haar met argusogen in de gaten houden.'

Marnie liep al weg. 'Op een dag zal die charme verbleken, Koby, en wat zal er dan voor je overblijven?'

'Mijn baan, neem ik aan,' antwoordde hij gevat. 'Jij bent het levende bewijs dat charme geen vereiste is voor dit werk.'

'Wat ben je weer leuk!' Ze verliet snel de zaal en door de grote ruit zag ik haar op een drafje weglopen.

De man zette het blad neer op een metalen tafel en richtte zijn lichte ogen op mij. 'Dus u bent degene die een schat heeft gevonden in een slangenkuil?'

'Ik ben degene die deze baby uit een vuilniscontainer heeft gehaald. Hoe weet u dat?'

'Van het ambulanceteam.' Hij keek op de klok en zette zijn handtekening op een klembord dat aan het wiegje van mijn baby hing. 'Ik moet haar wat bloed aftappen.'

'Ze slaapt net zo lekker.'

'Ik heb een zachte hand. Misschien slaapt ze erdoorheen. Als u haar nog even wilt vasthouden, is het zo gebeurd.'

Ik trok een gezicht. 'Waar moet u haar prikken?'

'In haar hiel.'

Mijn blik ging naar zijn badge. Marnie had hem Koby genoemd, maar ik zag nu dat hij voluit Jaakov Kutiel heette. Door de initialen op zijn badge wist ik dat hij een gediplomeerde verpleegkundige was, gespecialiseerd in de verzorging van couveusebaby's. Een van mijn stiefbroers heette ook Jaakov, hoewel mijn vader hem meestal Jake of Jacob noemde. Jaakov was een veelvoorkomende naam onder de joden en de Russen. Deze man leek geen van beiden te zijn. 'Hoe is het met haar?'

'Heel goed, hoewel haar lichaamstemperatuur wel wat was gedaald.' Hij haalde een paar glazen plaatjes uit de beschermende plastic verpakking en schreef een nummer op de labels. 'Maar gelukkig niet al te veel omdat ze tussen plastic vuilniszakken lag, volgens het ambulancepersoneel.'

'Dat klopt.'

'Huilde ze toen u haar vond?'

Hij sprak zijn woorden uit met de korte cadans van mensen die uit Afrika afkomstig zijn.

Ik bevestigde dat ze had gehuild.

'Ze had dus voldoende lucht in haar longen.' Hij trok het wikkel van een naald met een blauw dopje. 'Ze was nog maar net geboren, weet u.'

'Ja, dat weet ik. De navelstreng zat er nog aan.'

'De mensen van de ambulance zeiden dat de moeder niet eens de moeite heeft genomen haar een beetje schoon te maken. Ze heeft haar regelrecht na de geboorte gedumpt.'

'Maar ík heb haar schoongemaakt,' wierp ik tegen. 'Ik heb haar gezichtje afgeveegd met een schoon servet.'

'Misschien bedoelden ze dan de rest van haar.' Hij scheurde het wikkel van een klein, glazen buisje. 'Het is een geluk dat u haar zo snel hebt gevonden. Het gewicht van een baby daalt altijd na de geboorte.'

'Soms gebeurt er nog wel eens een wonder.'

Hij lachte zachtjes. 'Soms heb je daar zelf de hand in.' Hij kwam naast me staan en tilde de roze deken op om haar voetjes bloot te leggen. 'Is al bekend wie de moeder is?'

'Nog niet, maar hopelijk zullen we haar snel vinden.'

De verpleegkundige fronste zijn wenkbrauwen. 'We?'

'Ik zit bij de politie.'

Hij trok zijn wenkbrauwen op, maar zei niets.

'Blijkbaar hebben ze u niet álles verteld.'

'Nee, blijkbaar niet.'

'Ik deed de ronde in mijn patrouillewagen, toen een kelner me riep omdat hij gehuil hoorde,' zei ik. 'Ik zit erover te denken morgenochtend huis aan huis navraag te gaan doen in die buurt, voordat mijn dienst begint.'

'Wat een toewijding.'

Ik antwoordde: 'Ja, zo ben ik.'

'Toewijding is goed.' Hij bekeek de hiel, haalde er een watje met een geel desinfecterend middel overheen, gaf hem een klein prikje en kneep erin om wat druppels bloed naar buiten te laten komen. De baby trok haar neusje op en tuitte haar lipjes, maar toen ik haar bleef wiegen, vond ze dat ze het beste maar weer kon gaan slapen.

In stilte deed de man zijn werk. Hij ving wat bloed op in een buisje en smeerde het op de glasplaatjes. Toen hij klaar was, deed hij een pleister op de hiel van de baby en kietelde haar voetzool. Ze trok in haar slaap haar beentje terug en ontspande zich toen weer.

Hij lachte zachtjes. 'Goede reflexen.'

Ik glimlachte. 'En ze is niet wakker geworden.' Ik had eindelijk voldoende moed verzameld om oogcontact te maken. 'U hebt inderdaad een zachte hand.'

'Ik had chirurg moeten worden.'

'Waarom bent u dat dan niet geworden?'

Ik kromp ineen zodra ik de woorden had uitgesproken. Zijn goudbruine ogen gingen van het kind naar mij. Zijn mondkapje bewoog. Ik begreep dat hij glimlachte.

Hij zei: 'Het was metaforisch bedoeld.'

'O…' Ik voelde dat ik een kleur kreeg. 'Nieuwsgierig én tactloos van me. Sorry.' Ik had beter mijn mond kunnen houden. Ik zou inmiddels toch beter moeten weten.

Hij lachte toen ik het steeds warmer kreeg. 'Bent u in me teleurgesteld?'

'Teleurgesteld? Ik…' Dom, dom, dom. Ik hield mijn stem neutraal. 'Ik bedoelde er niks mee.'

Er verschenen lachrimpeltjes naast zijn ogen. 'Ik moet deze plaatjes naar het lab brengen. Dus moet u haar nu in haar wiegje leggen.'

Ik keek naar het bundeltje in mijn armen, zuchtte, en streelde het wangetje nog een keer. Ik zou haar het liefst eeuwig vasthouden. 'Welterusten, kleintje.' Wat was haar huidje zacht. 'Slaap lekker.'

Met tegenzin stond ik op en legde haar in haar wiegje. Hij pakte het blad en liep met me mee naar de aangrenzende verpleegsterskamer, waar ik de beschermende kleding kon uittrekken. Ik deed het masker af, trok het mutsje van mijn hoofd, haalde de clip uit mijn haar en schudde met een beetje overdreven gebaar mijn krullen. Toen trok ik het papieren pak uit. Eerst de schoenbeschermers, daarna stroopte ik de broek naar beneden, een beetje onhandig omdat ik er niet bij kon zitten. Het voelde ook raar aan, alsof ik me in het bijzijn van een volslagen vreemde aan het uitkleden was. Toen ik de hes over mijn hoofd wilde uittrekken, herinnerde ik me dat het van achteren was vastgebonden. Ik reikte naar achteren om de koordjes los te trekken, maar kreeg de knoop er niet uit.

Ik keek naar mijn metgezel en zag dat hij naar me stond te staren. Zijn blik was zo indringend dat ik het weer helemaal warm kreeg. Hij wendde meteen zijn ogen af en zijn huidskleur kreeg een iets donkerder tint. Hij had de bovenste koordjes van zijn mondkapje losgemaakt zodat ik nu de rest van zijn gezicht kon zien: een gebogen neus, een volle mond, en een sterke kaaklijn die uitliep in een vierkante kin.

Hij keek naar een punt boven mijn hoofd. 'Hulp nodig?'

'Graag.'

Hij tastte onder mijn lange haar en zijn vingertoppen raakten mijn rug toen hij de koordjes losmaakte. Het was alsof er een elektrisch schokje door me heen ging. Ik wist niet of hij het had gemerkt, maar hij zei er in ieder geval niets van.

'Bedankt.'

'Graag gedaan.'

Ik trok de hes uit, stroopte de handschoenen af en pakte alle kledingstukken bij elkaar. Hij zette zijn voet op de pedaal van een vuilnisemmer, zodat ik de wegwerpkleding erin kon stoppen.

'Hartelijk dank,' zei ik.

Even hielden zijn ogen de mijne vast. 'Ik loop wel even met u mee naar de lift.'

Weer bloosde ik. 'Dat hoeft niet, hoor.'

Op zijn gezicht verscheen een trage glimlach. Hij had prachtige witte tanden. 'Ik móét met u meelopen. Anders krijg ik van Marnie op mijn kop.'

'Volgens mij kunt u Marnie best aan.'

'Denkt u?'

'Ik heb een zesde zintuig voor die dingen.'

'Hoe komt dat?'

'Het is iets ondefinieerbaars.'

'Zoiets als vrouwelijke intuïtie?'

'Eerder de intuïtie van een politieagente.'

'En is er sprake van een dubbele intuïtie, omdat u zowel vrouw als politieagente bent?'

'Op goede dagen verviervoudigt het zelfs.' Asjemenou, we waren aan het flirten. Stilte… maar we bleven elkaar veel langer in de ogen kijken dan sociaal acceptabel was. Ik sloeg als eerste mijn ogen neer. 'Het is laat. Ik moet naar huis.'

Om bij de deur te komen, moest ik langs hem heen reiken. Ik wachtte, maar hij maakte geen aanstalten opzij te gaan.

'Mag ik vragen hoe u heet?'

'Ik?'

'Ja.'

'Cindy.'

'Aangenaam kennis te maken, Cindy.' Weer glimlachte hij. Nu viel het me op hoe sterk het contrast was tussen zijn grote, gelijkmatige tanden en zijn donkere huid. 'Ik ben Jaakov.'

'Dat weet ik. Het staat op uw… je badge.' Te laat besefte ik hoe dát klonk. Ik ging door de grond. Het was eeuwen geleden dat ik mezelf had toegestaan met een man samen te zijn. Ik was vergeten hoe opwinding aanvoelde en wat je ermee moest doen. 'Je naam was me opgevallen, omdat mijn stiefbroer ook zo heet.'

Zijn glimlach werd nog stralender. 'Ben je joods?'

'Ja.'

Hij wees naar zichzelf. 'Dan hebben we alvast iets gemeen.'

Nu moest ík lachen. 'Ben jij joods?'

'Ik vergeet aldoor dat Amerikanen dit ongewoon vinden. In Israël is het niets bijzonders, omdat we daar met zoveel zijn. Ik ben een Ethiopische jood. Om precies te zijn ben ik niet alleen een jood, maar een *kes*. In het Engels is dat Kohen. Weet je wat dat is?'

'Ja, een joodse geestelijke. Mijn stieffamilie is erg religieus.'

'Stieffamilie?'

'Het gezin van mijn vader. Maar ik wil je niet van je werk houden. We moeten maar eens gaan.'

'Ja, we moeten maar eens gaan. Heb je een vriend?'

'Je bent wel brutaal, zeg.'

33

'Ik noem het nieuwsgierig. Je hoeft er trouwens geen antwoord op te geven.'

Dat deed ik ook niet. Hij glimlachte weer, met zijn lippen op elkaar. 'Ik moet dit blad even wegbrengen en daarna neem ik pauze. Mag ik je uitnodigen voor een kop koffie in de cafetaria?'

Het was een onschuldige uitnodiging, en veel ongedwongener dan een officiële date.

Opeens drong het tot me door hoe lang geleden het was dat ik met een man was uitgegaan. Mensen vertrouwen was voor mij een probleem. Mannen vertrouwen was een onmogelijke droom, maar dat kon niemand me kwalijk nemen na mijn afgrijselijke ervaring. Het feit dat Yaakov zwart was, maakte alles, ironisch genoeg, wat makkelijker. Alle mannen van wie ik walgde en die ik vreesde, waren blank. Ik zei: 'Hangt ervan af hoe lang je pauze duurt.'

'Meestal vijf tot tien minuten.'

In vijf minuten kon er niet veel misgaan. Ik haalde mijn schouders op. 'Goed.'

Weer zo'n stralende lach. Omdat hij het blad droeg, deed ik de deur voor hem open, maar hij hield hem met zijn schouder tegen voor mij. Nu we zo dicht bij elkaar stonden, merkte ik dat hij zeker een halve kop groter was dan ik en dus ruim een meter tachtig moest zijn.

'Na jou,' zei hij.

Ik liep als eerste naar buiten. 'Zeg je dat uit beleefdheid of vertrouw je me niet?'

'Ik werk aan mijn manieren.' Hij liet de deur achter ons dichtvallen. 'Israëliërs hebben de naam ongemanierd te zijn. Dat is niet ongegrond, maar alleen omdat we te eerlijk zijn.' Hij glimlachte. 'Of eigenlijk te bruut.' Hij bleef praten terwijl we door de gang liepen. 'Je mag me trouwens Koby noemen… net als Kobe Bryant, al spel ik mijn naam met een ypsilon in plaats van een e.'

'Je lijkt ook wel een beetje op Kobe Bryant.' Ik fronste mijn wenkbrauwen. Jemig, wat hád ik toch? Ik voelde me als een domme bakvis. 'Maar dat hoor je waarschijnlijk wel vaker.'

'Ja, al klopt het niet. Veel mensen zeggen het, maar pas nadat ik heb gezegd hoe ik heet. Vooral in Los Angeles. Ze horen de naam Koby, zien een lange zwarte man en leggen automatisch dat verband. Maar ik lijk helemaal niet op hem.'

Zijn woorden stelden me in de gelegenheid hem eens goed te bekijken. Ik zei: 'Het zit 'm in je jukbeenderen… en misschien ook je neus.'

'De fameuze Haile Selassie-neus.'

'Jullie zijn allebei lang, slank en zwart. Maar daar houdt het op. Eigenaardig dat mensen zo gauw een verband zoeken met dingen die ze kennen.' Ik glimlachte. 'Bovendien heb je niet zo'n plukje haar aan je kin.'

Hij lachte. 'Nu je daar toch over begint… vorig jaar had ik zin om mijn baard te laten staan. Ik heb het ongeveer drie weken volgehouden, maar ben toen snel van gedachten veranderd en heb hem weer afgeschoren. Het was me veel te warm onder de mondkapjes. Maar ik heb hem in etappes afgeschoren en had op een gegeven moment nog een klein stukje over. Zo'n plukje aan mijn kin. Op een middag ging ik na mijn dienst naar een vriend van me die op de afdeling oncologie werkt, de kankerafdeling. Ik kom daar niet vaak, dus kennen de kinderen me niet goed. Bovendien had ik mijn eigen kleren aan en schoenen met dikke zolen, dus moet ik vooral in de ogen van de kinderen de indruk hebben gemaakt erg lang te zijn. Ik geloof dat ik ook een zonnebril ophad.'

'En een diamanten ring in je oor?'

'Nee, geen diamanten oorring.' Zijn glimlach was goedmoedig. 'Die lui dragen sieraden waarmee je in Israël een aanbetaling voor een flat zou kunnen doen.'

'Er is geen gerechtigheid in deze wereld.'

'Dat is waar. Maar ze zorgen in ieder geval voor entertainment.' Hij keek me aan. 'Waar was ik gebleven?'

'Je was erg lang en droeg een zonnebril.'

'O, ja.' Hij grijnsde. 'Opeens hoor ik iemand Koby zeggen. Ik draai me om en zie een jongen van een jaar of twaalf, helemaal kaal vanwege de chemotherapie en met een ooglapje voor. Misschien is hij vanwege zijn ziekte een oog kwijtgeraakt en ziet hij daarom niet zo scherp. En het was in de tijd dat de Lakers voor de derde achtereenvolgende keer het kampioen… het kampioen…' Hij trok een gezicht. 'Wat is het zelfstandig naamwoord ook alweer?'

'Kampioenschap.'

'O ja. Het kampioenschap wonnen. Basketbal was toen het gesprek van de dag.' We waren bij de liften aangekomen en Koby zei: 'We moeten in de kelder zijn.'

Ik drukte op het pijltje naar beneden.

'Goed, ik hoor dus mijn naam, kijk naar de jongen en glimlach.' Hij grinnikte. 'Binnen dertig seconden drommen er twintig kinderen om me heen die mijn handtekening willen. Het is de enige keer dat ik een beroemdheid ben geweest.'

'Waren de kinderen teleurgesteld toen ze erachter kwamen dat je een heel andere Koby was?'

Hij lachte zachtjes. 'Niemand heeft het verklapt! Iedereen wist hoe het zat, de artsen, de verpleegkundigen, de zaalhulpen, de labmensen. Maar op oncologie komen vaak beroemdheden op bezoek bij de kinderen.' Hij trok zijn wenkbrauwen op. 'Die jongen zag wat hij wilde zien, en de andere kinderen wilden het ook graag geloven. Ik heb een onduidelijke handtekening gezet die met een K begon en daar waren ze verguld mee.'

De lift pingelde.

Opeens kreeg zijn gezicht een peinzende uitdrukking. 'Zulke zieke kinderen, Cindy. Zo zwak… zo afgepeigerd. Het is niet eerlijk.'

De deuren gleden open.

Hij zette het van zich af. 'Dus als ik hen blij kan maken, waarom zou ik dat dan niet doen?'

4

Koby droeg de bekertjes koffie toen we naar een oranje tafel met vier blauwe plastic stoelen liepen. Omdat het al zo laat was, was de keuken gesloten, maar voor wie echt uitgehongerd was, lagen er nog wat in cellofaan gewikkelde belegde broodjes, ik zag onduidelijke roze plakjes en verlept groen spul. Ook was er frisdrank. We gingen tegenover elkaar zitten. Hij had het mutsje afgezet en ik zag dat hij heel kleine zwarte krulletjes had.

'Ik bofte dat ik een beroep had, toen ik vanuit Israël naar Amerika emigreerde.' Lange, magere vingers om het kartonnen bekertje. 'Anders had ik nu parkeerkaartjes aangepakt in zo'n hokje op het vliegveld.'

Ik knikte.

Hij nam een slokje van de zwarte koffie en zei: 'Veel van de kaartjescontroleurs op het vliegveld zijn Ethiopiërs, zie je.'

'O, ja?'

'Dat was een grapje.' Hij trok zijn wenkbrauwen op. 'Maar blijkbaar geen geslaagd grapje.'

Dat ontlokte aan mij juist een glimlach, maar ik verborg die door een slokje te nemen. De koffie was erg bitter. 'Hoelang woon je hier al? In de Verenigde Staten bedoel ik.'

'Acht jaar. We waren in 1983 vanuit Ethiopië naar Israël getrokken, nog vóór Operatie Mozes. Ik was toen elf. Het leven was voor mijn volk erg moeilijk nadat Haile Selassie was onttroond. Ethiopië werd een marxistisch land en was de Beta Israël niet gunstig gezind. Onze rituelen werden verboden. Soms werden onze geestelijke leiders gemarteld. Toen kwam de droogte. Mijn moeder stierf vlak nadat ze van mijn zusje was bevallen. Daarna begonnen we aan onze tocht door Sudan. Tegen die tijd waren we allemaal half uitgehongerd. Ik heb nóg een jonger zusje verloren, maar vier van ons hebben het gered: mijn twee oudere broers Jafet en Josef, mijn zusje Naomi en ik. In Ethiopië was mijn vader een alom gerespecteerde kes, een geestelijke. Hij kende uiteraard de Orit, onze Thora, maar dan in het Giez of Amharisch. Maar hij kende ook de Hebreeuwse *choemasj* en dat is erg ongebruikelijk. Hij kende die omdat zijn grootvader uit Jemen kwam. Die was in 1900 naar Ethiopië geëmigreerd en had Hebreeuwse boeken meegebracht, inclusief de choemasj. Ik heb dus gedeeltelijk *mizrachi*-bloed. Volgens mijn vader heb ik mijn lichte ogen geërfd van mijn overgrootvader.'

'Ja, die vielen me al op.' In het neonlicht hadden ze de kleur van sauternes. 'Erg mooi.'

'Dank je.' Hij glimlachte verlegen. 'Al ruil ik ze graag voor dat prachtige rode haar van jou.'

Ik glimlachte ook. 'Dank je. Al zou het je niet staan.'

'Nee.' Hij nam nog een slokje. 'De koffie is erg bitter vanavond. Zeker het onderste uit de pot. Hoe dan ook, de achternaam van mijn overgrootvader was Jekutieli. Dat is Kutiel geworden.'

'Heb je nog familie in Jemen?'

'Nee. Ze zijn in 1950 allemaal naar Israël getrokken met Operatie Vliegend Tapijt, toen Israël de joden uit Jemen heeft gehaald. Mijn broers en ik spraken al een beetje Hebreeuws toen we naar het Heilige Land gingen. De meeste Beta Israël moeten het leren. Als zonen van een kes waren we al begonnen de Orit te leren toen we twee waren, omdat het in onze cultuur de kes is die de Orit leest. Ik heb taalgevoel. Toen ik mijn bar mitswa deed – wat voor ons trouwens een nieuw gebruik was – kende ik het merendeel van de Orit en de choemasj al uit mijn hoofd, hoewel ik nu het meeste ervan weer ben vergeten. Hetzelfde geldt voor mijn broers.'

'Ik sta versteld,' zei ik. 'En je zus?'

'Meisjes leren niets. Die gehoorzamen hun echtgenoot, doen het huishouden en krijgen kinderen. Sommigen maken aardewerk potten om op de markt te verkopen. Maar dan geven ze de opbrengst uiteraard aan hun man.'

'Nu neem je me in de maling,' zei ik.

Hij glimlachte schalks. 'Alles werd anders toen we in Israël waren. Mijn zusje heeft haar vrijheid goed uitgebuit. Toch moet ze mijn vader dankbaar zijn. Er wonen nu ongeveer zeventigduizend Ethiopiërs in Israël.'

Ik zette grote ogen op. 'Zeventigduizend? Dat wist ik niet.'

'Ben je er wel eens geweest?'

'Nee.' Ik voelde een blos opkomen. Alsof ik mijn afkomst verloochende omdat ik nog nooit een bezoek had gebracht aan het Heilige Land. 'Maar ik wil wel een keer gaan. Mijn vader is er ongeveer tien jaar geleden geweest. Mijn stiefmoeder heeft er een poosje gewoond met haar eerste man.'

'De vader van je stiefbroer.'

'Hoe weet je... O, ja. Die ook Jaakov heet. We noemen hem Jake of Yonkie.'

'Heb je nog meer broers of zussen?'

'Ik heb een halfzusje dat Hannah heet en nog een stiefbroer die Sam heet. De jongens zijn een paar jaar jonger dan ik. Ze studeren allebei aan de oostkust. Hannah is tien, een nakomertje.'

Hij knikte. 'Mijn hele familie woont nu in Israël. Mijn broers zijn officieren in Tsahal, het Israëlische leger. Mijn zus zit in de verpleging, net als ik, en woont met haar gezin in Tel Aviv. Mijn vader is hertrouwd met een Asjkenazische vrouw, de weduwe van een man die in Libanon is gesneuveld. Batja had al vier kinderen. We hebben een tijdje met ons tienen in een kleine flat gewoond. Toen werd ze zwanger en kreeg ze een tweeling, twee meisjes. Maar tegen die tijd waren mijn broers en mijn drie stiefbroers al het huis uit, dus was er wat meer ruimte. Een jaar later, toen ik achttien was, ben ik aan mijn diensttijd begonnen. Die duurt drie jaar. Daarna wilde ik de verpleging in. Ik had in het leger al een opleiding tot verpleegkundige gehad. Ik hoefde alleen nog maar de benodigde diploma's te halen. Ik heb het snelste studieprogramma gevolgd, was na tweeënhalf jaar afgestudeerd en had meteen een baan.'

'Je hebt dus min of meer de weg vrijgemaakt voor je zus.'

Hij dacht even na. 'Ergens wel, hoewel in Israël veel Ethiopiërs de verpleging ingaan. Naomi is een verpleegkundige met een ongecompliceerde kantoorbaan. Mijn vader was erg kwaad toen ik de verpleging inging. Een koheen mag niet in aanraking komen met lijken, zie je. Mijn stiefmoeder zei trouwens dat als ik de *kehoena* – het priesterschap – niet respecteerde, ik dan maar meteen arts moest worden.'

'Zo te horen is ze een echte joodse moeder.'

'Ja, Batja is een typisch joodse moeder. Ik heb uiteindelijk toch gedaan wat mijn hart me ingaf en mijn ouders hebben zich erbij neergelegd. Ik ben de jongste zoon... en dus verwend. Mijn ouders blijven nooit lang boos op me. Maar het is juist goed dat ik me zo bewust ben van de dood.

Wanneer een baby tijdens mijn dienst een hartstilstand krijgt, doe ik álles om hem te redden. En de beste manier om te voorkómen dat een baby een hartstilstand krijgt, is door bijzonder waakzaam te zijn. En ik ben heel erg waakzaam.'

'Toewijding is goed,' zei ik, zijn eigen woorden herhalend. Hij glimlachte erom. 'Ik zie dat je een graad hebt in algemene verpleegkunde.'

Hij keek naar zijn badge. 'Die heb ik vier jaar geleden gehaald. Het ziekenhuis heeft me eerst een jaar laten studeren zodat ik mijn master kon halen. Ziekenhuizen krijgen meer geld van de overheid naarmate het personeel meer diploma's heeft. Na mijn studie deed ik precies hetzelfde werk, maar nu wel met meer initialen op mijn badge. En ik kreeg een aanzienlijke salarisverhoging en dat is natuurlijk mooi meegenomen. Daarna vond ik dat ik best nog meer geld kon verdienen, dus ben ik nog een jaar gaan studeren voor mijn master in gezondheidsleer. Overdag ging ik naar school en 's avonds werkte ik. Maar die graad is eigenlijk voor administratief werk, dus kreeg ik toen een administratieve baan. Het betaalt goed, maar is verschrikkelijk saai.'

Ik glimlachte.

'Cindy, je hebt geen idee. De ene vergadering na de andere. Ik werd er simpel van. Na zes maanden heb ik er de brui aan gegeven en ben ik weer de zaal op gegaan.'

Ik glimlachte in mezelf, want dit deed me denken aan mijn ouders. Mijn moeder had van mijn vader méér verwacht dan het bescheiden loon van een politieman. Plichtsgetrouw was hij rechten gaan studeren en bij zijn schoonvader gaan werken nadat hij zijn bul had gehaald. Testamenten en boedelrecht. Ook hij had het maar een halfjaar volgehouden. 'Was het moeilijk om je oude baan terug te krijgen?'

'Een beetje wel, want Marnie had inmiddels promotie gekregen en had mijn baan. Ik heb gezegd dat ik dat niet erg vond, zolang ze niet op mijn salaris beknibbelden. Daar stemden ze mee in omdat er altijd een tekort is aan verpleegkundigen, vooral aan degenen die veel diploma's hebben. Ik ben nu opgeleid voor de intensive care. Ik heb me gespecialiseerd in kindergeneeskunde, omdat ik graag kinderen help. In Ethiopië wordt er niets gedaan voor de kinderen en de baby's. Die zijn de laatsten die voedsel krijgen. De eersten die sterven.'

'Wat erg,' zei ik.

'Het is wreed, maar het moet wel.' Zijn ogen stonden nu somber en peinzend. 'Als de ouders van de honger zouden sterven, wie zou er dan voor de kinderen zorgen? Dan is er niemand die kan werken. Als een moeder honger lijdt, heeft ze geen melk voor haar baby. Om een gezin in leven te kunnen houden, zijn er volwassenen nodig die kunnen werken.'

'Ik weet het niet, Koby. Dit druist in tegen alles wat mij is geleerd. Maar ik heb dan ook nooit in een ontwikkelingsland gewoond.'

'*Baroech Hasjeem*,' zei Koby.

Ik schoot in de lach. Ik kon er niets aan doen. Baroech Hasjeem was een uitdrukking die Rina om de haverklap gebruikte. Het was Hebreeuws voor 'godzijdank'. Het was heel eigenaardig om die woorden te horen uit de mond van een zwarte.

Koby glimlachte. 'Weet je wat dat betekent?'

'Ja. Ik weet wel íéts van het jodendom.' Ik nam een slokje en trok een vies gezicht. Ik was vergeten hoe bitter de koffie was. 'Vind je het prettig om hier te werken?'

'In Mid-City, bedoel je?'

'Ja.'

'Ja, heel prettig. Het is een erg goed ziekenhuis en de artsen geven echt om hun werk. Anders zouden ze hier niet werken. Ikzelf ben dol op de baby's, omdat die het leven vertegenwoordigen. Ik hou van het leven. Het is niet moeilijk om veel van het leven te houden wanneer je zoveel met de dood te maken hebt gehad.'

'Daar kan ik helemaal inkomen. Het moet fijn zijn om zulke onschuldige wezentjes om je heen te hebben, vooral nadat je de slechtste kant van de mens hebt meegemaakt.' Ik dacht even na. 'Ik maak trouwens ook veel heldendaden mee. In mijn werk krijg je met beide uitersten te maken en vaak gaan ze hand in hand. Zoals vanavond. Iemand gooit een pasgeboren baby in een container, in de veronderstelling dat het kind dat waarschijnlijk niet zal overleven. Toevallig hoort een man de baby huilen en nu is ze hier, veilig en wel.'

'God had andere plannen voor haar. Ik hoop dat jullie haar moeder zullen vinden. Na een bevalling heeft een vrouw verzorging nodig.'

'Dat hoop ik ook. Het is een jammerlijk geval, want het had ook anders gekund. Als ze de baby voor de deur van een politiebureau of een ziekenhuis had achtergelaten, zou ze zich niet schuldig hebben gemaakt aan een misdaad. Ze kan trouwens nog aan rechtsvervolging ontkomen, als ze zich binnen tweeënzeventig uur aangeeft. Er zijn wetten ter bescherming van wanhopige vrouwen.'

'Ik denk dat ze de wet niet kent. Of dat ze gewoon te bang was.' Zijn pieper ging. Hij keek naar het nummer en keek me toen weer aan. 'Ik moet weer aan het werk. Ik zou graag een keertje met je uit willen, Cindy. Zou dat kunnen?'

Ik keek naar hem en rekende snel zijn leeftijd uit, aan de hand van wat hij me allemaal had verteld. Hij zag er jonger uit dan tweeëndertig, maar iedereen zegt van mij ook dat ik er jonger uitzie dan achtentwintig. 'Wat had je in gedachten?'

'Uit eten?'

'Wanneer?'

'Mag jij zeggen.'

Ik bekeek in gedachten mijn agenda. 'Vrijdagavond?'

Hij trok een gezicht. 'Ik ben geen echte *sjomeer sjabbat*, ik rij bijvoorbeeld gewoon op zaterdag, tot ergernis van mijn vader, maar ik ga op vrijdagavond liever niet uit. Hooguit naar een sjabbatdiner.'

'Ik snap het. Maar ik heb de hele week avonddienst. Zullen we dan gaan lunchen?'

'Goed idee. Kun je woensdag? Dan begin ik pas om zes uur.'

Ik moest zelf om drie uur beginnen en zei dat woensdag prima was. 'Laten we afspreken in het restaurant en dan ga ik daarvandaan rechtstreeks naar mijn werk.'

Op die manier hoefde ik hem mijn telefoonnummer of e-mailadres niet te geven.

Hij keek geamuseerd. 'Goed. Heb je ooit Ethiopisch gegeten?'

'Dat genoegen heb ik nog nooit gesmaakt, maar ik ben avontuurlijk van aard.'

'Zullen we dan afspreken op de zuidoostelijke hoek van Fairfax en Olympic? Om twaalf uur?'

Klein Addis Abeba. Slechts een of twee straten lang, maar een opvallend contrast met de joodse wijken eromheen. 'Afgesproken. Hebben ze in jullie cuisine ook vegetarische gerechten?'

'Veel zelfs. Ben je vegetariër?'

'Niet per se, maar meestal eet ik geen vlees.'

'Ik eet koosjer en de restaurants zijn niet koosjer, dus neem ik ook altijd iets vegetarisch.'

Zijn pieper ging weer. Ik stond op en hij volgde mijn voorbeeld. 'Het was erg leuk om je te leren kennen, Koby.'

Hij lachte. 'Je klinkt een beetje perplex.'

'Niet perplex.' Ik haalde mijn schouders op. 'Ik had zoiets alleen nooit verwacht.'

'Dat is juist het leuke ervan,' zei hij stralend. 'Ik vond het ook heel leuk om jou te ontmoeten, Cindy. Ik kijk al uit naar woensdag.'

Hij draaide zich om en liep snel de cafetaria uit. Hij bewoog zich soepel en doelbewust, een man die duidelijk goed in zijn vel zat.

Het was rustig op straat en ik schoot lekker op, ook al omdat alle verkeerslichten op Sunset Boulevard op groen stonden. Dit was mijn wijk en uit gewoonte minderde ik vaart bij de beruchte stekken: de telefooncellen bij de pooiermotels waar de hoeren gebruik van maakten. Er waren nog wat dappere meisjes op straat, ondanks dat het al twee uur was, en er waren nergens problemen. De arme meisjes rilden van de kou in hun minirokjes en topjes, met alleen een dunne sjaal om hun blote schouders. Ze liepen alsof ze dronken waren, maar dat lag misschien aan hun belachelijk hoge hakken.

Ik dacht aan mijn date. Ik wist al drie positieve dingen over Koby: hij leek me geen psychopaat, hij had een vaste baan, en hij was aardig, meer in mij geïnteresseerd dan in mijn beroep.

Mannen die niet bij de politie zaten, waren voor mij onder te verdelen in twee groepen: degenen die vrouwelijke agenten intimiderend vonden en degenen die geobsedeerd waren door het feit dat ik een vuurwapen droeg. De enige mannen die daar niet van onder de indruk waren, waren degenen die direct of indirect iets met politiewerk te maken hadden: collega-agenten, officieren van justitie, advocaten, reclasseringsambtenaren, borgstellers. Maar wanneer ik met een van hen uitging, was de lol er meestal algauw af, omdat we behalve ons werk niets hadden om over te praten. Daar was niets aan te doen. Ons werk was erg veeleisend en degenen die er helemaal in opgingen, vergaten vaak dat de wereld nog meer te bieden had.

Ik liet mijn blik weer over de stoep gaan en toen ik een van de meisjes van plezier herkende, remde ik af. Ze droeg netkousen waarvan de bovenrand vlak onder de zoom van haar mouwloze, rode mini-jurkje zat. Haar gladde, bruine armen zwaaiden losjes onder het lopen. Haar citroengele haar, ontsierd door zwarte haarwortels, was tot een staartje gebonden.

43

Ik draaide het raampje naar beneden. 'Ik hoop dat je op weg naar huis bent, Magenta.'

Ze tuurde in de auto. Ze was bijziend maar droeg nooit een bril wanneer ze werkte. Ik was daarachter gekomen toen ze een keer had beweerd dat ze er getuige van was geweest hoe een dakloze vrouw was mishandeld. De rechercheurs hadden de vermoedelijke dader in hechtenis genomen en hem in een verdachtenrij gezet. Magenta had ingespannen naar de mannen gekeken en rechercheur Elgen Halkhower van de afdeling diefstal als dader aangewezen. Nu vroeg ze: 'Wie is daar?'

'Agent Decker.'

'Agent Decker? Bent u nog steeds aan het werk?'

'Het werk van een politieagent gaat altijd door.'

'Hetzelfde geldt voor ons.'

'Alleen geef ik mijn geld niet aan een pooier.'

'Nee, aan de regering van de Verenigde Staten, de grootste pooier van allemaal.'

Daar zat iets in. 'Vooruit, Magenta, naar huis. Zeg maar tegen Burton dat ik je in hechtenis zal nemen als ik je vanavond nog een keer zie. Het geld dat je al hebt verdiend, zal dan net genoeg zijn voor de borgsom.'

Ze zuchtte. 'Goed, goed, ik ga al.'

Ik wist dat ze gewoon weer aan het werk zou gaan zodra ik was verdwenen.

'Hoe is het met je zoon?' vroeg ik.

Ze glimlachte stralend. 'Die wordt zo groot! Precies zijn vader.'

Haar pooier, Burton, had bij haar een kind verwekt. Hij had nu zeven kinderen bij vier verschillende vrouwen. In bepaalde opzichten was dat voor de meisjes wel gemakkelijk. Wanneer ze aan het tippelen waren, was er altijd iemand die op de kinderen paste. 'Vooruit, meisje, naar huis!'

'Ik zei toch dat ik zou gaan?'

Ik zwenkte bij de stoep vandaan en drukte op het gaspedaal tot ik zestig reed. Op de kruising van La Cienega Boulevard en Sunset sloeg ik linksaf en freewheelde de heuvel af richting huis.

Ik woonde in Culver City, een ouderwets stadje even ten zuiden van Los Angeles, waar je nog vrij kon parkeren en unieke winkeltjes had. Er was van alles te koop, van afgeprijsde kleren tot tweedehands designkleding en exotische kruiden op de Indiase markt. De bewoners waren een mengelmoes van etnische groeperingen. Misschien voelde ik me daarom bij Koby zo op mijn gemak. Verscheidenheid bracht het veilige gevoel met zich mee dat niet één ras kon denken dat het de hele wereld in pacht had. Misschien was het naïef, maar voor mij was dit waar het in Amerika allemaal om draaide.

5

Duisternis om hem heen, maar hij voelde meteen de lege plek. Het koude zweet brak hem uit.

Het was vier uur 's ochtends en hij was alleen. Waar zat ze?

Met alleen zijn pyjamabroek aan sprong Decker uit bed, zo in paniek dat hij niet de moeite nam zijn badjas en pantoffels aan te doen. Hij trof Rina in de keuken aan. 'Is alles in orde?'

'Ja, hoor, lieverd.'

'Wanneer ben je opgestaan?'

'Eerlijk gezegd ben ik helemaal niet naar bed geweest.'

Ze had tientallen gekopieerde paperassen en duplicaten van zwart-witfoto's voor zich liggen. Hij moest zijn ogen een beetje dichtknijpen tegen het licht van de lamp, maar toen hij zag waar zijn vrouw mee bezig was, sperde hij ze wijd open.

'Lieve hemel, wat is dit allemaal?!'

Rina stond op en trok haar badstoffen ochtendjas dichter om zich heen. 'Je staat te bibberen. Trek iets aan.'

Decker luisterde er niet naar en pakte een van de foto's. Het was een close-up van een gezicht. De ogen waren gesloten, de mond hing half-open, het haar was naar achteren gestreken. De vrouw leek een jaar of veertig. Decker had al zo vaak foto's van lijken gezien, dat hij ook zonder het voordeel van kleur wist waar hij naar keek. 'Rina, wat heeft dit te betekenen?'

Ze nam de foto uit zijn hand en legde haar weer op de tafel. 'Mijn grootmoeder.' Ze sloeg haar armen om zijn middel en kuste hem zachtjes. 'Voor het geval je me de eerste keer niet hebt gehoord: je staat te bibberen. Ga je badjas aandoen.' Ze kuste zijn neus. 'Of ga weer naar bed.'

Slapen kon hij nu wel vergeten. Hij keek naar zijn vrouw, met haar bleke huid en expressieve ogen die in dit licht een hemelsblauwe kleur hadden. Haar zwarte haar hing tot over haar schouders, een beetje warrig en wijd. Het was lang geleden dat hij haar met los haar had gezien. Vanwege haar religieuze levenswijze droeg Rina haar haar altijd opgestoken of in een vlecht boven op haar hoofd, bedekt met een baret of een hoofddoek. Hij keek haar met een verleidelijke blik aan. 'Ik ga alleen naar bed als jij met me meegaat.'

Haar glimlach had een vermoeide trek. 'Daar heb ik eerlijk gezegd wel zin in. Ik wil alleen even deze spullen opruimen.'

Zijn blik ging weer naar de tafel. Tussen de met de hand beschreven vellen papier en de foto's lag een Duits-Engels woordenboek. Zijn hersens kwamen meteen op gang. 'Ik ben nu klaarwakker. Je hebt me nieuwsgierig gemaakt. Wat is er aan de hand?'

'Wil je het ervoor of erna horen?'

Wat een vraag. 'Erna. Je hebt me nu te veel in het vooruitzicht gesteld.'

'Dat dacht ik al. Ga maar vast. Ik kom zo.'

'Ik ga mijn tanden poetsen.'

'Goed idee. Fris is sexy.'

'Zal ik me ook scheren?'

'Dan wordt Hannah misschien wakker.'

Niet scheren dus. Hij liep terug naar de slaapkamer met zijn verwachtingen en de onbestemde onrust die hem tegenwoordig nooit losliet. Hij was gewend geraakt aan de doffe pijn in zijn maag, wist zijn onrust af te meten aan de mate van pijn. Het was alsof er een onzichtbare riem om zijn middel zat. Soms zat die heel strak, soms slap, maar hij zat er altijd.

Onder de deken werd zijn lichaam weer warm, maar zijn voeten bleven koud. Hij zorgde ervoor dat ze niet in aanraking kwamen met Rina's gladde benen toen ze bij hem kwam liggen. Voor Decker was seks iets heel moois. Zo'n twintig minuten bevond hij zich in een ander universum, alsof hij los van zichzelf stond. Het ontbreken van bewuste gedachten werkte ongelooflijk bevrijdend, om over het uiteindelijke hoogtepunt nog maar te zwijgen. Daarna kwam de intimiteit. Wanneer Rina zich in zijn armen nestelde, met haar hoofd op zijn borst, en hij haar haar streelde en er in zijn hoofd beelden opkwamen waar hij niet aan wilde denken.

'Goed. Nu kun je het me vertellen. Wat zijn dat voor foto's?'

'Het gebeurde op een dag toen jij je jetlag aan het wegslapen was. Ik kwam langs een politiebureau en was opeens nieuwsgierig.'

'Naar je grootmoeder.'

47

'Ja.'

'Weet je moeder hiervan?'

Rina hief haar hoofd op. 'Nee. En je mag niets tegen haar zeggen, Peter, tot ik meer te weten ben gekomen.'

'Ik was helemaal niet van plan haar iets te vertellen. Hoe minder ik met je moeder praat, hoe liever het me is.'

Rina gaf hem een tik.

Decker zei: 'Hoe kwam je opeens op dat idee? Omdat we in München waren?'

'Waarschijnlijk wel. De geesten van al mijn voorouders zwerven nog rond in die stad. Hun stemmen klonken op vanuit hun graf, Peter. Vind je dat erg raar?'

'Nee, dat ken ik… zo word ik achtervolgd door allerlei onopgeloste zaken.'

'Dus je begrijpt wat ik bedoel.'

'Helaas wel.'

'Het was een rare week,' gaf Rina toe.

Decker kon zich er amper iets van herinneren. Hij was zo verschrikkelijk moe geweest. Hij had bijna de hele tijd geslapen. En wanneer hij wakker was en ze door de natte bladeren in het heuvellandschap sjouwden, was hij elders met zijn gedachten. Al moest hij toegeven dat de kou hem veel goed had gedaan. Hij wou zelfs dat hij daar nu nog was, in plaats van hier, waar hij moest doen alsof alles weer normaal was.

Rina kroop nog wat dichter tegen hem aan. 'Toen ik langs een politiebureau kwam, dacht ik… nu of nooit.'

'Weet je zeker dat je het wilt weten?'

'Nee, ik weet niets zeker,' zei Rina. 'Bijna mijn hele familie is in de oorlog om het leven gebracht. Dat heb ik nooit een plek kunnen geven, zoals dat heet. Geen doden om te begraven, onzekerheid over wat er precies is gebeurd. Hun dood was het product van een onvoorstelbaar kwaad. Ik kan mijn moeder er niet naar vragen. Ik wil haar geen verdriet doen, God verhoede. Ze heeft al genoeg geleden. Maar ik ben de volgende generatie. Mijn grootmoeder hoort bij mij en ik vind dat ik er recht op heb te weten wat er is gebeurd.'

'En wat ben je te weten gekomen?'

Even bleef het stil. Toen kwam de zucht. 'Niets. Dat is het probleem. Ik kan de woorden lezen, heb zelfs een paar zinnen kunnen vertalen, maar mijn Duits is niet goed genoeg om de hele tekst te begrijpen, laat staan de nuances te onderkennen. En zelfs als ik het hele dossier moeiteloos kon lezen, ben ik nog altijd geen detective. Ik zou niet weten hoe ik het allemaal moet interpreteren.' Ze streek met haar vingertoppen over zijn borst. 'Ik zou wel iemand kunnen inhuren om alles voor me te vertalen, maar ik heb een ervaren rechercheur nodig, iemand die gewend is moorden te onderzoeken, om me te vertellen wat het allemaal betekent...'

'Rina...'

'Alleen als je het wilt.'

Het bleef stil.

Toen zei Decker: 'Ik weet waar je op aanstuurt.'

'O ja?'

'Je probeert me bij jouw zaak te betrekken zodat ik niet de hele tijd aan mijn blunders denk.'

'Je hebt niet geblunderd!'

'Jawel!'

Ze voelde hoe zijn lichaam zich spande. De verschrikkingen van New York lagen al maanden achter hen. Het was tijd om haar aandeel op te biechten, ook al zou het waarschijnlijk tot ruzie leiden. 'Peter, ik weet niet wat er in dat magazijn precies is gebeurd...'

'En ik ben er nog niet klaar voor om erover te praten.'

'Ik zeg ook niet dat je erover moet praten, Peter. Ik wilde zeggen...' Een zucht. '... dat ik weet dat je daar niet alleen was.'

'Hoe bedoel je?'

'Ik weet wie er bij je was.'

Decker ging zo abrupt zitten, dat ze haar hoofd schielijk moest terugtrekken. Hij sloeg zijn armen om zijn knieën en staarde recht voor zich uit. 'Ik was daar samen met Jonathan.'

'Ja, maar we weten allebei dat er nog iemand bij was...'

'Heb jij met mijn broer gesproken?'

Zijn stem had een boze klank. Rina zei: 'Denk je nu werkelijk dat Randy je vertrouwen zou beschamen?'

Decker bleef voor zich uit staren. Hij zei niets.

'Ik heb daarginds Donatti ontmoet, Peter. Hij schaduwde me.'

'Wat!'

'Ssst. Praat niet zo hard.'

'Wát zei je?'

'Het klinkt erger dan het was.'

'Die smerige…'

'Ssst, Peter!'

'Dit is de laatste druppel!' Hij stapte uit bed, trok zijn badjas aan en begon te ijsberen. 'Ik vermoord die zak! Dat had ik meteen al moeten doen!'

'Ga je nu lopen razen en tieren, of wil je mijn verhaal horen?'

Opeens richtte hij zijn woede op háár. 'En dat vertel je me nu pas?' Zijn stem klonk scherp van woede. 'Is er een specifieke reden waarom je dit voor me hebt verzwegen?'

'Ja, en als je bereid bent te luisteren, zal ik je vertellen wat mijn redenen waren.'

Decker keek haar dreigend aan. Hij was blij dat het licht uit was, zodat ze niet kon zien hoe kwaad hij was. 'Wat heeft die schoft gedaan? Heeft hij zich aan je opgedrongen?'

'Hij heeft inderdaad geprobeerd me te intimideren…'

'Godverdomme! Ik zal die vuile rotzak met mijn blote handen vermoorden!'

'Peter, hij heeft een kogel voor me opgevangen.'

Hij verstond haar amper, boven zijn eigen gevloek uit, maar het drong toch tot hem door. In de plotselinge stilte hoorde hij zichzelf zwaar hijgen. Zweet brak uit op zijn voorhoofd. Een beeld vormde zich in zijn gedachten… een vage gedaante die zijn overhemd oplichtte… het verband rond de ribben.

Nu staan we gelijk.

'Wat zei je?' vroeg hij op veel zachtere toon.

'Ik zei dat hij een kogel voor me heeft opgevangen.'

Hij ging naast haar op het bed zitten. Zijn handen beefden. 'Weet je dat zeker?'

'Het gebeurde in een flits. Hij had me geschaduwd, al had ik daar niets van gemerkt. Voor ik wist wat er gebeurde, duwde hij me plat op de motorkap van een auto en lag hij boven op me, met een bloedende kogelwond. Ik weet dat je hem haat. En je hebt er recht op hem te haten. Ik haat hem ook. Maar zelfs mensen met een afkeurenswaardig karakter kunnen zich soms nobel gedragen.'

Decker hijgde nog na. 'Hoe weet je dat de kogel voor jou bestemd was? Hij kon net zo goed voor hém zijn geweest.'

'Natuurlijk. Hij heeft vast veel vijanden. Maar jij had toen ook vijan-

den. Hij reageerde vliegensvlug, Peter. Instinctief. En nu is het voorbij…
helemaal voorbij. Dus zullen we waarschijnlijk nooit zekerheid krijgen.'

Weer bleef het stil in de kamer.

Rina zei: 'Kom, kruip nog even onder de dekens. Het is pas vijf uur. Je
kunt nog een uur of twee slapen.'

Hij stootte een rauwe lach uit. Zelfs onder ideale omstandigheden had
hij moeite in slaap te komen. Nu kon hij dat helemaal wel vergeten. Niet
dat hij niet graag weer naast zijn vrouw in bed zou kruipen en zijn klamme huid tegen haar aandrukken, maar hij verzette zich ertegen, bevend
als een espenblad.

Ze hield de deken omhoog. 'Vooruit. Het leven is kort. Wees nou niet
boos.'

'Ik ben niet boos.' Hij aarzelde en kroop toen onder het uitnodigende
dekbed. Hij probeerde zijn zenuwen de baas te worden, ondanks de adrenaline die door hem heen joeg. 'Ik ben… geschokt. Ik heb er moeite mee
dat je er niets over hebt gezegd.' Hij keek haar aan. 'Waarom heb je het me
niet verteld?'

'Omdat een familie in de problemen zat. Ik dacht dat het je te veel zou
afleiden. Als ik het verkeerd heb beoordeeld, is dat jammer.'

Decker liet zich tegen de kussens zakken. 'Wat een ontnuchtering.
Eerst heb ik jouw leven op het spel gezet door je mee te nemen naar New
York, en nu blijkt dat die schoft je het leven heeft gered.' Hij lachte bitter.
'Godallemachtig, nu sta ik bij hem in het krijt!'

Weer lachte hij, hard en nijdig. Opeens sprongen er tranen in zijn
ogen. Voordat hij er iets tegen kon doen, stroomden ze over zijn wangen.
'Als jou iets was overkomen…'

'Maar er is me niets overkomen.' Ze kroop tegen hem aan en legde haar
arm op zijn borst. 'Ik hou van je, Peter.'

'Ik ook van jou.' Zijn hele lichaam beefde bij de gedachte aan wat er
had kunnen gebeuren. Hij kon de zenuwen amper de baas blijven. Hij was
nog steeds kwaad, natuurlijk, maar niet zo kwaad meer als daarnet. Aan
de ene kant had de smeerlap hem vol gaten geschoten, aan de andere kant
had hij een goede daad verricht.

Gods wegen waren ondoorgrondelijk.

'Ik hou van je,' fluisterde hij. 'Ik hou verschrikkelijk veel van je.'

'Goed zo. Dat is prettig om te weten.'

Decker schoot in de lach, sloeg zijn armen om haar heen en drukte haar tegen zich aan. Zo bleven ze liggen, verstrengeld, zonder verder nog te praten, want de aanraking van huid op huid sprak boekdelen. Hij hield haar in zijn armen, voelde het kloppen van haar hart, hoorde hoe haar ademhaling trager werd toen ze in slaap viel. Behoedzaam maakte hij zich van haar los en stapte uit bed.

'Waar ga je naartoe?' vroeg ze slaperig.

'Ik ga me aankleden.'

'Het is nog niet eens licht.'

'Ik zou samen met Cindy gaan ontbijten.' Hij rekte zich uit om het stramme gevoel uit zijn pijnlijke botten te krijgen. 'Ik kan net zo goed vast wat gaan doen. En ik breng Hannah wel naar school.'

'Weet je het zeker…?' Hij hoorde aan haar stem dat ze al half sliep.

'Heel zeker.'

'En help je me dan ook met oma?'

'Wat?'

'Met mijn grootmoeder?'

O, dat. 'Ja, natuurlijk,' zei hij. 'Wat je maar wilt.'

'Je hoeft niet te overdrijven. Ik leef nog.'

Hij grinnikte. Met oprecht plezier. Hij ging nog steeds gebukt onder zijn ergerlijke falen – dat zou niet zo snel overgaan – maar voor het eerst in maanden voelde hij zich een stuk minder bezwaard. Opeens was een brandende holocaust van haat teruggebracht tot… een flink kampvuur. De vlammen waren nog steeds heet, maar het vuur was te overzien. Haar bekentenis had een ventiel geopend en voor het eerst sinds weken was hij weer in staat de wereld objectief te bekijken.

Hij heeft een kogel voor me opgevangen.

Effectieve woorden. Dit wierp een heel nieuw licht op wat er was gebeurd. Misschien kon hij zich nu weer voldoende concentreren om zijn werk naar behoren te doen. Hij hoopte het.

6

Ik was aan de late kant toen ik via de canyon naar de Valley reed. Heel vervelend omdat pa speciaal voor mij was gekomen. Tegen de tijd dat ik in het kleine café aankwam, was het over negenen en zat hij aan een tafeltje koffie te drinken en het amusementskatern van de *Times* te lezen. Mijn vader is een knappe man met een dikke bos haar, die tegenwoordig meer grijs is dan rood. Zijn snor is nog wel helemaal rood. Mijn pa is een echte macho en de borstelige snor past dus helemaal bij hem, maar vanochtend zagen zijn wangen er erg glad uit; hij had zich blijkbaar net geschoren. Hij droeg een wit overhemd en een donkerblauwe stropdas. Hij wierp een blik op zijn horloge en keek over de rand van de krant. Toen hij me zag, legde hij de krant weg en glimlachte naar me, maar ik kon zien dat hij zich ergerde.

Ik ging buiten adem tegenover hem zitten. 'Het spijt me dat ik zo laat ben.'

Pa nam zijn bril af. 'Geeft niet. Zat je in een file?'

'Nee. Ik ben te laat van huis gegaan.'

Eerlijkheid was altijd het beste. Ik pakte een menukaart en verdiepte me in de keuzemogelijkheden. 'Hoe is het ermee, pap?'

'Goed. Ik heb gehoord dat je het druk hebt gehad gisteravond.'

'Hoe bedoel je?'

Pa keek me met een sceptische blik aan. 'De baby.'

'Hoe weet je dat?' vroeg ik fel. 'Heb je op ieder politiebureau spionnen?'

Hij keek op zijn horloge. 'Je bent hier precies drieëntachtig seconden en zit me nu al af te snauwen.'

Ik voelde een blos opkomen en begon maar gauw te lachen. Hij had gelijk. 'Sorry. Laten we opnieuw beginnen.' Ik leunde over de tafel en gaf hem een kus op zijn voorhoofd. 'Fijn dat je tijd voor me hebt vrijgemaakt.

Ik weet hoe druk je het hebt, dus stel ik het erg op prijs. En het spijt me dat ik zo laat ben. Hoe is het ermee?'

Ditmaal glimlachte hij genegen. 'Goed, dank je. Je ziet er leuk uit.'

'Dit? Heb ik al lang, hoor.' Ik droeg een blauwe broek en een donkerblauwe bloes met daarop een lichtbruin jasje.

'Dan is het een goede combinatie.'

'Dank je, pap. Sorry dat ik zo lelijk deed daarnet.'

'Laat maar zitten. Ik weet het alleen van de baby omdat ik nogal vroeg op het bureau was. Het is het gesprek van de dag, omdat baby's in vuilniscontainers nu eenmaal altijd groot nieuws zijn. Hoe is het met de kleine?'

'Gisteravond maakte ze het uitstekend. Nu moeten we alleen de moeder nog zien te vinden.'

'We?' Zijn ogen flonkerden. 'Heb je geen vertrouwen in de recherche?'

'Gisteravond heb ik de rechercheur gesproken die over de zaak gaat, Greg Van Horn. Die ken jij wel, hè?'

'Ja. Prima vent.'

'Een beetje aan het aftakelen,' zei ik. 'Dat zei hij, niet ik.'

'Hij zal eerdaags wel met pensioen gaan.'

'Volgens mij droomt hij al van golfclubs. Hoe dan ook, hij zei dat hij het niet erg vond als ik in mijn vrije tijd huis-aan-huis navraag ging doen.'

'Dat geloof ik graag. Maar als je iets ontdekt, zal híj met de eer gaan strijken. Wat heb jij eraan?'

'Goodwill van een ervaren rechercheur die bewondering voor je heeft en de voldoening dat je een klus hebt geklaard. En ik ben begaan met de baby. Wat jonge eendjes met de moederfiguur hebben, maar dan omgekeerd. Ik heb me meteen aan het kind gehecht.'

Pa was zo goed daarom te lachen.

'Ik hoop echt dat we de moeder snel vinden. Ze zal er niet al te best aan toe zijn.'

'Lichamelijk, bedoel je?'

'En emotioneel. Suggesties, Decker?'

Ik noem hem altijd Decker wanneer we het over ons werk hebben. Hij moet er iedere keer weer om glimlachen.

'Vertel me eerst maar eens wat je weet.'

'We denken dat het iemand is die daar in de buurt woont en geen auto heeft, omdat we bloed hebben gevonden op de plek waar ze het kind heeft gebaard.'

'Hoeveel bloed?'

'Ik heb het niet gemeten, maar het leek Greg niet voldoende voor een ander misdrijf, een moord bijvoorbeeld, als je dat bedoelt.'

Decker haalde zijn schouders op.

'Ik ben dat met hem eens, pa. Waarom wel de moeder vermoorden en niet de baby?'

'Sadistische moordenaar? Poging tot abortus? Een bloeding zoals Rina had bij Hannah? Rina is op de operatietafel bijna gestorven. Een meisje in een steeg zou geen schijn van kans hebben. Het hangt er helemaal van af hoeveel bloed je hebt gevonden.'

'Het leek niet al te veel. Een plasje.'

'Spatten eromheen?'

'Nee... alleen een vormeloze plas.'

'Bloeddruppels tussen die plek en de container?'

Eureka. Daarop had ik een positief antwoord. 'Ja, ik heb een spoor van bloeddruppels gevonden. Dat heb ik ook aan rechercheur Van Horn laten zien.'

'Mooi werk.'

Ik beet op mijn onderlip om een glimlach te onderdrukken. 'Ik moet nog veel leren, maar probeer de experts bij te houden.'

'Lieve hemel, ik hoop niet dat je mij bedoelt,' was Deckers repliek. 'Het leven van een baby redden, is op zich erg indrukwekkend. Ik doe je alleen wat ideeën aan de hand, omdat ik weet dat je daarvan houdt.'

'Je hebt gelijk. Daar hou ik van. Jouw vragen zetten me altijd aan het denken. Behalve wanneer ze me irriteren.'

'Tja, het een komt samen met het ander. Je hebt het niet voor het kiezen.'

Ik grinnikte. Een jonge serveerster kwam naar onze tafel. Te oordelen naar de donkere wallen onder haar ogen had ook zij niet voldoende nachtrust gehad. Pa en ik hadden geen van beiden veel trek. Pa bestelde een halve meloen en nog een kop koffie. Ik bestelde koffie, een glas sinaasappelsap en geroosterd bruin brood, mét boter en jam. Ik mag er graag ondervoed uitzien, maar aan lijnen doe ik niet.

Decker zei: 'Ik neem aan dat ze kunnen nagaan of het bloed afkomstig is van een bevalling. En in die plas zit misschien ook wat van het bloed van de baby. Daar kunnen ze je in het laboratorium van het ziekenhuis meer over vertellen. Maar waarom denk je dat het iemand moet zijn die daar in de buurt woont? Wat is je redenering?'

Ik had voorzien dat het gesprek zo zou verlopen en erover nagedacht. 'Waarom is ze juist in die steeg van haar baby bevallen? Daar kunnen verschillende redenen voor zijn. Eén: ze was bang en wilde het kind zo snel mogelijk dumpen zonder dat iemand het zag. Twee: als ze hulp had – iemand met een auto – zou ze niet in een steeg zijn bevallen. Dus zou het een minderjarige kunnen zijn die nog geen rijbewijs heeft, of iemand zonder auto. Dan moet ze te voet naar die steeg zijn gegaan. En dat wil zeggen dat ik op zoek ben naar een meisje dat kortgeleden is bevallen en dat op loopafstand van de steeg woont.'

'Of...' ging Decker door.

'Een dakloze vrouw.'

'Juist,' zei Decker. 'Wat voor huidskleur heeft de baby?'

'Middelbruin. Ze kan van alles zijn, behalve Scandinavisch. En in mijn wijk woont een grote verscheidenheid aan rassen.'

De norse serveerster met de wallen onder de ogen bracht onze bescheiden maaltijd. Haar humeur zou een stuk verbeteren wanneer ze ons straks de rekening bracht. Het was mijn beurt om te betalen en ik gaf altijd een flinke fooi.

Toen ze weg was zei Decker: 'De bloedonderzoeken kunnen je ook meer vertellen over het ras van de baby. Als het mijn zaak was, zou ik navraag doen in het ziekenhuislab.'

'Heb je daarvoor geen gerechtelijk bevel nodig?'

'Waarschijnlijk wel. Maar als je er gewoon naartoe gaat en een babbeltje maakt met de mensen die er werken, willen ze je nog wel eens dingen vertellen.'

Ik dacht meteen aan Koby en vroeg me af of hij vandaag dienst had. 'Oké. Goed idee.' Ik warmde mijn handen aan de koffiemok. 'Hoe is het met jou, pap?'

'Het gaat iets beter.'

Ik bekeek hem eens goed. De afgelopen maanden had hij het niet gemakkelijk gehad. Er waren dingen gebeurd waarover hij niet wilde praten. Hij hield zich groot en je kon zelden aan hem zien dat hij zich zorgen maakte, maar ik wist beter. Er waren altijd kleine dingetjes die hem verraadden. Een zenuwtrekje om zijn mond, een ontwijkende blik. Ik ging over op een neutraler onderwerp. 'Hoe is het met iedereen?'

'Heel goed.' Hij zei het alsof hij het meende.

'Hoe is het met Hannah Banana?'

'Om bang van te worden.'

'Ze is pas tien, maar haar woordenschat is waarschijnlijk groter dan de mijne.'

'En beslist groter dan de mijne.'

'Heeft Jacob zijn draai gevonden op de universiteit?'

'Ja.' Pa keek me aan. 'Lief van je dat je ernaar vraagt.'

'En Sammy? Zei je niet iets over een vriendinnetje?' Verbazing in pa's ogen. 'Zie je wel? Ik luister echt wanneer je me iets vertelt.'

'Sammy en Rachel hebben nog steeds verkering, voor zover ik weet.' Decker pakte mijn hand. 'En hoe is het met jou, prinsesje?'

'Goed hoor, pap. Ik zit geduldig te wachten tot het mijn beurt is om mee te draaien in de recherchekamer. Intussen studeer ik voor het brigadiersexamen. Het is alweer een tijdje geleden dat ik op school zat, maar het gaat best goed.'

'Met leren heb je nooit problemen gehad.' Hij liet mijn hand los en speelde met zijn koffiemok. 'Maar ga je ook wel uit en zo?'

Hij staarde naar een punt achter me en probeerde zijn bezorgdheid te verbergen. We hadden allebei afgrijselijke dingen meegemaakt, dingen die ons bijna het leven hadden gekost, en we wilden er geen van beiden over praten.

'Ik zit nog steeds in het bowlingteam.' Ik kneep mijn ogen tot spleetjes en maakte een tuitmondje. 'Maak je geen zorgen. Maar als je me ergens mee wilt helpen, kan ik wel wat advies gebruiken over hoe ik de moeder van de baby moet opsporen. Ook als de moeder haar baby nooit te zien krijgt, heeft dat hummeltje recht op informatie over haar afkomst, vind je niet?'

'Uiteraard.'

'Heb je nog meer suggesties, afgezien van navraag doen in het laboratorium?'

'Omdat je zoekt naar een meisje dat geen auto heeft, zou je naar de scholen kunnen gaan. Om te beginnen naar Mid-City High, maar ook naar de andere middelbare scholen. Vraag de docenten wie ontbreekt, wie zwanger was, wie eruitzag alsof ze zwanger was maar er niets over zei.'

'Dat is een goed idee.' Ik voelde me opeens heel dom. Waarom had ik daar zelf niet aan gedacht? Decker had het uiteraard meteen in de gaten.

'Cynthia, het is niet meer dan normaal dat ik met zulke dingen iets meer ervaring heb dan jij.' Zijn glimlach was teder en een beetje weemoedig. 'Hoewel ik me dat soms afvraag. Ook ik kan falen. Daar ben ik niet immuun voor.'

Ik wachtte af of hij nog meer zou zeggen. Dat deed hij uiteraard niet. Dus zei ik dat ik hem geweldig vond.

Decker glimlachte. 'Insgelijks. Ik ben je grootste fan.'

'Dat weet ik, pap.'

'Verder nog iets?'

'Nee... hoewel... Stel dat ik de moeder weet op te sporen. Laten we zeggen dat ze vijftien is en dat ik van háár moeder niet met haar mag praten. Wat moet ik dan doen?'

'Dan maak je gebruik van psychologie om de moeder ervan te overtuigen dat het voor haar het beste is dat ze je toestaat haar dochter vragen te stellen.'

'Hoe doe je zoiets?'

Decker glimlachte. 'Door charmant te zijn.'

Ik boog me over mijn bord en at snel en zonder nog iets te zeggen. De maaltijd was in feite binnen tien minuten voorbij. Toen ik pa heimelijk op zijn horloge zag kijken, wist ik dat ik hem moest laten gaan. Hij zat hier in werktijd. Het zou niet netjes van me zijn als ik hem nog langer ophield.

Ik liet een briefje van tien op de tafel liggen. Hij protesteerde, maar ik hield voet bij stuk. Hij liep met me mee naar mijn auto en hield het portier voor me open. Altijd een heer. Ik draalde nog even voordat ik instapte.

'Ik weet niet of ik charmant kan zijn, pap.'

'Het hangt ervan af hoezeer je gebrand bent op de gouden penning,' antwoordde hij.

Daar gaf ik geen antwoord op.

Decker zei: 'Ga voor de spiegel staan en oefen je in glimlachen, prinsesje. Op den duur verdwijnt die spottende trek dan wel.'

7

Mid-City High stond in het hartje van Hollywood, iets ten oosten van de beroemde Sunset Strip, en gaf oningewijden de indruk van glamour, maar was in feite een mistroostige middelbare school in een achterstandswijk. De ouderdom werd gecompenseerd door de grootte: het complex bestreek meerdere straten en had een aantal grasvelden. Het hoofdgebouw was afgewerkt met vleeskleurig pleisterwerk, had veel ronde hoeken en muurdelen van glasblokken, die in de jaren veertig en vijftig erg in zwang waren geweest. Een deel van de buitenkant was beschilderd met patriottische en etnische muurschilderingen, andere delen werden ontsierd door ongewenste graffiti. Smogbestendige palm- en bananenbomen rondden het imago van het oude Los Angeles af. Ik beklom rap de twintig treden naar de hoofdingang en trok de donkerrode deuren open.

Ik wist de weg omdat ik een tijdje geleden naar deze school was gestuurd voor een 'serieus' drugspraatje met de leerlingen. Ook had ik vorig jaar samen met George Losario op carrièredag in een kraampje gestaan, waar we werden belegerd door kansarme jongens die belust waren op opwinding en macht. Het grootste probleem voor de meesten van hen was dat je voor je eindexamen moest slagen om voor de politieacademie in aanmerking te komen.

Op Mid-City was het percentage drop-outs hoog. George en ik hadden van de gelegenheid gebruikgemaakt de pubers aan te moedigen hun school af te maken.

Vrij veel van mijn collega's hadden doorgeleerd. Sommigen hadden een AA-graad gehaald op een college. Anderen hadden een BA. Ikzelf had op Columbia mijn master gehaald. Daardoor was ik op het bureau een buitenbeentje en bekeken de andere agenten me met achterdocht, maar ik werkte hard om de vooroordelen de wereld uit te helpen en had daar

59

inmiddels al wat succes mee. Ik klaagde niet, want daar zou ik toch niets mee opschieten.

Het was druk in de gangen en het rook er zweterig van de non-stop activiteiten van al die pubers. In Los Angeles bleven de scholen namelijk tegenwoordig het hele jaar open. Het rumoerige, oude, vermoeide Mid-City stond maar een paar kilometer van het verfijnde Hollywood Bowl Amphitheater, maar was lichtjaren verwijderd van West Los Angeles, waar de rijken de verwaarloosde openbare scholen links lieten liggen en kozen voor dure privéscholen. Wat dit betreft, gaf ik mijn stiefmoeder een pluimpje. Hoewel Hannah met gemak voor alle toetsen slaagde, peinsde Rina er niet over mijn halfzusje naar een van die seculiere privéscholen te sturen. In plaats daarvan had ze gekozen voor een religieuze privéschool, een vlotte joodse school. Religieus onderricht ging voor haar boven alles en als beloning voor haar geloof in God hoefden zij en mijn tienjarige zusje zich geen zorgen te maken over toelatingsexamens en beoordelingsgesprekken.

Jaylene Taylor was onderdirecteur meisjes. Ze was lang, fors, had een breed voorhoofd, lange paardentanden en donkere ogen. Ze droeg een beige bloes op een donkerblauwe broek en platte schoenen. Toen ik haar vertelde waar ik voor kwam, kneep ze haar donkere ogen iets toe en kwam er een misprijzende trek om haar mond.

'Ik ga u echt geen lijst met namen geven. Iedereen heeft rechten, ook minderjarigen.'

Dat was juridisch niet helemaal correct, maar dit was niet het juiste tijdstip om daarop in te gaan.

'Bovendien,' vervolgde Jaylene, 'moet u geen zwangere scholieren hebben, maar meisjes die zwanger zijn geweest. Hebt u enig idee hoeveel zwangere meiden er jaarlijks vroegtijdig van school gaan?'

'Veel, neem ik aan.'

'Heel veel. We hebben hier al het vereiste materiaal voor de verplichte toetsen, maar we slagen er domweg niet in de kinderen lang genoeg op school te houden om eindexamen te doen. Studeren?' Ze stak haar tong uit. 'Wat is dat?'

'Ik heb op een openbare school gezeten.'

Ze keek me aan met een gezicht dat zei: En jij bent ook niet erg ver gekomen.

'Ik wil alleen maar met hen praten, mevrouw Taylor.'

'Ze zitten verspreid over alle klassen, agent Decker.' Ze bekeek me minachtend. Of misschien bekeek ze het hele leven zo. 'Dit is geen speciale school voor opstandige tienermeisjes die geen nee kunnen zeggen.' En ze voegde er half binnensmonds aan toe: 'Al zou je dat soms wel denken.'

'Volgen die meisjes geen aparte lessen?'

Ze lachte vreugdeloos. 'Ze hebben een heel studieprogramma. Het heet huishoudelijke vaardigheden, en je hoeft niet eens zwanger te zijn om dat als hoofdvak te kiezen.' Ze sloeg haar ogen ten hemel. 'Hoe verschoon ik een baby?' Een zucht. 'Maar goed. De meisjes hebben daar waarschijnlijk meer aan dan aan Shakespeare.'

'Ik zou denken dat *Romeo en Julia* ook relevant is voor tienermeisjes. Relevant en romantisch.'

'Dat zegt u omdat u ervan uitgaat dat ze kunnen lezen.'

Ik liet mijn opstandige houding varen en ging over op smeken. 'Mevrouw Taylor, de moeder heeft haar baby in een vuilniscontainer gegooid. Als we deze meisjes duidelijk kunnen maken dat het echt niet noodzakelijk is zoiets met je baby te doen, dat er manieren zijn om een baby op een wettige en anonieme wijze af te staan, kunnen we in de toekomst levens redden.'

'Denkt u nu werkelijk dat wij daar geen voorlichting over geven?'

'Ja, dat weet ik wel, maar er gaat niets boven een waar gebeurde zaak om het te illustreren. Een praktijkvoorbeeld.'

Ze vertrok haar mond en keek me misprijzend aan. Toen ontspande ze zich en wist ik dat ze zou instemmen met mijn verzoek. 'In het vierde lesuur is er een klas voor zwangere meisjes die zijn vrijgesteld van sport. Het kan geen kwaad als ze het ook eens van de politie horen.' Ze bekeek me achterdochtig. 'Al zou het beter zijn geweest als u uw uniform aan had gehad.'

'Ik doe dit in mijn eigen tijd. Als ik succes heb, doe ik het de volgende keer via de officiële weg.'

'Goed, kom dan maar mee. Maar verwacht er niet te veel van. En geloof niet alles wat ze u vertellen. Deze dames zuigen veel uit hun duim.'

In de klas zaten drieëntwintig meisjes. Ze waren geen van allen getrouwd en voor de meesten was hun vriendje slechts bijzaak. Ze kwamen over het algemeen uit probleemgezinnen en hadden geen cent te makken. Wat voor toekomst wachtte deze meisjes? Hoe moesten ze hun kind en zichzelf onderhouden zonder een statistisch cijfer te worden op de glibberige glijbaan van het leven?

Ik deed mijn best niet hooghartig over te komen, sprak hen toe vanuit de grond van mijn hart, maar al na een paar minuten had negentig procent van hen geen aandacht meer voor me. Hun rusteloze ogen gingen naar de klok aan de muur of dwaalden door het lokaal. Ze bekeken hun lange, gelakte nagels; sommigen begonnen zorgvuldig hun lippen te stiften; anderen haalden tienertijdschriften tevoorschijn en bladerden erin terwijl ik stond te praten. Ik concentreerde me op degenen die zo goed waren oogcontact met me te houden.

Ik vertelde eerst iets over de wetten inzake het te vondeling leggen van baby's. Als een baby bij de ingang van een politiebureau of een ziekenhuis wordt neergelegd, wordt er tegen de moeder geen vervolging ingesteld als ze het binnen vierentwintig uur na de geboorte doet. En zelfs als een moeder haar kind elders achterlaat, kan ze aan rechtsvervolging ontkomen als ze zich binnen tweeënzeventig uur bij de autoriteiten meldt. Er is geen enkele reden om een baby zomaar ergens te dumpen.

Toen ik hun vertelde over het geval van de baby in de container, toonden sommigen weer enige belangstelling. Maar niet veel. Ze bleven op hun stoel draaien, hun keel schrapen en op de klok kijken. Tien minuten voordat de les om was, vroeg ik of iemand soms een zwanger meisje kende dat de moeder van die baby zou kunnen zijn. Ik legde uit dat ze in zowel medisch als psychologisch opzicht hulp nodig had. Ze begrepen vast wel hoe ze er emotioneel aan toe moest zijn. Ik richtte mijn woorden nu vooral op een meisje dat op de tweede rij zat, aan de linkerkant. Ze droeg een mouwloze, wijde, roodbruine jurk waarvan de zoom op haar gladde dijen rustte. Ze had ronde, bruine ogen en steil, blond haar dat tot op haar schouders hing. Ze was erg mooi, ondanks het in een hart gevangen vlindertje dat op haar linkerschouder was getatoeëerd, en de naam Carisse op haar rechterschouder.

Ze had me de hele tijd aandachtig opgenomen, maar toen de bel ging, kwam ze snel overeind met haar boeken tegen haar grote borsten en dikke buik geklemd. Ik sprak haar aan met de naam die in het blauw in haar huid was gebrand. Ze draaide zich om.

'Mag ik je even spreken?'

Carisse wachtte af.

Ik zei: 'Ik zag dat je luisterde naar wat ik vertelde...'

'Ik kom te laat voor mijn volgende les.'

'Ik geef je wel een briefje mee.'

Ze slingerde haar lange haar naar achteren.

'Vooruit,' drong ik aan. 'Ik heb hulp nodig. Weet jij over wie ik het had?'

'Nee.' Ze schudde haar hoofd. 'Ik ken heus niet alle zwangere meisjes in de stad.'

'Oké, niet persoonlijk dan. Maar heb je een meisje gezien dat het zou kunnen zijn?'

Carisse hees de boeken in haar armen wat hoger op. 'Niet ver hiervandaan… een paar straten… misschien iets meer.'

'Ja?'

'Bij een bushalte, 's avonds. Niet ver van waar ik woon. Daar zit vaak een meisje op het bankje. Ze neemt nooit de bus en ik heb haar ook nog nooit met de bus zien aankomen. Ze zit daar alleen maar. Ik zeg niet dat ze dakloos is. En ik zeg ook niet dat ze zwanger is. Maar ze is dik en kleedt zich raar. Ze zit daar maar en leest altijd hetzelfde boek. Ik heb haar nu al een week of twee niet gezien… misschien iets langer. Ik vroeg me al af… of er iets met haar was gebeurd.'

'Zoals?'

'Ja, zeg, zit u bij de politie of ik? Het is in het oosten van de stad… niet Beverly Hills dus. Het stikt daar van de hoeren en de arme sloebers.'

'Hé, Carisse, ik weet wie je bedoelt.'

Ik draaide me om. Het was een meisje met kort zwart haar, een wit opgemaakt gezicht, zwarte lippenstift en zwarte eyeliner. Ze droeg een zwarte jurk tot over haar knieën. Haar laarzen verdwenen onder de gepunte zoom. Ik dacht dat Goth allang uit was, maar blijkbaar had ik het mis. Ze stak haar hand uit. 'Rhiannon… als de heks in het nummer van Fleetwood Mac.'

Carisse keek honend. 'Ze heet gewoon Roseanne.'

'Ik bepaal zelf wel hoe ik heet, trut.'

'Ho ho,' zei ik. 'Niet gaan schelden.'

'Goed, goed.' Rhiannon drukte haar boeken tegen zich aan en keek me aan met een gekrenkte blik in haar ogen. 'Ik heb haar ook wel eens gezien. Dat dakloze meisje. Ze heeft altijd een tas bij zich die met schelpen is versierd.'

Carisse knikte. 'Ja, die bedoel ik.'

'Ik wist niet dat ze zwanger was.'

'Dat zeg ik ook niet. Alleen dat ze dik is en altijd hetzelfde boek zit te lezen.'

Ik zei: 'Weet je toevallig welk boek?'

Carisse schudde haar hoofd. 'Eigenlijk zag ze er niet uit alsof ze erin las, maar meer alsof ze... naar de plaatjes keek.'

'Waarom denk je dat ze niet las?'

'Omdat ze haar lippen bewoog wanneer ze in dat boek keek... en omdat ze de bladzijden veel te snel omsloeg. En ze mompelde erbij. Alsof ze tegen zichzelf zat te praten.'

'Kun je haar beschrijven?'

'Ze heeft een roze gezicht en ze is dik,' antwoordde Carisse.

'Ze is dus blank?'

'Ja, maar niet wit. Eerder roze.'

'En niet helemaal in orde.' Rhiannon maakte met haar wijsvinger cirkeltjes naast haar slaap.

'En ze praatte tegen zichzelf?' herhaalde ik.

'Dat weet ik niet,' zei Rhiannon. 'Ik ben nooit zo dicht bij haar geweest.'

'Ze mompelde,' zei Carisse. 'Ze was raar gekleed, alsof ze een heleboel kleren over elkaar heen aanhad. Je kon zien dat ze het warm had. Ze zat te zweten. Haar gezicht was er helemaal nat van. Ze had iets weg van een varkentje... omdat ze zo roze was.'

Ik knikte aanmoedigend. 'Wat voor kleur ogen en haar?'

'Vrij blond,' antwoordde Rhiannon. Als het Rhiannon in het donker was opgevallen dat het meisje blond haar had, moest ze erg blond zijn. Het vertelde mij nog iets anders: dat het haar van de vrouw redelijk schoon moest zijn. Zelfs blond haar wordt donker wanneer het vet is. Geen van de meisjes zei iets over haar lichaamsgeur, die meestal het eerste is wat je opvalt bij dakloze mensen.

'En je hebt haar al een tijdje niet gezien?'

'Nee, maar ik heb ook niet naar haar uitgekeken,' zei Carisse. 'U vroeg of ik iets wist, en toen herinnerde ik me dat meisje.'

'Dank je wel. Hier ben ik erg mee geholpen.' Ik gaf hun elk een visitekaartje. 'Zouden jullie me willen bellen als je haar weer ziet?'

Rhiannon tuurde naar het kaartje. 'Cyn-thi-a Decker.' Ze keek naar me op. 'Bent u dat?'

'Dat ben ik.'

'Hoelang zit u al bij de politie?'

'Twee jaar.'

'U bent dus nog een groentje?'

'Niet precies,' was mijn antwoord.

'Vindt u het leuk werk?'

'Heel leuk.'

'Enne... wat voor iemand moet je zijn om bij de politie te kunnen?'

Daar kon ik lang over uitweiden. Wat mij betreft moest je een hartstochtelijke behoefte hebben mensen te helpen en een nimmer aflatende vastberadenheid het recht te laten gelden. Wat je ervoor in huis moest hebben waren moed, vastberadenheid en een goede lichamelijke conditie. Bovendien moest je tegen lange, eenzame nachten kunnen. Je had veel zelfkennis nodig, moest goudeerlijk zijn en ertegen kunnen wanneer mensen je vijandig bejegenden. Je moest bereid zijn te vechten tegen de duivels in je dromen, en je moest erop voorbereid zijn dat je nachtmerries soms uitkwamen. En nog veel meer.

Maar ik gaf haar de korte versie. Je moest een einddiploma van de middelbare school hebben en een gezond lichaam. En als je geen strafblad had, was dat meegenomen, hoewel het niet strikt noodzakelijk was.

Vrienden onder elkaar keken niet op een aantekening wegens drugsbezit.

8

'Ik heb geen tijd gehad naar de bloedonderzoeken te informeren.'

'Nee?' Pa zei verder niets. Hij wist al wat er zou komen.

Ik drukte het mobieltje tegen mijn andere oor. 'Zou jij soms het ziekenhuis even kunnen bellen?'

'Dat is niet mijn taak, Cindy. Bovendien heeft Van Horn het misschien al gedaan. Heb je het hem gevraagd?'

Weinig kans dat Van Horn het had gedaan. Ik wist dat vandaag zijn laatste dag was voordat hij met vakantie ging. 'Lijkt me niet. Ik dacht gewoon dat het officiëler zou overkomen als een inspecteur belde. Maar je hebt gelijk. Ik bel zelf wel. Ik moet zulke dingen per slot van rekening ook leren.'

'Waarom stem je het niet af met rechercheur Van Horn?'

'Zal ik doen. Over twee weken, wanneer hij terug is van vakantie.' Stilte aan de andere kant. Pa zou me niet redden. 'Het was gezellig vanochtend, pap.'

Een lange zucht door de telefoon. 'Wat heb je na het ontbijt gedaan?'

'Ik ben naar Mid-City High gegaan, zoals je me had aangeraden. Dat was een goed advies.' Ik vertelde hem over mijn gesprek van Carisse en Rhiannon. Pa haakte meteen in op het blonde haar.

'Als Rhiannon kon zien dat ze blond haar had, wil dat voor mij zeggen dat die vrouw hoogstwaarschijnlijk de gelegenheid heeft zich te baden of te douchen. Enig idee hoe oud ze is?'

'Nee.'

Decker zei: 'Als ze een eigenaardige indruk maakte, kun je misschien beter niet naar de opvangcentra voor daklozen gaan, maar naar vakscholen voor geestelijk gehandicapten. Misschien heeft dit meisje wel een thuis, maar is ze zwakzinnig.'

'Dat zou wel heel erg zielig zijn,' zei ik. 'Een zwakzinnig meisje dat midden in Hollywood in een steeg haar kind baart. Wat zal ze bang geweest zijn. En wat voor kansen heeft het kind?'

'Er zijn mensen die altijd overal bovenop krabbelen.' Een korte stilte. 'Ik praat op dit moment met zo iemand.'

Ik glimlachte. 'Wat grappig. Ik wilde precies hetzelfde zeggen.'

Na zo'n buitengewone nacht was ik blij dat ik bij de volgende avonddienst alleen met gewone delinquenten te maken kreeg: dronkaards, hoertjes, zwendelaars en een keur aan andere randfiguren. Ik patrouilleerde samen met Graham Beaudry, die vaak zijn ochtend- en avonddiensten wisselde en van tijd tot tijd mijn partner was, en een van de weinige mannelijke collega's was die ik niet automatisch wantrouwde.

Tussen bonnen aan verkeersovertreders en waarschuwingen aan automobilisten door, behandelden we een paar 'serieuze' zaken: een paar alcoholgerelateerde echtelijke ruzies, een vrouw die hysterisch was geworden toen haar oven in brand was gevlogen, een kettingbotsing die een aantal mensen in het Adventist Hospital deed belanden, al waren ze gelukkig slechts lichtgewond, en een vermiste tiener die uiteindelijk in de garage van haar vriendje werd ontdekt, waar ze lijm zaten te snuiven.

Mijn dienst zat er om elf uur op en omdat het bureau zo dicht bij Mid-City Hospital was, vond ik dat ik wel een kansje kon wagen om iets te weten te komen over het bloedonderzoek van de baby. Ik wist dat Koby mijn beste bron van informatie was. Ik wilde hem niet de indruk geven dat ik hem naliep, maar als ik hem toevallig tegenkwam, kon ik daar toch niets aan doen? En als ik geen informatie over de baby kon krijgen, mocht ik haar misschien wel weer een poosje vasthouden. Het elfje Marnie had zelf gezegd dat baby's grote behoefte hebben aan menselijk contact.

Ik meldde me bij de balie en kreeg toestemming naar de couveuseafdeling te gaan. Marnie had geen dienst, maar Koby wel. Hij droeg een spijkershirt en een spijkerbroek met daaroverheen een witte jas. Toen zijn vermoeide ogen me zagen, lichtte zijn gezicht helemaal op.

'Ben je het echt? Ik hoop dat ik vanwege alle ziekenhuiskoffie geen dingen zie die er niet zijn.'

Ik glimlachte. 'Ben je sinds gisteravond niet thuis geweest?'

'Hoezo? Zie ik er zo moe uit?'

'Je ziet er prima uit.'

'Denk ik niet. Twee mensen hebben zich ziek gemeld. Ik doe twee diensten, met maar vijf uur slaap ertussenin.'

'Zwaar.'

'Gaat wel. Je ziet er leuk uit.'

'Dank je. Die witte jas staat je goed.'

Hij glimlachte. 'Net een arts, hè?'

Ik kreeg het meteen weer warm. 'Zo bedoel ik het niet.'

'Ik plaag je alleen maar, omdat je zo snel bloost. Dat vind ik je zo lief staan.'

'Voor mij is het alleen maar vervelend.'

'Jij bent gedwongen je emoties te tonen. Ik kan me verstoppen achter mijn donkere huid. Ik draag deze jas omdat ik zojuist een groep studenten heb lesgegeven. Van USC, geloof ik.' Hij keek op zijn horloge. 'Ze zijn net een kwartiertje weg.'

'Krijgen die hier zo laat nog les?'

'Ja… hoort bij hun studieprogramma. Ik doe met hen de ronde over de afdeling. Dat heet een praktijkgerichte aanpak, maar ze worden er alleen maar nerveus van.' Hij slaakte een zucht. 'We moeten van de directie een witte jas aan in plaats van onze groene kleding wanneer we lesgeven. Het is belachelijk. Eerst mijn groene pak, dan de witte jas, dan weer een groen pak. Ik verkleed me zo vaak dat ik mannequin had kunnen zijn.'

Ik lachte.

'Je hebt een leuke lach. Wat zijn je verdere plannen voor vanavond?'

'Ik heb net mijn dienst erop zitten. Hiervandaan ga ik naar huis.'

'Jammer. Ik moet tot morgenochtend zes uur werken.'

'Heb je nog wel zin om morgen te gaan lunchen?'

'Tuurlijk! Zeg het alsjeblieft niet af.'

'Nee, hoor.' Ik liet mijn stem zakken. 'Ik moet je om een gunst vragen.'

Hij grinnikte. 'Zeg het maar.'

Ik legde mijn hand op zijn schouder. 'Je bent een goeie jongen. Het bloed van de baby die ik heb gevonden wordt onderzocht, nietwaar?'

'Je was er zelf bij toen ik haar bloed heb afgenomen. Wat wil je weten?'

'Is aan het bloed te zien welk ras de baby heeft? Ik ben op zoek naar de moeder, en de enige aanwijzing die ik tot nu toe heb, is dat het misschien een blanke, blonde vrouw is. Maar de baby ziet er niet erg blank uit.'

'Dat is ze ook niet. En je hebt het laboratorium niet nodig om dat te kunnen weten. Ze heeft gemengd bloed. Zwart en blank.'

'Niet latino?'

'Nee, haar huidskleur is niet die van latino's, en haar gelaatstrekken ook niet. Latino-kinderen zien er anders uit dan zij. Ze heeft vrij dikke lippen, wijde neusvleugels en een breed voorhoofd. Dat wijst allemaal op Afrikaans bloed, maar een lichte vorm ervan. Mijn eigen zusjes zijn van gemengd ras. Ik ken het dus van dichtbij.'

'Dus als de moeder blank is…'

'Is de vader zwart.'

'Dank je wel, Koby. Daar ben ik erg mee geholpen.'

Hij glimlachte, maar niet helemaal van harte. Ik kon zien dat hij ergens mee zat.

'Wat is er?' vroeg ik. 'Mag je me deze dingen niet vertellen? Maak je geen zorgen, ik zal niets verklappen.'

Hij keek om zich heen en nam me toen mee naar een lege kamer. Hij deed de deur dicht. We waren alleen, maar ditmaal was er geen sprake van seksuele vibraties. Hij gedroeg zich puur professioneel. 'De baby heeft spatelvormige duimen. Het viel me meteen op toen ze werd binnengebracht.'

'Hoe bedoel je?'

'Haar duimen zijn kort en zien eruit als lepeltjes. En haar ogen… Het is nog moeilijk te zeggen omdat ze nog maar zo klein is, maar ik geloof dat er sprake is van epicanthus. Ik heb de arts erop gewezen en die is het met me eens.'

'Waarom is dat van belang?'

'Misschien is het niet van belang. Dat weten we pas wanneer haar chromosomen onderzocht zijn.'

'Haar chromosomen?'

'Het is mogelijk dat de baby het syndroom van Down heeft.'

Mijn hart sloeg een slag over. 'Het syndroom van Down?'

'Het is mogelijk.' Hij glimlachte bedroefd. 'Ik weet het niet zeker, Cindy. Ik kan het mis hebben.'

'Maar je hebt vermoedelijk gelijk.'

'Het is logisch dat je hier erg van schrikt. Maar ik bekijk het van een andere kant. Misschien is ze anders dan anderen, maar verder is ze volkomen gezond.' Hij legde zijn grote hand op mijn schouder. 'Op deze afdeling hebben we alleen maar zieke kinderen. Het lot heeft de ouders van al deze baby's heel slechte kaarten toebedeeld. Ook deze baby heeft behoefte aan liefde. Hopelijk kunnen we een tehuis vinden waar men in haar speciale behoeften kan voorzien. Ik vertel je dit alleen omdat je op zoek bent naar haar ouders. Als ik gelijk heb – en nogmaals, misschien heb ik het mis – dan doe je er goed aan deze informatie in gedachten te houden.'

Nu begreep ik waarom hij bereid was de hand te lichten met de regels. Niet om me bedroefd te maken, maar als hulp bij het zoeken. Het was mogelijk dat haar ouders er heel gewoon uitzagen; maar het kon ook zijn dat een van hen het syndroom van Down had. Ik was vastbesloten de ouders van het kind te vinden.

'Wanneer krijg je de uitslag van de onderzoeken?'

'Misschien morgen. Zodra ik iets weet, hoor je het van me.'

Gemengd ras, en een van de ouders had misschien het syndroom van Down. Ik was binnen een paar minuten heel wat wijzer geworden. En was dat niet het doel geweest van mijn bezoek?

'Mag ik haar een poosje vasthouden, Koby?'

'Ik heb het erg druk, Cindy.'

Ik gaf het niet zo snel op. Hij zuchtte. 'Vijf minuten. Inclusief de tijd die je nodig hebt om de beschermende kleding aan te trekken.'

'Daar kan ik heel snel in zijn.'

'Kom dan maar mee.' We liepen naar de aangrenzende kamer en hij bleef naar me kijken toen ik het papieren pak aantrok. Hij volgde al mijn bewegingen, maar zijn blik was ditmaal niet begerig, maar bezorgd. Ik vroeg wat er was.

Hij zei: 'Je raakt aan haar gehecht, Cindy. Je moet oppassen, anders kom je met een gebroken hart te zitten.'

'De vraag is hoe je kunt voorkomen aan zo'n hummel gehecht te raken.'

Zijn glimlach was triest. 'Na veel gebroken harten leer je dat vanzelf.'

9

Met mijn ontbijt was ik snel klaar. Koffie, sinaasappelsap en een bakje magere yoghurt met muesli. Wanneer ik op onderzoek uit ging, trok ik altijd iets onopvallends aan: vandaag was dat een grijze broek en een zwarte ribbeltjestrui met een ronde hals – van merinoswol omdat ik alleen merinos en kasjmier kan verdragen – en zwarte schoenen met platte zolen. Maar vanwege mijn afspraakje met Koby nam ik een paar pumps en een kleurige sjaal mee om het effect van het begrafenispak te verzachten. Sjaals waren reuze praktisch. Je knoopte er eentje om je nek en iedereen dacht dat je veel zorg besteedde aan je uiterlijk.

Er was maar één instelling voor geestelijk gehandicapten die er veelbelovend uitzag: het Fordham Communal Center. Het stond ten oosten van Hollywood, in Silver Lake, een wijk waar overwegend latino's woonden, maar ook mensen van andere nationaliteiten die erin geslaagd waren door de poorten van de immigratiedienst heen te komen. De instelling stond niet ver van Sunset Boulevard, de doorgaande weg die dwars door de stad loopt vanaf de Stille Oceaan tot aan het stadion van de Dodgers.

Ik vond een parkeerplaats in een zijstraat en stapte uit, gewapend met mijn penning en de medische informatie. De instelling bleek te zijn gevestigd in een vrijstaande, pas gerenoveerde, drie verdiepingen hoge Arts and Crafts-woning, met een veranda en een hoog dak. De muren waren donkergroen geschilderd, de voordeur en de twee in kleine ruitjes verdeelde ramen aan weerszijden ervan waren omlijst door roomwitte kozijnen. Een stenen pad liep van de stoep naar de voordeur. Na een paar bescheiden tikjes met de deurklopper hoorde ik een zoemer en ging de deur open.

Ik zag tot mijn verbazing dat er niets aan de indeling van het huis leek te zijn veranderd. Er was een kleine vestibule die toegang gaf tot een zonnige woonkamer die nu vol stond met bureaus en kantoorapparatuur. Er brandde geen licht want er kwam meer dan voldoende daglicht binnen door de grote ramen en openslaande deuren aan de achterzijde, die uitzicht boden op een zee van kleuren: een tuin met bloemperken waar impressionistische schilders hun hart aan konden ophalen. Ik zag dat er een paar mensen in de tuin aan het werk waren.

De vrouw aan het bureau dat het dichtst bij de deur stond, kwam meteen overeind. Ze was blond en mager en leek me een zenuwachtig type. 'Kan ik u ergens mee van dienst zijn?'

Ik liet haar mijn penning en identiteitsbewijs zien. Haar helderblauwe ogen gingen wijd open toen ze die bekeek. 'Agent Decker?'

'Klopt. Ik ben op zoek naar informatie over een bepaalde persoon. Wie moet ik daarvoor hebben?'

'Wat voor soort informatie?'

'Het kan persoonlijk zijn. Bent u de directeur van deze instelling?'

'Nee. Dat is meneer Klinghoffner.'

'Zou ik hem dan even kunnen spreken?'

'Ik geloof dat hij boven is.'

Ik zei niets. Zij ook niet. Een paar seconden verstreken, toen glimlachte ik en vroeg: 'Wanneer denkt u dat hij naar beneden komt?'

'O, ik kan hem wel even roepen, als u wilt.'

'Heel graag. Dank u.'

'Geen dank.' Ze verroerde zich niet en haar blik bleef onrustig door de kamer gaan. 'U mag wel plaatsnemen.'

'Dank u.'

'Geen dank.' Ik begreep dat ze wilde dat ik ging zitten voordat ze de baas ging roepen. Er stond een aardig zitje midden in de kamer: een bank met gebloemde bekleding en twee bijbehorende fauteuils. Ik ging op de bank zitten en zakte weg in de zachte kussens. Ze bleef nog even naar me staan kijken en snelde toen de trap op.

Het huis had veel van de ouderwetse charme bewaard: boogvormige deuropeningen, een echte parketvloer, erkerramen, een balken plafond en veel ingebouwde boekenplanken en kastjes. De kamer was vierkant en in elke hoek was een werkplek met een bureau, een dossierkast en een tafeltje met een computer. Nu de nerveuze vrouw boven op zoek was naar meneer Klinghoffner, was de enige andere aanwezige een lange, magere man die in de rechterhoek zat. Hij had kort haar en een ruwe huid, en ik schatte hem achter in de twintig. Hij was verdiept in zijn werk en keek

72

niet één keer naar me, maar dat weerhield mij er niet van naar hem te staren. Toen hij uiteindelijk opkeek, kreeg hij een kleur en boog zich snel weer over de stapels paperassen.

Ik besloot hem uit zijn sleur te halen. 'Waar bent u mee bezig?'

'Pardon?' Zijn ogen flitsten naar mijn gezicht, zijn wangen waren nog rood. 'Hebt u het tegen mij?'

'Ja. Ik heb de indruk dat u met iets heel belangrijks bezig bent.'

'Niet belangrijk, alleen tijdrovend.' Zijn blik keerde terug naar zijn bureau. 'Veel te veel papierwerk: reglementen, statuten, voorschriften. Als je je niet blauw hoeft te betalen aan belasting, zorgt de overheid er wel voor dat je omkomt in papier. Het zal ons aller dood zijn. U, ik, mijn hond, uw kat…'

'Ik heb geen kat.'

'Ik bedoel het niet letterlijk!' zei hij geïrriteerd. 'Nou ja, laat maar.'

'U lijkt me een tikje overspannen,' merkte ik op.

'Alstublieft! Als ik dat woord nog één keer hoor, ga ik kotsen. Wie met zoveel bureaucratie te maken krijgt als ik, móét wel overspannen worden. U hoort blijkbaar niet tot die groep.'

'Ik werk voor het LAPD. Bureaucratischer kan bijna niet.'

'En corrupter ook niet, als ik zo vrij mag zijn. Wat doet u hier?'

'Nu bent u té vrij.'

'Een geheime missie?' vroeg hij op verveelde toon.

'Nee hoor. Tussen haakjes, ik ben Cindy Decker.' Stilte. 'Ik mag aannemen dat u bij uw geboorte een naam hebt gekregen?'

'Uiteraard.'

Weer een stilte. Wat een rare vent. Zijn bureau stond bij het raam en opeens zag ik buiten een meisje dat haar neus tegen de ruit drukte. Ze had kort, donker haar, halfgesloten ogen en een open mond met puntige tanden. Ze leek klein van stuk en had een schoffel in haar hand, als de man in *American Gothic*. Ze keek verontrust. Bedachtzaam bracht ze haar vrije hand omhoog en klopte op het raam. De magere man hief zijn hoofd op en toen hij haar zag, verscheen er om zijn lippen een flauwe glimlach die bijna een normaal mens van hem maakte.

'Doorwerken, meisje!' riep hij door het gesloten raam. 'Rust is voor oude mensen.'

De rimpels in haar voorhoofd werden dieper. Ze begon zich ergens over te beklagen. Ik hoorde het aan de klank van haar stem, maar kon de woorden niet verstaan omdat het raam dicht was en ze niet duidelijk sprak. De magere man slaakte een vermoeide zucht, stond op en deed de tuindeur open. Nadat ze even hadden gepraat, liep ze weg. De man ging weer zitten en boog zich opnieuw over zijn werk.

'Alles in orde met dat meisje?' vroeg ik.

Hij staarde me aan. 'Natuurlijk. Waarom zou er iets niet in orde zijn?'

'Ze maakte op mij een wat… verloren indruk.'

'Ik hoop dat u beter bent in speurwerk dan in psychologie.' Hij spotte met me. 'Ze wilde alleen maar weten hoelang het nog duurt tot het etenstijd is. En na het middageten willen ze weten hoelang het nog duurt tot het avondeten. Eten is het enige wat hen interesseert. Het leven zou een stuk eenvoudiger zijn als we hier een bel hadden, net als op school. En neem me nu niet kwalijk maar ik heb werk dat op tijd af moet zijn.'

Met andere woorden: hou je kop. Maar het maakte niet uit want 'Zenuwpees' kwam binnen met een man van wie ik aannam dat het meneer Klinghoffner was. Hij was halverwege de vijftig, had een weelderige bos grijs haar, een dikke buik en bijpassende ronde wangen. Als je er een rode mijter en een witte baard bij dacht, was hij de kerstman. Ik stond op en stak hem mijn hand toe. Hij drukte die beleefd, maar met zo'n akelig slap handje.

'Ik hoor van Jamie dat u van de politie bent.'

De zenuwpees heette dus Jamie. 'Dat klopt, meneer Klinghoffner. Zou ik u even kunnen spreken? Onder vier ogen?'

'Kan hier ook, ik luister toch niet. Het interesseert mij allemaal geen klap,' zei Magere Hein.

Klinghoffner lachte. 'Let maar niet op Buck.'

Buck? Dat moest een bijnaam zijn.

'Dit is de tijd van het jaar waarin de subsidies moeten worden aangevraagd.' Klinghoffner wrong zijn mollige handen. 'Veel administratief werk. Vandaar dat hij een beetje kortaangebonden is. We gaan wel naar mijn kantoor. Deze kant op, graag.'

Hij ging me voor door de keuken, die nog de originele inrichting had. De werkbladen waren betegeld in zonnig geel met tegen de muren een ruitvormig patroon van donkerblauw en geel. Klinghoffners kantoor was rechts van de keuken, een klein kamertje dat mogelijk ooit een voorraadkamer was geweest. Toen hij de deur dichtdeed, was het er nogal krap, maar de kamer had een groot raam en een dakraam dat een blik bood op de blauwe lucht.

'Waarmee kan ik u van dienst zijn, agent Decker?'

'Als u dinsdagochtend de krant hebt gelezen, weet u dat we een baby hebben gevonden in een vuilniscontainer in Hollywood.'

'Ja, dat heb ik gelezen. Vreselijk.'

'De baby maakt het goed, maar we hebben reden om aan te nemen dat de moeder blank is en mogelijk geestelijk gehandicapt.'

'Aha.'

'Enig idee?'

Klinghoffner keek nadenkend. 'Ik... voor zover ik weet, is geen van onze vrouwen zwanger.'

'Was. Was zwanger.'

'Ook dat niet. Maar ik ben niet van álles op de hoogte.'

Ik had de indruk dat hij probeerde zich in te dekken.

'Goed. We zullen ons gesprek theoretisch houden.'

'Ik hou niets achter, agent Decker. Ik weet het gewoon niet. We proberen onze bewoners iets bij te brengen over de bloemetjes en de bijtjes, maar over het algemeen willen hun voogden – ouders, broers en zussen, tantes – niets aan het toeval overlaten. Veel van de vrouwen worden gesteriliseerd voordat ze hier komen. Het laatste wat we nodig hebben, is nóg een gehandicapt kind.'

Ik dacht aan het arme baby'tje. Misschien zou blijken dat ze tóch in orde was. Misschien had Koby het mis. 'U zegt dus dat veel van de vrouwen gesteriliseerd zijn.'

'Ja, maar dat gebeurt niet op een achterbakse manier. Het gebeurt met toestemming, van de vrouwen zelf, van hun familieleden. Ze willen het zelf. Ze weten dat ze onmogelijk een kind kunnen grootbrengen als ze zich met seks gaan bezighouden.'

'Mogen ze seks hebben?'

'Nee, niet hier, maar je kunt het slecht tegenhouden. We zijn realistisch. En de vrouwen die niet gesteriliseerd zijn, krijgen elke dag de pil, samen met hun vitaminen. Daar houden we scherp toezicht op.'

'Begrijpen de vrouwen dat ze daardoor niet zwanger kunnen worden?'

'We leggen het uit. Sommigen begrijpen het beter dan anderen.'

'Maar het is geen vereiste van uw kant dat ze de pil slikken?'

Hij slaakte een diepe zucht. 'We dwingen niemand, als u dat bedoelt.'

'Neemt u me niet kwalijk. Ik weet dat u er een moeilijke taak aan hebt. Ik oordeel ook niet.'

'Goed,' zei de directeur. 'We hebben al moeite genoeg onze meisjes regels over hygiëne bij te brengen, laat staan over seks. We proberen ervoor te zorgen dat áls ze seks hebben, ze daarna niet te maken krijgen met dingen die ze niet aankunnen.'

'Weten de vrouwen wat ze doen wanneer ze seks hebben?'

Klinghoffner tuitte zijn lippen. 'Het is me niet duidelijk wat u daarmee bedoelt.'

'Gebeurt het met hun instemming of wordt het hun opgedrongen?'

'Lieve hemel, ik hoop met hun instemming, hoewel ik wel begrijp wat u bedoelt. De jonge vrouwen hier... zijn er niet aan gewend dat ze zeggenschap hebben over hun eigen lichaam. Hun hele leven is hun verteld wat ze moeten doen. We hebben therapeuten die hen helpen de betekenis van seks beter te begrijpen.'

Hij wendde zijn blik af.

'Seks is in dit gebouw niet toegestaan, maar ik heb wel eens stelletjes op heterdaad betrapt. Die heb ik toen maar geen straf gegeven, maar ik heb de betrokkenen wel apart genomen en geëist dat ze er met een therapeut over zouden praten. Om de reden die u al gaf: om na te gaan of niemand een ander iets opdrong.'

'En?'

'De betrokkenen hadden geen probleem met hun seksuele relatie, maar hun voogden wel. Een paar keer heb ik om deze redenen bewoners moeten verwijderen.'

Ik liet mijn charme op hem los. 'En is er een vrouw die vanwege seksuele problemen gedurende de afgelopen negen maanden is verwijderd? Mogelijk een vrouw die het syndroom van Down heeft?'

'Geen vrouw met het syndroom van Down, hoewel we hier wel van zulke vrouwen hebben.'

'U hebt een specifiek iemand op het oog.'

Klinghoffner aarzelde. 'Ik zou u dit eigenlijk niet mogen vertellen.'

'Meneer Klinghoffner, de vrouw in kwestie heeft dringend medische verzorging nodig.'

'Ja, dat begrijp ik.' Klinghoffner trommelde met zijn vingers op het bureaublad. 'We hebben hier een meisje dat het afgelopen jaar vaak ziek is geweest en dat ik nu al een week of vier niet heb gezien. Ze woont bij haar zus.'

'Is ze dik en blond?'

Hij aarzelde. Toen knikte hij.

'Maar ze heeft niet het syndroom van Down,' zei ik.

'Nee, ze lijdt aan hersenverlamming, al zal dat u weinig zeggen. Hersenverlamming is een verzamelnaam. Haar grove motoriek is erg slecht ontwikkeld. Haar fijne motoriek is een stuk beter dan je zou denken wanneer je haar ziet. Ze is geestelijk gehandicapt, daarover bestaat geen twijfel, maar ze kan wel dingen. Ze kan voor zichzelf zorgen: zich wassen, aankleden, naar de wc, zelfs een beetje koken. En ze is in staat met een computer te werken. Ze helpt ons wel eens gegevens in te voeren in de computer en dat doet ze erg goed.'

Ik zei niets.

'Een erg lief meisje. Ze was de afgelopen maanden misschien wat stiller dan anders. Misschien had ik daar meer aandacht aan moeten besteden, maar we hebben hier zoveel kinderen.' Hij raakte een beetje van streek. 'Ik noem hen kinderen, omdat ze zich zo gedragen. Ze maken zich vaak druk om niks. En dan gaat er wel eens iets langs me heen.'

'Dat is begrijpelijk.'

'Kom, ik loop even met u mee terug naar de receptie, dan zal ik haar adres voor u opzoeken.'

'Dank u, meneer Klinghoffner. U hebt het juiste besluit genomen.'

'Dat hoop ik.'

Ik nam weer plaats op de gebloemde bank. Ik hoopte dat ik niet al te lang hoefde te wachten, want Magere Hein had duidelijk de pest aan me. Hij keek me achter zijn stapels paperassen vandaan vernietigend aan.

Na een poosje vroeg hij: 'Hebt u gevonden wat u zocht?'

'Misschien wel.'

'Als u me vertelt wat u nodig hebt, kan ik u misschien wel helpen.'

Meende hij dat? Dat betwijfelde ik. Ik vertrouwde hem voor geen cent.

'Bedankt, maar het is al in orde.'

Zijn gezicht verstrakte. 'Ik wil alleen maar helpen.'

'Dat snap ik. Dank u.'

Klinghoffner kwam terug en maakte daarmee een einde aan de wat penibele situatie. 'Ik loop even met u mee naar de deur.'

Hij gaf me het velletje papier pas toen we buiten stonden, ver van alle nieuwsgierige ogen. Ik bedankte hem nogmaals en toen liep hij weer naar binnen. Ze heette Sarah Sanders. Haar zus Louise Sanders was haar voogd.

Ze woonden in de heuvels van Hollywood.

Ik draaide het adres om en om in mijn hand. Ik was er het liefste meteen naartoe gegaan, maar kon dat echt niet maken. Ik was geen rechercheur en zat nog veel te laag op de ladder. Ik mocht alleen informatie verzamelen en die door iemand anders laten onderzoeken.

Maar ik klom niet meteen in de telefoon voor Greg Van Horn. Ik had een afspraakje voor de lunch. Het was niet goed om met een lege maag beslissingen te nemen.

10

Little Addis Abeba ligt tussen Fairfax en Olympic, een ongerijmd stuk-je Ethiopische cultuur midden in een hoofdzakelijk joodse wijk met joodse winkels. Ik moet er op weg naar huis tientallen keren zijn langsge-reden, maar had er nooit aandacht aan besteed. Nu bekeek ik het met an-dere ogen. Ik vond een parkeerplaats dicht bij een van de alomtegen-woordige Starbucks-vestigingen, in een straat met parkeermeters. Schuin tegenover de plek waar ik mijn auto had neergezet, stond een langgerekt gebouw waar de joodse middelbare school Sjalhevet was gevestigd.

Pal tegenover me, aan de overkant van de straat, stond Koby, gekleed in een zwarte spijkerbroek en een koffiekleurig shirt met lange mouwen dat twee tinten donkerder was dan zijn huid, en een paar gouden kettingen om zijn nek. Hij wuifde en ik wuifde terug. Nadat ik de drukke straat was overgestoken, begroette hij me met een kusje op mijn wang en een stra-lende glimlach. Hij had een blauw papieren tasje van The Gap in zijn hand.

'Wat zie je er leuk uit,' zei hij. 'Prima outfit. En wat een mooie sjaal. Die maakt het helemaal af.'

'Je ziet er zelf ook niet gek uit. Mooie kettingen.'

'Beetje retro-disco, niet?'

'Er ontbreekt alleen een gouden scheermesje aan om het compleet te maken.'

'Ja, dan heeft de politie helemáál een goed excuus om me...' Hij wend-de zijn gezicht af en balde zijn vuist. 'Sorry. Dat had ik niet moeten zeg-gen.'

Ik lachte. 'Geeft niks. Helpt het als ik zeg dat ook ik je waarschijnlijk zou hebben aangehouden?'

'Ik ben erg dom.'

'Je bent gewoon eerlijk.' Ik ging snel op iets anders over. Ik wees naar de school en de schildering van de brandende kaars op de muur. 'Is *sjalhevet* Hebreeuws voor vuur?'

'Vuur is *esj*,' antwoordde hij. '"Sjalhevet" betekent vlam.'

'Mijn stiefmoeder zou goed met jou overweg kunnen. Je moet eens een keertje voor de sjabbatmaaltijd komen.'

'Heel graag. Ik ben aanstaande vrijdag vrij.'

Mijn mond viel open. Ik sloot hem snel. Wat was ik toch een flapuit! 'Eh, ik zal het vragen. Ik weet niet of het deze vrijdag gelegen komt…'

Hij lachte erom, maar een beetje gegeneerd. Ondanks zijn donkere huidskleur meende ik een blos te zien. 'Ik moet leren tot tien te tellen. Sorry. Ik hoor het wel wanneer het een keer gelegen komt, Cindy. Je kent me immers nog maar net.'

Als ik nu terugkrabbelde, was ik een watje. 'Nee, het kan vast wel. Ik zal het haar vragen.'

'Als je het vraagt en ze zegt dat het goed is, kom ik. Hiermee geef ik je een mooi excuus. Je kunt altijd zeggen dat ze nee zei.'

'Ik heb geen excuses nodig, Koby. Ik mag uitnodigen wie ik wil.' Nu was het een principekwestie. 'Ik nodig je hierbij uit. Ik zal mijn vader vragen het aan mijn stiefmoeder door te geven, goed?'

'Als je er na de lunch nog steeds zo over denkt, zal ik je uitnodiging met plezier aannemen.' Hij gaf me het tasje. 'Dit is voor jou. Ik heb geen tijd gehad het netjes in te pakken.'

Ik wist dat hij de hele nacht had gewerkt en was geroerd door het attente gebaar. 'Dank je. Hoe weet je welke maat ik heb?'

'Dat weet ik niet. Kijk maar wat erin zit.'

Ik keek en haalde uit het zakje een pond koffie en een ronde, sponzige plak die in plastic was verpakt. Hij nam het pak koffie van me over en maakte het open. 'Een speciale melange. Ruik eens.'

'Hmmm. Kaneel.'

'Beter dan die prut in het ziekenhuis, hè?'

'Veel beter.' Ik hield het platte pakje omhoog. 'En wat is dit voor frisbee?'

'Dat is *indjera*, Ethiopisch brood, gemaakt van teff, onze nationale graansoort.' Hij deed de spullen terug in het zakje. 'Ik geef je etenswaren. Voor een Ethiopiër is dat een kostbaar geschenk.'

'Snap ik.'

'Ik heb niets gereserveerd. Zullen we wat rondlopen en kijken wat ons leuk lijkt?'

Ik antwoordde dat ik dat prima vond. We slenterden door de drukke straat, vergezeld door het geronk van het verkeer en de indringende, ritmische muziek die uit het reisbureau Lion of Judah en een cd-winkel kwam. Ik zag de meest uiteenlopende zaakjes: joodse winkels in tweedehandsgoederen, een dumpwinkel, kledingzaken, een warme bakker en uiteraard veel Ethiopische winkels. Binnen een paar seconden had ik heel slim opgemerkt dat de nationale kleuren van Ethiopië zeker groen, geel en rood waren, omdat minstens vijf winkelpuien beschilderd waren met strepen in die kleuren. Het Shell-station in de verte kleurde er aardig bij.

Er waren drie restaurants, elk met een luifel waarop de naam in het Engels stond en in een eigenaardig schrift waarvan ik aannam dat het Amharisch was, en we kwamen langs een winkel die was gespecialiseerd in indjera en exotische kruiden. Zelfs met de deur dicht kon je de kruiden ruiken. Er was een kledingzaak die adverteerde met organische weefsels. In de etalage hing een witte katoenen jurk met rode, groene en gele randjes langs de hals en op de planken om de kledingrekken lagen tientallen zilveren ringen en kruisjes, sieraden die van schelpen waren gemaakt en primitief uitziende poppetjes. Koby zag me ernaar kijken.

'Wil je naar binnen?'

'Nee, nu niet. Misschien straks.'

'Dit is Goersja. Zullen we hier eten?'

'Prima.'

Hij hield de deur voor me open.

Het was een klein, huiselijk restaurant met een erg bont interieur. Behang met een patroon van afdrukken van dierenpoten vormde de achtergrond voor posters van Ethiopië, een wereldkaart en tientallen foto's van lachende klanten. De tafels en stoelen waren gemaakt van strokleurige bamboe waarop in rood geometrische patronen waren geschilderd, en ieder tafeltje was overkoepeld door een grote, stoffen paraplu met franje. Een paar mannen zaten in een zogenaamde rieten hut bij het raam en aten *a mano* – met hun handen. De serveerster was een tenger meisje met de typische rechte neus en ronde ogen van de Ethiopiërs. Ze wierp een blik op mij en sprak Koby toen in haar moedertaal aan. Ze voerden een kort gesprek, toen bracht ze ons naar een tafeltje en gaf ons menukaarten.

'Ik heb gezegd dat we vegetariërs zijn,' vertelde Koby me. 'Ze zegt dat ze veel vegetarische specialiteiten hebben.'

'Ik zie het al,' zei ik. 'Ze hebben een uitgebreide vegetarische maaltijd voor twee. Dan krijg je *jater alietsja…*'

'Gekruide doperwtjes.'

'*Jatakilt alietsja…*'

'Gekruide gemengde groenten.'

'*Jemiser wot…*'

'Linzen met rodepaprikasaus.'

'Groene kool.'

'Groene kool.'

Ik lachte. 'Goeie! En dan is er ook nog baklava. Aha, eindelijk iets wat ik ken. Zullen we samen zo'n maaltijd nemen?'

'Goed.'

'Eet je hier met je handen, net als in Marokkaanse restaurants?'

'Ongeveer. De maaltijd wordt opgediend op indjera.'

'Het platte brood.'

'Juist. Je gebruikt de indjera als bord en bestek. Je eet het samen met wat erop zit. Scheelt een hoop afwas.'

Weer lachte ik. De serveerster kwam terug, keek schuin naar mij en richtte zich weer tot Koby. Hij bestelde voor ons beiden, maar ik bestelde zelf iets te drinken. Toen ze weer weg was, zei ik: 'Volgens mij mag ze me niet erg.'

'Misschien is ze gewoon wat verlegen en spreekt ze niet erg goed Engels. Of het komt omdat je hier met mij bent en niet een van ons bent. Al ben ik eigenlijk ook niet een van hen, omdat ik joods ben.'

'Zwart en joods. Maak het leven niet moeilijker dan het al is, Koby.'

'Het is goed om veel verschillende werelden te leren kennen. Bovendien ben ik zoals God me heeft gemaakt. Net als de baby die je hebt gevonden. En over de baby gesproken…' Hij leunde naar voren en sprak op een fluistertoon. 'Ik heb goed nieuws.' Zijn ogen flonkerden. 'We hebben een voorlopig genetisch profiel ontvangen.'

Ik werd helemaal opgewonden. 'Heeft ze niet het syndroom van Down?'

'Ssst. Ik mag eigenlijk niet met je over patiënten praten. Zelfs niet over baby's.'

Ik knikte en fluisterde: 'Dus ze is normaal?'

'Niet helemaal. Ze heeft de mozaïekvorm van Down, zoals wij dat noemen. Dat wil zeggen dat ze gedeeltelijk normale cellen heeft en gedeeltelijk cellen met trisomie 21.'

'Hoe komt dat?'

'Het kenmerk van het syndroom van Down is het extra chromosoom in de eicel. De mozaïekvorm ontwikkelt zich in de tweede cyclus als de kern zich verkeerd splitst.'

Ik knikte, maar hij kon waarschijnlijk aan mijn gezicht zien dat ik het niet helemaal begreep.

Hij zei: 'De bevruchting levert één zygote op. Die splitst zich in twee normale cellen. Dan splitst een van de normale cellen zich op een incorrecte manier, waardoor het lichaam voor de helft normale cellen heeft, en voor de helft cellen met trisomie 21 – een extra eenentwintigste chromosoom. Dat houdt in dat de prognose voor haar intellectuele capaciteit groter is dan voor mensen met het volledige syndroom van Down. Ze kan van alles zijn, van zwakzinnig tot normaal.'

'Dat is dus afwachten.'

'Ja, maar toch is het goed nieuws. Dit hadden we niet verwacht, Cindy. De mozaïekvorm is erg zeldzaam.'

Ik glimlachte hem verheugd toe. 'Wat heerlijk.' Toen betrok mijn gezicht. 'Wat wil dat zeggen over haar ouders?'

'Dat het mogelijk is, maar niet zeker, dat een van hen het syndroom van Down heeft. We weten het niet. Het enige wat ik zeker weet, is dat ze zowel blank als zwart bloed heeft.' Onze drankjes werden geserveerd. 'Maar genoeg hierover. Jij weet al heel veel over mij, maar ik weet erg weinig over jou. Vertel me eens over je vader en je religieuze stiefmoeder en de rest van je familie.'

Een ogenblik keek ik hem verbluft aan. Ik had weliswaar verwacht dat hij meer over me zou willen horen, anders zou hij wel erg onbeleefd zijn, maar ik had gedacht dat hij net zo zou beginnen als iedereen, met de vraag waarom ik bij de politie was gegaan. Dat hij naar mijn familie vroeg, wilde zeggen dat hij nieuwsgierig was naar mijzelf, niet naar mijn beroep. Ik vertelde hem over Rina en mijn vader, en over haar invloed op zijn religieuze ontwikkeling. Daarna ging ik over op mijn moeder en haar huidige echtgenoot Alan. Ik vertelde hem ook dat ikzelf areligieus was opgevoed en dat het voor mij een grote verrassing was geweest toen mijn vader met mijn stiefmoeder was getrouwd.

De bediening was traag. Normaal gesproken zou ik mijn geduld hebben verloren, maar ik zat zo druk te praten dat ik er geen erg in had. Toen het eten eindelijk werd opgediend, had ik er geen moment bij stilgestaan dat het zo lang had geduurd. De gerechten waren pikant en deden me denken aan de Indiase en Arabische keuken, maar waren uniek vanwege de zurige smaak van de indjera. Ik kon niet zeggen dat ik meteen verkocht was, maar vond het wel smakelijk.

'Wat vind je ervan?' vroeg Koby na een paar minuten.

'Het is lekker.' Ik trok een stuk van de indjera en schepte er wat van de linzen mee op. 'En het geeft je een oergevoel wanneer je met je vingers eet. Het doet me denken aan toen ik als kleuter in de zandbak speelde en mijn vingers vol zand kwamen te zitten.'

'Nou, geniet er dan maar van.'

'Dank je. Je hebt trouwens weinig gezegd,' merkte ik op. 'Je kunt goed luisteren.'

'En jij bent een erg interessante persoon.'

'Ik voel me gevleid.' Ik verborg mijn blos achter mijn glas water. 'Ik denk dat het komt doordat je in de verpleging zit. Je bent eraan gewend naar mensen te luisteren.'

'Dat ook. Maar dat geldt toch ook voor jou?'

'Ja, dat is waar. Negentig procent van de tijd luister ik naar mensen.'

'Net als ik.'

'Zelfs als je met kinderen werkt?'

Hij dacht daarover na. 'Met kinderen… de allerkleinsten zeggen weinig. Je moet spelletjes verzinnen om ze door de behandelingen heen te loodsen. We hebben psychologen die dat doen. En wanneer die niet beschikbaar zijn, doen de verpleegkundigen het. De meisjes spelen graag met poppen, de jongens… die zijn altijd wild. Die willen altijd boksen en zo. Wanneer ze ziek en boos zijn, willen ze het liefst iemand slaan. Ik heb al voor heel wat stompen van boze jongetjes moeten wegduiken!'

'Het valt vast niet mee om met zieke kinderen te werken.'

Hij haalde zijn schouders op. 'Soms niet. Maar het geeft ook voldoening. Net als jouw werk, neem ik aan?'

'Ja.' Ik knikte.

Koby zei: 'Laten we over iets anders praten. Het woord *goersja* betekent letterlijk "mondvol", maar het is ook een Ethiopische traditie.'

'Wat voor traditie?'

'Je voedsel met elkaar delen. Daarom wordt alles op één schaal geserveerd. Als we iemand erg graag mogen, stoppen we zelfs voedsel in elkaars mond.'

'Wat?'

Hij deed wat gekruide doperwtjes op de indjera en maakte een mini-sandwich. '*Minhag hamakom.* Dat is Hebreeuws voor "plaatselijk gebruik". Je moet me toestaan iets in je mond te stoppen. Anders denken ze dat je me niet mag.'

'Meen je dat echt?'

'Kijk maar eens om je heen.'

Dat deed ik. Dicht bij ons zat een jong Ethiopisch stelletje. Hij was gekleed in een T-shirt en spijkerbroek en had dreadlocks; zij was gekleed in een felroze, zijden bloes en een zwarte stretchbroek en had haar haar in een staartje gebonden. Ze stopte haar metgezel inderdaad eten in de mond.

'Goed,' zei ik langzaam. 'Maar alleen als ik het bij jou ook mag doen.'

'Natuurlijk. Dat is juist de bedoeling.'

Zodra zijn hand mijn lippen raakte, schoot ik in de lach en week ik automatisch achteruit. Maar toen accepteerde ik de geboden portie, waarbij mijn tong zijn vingertoppen raakte. Daarna bood ik hem een stukje indjera met wat koolbladeren ertussen geklemd. Hij ontving het heel keurig, niet klef, maar dat maakte al niets meer uit, want zodra mijn vingers zijn lippen raakten, werd er iets in me losgemaakt. En zo te zien gold hetzelfde voor hem.

We keken elkaar lange tijd aan. Toen sloeg ik mijn ogen neer. Ik wist dat ik weer een rood hoofd had. 'Ik moet zeggen dat hiermee het ijs wel meteen gebroken wordt.'

Hij bleef naar me kijken. 'Ik had goede redenen om je mee te nemen naar een Ethiopisch restaurant.'

Ik wuifde met een vermanende vinger naar hem.

Hij maakte een hapje klaar met kool. 'Hier. Laten we het nog een keer doen. De tweede keer is het al wat gemakkelijker.'

Alsof hij het over heel normale dingen had.

Ik ontving de portie zonder tegen te sputteren en vond het prettig toen zijn vingers mijn lippen raakten. Vervolgens voerde ik hem een stukje pompoen. Hij kauwde en likte met het puntje van zijn tong aan zijn mondhoek. De pupillen van zijn lichtbruine ogen waren zo groot geworden dat het leek alsof hij zwarte ogen had.

Ik glimlachte ondeugend. 'Verhuren ze achter ook kamers?'

Hij barstte in lachen uit. 'Eten moet stimulerend zijn.'

'Stimulerend, maar niet in de zin van "boven de achttien".'

Weer lachte hij. We aten een paar minuten in stilte om een beetje af te koelen. Toen ging ik rechtop zitten en slaakte een diepe zucht. 'Ik kan niet meer op.'

'Vond je het lekker?'

'Ja, heerlijk. Het was niet zomaar een lunch, het was een ervaring. Dank je wel.'

'Geen dank. Ik heb zelf ook genoten. Koffie?'

'Graag.' Ik aarzelde. 'Je mag je koffie toch wél zelf opdrinken?'

Hij glimlachte. 'Ja, dat mag... tenzij je een nieuwe traditie wilt invoeren.'

'Nee, dit was me allemaal al avontuurlijk genoeg.'

Koby wenkte de serveerster en bestelde in het Amharisch koffie voor ons.

'Kom je hier vaak?' vroeg ik.

'In het begin kwam ik hier vrij vaak, wanneer ik heimwee had. Nu zijn het eigenlijk vooral de sjabbatavonden die ik mis.'

Ik zei: 'Je bent uitgenodigd voor vrijdag, als je dat nog steeds wilt.'

'O, ik bedoelde er niets mee, hoor.'

'Dat snap ik wel. Ik wil graag dat je komt.'

Hij bekeek me met een indringende blik. 'Ik gedraag me wel eens wat te vrijpostig. Weet je zeker dat je het wilt?'

'Heel zeker.' Ik probeerde nonchalant over te komen. 'En omdat ik weet waar het is, zal ík rijden.'

De serveerster kwam naar onze tafel toe met een klein potje koffie, die ze in twee kleine kopjes schonk. De koffie was sterker dan espresso, maar niet zo sterk als Turkse koffie. We glimlachten naar elkaar, een beetje verlegen vanwege de vonken die midden in het platonische gesprek tussen ons waren overgesprongen. Ik keek afwezig op mijn horloge en zette grote ogen op. 'O, hemel! Is het al zo laat?' Ik sloeg met mijn hand tegen mijn voorhoofd. 'De parkeermeter!'

Hij stond op en trok mijn stoel voor me achteruit. 'Ga jij maar gauw naar de parkeermeter. Ik betaal wel.'

'Ik wilde meebetalen.'

'Nee, ik heb je uitgenodigd.'

Ik drong niet aan. 'Tot vrijdag dan.' Ik pakte een visitekaartje en overwoog hem mijn telefoonnummer te geven, maar gaf hem in plaats daarvan mijn e-mailadres. Ik was nog niet helemaal zeker van hem, ook al was hij nog zo leuk om te zien. Ik had hem nog niet gegoogeld en was nog niet nagegaan of hij soms een strafblad had. 'Je kunt me het beste bereiken via e-mail. Mag ik jouw adres dan ook? Je hebt toch wel e-mail?'

'Tuurlijk.' Hij pakte mijn kaartje aan zonder blijk te geven van teleurstelling en gaf me het zijne. 'Mijn telefoonnummer thuis, op mijn werk, mijn mobiel en ook nog mijn e-mail. Je ziet zelf maar wat het gemakkelijkst voor je is en dan vertel ik je wel hoe je het beste bij mij thuis kunt komen. Ik woon in de heuvels. Ik heb erg van je gezelschap genoten, Cindy. Ga nu maar gauw.'

Ik wuifde naar hem en liep weg. Ik voelde me zo licht als een veertje, ondanks het zware pistool in mijn tas.

11

Vlak voordat ik aan mijn dienst begon zag ik Greg Van Horn, die zich net afmeldde. Zijn vakantiedagen stonden met groene markeerstift op het dienstrooster aangegeven. Hij keek opgewekt, liep met lichte tred en had zelfs zijn stropdas al losgetrokken. Ik onderschepte hem toen hij zijn collega's voor de laatste keer toewuifde. Hij fronste zijn wenkbrauwen toen hij me zag. Jammer dan. Ergens was een jonge vrouw die dringend medische verzorging nodig had. Ik gaf hem het velletje papier en legde uit wat het was.

'Heb je dit helemaal in je eentje gedaan?'

'In mijn allereigenste uppie.'

'In je vrije tijd?'

'In mijn vrije tijd.'

Hij staarde me aan.

'Goh, het vrouwtje heeft zowaar hersens!'

'Decker!'

'Pardon, meneer.' Ik onderdrukte een grijns.

Hij tikte met zijn voet op de vloer. 'Je brengt me in een conflictsituatie, Decker, en dat nog wel vlak voor mijn vakantie. Dit vind ik niet leuk.'

'De volgende keer zal ik proberen minder te weten te komen.'

Hij keek me dreigend aan, maar zonder overtuiging. 'Russ gaat over deze zaak, maar ik wil niet dat hij met de eer gaat strijken, want die komt jou toe.'

'Misschien zal blijken dat het een verkeerd spoor is.'

Hij gaf me het velletje papier terug. 'Dan moet je dat eerst maar eens gaan uitzoeken.'

'En als het een goed spoor blijkt te zijn?'

'Dan blijf je het volgen.'

'Moet ik dan contact opnemen met Russ?'

'Laat het van de omstandigheden afhangen.'

Hij gaf me speelruimte. Hij gedroeg zich bijzonder royaal. Ik bedankte hem en stopte het velletje papier in mijn broekzak. Hij bemerkte de onzekerheid die ik voelde.

'Wat is er?'

'Dit is wel iets anders dan waaraan ik gewend ben. Met een zwakzinnig meisje praten over baby's en seks.' Ik merkte dat ik te angstig overkwam. 'Maar ik red me wel. Geen probleem. Alleen... hebt u nog advies? Ik wil uw zaak niet verknoeien.'

'Jouw zaak zul je bedoelen.' Hij spreidde hulpeloos zijn handen. 'Ik ben met vakantie, Decker. Je hebt contacten op het bureau. Maak daar gebruik van.'

Decker had zijn huis altijd beschouwd als zijn toevluchtsoord, maar de laatste tijd was het tevens zijn tweede kantoor. Op het bureau zat hij met onderzoeken, problemen, details. Er moest vergaderd worden met de commissaris, met rechercheurs, met mensen van de federale politie, met vertegenwoordigers van de gemeenteraad en de plaatselijke congresleden. Een hoop pr, wat in feite een hoop geouwehoer was. Hij wist zich er glimlachend doorheen te slaan, maar kreeg er steevast koppijn van. Ooit had hij er zijn hand niet voor omgedraaid, de telefoontjes en vergaderingen gladjes afgehandeld. Tegenwoordig merkte hij dat ze een te grote afleiding vormden, en onverwacht opduikende herinneringen aan bloed en doden waren ook niet bevorderlijk voor zijn concentratievermogen.

Hij zette zijn bril af, legde hem op het bureau en wreef in zijn ogen, maar dat had weinig effect. Rina had de logeerkamer omgetoverd tot een gerieflijk kantoor. Overdag zag je door de ramen de fruitbomen in de achtertuin. Op dit moment was het buiten donker, maar de dwergsinaasappelboom die pal naast het raam in bloei stond, verspreidde een heerlijke geur die tussen de latjes van de jaloezieën door naar binnen kwam. Hier kon hij zich in alle rust in ingewikkelde zaken verdiepen en slaagde hij er vaak in gestagneerde zaken nieuw leven in te blazen.

Hij wist zijn baan te houden en zijn mentale evenwicht te bewaren omdat hij tweemaal zo hard werkte als eigenlijk zou moeten. Het ging nu redelijk – hij had ook weinig keus, want hij had het geld nodig voor zijn gezin – maar het zou nog even duren voordat alles weer goed was. Rina's bekentenis had geholpen. Decker wist dat ze nog steeds niet álles had opgebiecht, maar stukje bij beetje zou alles wel tevoorschijn komen.

'Hoelang nog?'

Decker hief zijn hoofd op. Rina was gekleed in een zwart trainingspak. Zonder make-up en met los haar kon ze doorgaan voor een jaar of twintig.

'Hoe laat is het?' vroeg hij.

'Halftwaalf.'

'Had ik gezegd dat ik om elf uur zou stoppen?'

'Zoiets.'

'Sorry.'

'Geeft niet.' Rina ging achter hem staan en begon zijn nek te masseren. 'Je ziet er gespannen uit. Misschien helpt dit.'

'Mmm, heerlijk. Wat moet ik ervoor terugdoen?'

'Ik heb nog één dossier dat ik je wil laten zien.'

'Nu?'

'We hebben aan vijf minuten genoeg.'

'Tegenwoordig heb ik aan vijf minuten lang niet genoeg.'

Rina gaf hem een speelse tik. 'Gelukkig maar. Ik ga een kopje thee zetten. Als jij dan onderhand deze spullen even opruimt?'

'Tot uw orders, mevrouw. Krijg ik ook thee?'

'Jazeker.'

Hij glimlachte en keek haar na toen ze heupwiegend wegliep. Tegen de tijd dat ze terugkwam uit de keuken was zijn bureaublad bijna opgeruimd. Ze kwam binnen met een pot thee, twee mokken en een dossiermap met een slappe kaft. Ze zette het blad neer en trok een stoel bij.

'Als jij nu even inschenkt, zal ik onderhand uitleggen wat ik heb gedaan.'

'Komt het ooit voor dat je níét alles tot in de puntjes georganiseerd hebt, Rina?'

'Het staat in mijn taakomschrijving. Vooruit, inschenken.'

Decker tilde de theemuts van de hete theepot en hield het dekseltje van de pot tegen toen hij de geurige thee in de twee mokken schonk. 'Eén klontje of twee?'

Ze leunde naar voren en gaf hem een zoen. 'Je weet best dat ik geen suiker in mijn thee doe.' Ze haalde drie setjes getypte velletjes papier uit de map. 'Je wilt misschien wel aantekeningen maken.'

Decker lachte en hield een pen omhoog. 'Ik ben zover, juf!'

'Haha. Hierop staan de namen van alle mensen in het dossier.'

'Wie heeft het uiteindelijk voor je vertaald?'

'De schoonmoeder van Laurie Manheim. Maar we zijn er niet helemaal uitgekomen. Ken je Laurie? De vrouw van rabbi Manheim?'

'Ik ken Laurie noch rabbi Manheim.'

'Hij geeft les op de middelbare school. Yonkie heeft in de vierde klas *Gemara* van hem gehad. Ik heb hem goed leren kennen, omdat Yonkie steeds onvoldoendes haalde.'

'Gelukkig doet Yonkie het nu beter. Hij heeft eindelijk zijn stek gevonden.'

'Ja, het leven op de jesjiva bevalt hem goed.'

'Het is meer een college. Maar we dwalen af.'

'Inderdaad.' Rina glimlachte. 'Hoe dan ook, voor zover Lauries schoonmoeder het kan beoordelen, was de man die boven aan de lijst staat – Rudolf Kalmer – degene die de leiding had over het onderzoek. Maar deze man – Heinrich Messersmit – hoorde er ook bij.'

'Partners?'

'Dat weet ik niet. Het lijkt erop dat ze er beiden mee bezig waren, maar onafhankelijk van elkaar. Verschillende handschriften.'

'En de derde? Axel Berg?'

'Die kwam er wat later bij. Berg was bezig met het onderzoek naar twee andere onopgeloste moordzaken en we geloven dat Kalmer en Messersmit hem hebben geraadpleegd inzake mijn grootmoeders dood. Berg heeft de zaak later overgenomen.'

'Wat waren die andere zaken?'

'Moment…' Rina bladerde in de vertaalde tekst. 'Het is ons niet helemaal duidelijk, omdat ze afkortingen gebruiken, net als jullie hier doen. Mevrouw Manheim dacht dat deze pagina…' Rina zocht in de gefaxte kopieën van de originele documenten. '… hier heb ik hem. Hier staat dat ze Berg erbij hebben gehaald voor een consultatie over de MAK van twee vrouwen, Anna Gross en Marlena Durer.' Rina las even in stilte. 'Ja… dit woord, *Tötungsdelikt*, betekent moord met voorbedachten rade. In tegenstelling tot *Totschlag*.'

'*Totschlag?*'

Rina raakte een beetje gefrustreerd toen ze naar de juiste woorden zocht. 'Je weet wel… als een verdedigbare moord.'

'Uit zelfverdediging?'

'Ja. Het kán betekenen dat de moord uit zelfverdediging is gepleegd.'
Ze bracht haar hand naar haar voorhoofd. 'Doodslag! *Tötungsdelikt* impliceert dat er sprake is van voorbedachten rade.'

'Goed. Dus deze twee vrouwen, Durer en Gross, waren elk het slachtoffer van een moord met voorbedachten rade.'

'Volgens ons wel.'

'Wat betekent MAK?'

'Daar zijn we niet zeker van. Volgens mevrouw Manheim zou het een afkorting kunnen zijn voor *Mordakten*, dossier over een moord. *Mord* is moord. *Akte* is dossier. Snap je? Het staat ook bij de naam van mijn grootmoeder: MAK Regina Gottlieb.'

Decker keek zijn vrouw in haar blauwe ogen. 'Regina? Dus je bent naar haar vernoemd?'

Rina knikte.

'Aha.'

'Ik geloof dat Kalmer en Messersmit wilden weten of de moord op mijn grootmoeder iets te maken had met de moord op Durer en Gross.'

'Hoe? Een seriemoord?'

Rina haalde haar schouders op. 'Geen idee. Dat is jouw terrein.'

Decker bekeek de vertaalde pagina's en dronk zijn thee. 'Ik zie dat jullie het autopsierapport ook hebben vertaald.'

'Ja. Dat was heel naar.'

Weer keek hij op naar zijn vrouw. 'Je grootvader heeft toestemming gegeven voor de sectie.'

'Hij had geen keus, omdat ze een onnatuurlijke dood was gestorven.'

Hij las het signalement: *een blanke Jodin, normaal ontwikkeld, normaal postuur, lengte 1,55 meter, gewicht 45 kilo.* 'Ze hebben haar religie gespecificeerd.'

'Uiteraard.' Ze trok een gezicht. 'Het valt me nog mee dat er niet staat "joodse teef".'

'Maar 1928 was vóór Hitlers tijd.'

'In Duitsland wel. Hij kwam pas in 1933 officieel aan de macht. Maar München is een ander verhaal. Tegen het eind van de jaren twintig was Hitler daar al een belangrijke figuur. München was de stad waar zijn ouders vanuit Oostenrijk naartoe waren gegaan, de stad waar hij in het begin van de jaren twintig de beroemde Bierhalputsch leidde.'

'Sorry, ik heb nooit opgelet bij geschiedenisles over andere landen. Wat is een "putsch"?'

'Een putsch is… net zoiets als een staatsgreep… een opstand. De nazi's probeerden München in hun macht te krijgen, maar dat lukte niet. Hitler is toen gevangengezet. In de gevangenis heeft hij *Mein Kampf* geschreven. Klinkt dat een beetje bekend?'

'Ik wist dat Hitler een Oostenrijker van geboorte was. Ik weet ook dat hij een mislukte artiest was. Maar je zult me een spoedcursus over de geschiedenis van het vooroorlogse Duitsland moeten geven.'

'Zo belangrijk is het niet.'

'Jawel. Het kan belangrijk zijn. Misschien had de moord te maken met antisemitisme.' Decker las een paar minuten in stilte.

Rina liet hem begaan en zei toen: 'Zie je al iets wat je theorie staaft?'

'Nog niet. Ik moet dit op mijn gemak bekijken.' Hij bladerde een paar pagina's terug. 'Die Berg werkte aan een aantal moordzaken, allemaal vrouwelijke slachtoffers. En ze beschouwden jouw grootmoeder als een mogelijkheid. Alleen zijn die twee andere vrouwen, Durer en Gross, gewurgd. Jouw grootmoeder, daarentegen, is gedood met een klap op haar achterhoofd.' Hij deed de map dicht en keek Rina in de ogen. 'Wil je dit echt uitzoeken?'

'Ik weet dat het raar is, maar dat wil ik graag, ja.'

'Het is niet raar, Rina, maar het betreft zeer onaangename dingen.'

'Het kan niet erger zijn dan de kampen.'

'Daar heb je gelijk in, maar ook dingen die minder gruwelijk zijn dan de kampen kunnen grote invloed op je hebben.' Decker pakte de paperassen bij elkaar en liet het pakketje een paar keer op zijn bureau neerkomen om een recht stapeltje te krijgen. 'Ik ben nu een beetje moe, maar morgenavond zal ik alles zorgvuldig lezen en je laten weten wat ik eruit concludeer.'

'Dank je.'

Decker dacht even na. 'Je mag de historische context niet bagatelliseren, Rina. Ik vermoed dat het antisemitisme heel relevant zal blijken te zijn.'

'Dat zou best eens kunnen.' Rina zuchtte. 'En dat is erg triest.'

Het was na middernacht tegen de tijd dat ik in bed kroop, maar pa was een nachtmens. Ik draaide het nummer van zijn kantoor. Hij nam op toen de telefoon tweemaal was overgegaan.

'Decker.'

'Met mij. Ben je nog op?'

'Ja, nog net. Waarom bel je naar het nummer van mijn kantoor?'

'Omdat ik dacht dat je zou schrikken als ik naar jullie gewone nummer belde.'

'Daar heb je gelijk in. Bedankt. Zeg het eens.'

'Ik heb een paar vragen. Om te beginnen, kan ik vrijdagavond bij jullie komen eten?'

'Natuurlijk. Dat hoef je nooit te vragen. Weet je dat de jongens thuis zijn?'

'Nee, dat wist ik niet. Waarom zijn ze thuis?'

'Zomervakantie.'

'Maar het is pas half mei.'

'Ze hebben allebei hun examens er al op zitten. Bof ik even, hè?'

Ik glimlachte. 'Arme jij. Van alle kanten belaagd.'

'Ik maak maar een grapje. Het is juist fijn om het hele gezin weer bij elkaar te hebben. Is er een speciale reden dat je wilt komen?'

'Nee.' Een onbeschaamde leugen. 'Maar ik wil graag iemand meebrengen. Behalve als het voor Rina te veel werk is. Dan doen we het een andere keer.'

Een korte stilte. 'Natuurlijk mag je iemand meebrengen. Een meisje of een jongen?'

'Een jongen, maar ga er nu niet meteen iets achter zoeken. Ik heb hem pas een paar dagen geleden ontmoet.'

'En je brengt hem nu al mee naar je ouderlijk huis voor een sjabbat-maaltijd?'

'Niet precies mijn ouderlijk huis. Mam weet er trouwens niets van, omdat het niet relevant is. Ik breng hem alleen maar mee omdat hij van religieuze afkomst is. Zijn familie woont in Israël en het leek me leuk voor hem om weer eens een echte sjabbat mee te maken.'

'Hij is dus een Israëliër?'

Hij klonk een beetje opgewonden. Ik zag zijn brede glimlach voor me. Ik vroeg me af hoe breed die zou blijven wanneer hij Koby's huidskleur zag. Ik zou eigenlijk iets meer over hem moeten vertellen, al was het maar zodat hij erop voorbereid zou zijn, maar aan de andere kant vond ik het niet nodig. Mijn ouders hadden me altijd geleerd geen vooroordelen te koesteren. Dit was een mooie gelegenheid om hun theoretische tolerantie op de proef te stellen.

'Hij woont hier al acht jaar. Niet raar doen, pap. Hij is gewoon een vriend van me, goed?'

'Goed, prinsesje. Breng hem maar mee.'

'Er is nog een reden dat ik bel.'

'Dat klinkt serieus.'

'Het heeft te maken met mijn werk. Het is mogelijk dat ik iemand op het spoor ben die wel eens de moeder van de baby kan zijn.' Ik vertelde hem wat ik allemaal te weten was gekomen. 'Wat denk je?'

'Dat je geweldig bent.'

Hij dacht nog steeds aan mijn 'vriend'. Ik hoorde het aan zijn stem.

'Ik heb dit allemaal aan Greg Van Horn verteld, maar die is vanaf vandaag met vakantie. Hij heeft gezegd dat ik het spoor moest blijven volgen om te zien of het iets oplevert. En zo ja, dan moet ik het van de omstandigheden laten afhangen wat ik ermee doe.'

'Hij geeft je de gelegenheid te laten zien wat je kunt. Aardig van hem.'

'Dat weet ik. Ik heb hem ook bedankt. Hij geeft me een kans en die wil ik niet verknoeien. Dus... heb jij morgenochtend toevallig tijd?'

Hij schoot in de lach. 'Waarom zou ik mee moeten?'

'Om me discreet aan te stoten wanneer ik fouten maak.'

'Pak even een pen en papier.'

'Moment.' Ik pakte een blocnote en pen van mijn nachtkastje. Die lagen daar altijd voor het geval ik plotsklaps een goede ingeving kreeg. 'Zeg het maar.'

'Luister goed. Je moet dingen over dat meisje te weten komen, maar daarvoor moet je het via haar zus spelen. Je mag die zus niet tegen je in het harnas jagen. Eerst leg je uit wie je bent. Je vraagt of je even binnen mag komen en zegt erbij dat je niet veel van haar tijd in beslag zult nemen. Dat is belangrijk. Als mensen denken dat het lang gaat duren, worden ze zenuwachtig. Gedraag je heel rustig. Zeg dat je bezig bent met een onderzoek en dat je daarvoor bij het Fordham Center terecht bent gekomen. En dat ze daar hadden gezegd dat het meisje... Hoe heet ze?'

'Sarah.'

'Dat Sarah er al een poosje niet is geweest. Je vraagt of alles in orde is met haar. Daarop geeft de zus misschien geen antwoord. Ze zal misschien zeggen: "Waarom wilt u dat weten?" Dan zeg je, dat je dat zo dadelijk zult uitleggen. Je vraagt nogmaals hoe het met Sarah is. Dan zegt de zus misschien iets over haar gezondheid. "Ze maakt het goed." Of ze zegt: "Ze voelt zich niet lekker. Wat is er aan de hand?"'

'Wacht, wacht.' Ik schreef zo snel dat ik kramp in mijn hand kreeg. 'Oké, ga door.'

'Wanneer ze je voor de tweede keer vraagt wat er aan de hand is, vertel je haar dat. Het zal ongeveer zo gaan: jij zegt: "Een paar dagen geleden heeft de politie een baby gevonden die in een vuilniscontainer was achtergelaten. Hebt u daarover iets in de krant gelezen?" Zij zegt: "Ja, wat erg, hè? Maar ik begrijp nog steeds niet waarom u met mij komt praten." Jij zegt: "Mevrouw Huppelepup…"'

'Sanders. Louise Sanders,' onderbrak ik hem.

'Goed. Dan zeg je: "Mevrouw Sanders, we zijn op zoek naar de moeder van die baby. Het is erg belangrijk dat we haar vinden. Niet om haar te straffen, maar om haar te helpen." Als die vrouw een béétje hersens heeft, zal ze nu wel doorhebben waar je op aanstuurt.'

Ik had als een bezetene geschreven en legde nu de pen even neer. 'Laten we het hopen.' Ik strengelde mijn vingers ineen, keerde mijn handen en strekte mijn armen tot al mijn kootjes knakten.

Pa ging door. 'Cindy, het is erg belangrijk dat je mevrouw Sanders aan jouw kant krijgt voordat Sarah erbij wordt gehaald. Ze is er waarschijnlijk aan gewend Sarah als een kind te behandelen en zal misschien automatisch tegen haar tekeergaan of haar op het matje roepen. Zorg ervoor dat ze daartoe geen kans krijgt. Zorg ervoor dat Louise kalm is wanneer je met Sarah gaat praten. Het is erg belangrijk dat ze zich niet bedreigd voelen, het meisje noch haar zus. Wanneer mensen in de verdediging gaan, praten ze niet.

Er is nog een andere mogelijkheid, namelijk dat Sarahs zus haar zodanig in bescherming neemt dat ze je niet eens bij haar in de buurt wil hebben. Als dat het geval is, moet je proberen haar te kalmeren en haar ervan te overtuigen dat je het beste met Sarah voor hebt, in medisch en psychologisch opzicht.'

'Dat ís ook zo.'

'Dat weet ik, lieverd. Zeg, het is al laat en ik moet nu echt naar bed, maar ik ben morgen de hele ochtend bereikbaar. Als je op problemen stuit, bel je maar naar mijn mobieltje. Maar ik denk niet dat het nodig zal zijn, want ik weet zeker dat je het uitstekend zult doen. Na wat je zelf hebt meegemaakt, is dit voor jou een fluitje van een cent.'

'Fijn dat je zoveel vertrouwen in me hebt. Bedankt, pap!'

'Geen dank.' Een korte stilte. 'Maar vertel nog even… waar heb je die jongen ontmoet?'

'Leuk geprobeerd, pap.'

'O, ik mag je wel helpen, maar krijg er niks voor terug?'

'Daar zijn ouders voor. Dat weet je toch wel?'

12

Het was een laag Spaans huis in een straat vol Arts and Crafts-bunga-
lows; het pleisterwerk was zo wit dat het schitterde als pas gevallen
sneeuw. Het lag genesteld tussen breedgebladerde bananenbomen en ko-
kospalmen, had de voorspelbare rode dakpannen en een kleine ommuur-
de voortuin. Prettig straataanzicht, noemen ze dat in makelaarstaal. Ik
had een neutrale outfit gekozen, een donkergroene blazer op een roomwitte bloes en broek, al vermoedde ik dat mevrouw Sanders niet echt belangstelling zou hebben voor mijn kledij.

Het was even over achten, nog vroeg genoeg om haar thuis te treffen
voordat ze naar haar werk zou gaan, en ik had met opzet niet eerst gebeld,
om haar niet nerveus te maken. Ik drukte op de bel. Het deurtje van het
kijkgat ging open.

'Ja?'

'Goedemorgen. Ik ben agent Cynthia Decker. Ik ben op zoek naar
Louise Sanders.'

'Wie bent u?'

'Agent Cynthia Decker van het LAPD, bureau Hollywood.'

Ze deed de deur op een kier open. De ketting zat erop. 'Mag ik uw identificatie zien?'

Ik had het mapje al in mijn hand en stak het door de kier. Ze pakte het
aan en gaf het me na een paar ogenblikken terug. Toen deed ze de deur
helemaal open.

Ze was een stuk ouder dan ik had verwacht, eind veertig of begin vijftig.
Ik had de indruk gekregen dat Sarah begin twintig was. Dat wilde zeggen
dat ze sterk in leeftijd verschilden. Louise had kort, bot gesneden, grijs
haar rondom een ovaal gezicht met grijsgroene ogen. Ze had regelmatige
gelaatstrekken en moest ooit knap zijn geweest. Nu was ze nog steeds een
aantrekkelijke vrouw, in haar zwarte rok en gesteven witte bloes.

'Wat is er aan de hand?'

'Mag ik even binnenkomen?'

'Waar komt u voor?'

'Dat zal ik u uitleggen, maar het is beter dat we binnen praten.'

Met tegenzin stond ze me toe binnen te komen. De zitkamer was klein, maar prachtig gerestaureerd: donkere balken, Saltillo-tegels op de vloer, beige muren met grof stucwerk, veel nissen en houtwerk. Er stond een bruine leren bank met bijpassende fauteuils. De bijzettafels waren van zwaar, donker hout. In de hoek stond een piano met op het plankje bladmuziek. Ik vroeg haar wie er speelde.

'Mijn zus. Wat is er aan de hand?'

'Mag ik gaan zitten?'

'Ja, natuurlijk.'

Ik nam plaats in een van de leren fauteuils. Louise ging op de bank zitten. 'Ik ben bezig met een onderzoek en ben daarvoor terechtgekomen bij het tehuis waar uw zus wel eens verblijft, het Fordham Communal Center...'

'Ja, ja. En?'

'Daar kreeg ik te horen dat Sarah ziek is geweest. Hoe is het nu met haar?'

De vrouw wist niet hoe ze het had. 'Is dat de reden waarom u hier bent?'

'Maakt Sarah het goed?'

'Eerlijk gezegd niet. Ik had er juist over gedacht vandaag met haar naar de dokter te gaan.'

'Dat lijkt me een goed idee.'

'Waarom?' vroeg ze geschrokken. 'Wat is er met haar?'

'Ik weet niet of er iets mis is met haar. Ik zal u vertellen waarom ik hier ben, dan mag u er zelf over oordelen. Een paar dagen geleden heeft de politie een pasgeboren baby gevonden in een vuilniscontainer achter een restaurant. Misschien hebt u daarover iets in de krant gelezen.'

'Ik heb het op tv gezien.'

'Ik ben degene die de baby uit de container heeft gehaald. Het was een erg nare ervaring, maar ik kan u vertellen dat de baby het goed maakt en gezond is.'

'Dat is fijn.' Een blik op haar horloge. 'Zou u alstublieft ter zake willen komen?'

'Ik vroeg me af of… laten we zeggen, of Sarah recentelijk is afgevallen…'

Ze keek me dodelijk geschrokken aan en sperde haar ogen wijd open. 'Wat?!'

Ze stond op en riep: 'Sarah! Kom onmiddellijk…'

'Wacht!' Ik stond ook op en legde mijn hand op haar arm. 'Laten we er even rustig over praten voordat we haar erbij halen.'

Ze rukte zich los en begon te ijsberen. 'Ik kan dit echt niet aan. Er is ook altijd wat! Het enige wat ik wil, is een beetje rust in mijn leven, maar…' Ze plofte op de bank neer en sloeg haar handen voor haar gezicht. Met schorre stem zei ze: 'Ik ben zo verschrikkelijk moe…'

'Misschien is het niets.'

'Het is níét niets. Het is nóóit niets! Er is altijd wat! Ze heeft erge bloedingen. Ik dacht dat ze problemen had met haar menstruatie.' Weer begon ze te ijsberen. 'Komt ze hierdoor in de problemen? Juridisch, bedoel ik?'

'Het is duidelijk dat hier sprake is van bijzondere omstandigheden.'

'Wat een ellende. Nu moet ik een advocaat zoeken. Ik zal voor de rechter moeten verschijnen en ik zal volslagen voor gek staan. Hoe is het mogelijk dat ik het niet in de gaten heb gehad?'

'Ze is dik van zichzelf. Het is volkomen begrijpelijk. Maar ze heeft nu allereerst medische verzorging nodig. Dat is de reden dat ik hier ben. Om haar te helpen, niet om haar te straffen.'

Ze bleef driftig heen en weer lopen, sloeg haar hand voor haar mond en liet hem toen weer zakken. 'Natuurlijk. U toont erg veel begrip.'

'Het komt wel in orde.'

Ze keek me aan. 'Is alles in orde met de baby?'

'Het is een schatje.'

Een glimlach verscheen op het gekwelde gezicht. 'Godzijdank!'

'Mevrouw Sanders… wist u dat Sarah…'

'Ik had geen idee! Ze heeft nooit iets over een jongen gezegd… dat wil zeggen, niet over een vriendje. Ze heeft het vaak genoeg over jongens in het algemeen. Ze is aan de pil, maar…'

'Voorbehoedsmiddelen zijn niet voor honderd procent betrouwbaar.'

'Vooral als je ze niet inneemt. Het zou niet de eerste keer zijn. Ze heeft last van een kokhalsreflex. Ze heeft er moeite mee kleine dingen door te slikken, zoals pillen. En van vloeibare medicijnen kokhalst ze ook, omdat die zo vies smaken. Ik had haar moeten laten steriliseren.' Ze zweeg en wendde haar gezicht af.

'Ik weet dat veel van de vrouwen op Fordham gesteriliseerd zijn. Ik oordeel niet, mevrouw. Het zou erg arrogant van me zijn om een oordeel over u te vellen.'

'Dank u.' Ze droogde haar tranen. 'En zeg maar gewoon Louise.'

'Goed. Zullen we weer gaan zitten, Louise?'

Een knikje. We gingen op dezelfde plaatsen zitten als daarnet.

Ik zei: 'U weet dus niet of Sarah seksueel actief was.'

'Dat lijkt me nogal duidelijk!'

Ik probeerde het zo tactvol mogelijk in te kleden. 'Ik bedoel, met haar instemming.'

'O, god!' Ze sprong weer overeind. 'Is ze verkracht?'

'We moeten geen voorbarige conclusies trekken. Het was alleen maar een vraag. Daarom wil ik graag met haar praten. En daarom heeft ze medische verzorging nodig.'

Ze zuchtte en probeerde haar kalmte terug te vinden. 'Wilt u nú met haar praten?'

'Ja, heel eventjes.' Omdat ze zelf was blijven staan, vond ik dat ik ook maar weer overeind moest komen. 'Ze moet allereerst naar een ziekenhuis. Dat wil ik wel doen, als u dat liever hebt.'

'U bent erg aardig, agent Decker.' Weer sprongen de tranen haar in de ogen. 'Maar ik doe het wel. Ik heb een auto. Wat gaan ze daar met haar doen?'

'Ik neem aan dat ze haar zullen onderzoeken en behandelen en haar wat bloed afnemen om te kunnen vaststellen of zij de moeder van de baby is. In die volgorde.' Ik aarzelde en zei toen: 'Louise, de baby is van gemengd ras.'

Ze knipperde een paar keer met haar ogen. 'Bedoelt u dat ze zwart is?'

'Gedeeltelijk.'

Stilte.

'Dank u wel dat u me dat hebt verteld.' Ze stikte in haar woorden. 'Ik zal haar gaan halen. Doe alstublieft aardig tegen haar. In tegenstelling tot hoe het misschien op u overkomt, hou ik erg veel van haar.'

'Daar twijfel ik geen moment aan, Louise. En zeg maar gewoon Cindy.'

Ze sloeg haar handen ineen. 'Weet je, het maakt mij niet uit wat de baby is, zolang ze gezond is.'

'En dat is ze.'

'Dat is het enige belangrijke' Een korte aarzeling. 'Ik ga Sarah halen.'

Door de vreemde houding van het meisje was het net alsof haar kin aan haar borst vastzat. Hoewel ze haar ogen zo stijf dichtkneep als maar mogelijk was, kwamen er toch tranen naar buiten. Sluike blonde lokken vielen voor haar gezicht. Haar handen waren zo strak tot vuisten gebald dat de knokkels wit waren. Haar bruine jurk spande om haar grote borsten. Louise legde haar hand op haar schouder.

'Alles zal helemaal in orde komen, Sarah. Je moet alleen eventjes met deze lieve mevrouw van de politie praten. En je moet eerlijk antwoord geven.'

Geen reactie van Sarah. Ik zei: 'Heb je pijn in je buik, Sarah?'

Een kort knikje.

'We gaan met je naar de dokter om daar iets aan te doen, goed?'

Stilte.

'Weet je waarom je buik pijn doet?' vroeg ik.

Ze gaf geen antwoord, maar ik zag dat ze haar knieën tegen elkaar klemde. Haar roze wangen waren nat van haar tranen. Ik zei: 'De baby maakt het goed, Sarah. Het is een mooi, gezond meisje. Misschien mag je binnenkort een keertje samen met Louise naar haar gaan kijken.'

Ze hief haar hoofd op en keek naar me. Toen liet ze haar kin weer op haar borst zakken.

Louise kwam tussenbeide. 'Sarah, wie heeft je dit aangedaan?'

Ik gaf Louises arm een kneepje. Ze blies met kracht haar adem uit, schudde mijn hand van zich af en liep met boze stappen naar de andere kant van de kamer. Hoewel ik Sarah graag wilde uithoren over haar seksuele ervaringen, kende ik mijn beperkingen. Dit meisje had hulp nodig van deskundigen. Als politieagent was voor mij maar één ding belangrijk: of de seks vrijwillig was geweest of niet. Maar op dit moment waren er andere dingen die voorrang hadden: haar gezondheid, de bevestiging dat ze de moeder was, de juridische gevolgen van het feit dat ze het kind in levensgevaar had gebracht. Ik wilde mijn vragen liever bewaren tot ik de betreffende instanties op de hoogte had gebracht.

En tot ik met mijn vader had gepraat.

'Het lijkt me het beste allereerst met haar naar het ziekenhuis te gaan. Ik zal mijn baas bellen en ervoor zorgen dat we daar door iemand worden opgewacht. We moeten ook contact opnemen met iemand van de psychiatrische dienst. Staat ze onder behandeling?'

'Bij alle specialisten die je je maar kunt bedenken. Er wordt goed voor haar gezorgd.'

'Daar twijfel ik niet aan.'

'Moet ik een advocaat nemen?'

'Als u iemand kent, is het een goed idee om hem te bellen.'

Weer een diepe zucht.

Ik zei: 'Het komt best in orde.'

'Dat weet ik. Dat weet ik. Het komt altijd in orde. Met Sarah komt alles altijd in orde.'

'Met jou ook, Louise.'

'Met mij?' Louise stootte een harde, bittere lach uit. 'Míjn welzijn is een héél ander verhaal!'

13

Schouderklopjes van mijn collega's en glimlachjes van mijn meerderen. Er was een tijd geweest dat mijn successen achterdocht wekten, maar vorig jaar had ik het spelletje meegespeeld, was ik na werktijd met mijn collega's meegegaan om een biertje te drinken en bij meer mensen op de barbecue geweest dan me lief was. Ik hield mijn mond dicht, werd lid van de bowlingclub en deed mijn werk. Het 'incident', zoals ik het noem wanneer ik met mijn psycholoog praat, had me een stuk stiller gemaakt. Slecht voor de creatieve geest, maar het deed je wel een stuk beter opgaan in de massa.

Sarah was me uit handen genomen. De zaak was overgeheveld naar de recherche en de deskundigen die hun brood verdienden met mensen aan de praat krijgen. Ik kon tevreden zijn over mijn werk, maar bleef nieuwsgierig naar de vader van de baby. Dankzij de informatie die ik van Koby had gekregen, wist ik meer dan Russ MacGregor, de rechercheur die de zaak van Greg had overgenomen. Als Russ zich netjes gedroeg, zou ik het aan hem doorvertellen.

Ik had vrijdag vrij en kon de hele dag doen wat ik wilde. Ik zocht Jaakov Kutiel op in Google en vond gelukkig niets negatiefs over hem. De enige vermelding van Koby's naam betrof het feit dat hij deelnam aan een speciaal programma van het ziekenhuis dat hulp bood aan ongehuwde moeders en vaderloze kinderen in Central Los Angeles.

Voor de sjabbatmaaltijd kleedde ik me eenvoudig maar netjes: een groene trui op een zwarte midirok en zwarte laarzen. Als sieraden droeg ik een gouden kettinkje en paarlen oorbellen. Ik maakte mijn outfit af met een grijze pashminasjaal om mijn schouders.

Koby woonde in de heuvels van Silver Lake. Zijn straat had een hellingshoek van dertig graden en het adres bleek van een klein, vierkant huis te zijn, half verscholen tussen verhoudingsgewijs erg grote eucalyptusbomen. Ik zette mijn auto op de oprit achter een tien jaar oude Toyota, trok de handrem stevig aan en liep over het hellende pad naar de voordeur. Toen ik aanklopte, zag ik op de deurpost een grote *mezoeza* van keramiek. Ik wist niet wat ik had verwacht toen ik naar binnen ging, maar ik had niet verwacht wat ik te zien kreeg.

Het interieur straalde trots uit, een melange van art deco en Afrikaanse kunst. Glanzend gewreven, rozenhouten tafeltjes tussen een bank met bekleding in zebrapatroon en een fauteuil met luipaardpatroon. Sierkussentjes in rood, geel en groen. Kleurige doeken met geometrische patronen en primitieve ontwerpen hingen aan de muren; op de houten vloer lag een al even kleurig tapijt. Meerdere tapijten, zag ik, toen ik wat beter keek; ze lagen half over elkaar heen. Het was een piepkleine kamer – als ik mijn armen zou spreiden, zou ik aan weerskanten de muren bijna kunnen aanraken – dus was het verbazingwekkend hoe hij er zoveel spullen in kwijt kon. En nog veel verbazingwekkender was hoe slim de ruimte was ingericht.

'Wauw!' zei ik.

Hij glimlachte van oor tot oor. 'Vind je het mooi?'

'Ja… ja, ik vind het mooi.'

'Moest je erover nadenken?'

'Helemaal niet. Alleen…' Ik schudde mijn hoofd. 'De meeste vrijgezelle mannen doen niet zoveel moeite er iets van te maken.'

'Ik hou van kleur.'

'Ja, dat kun je wel zien. Het staat mooi. Huur je dit huis?'

Hij wees op zijn borst. 'Helemaal van mij. Ik heb de hypotheek als bewijs.'

'Indrukwekkend!' Dat vond ik echt. Een eigen huis was er voor mij nog lang niet bij. Ondanks mijn zogenaamde spaarzaamheid kreeg ik het niet voor elkaar veel te sparen. Dat krijg je wanneer je je ouders als back-up hebt.

'Toen ik het kocht, zag het er niet zo uit als nu,' legde hij uit. 'En de prijs kwam overeen met de conditie.'

'Heb je het zelf opgeknapt?'

'Natuurlijk. Nadat ik het had gekocht, was ik volkomen blut. Ik had dus weinig keus.'

'Knap van je.'

'Maar je moet niet al te nauwkeurig kijken. Waarom denk je dat ik zoveel van die doeken ophang?' Hij keek op zijn horloge. 'De sjabbat begint over een uur. We moesten maar eens gaan, niet?'

'Ja, het is nog een eindje rijden.'

Hij pakte een bos bloemen en een fles wijn. 'Deze zijn voor je stiefmoeder.' Hij gaf me een papieren zakje. 'Dit is voor jou, als dank voor de uitnodiging.'

Het was een met de hand beschilderd poppetje uit de Ethiopische cadeauwinkel. Ik glimlachte en bedankte hem. Hij zei dat ik er leuk uitzag en ik zei hetzelfde van hem. Hij droeg een keurig donkergroen kostuum met een wit overhemd en een rood met groene paisleydas, maar zijn keppeltje had iets weg van een uitbundig gekleurde hoed zonder rand.

Het eerste gedeelte van de rit spraken we over mijn succes in het opsporen van Sarah. Het volgende onderwerp was de baby en hoe goed het met haar ging. Nadat we daarover waren uitgepraat, werd het pijnlijk stil. Ik zette de radio aan om die stilte te vullen.

Koby bracht de bal aan het rollen. 'Vroeg je vader iets over mij?'

'Uiteraard. Je bent vader of je bent het niet.'

'Wat heb je hem verteld?'

'Dat ik je pas een paar dagen geleden heb leren kennen en dat ik dus niet veel over je weet.'

'Dat was een goed antwoord.'

'Vond ik ook. Al weerhield het hem er niet van naar meer informatie te vissen.'

Hij wachtte tot ik zou doorgaan.

'Ik heb hem verteld dat je een religieuze achtergrond hebt en dat je familie in Israël woont. En dat je graag weer eens een echte sjabbatmaaltijd wilt meemaken.'

'Dat is waar.' Hij keek uit het raam. 'Heb je hem verder nog iets verteld?'

'Nee. Ik vond dat jij beter over jezelf kunt vertellen dan ik.'

Hij zei niets.

'Wat is er?' vroeg ik. 'Is dat niet waar?'

'Ja, dat is zeker waar, maar ik geloof dat je iets hebt weggelaten.'

'Wat maakt het uit?'

'Voor mij maakt het niets uit, maar van je vader weet ik het niet.'

'Als hij is wat jij denkt, zal hij me erg tegenvallen.'

'Maar misschien was het beter hem erop voor te bereiden.'

'Hem waarop voor te bereiden, Koby? Dat je zwart bent, is geen defect. Waarom zou ik mijn vader daarop moeten voorbereiden?'

'Opdat hij zich niet ongemakkelijk zal voelen wanneer hij me voor het eerst ziet.'

'Als ik zeg dat je een vriend van me bent, moet dat goed genoeg zijn.'

'Opdat ík me niet ongemakkelijk zal voelen dan.' Hij frunnikte aan de bloemen. 'Ik hou niet van verrassingen.'

Ik keek naar hem. Hij haalde zijn schouders op. Ik kreeg het bijna te kwaad. 'Goed. Misschien was het niet zo slim van me. Sorry.'

'Trek het je niet aan. Het is geen probleem.'

'Heb je slechte ervaringen met dit soort dingen?'

'Nee,' zei hij. 'Ik ga nooit kennismaken met de ouders van vriendinnen... daar heb ik nooit reden voor gehad. De laatste keer was zeker vijftien jaar geleden, toen ik met Aliza Goldberg naar de film ben gegaan. Haar vader was een kolonel in Tsahal.' Hij lachte. 'Oud zeer. Misschien is dat de reden dat ik zo reageer.'

We reden een paar minuten in stilte, met alleen het praatprogramma op de radio.

'Hij is een prima vent, Koby. Ik weet zeker dat het geen punt is.'

'Daar zul je vast gelijk in hebben.'

Maar we wisten het geen van beiden zeker.

Pa had een superbe pokerface; dat was ook noodzakelijk voor goede rechercheurs. Maar omdat ik hem zo goed kende, bespeurde ik het minuscule optrekken van zijn wenkbrauwen. Hij wist het echter uitstekend te maskeren en zijn glimlach haperde geen seconde. Hij gaf Koby een hand en hield de deur voor ons open. Mijn vader was een paar centimeter langer dan mijn date en zeker vijfentwintig kilo zwaarder. Hij zag er knap uit in zijn donkerblauwe pak.

Ik sprak rad toen ik hen aan elkaar voorstelde. We gedroegen ons alle drie heel beleefd. Het ging allemaal wat stijfjes, maar al met al viel het mee. Koby had goede manieren, beter dan ik.

'*Sjabbat sjalom*. Dank u voor de uitnodiging.' Hij gaf mijn vader de fles wijn en hield de bos bloemen omhoog. 'Deze zijn voor uw vrouw.'

'Ik zal haar even roepen, dan kun je ze haar zelf geven. Willen jullie iets drinken?'

'Nee, dank je,' antwoordde ik. 'Koby?'

'Nee, dank u.'

'Goed.' Een penibele stilte. 'Ik zal Rina even gaan roepen.'

Pa wilde naar de keuken vluchten, maar Rina kwam binnen voordat hij bij de deur was. Ze droogde haar handen aan haar schort. Haar lange haar zat onder haar baret weggestopt. Ik stelde Koby aan haar voor. Ze glimlachte gastvrij.

'Koby. Jaakov zeker? *Jesj li Jaakov gam ken. Ma nisjma?*'

'*Beseder gamoer.*'

'Zo goed? Dan heb je het beter dan ik, maar ik ben altijd een beetje afgepeigerd aan het begin van de sjabbat.'

'Dat geldt voor vrouwen over de hele wereld.' Koby bood haar de bos bloemen. 'Dank u voor uw gastvrijheid.'

'Geen dank.' Ze nam de bloemen aan. 'Ik hoop dat je trek hebt.'

'Ik kom uit Ethiopië. Ik heb altijd honger.'

Rina glimlachte. 'Wanneer ben je naar Israël geëmigreerd?'

'In 1983.'

'Waar zijn jullie toen ondergebracht? In de buurt van Kirjat Arba?'

'Ja, inderdaad.'

'Dat weet ik omdat ik in Kirjat Arba heb gewoond. Ik herinner me nog goed dat jullie naar Israël kwamen. De regering had onze hulp ingeroepen. Ik heb die zomer in een *oelpan* lesgegeven aan Ethiopiërs.'

'Dat meent u niet!'

'Jawel. Misschien was je een van mijn leerlingen.'

'Dat denk ik niet. Dat zou ik me wel herinneren.'

'Ja, vast wel. Ik liep toen op alle dagen.' Rina gaf met haar handen een zwangere buik aan. 'Ze hadden mij de vier- tot achtjarigen gegeven.'

'Ik was twaalf. Kunt u zich nog kinderen herinneren?'

'Daar moet ik even over nadenken.' Ze fronste haar wenkbrauwen. 'Ik herinner me een klein jongetje dat Elias Tespay heette.'

'Ik ken de familie Tespay.'

'En iemand met de achternaam Welda.'

'Josef Welda?'

'Nee, niet Josef… misschien Eliahoe.'

'Waarschijnlijk een van zijn jongere broers of neefjes. Er waren veel Welda's. Ik geloof wel zestig in onze groep.'

'Ja, en jullie zaten als sardientjes opeengepakt in die caravans. Waar zijn jullie uiteindelijk neergestreken?'

'In Petach Tikvah. Mijn vader is hertrouwd, wat niet bevorderlijk was voor de huisvesting. We woonden met ons tienen in een driekamerflat. Maar het was tenminste onze eigen flat.'

'Dat is niet exclusief voor Ethiopiërs, weet je. In Israël woont iedereen krap. Je leert vanzelf om samen te werken.'

'Of je vertrekt,' zei Koby.

'Juist.' Rina hief de bloemen op. 'Ik ga deze even in het water zetten en kijken hoe het met het eten staat. Ik ben van plan om naar sjoel te gaan.' Ze keek Koby aan. 'Wil je mee? Maar het is wel een Asjkenazische dienst.'

'Dat maakt niet uit. De *beit knesset* waar ik naartoe ga, als ik al ga, is ook Asjkenazisch.'

'Welke is dat?'

'Eentje in Los Feliz, dicht bij waar ik woon. De dienst is conservatief, maar ik meen dat de rabbijn van orthodoxe huize is. Hij is Hongaar van geboorte.'

'Ik ben ook Hongaars,' zei Rina. 'Hoe heet hij?'

'Robert Farkas.'

Rina haalde haar schouders op. 'Er wonen hier veel Hongaren.' Weer haalde ze haar schouders op. 'Ik moet even naar het eten kijken.'

'Kan ik je ergens mee helpen, Rina?' mengde ik me eindelijk in het gesprek.

'Ja, je kunt je zusje helpen met aankleden. Dat kind doet alles met een slakkengang.' Rina keek naar mijn vader. 'Ben jij al klaar?'

'Ja. Heb je hulp nodig in de keuken?'

'Als je het aanbiedt, zal ik geen nee zeggen.' Ze glimlachte naar Koby en toen naar mij. 'Tot zo.' Ze pakte mijn vaders hand. Misschien verbeeldde ik het me, maar het zag eruit alsof ze probeerde hem te kalmeren.

'Geen woord,' fluisterde Rina.

'Ik heb niets gezegd!' fluisterde Decker terug. 'En je hoeft me niet te vertellen hoe ik me moet gedragen. Ik ben geen racist!'

'Dat weet ik.'

'Volgens mij weet je dat niét. Anders zou je niet zo bezorgd kijken.'

'Ik ben niet bezorgd.'

'Jawel.' Hij klemde de fles wijn in zijn hand. 'Ik ga van een fijne maaltijd genieten, samen met mijn hele gezin. Goed? Kijk niet zo naar me! En zeg niet dat het je niets zou doen als Sammy of Jacob thuis zou komen met een Ethiopisch meisje.'

'Zolang ze joods is, zou me dat niets kunnen schelen.'

'Zo, zo, wat liberaal!'

'Peter, doe wat nuttigs.' Ze gaf hem de bloemen. 'Zet deze bloemen in een vaas en zet die dan op de sjabbattafel. En maak die fles wijn open, anders breek je hem nog.' Ze roerde in een pan linzensoep. 'We zullen de wijn laten ademen tot we terugkomen uit de sjoel.'

Decker keek naar zijn vrouw en toen naar de dingen die hij in zijn handen had. Hij zette de fles op het aanrecht. Opeens merkte hij dat hij zijn kaken hard op elkaar klemde. Hij haalde diep adem en blies die langzaam uit. Met zijn lange arm viste hij een kristallen vaas van de bovenste plank van een van de keukenkastjes, zette hem in de gootsteen en liet er water in lopen.

'Bloemen… wijn… hij heeft goede manieren,' bromde hij. 'Betere manieren dan…'

Hij maakte zijn zin niet af. Rina vulde het ontbrekende aan. 'Dan Cindy?'

'Hij is waarschijnlijk te goed voor haar.'

'Er is niets mis met haar, Peter. Ze heeft alleen een zware tijd achter de rug.'

'Dat weet ik, Rina. Je hoeft niet alles voor me in perspectief te brengen. Ik ben niet boos. Ik snap alleen niet waarom ze niet… Ach, laat maar.'

Rina stak de vleesthermometer in de lamsrollade en draaide de temperatuur van de oven wat lager. Ze deed de koelkast open en haalde er een pan met sperziebonen uit. 'Ik zet dit wel op de kookplaat. Dan koken ze niet te lang. Niets zo erg als slappe sperziebonen.'

'Het ruikt lekker,' zei Decker, nu weer rustig.

'Wat ruikt lekker?'

'Alles.' Hij deed de kraan dicht en drukte een kus op het voorhoofd van zijn vrouw. 'Dank je voor deze heerlijke maaltijd, en sorry dat ik zo kribbig tegen je deed.'

'Ik weet dat je geen racist bent, Peter. En ik wil je niet in de hoek drijven. Het zou inderdaad prettig zijn geweest als ze het van tevoren had gezegd. Dan was je erop voorbereid geweest.'

'Preciés!' Decker zette de bos bloemen in de vaas. 'Dat is preciés wat ik bedoel!' Hij zocht in de laden naar de kurkentrekker. 'Ze zei dat hij een jood met een religieuze achtergrond was, uit Israël. Daarbij stel ik me een bepaald type voor, dat is alles.' Hij stak de punt van de kurkentrekker in de kurk. 'Ik maak me te druk. Om haar, bedoel ik.'

'Het lijkt me een heel aardige jongen,' zei Rina.

'Hoe weet je dat? Je hebt maar een minuut met hem gesproken.'

'Hij heeft mooie ogen. Ogen zijn de vensters van de ziel. Ik zie zoiets meteen.'

'Onzin. Je bent onredelijk optimistisch.'

'Peter, hij is joods, van haar leeftijd en heeft een goede baan.'

Decker hield even op met wat hij aan het doen was en haalde zijn schouders op. 'Dat is waar.' Hij ging weer door. 'Oké, als ik van mezelf vind dat ik niet bevooroordeeld ben, moet ik ook geen vooroordelen koesteren.'

Even later kwam Cindy binnen. Decker keek naar haar en trok de kurk uit de fles. Hij rook aan de wijn. 'Niet gek. En als hij een poosje heeft geademd, zal hij nog beter zijn.'

'Je houdt van cabernet,' zei Cindy.

'Klopt.' Decker glimlachte, maar ging er verder niet op in. Rina glimlachte flauwtjes. Ze had er schoon genoeg van om altijd voor scheidsrechter te moeten spelen, maar dat leek haar lot te zijn. 'Alles in orde?' vroeg ze aan haar stiefdochter.

'Ja. Hannah is aangekleed.'

'Dank je.'

'Graag gedaan.' Cindy probeerde oogcontact te maken met haar vader, maar die was zogenaamd druk bezig met de bloemen. 'Koby heeft kaarsen nodig.'

'Natuurlijk,' zei Rina. 'Wil jij ook kaarsen aansteken, Cindy?'

'Ja, graag.'

Rina liep de bijkeuken in en kwam terug met vier waxinelichtjes. Decker keek met een effen gezicht naar zijn dochter.

Cindy zei: 'Ik heb de moeder van de baby gevonden, weet je.'

'Gefeliciteerd,' zei Decker. 'Dat had ik je daarstraks al willen zeggen.'

Weer een stilte.

'Ik wil er graag met je over praten,' zei Cindy. 'Er zijn wat dingen waarover ik me zorgen maak.'

Nieuwsgierigheid blonk in Deckers ogen, maar hij hield zich in bedwang. 'Zeg het maar.'

'Dit lijkt me niet het juiste tijdstip. Ik heb meer dan een paar minuten nodig.'

111

'Wil je me dan morgenavond bellen?'

Cindy wist dat haar vader haar probeerde af te poeieren, maar ging gewoon door, alsof ze er geen erg in had. 'Nou, als je tijd hebt, had ik gedacht iets voor zondag af te spreken. Wil je soms naar mijn flat komen?' Ze glimlachte schaapachtig. 'Kunnen we samen ontbijten.'

Deckers ogen bleven bleef uitdrukkingloos. 'Ik heb Hannah beloofd dat ik met haar naar de film ga.'

Rina zei: 'De kindermatinee is pas om twee uur. Tegen die tijd kun je al lang terug zijn.'

Decker trok zijn wenkbrauwen op naar zijn vrouw. Maar ze had gelijk. Als hij niet een stapje terugdeed, zou hij zijn verdiende loon krijgen. 'Is het belangrijk voor je, Cynthia?'

'Wel een beetje, ja. Ik stel je hulp altijd erg op prijs.'

Hij glimlachte geforceerd. 'Goed, lieverd. Om negen uur dan maar?'

'Prima.'

'Alsjeblieft.' Rina gaf haar de waxinelichtjes. Cindy bedankte haar en daar lieten ze het bij.

14

Toen ik de zitkamer weer in liep, zat Hannah naast Koby en sloegen ze samen de pagina's om van een levensgroot boek dat *Solomon's People* heette. Hannah zag er erg leuk uit in een lichtgroene jurk met bijpassend jasje waar haar rode haar prachtig bij afstak. Ze leerde al op jonge leeftijd de trucjes van leven met rood haar. 'Wat hebben jullie daar?'

Koby antwoordde: 'Een boek over Ethiopische joden. Ik ken sommigen van de mensen die erin staan.'

'Wie bijvoorbeeld?' vroeg Hannah.

'Deze mevrouw,' zei Koby. 'Ze was een goede vriendin van mijn oudere broer Jafet. Ze is getrouwd met een rabbijn en woont in de Negev.'

'Ze is erg mooi.'

'Ja. Ik ben ooit stapelverliefd op haar geweest. Helaas was dat niet wederzijds.'

'Dom van haar,' zei Hannah.

'Nee hoor, maar het is lief van je dat je het zegt. Zij was zeventien, zie je, en ik dertien, hoewel ik net zo groot was als zij. Ik ben erg lang voor een Ethiopiër.'

Hannah keek hem aan. 'Ik dacht dat alle Afrikaanse mensen lang zijn.'

'Hannah!' vermaande ik haar.

'Geeft niks.' Koby glimlachte. 'Nee, niet alle Afrikanen zijn lang, vooral die uit Noord-Afrika niet. De meeste Ethiopiërs zijn koptische christenen… eerder Egyptenaren dan Afrikanen. Ik ben lang omdat mijn ouders lang zijn.' Hij keek naar me op. 'Zal ik je helpen met de kaarsen?'

Ik was vergeten dat ik ze in mijn handen had. 'Ik zet ze naast die van Rina. Dat doe ik altijd wanneer ik hier ben.'

Koby stond op. 'Jij moet maar eens schoenen gaan aantrekken, Hannah.'

'Zal ik mijn gewone schoenen aandoen, of schoenen met hakken?' vroeg ze me.

'Waar loop je prettiger op?' vroeg ik.

'Maakt me niet uit.' Ze schokschouderde en keek naar Koby. 'Wat vind jij?'

'Met die jurk en dat jasje? Hoge hakken.'

'Ik ben zo terug!' Ze holde naar haar kamer.

'Ze vindt je aardig,' zei ik tegen hem. 'Je kunt goed met kinderen omgaan.'

'Ik werk met kinderen.'

Ik sloeg met mijn hand tegen mijn voorhoofd. 'Slim van mij!'

Koby keek me aan. 'Hoe is het gegaan in de keuken?'

Ik haalde mijn schouders op en probeerde onverschillig te doen. 'Hij praat nog met me.'

'Een goed teken. Ik mag je stiefmoeder graag. Ze lijkt… ongekunsteld.'

'Dat is ze ook.' Op dat moment kwamen mijn stiefbroers binnen. Sammy had de mijlpaal van twintig jaar bereikt. En Jacob was met zijn achttien jaren ook geen tiener meer. Ze waren allebei lang en erg knap om te zien. Ze hadden hun nette pak aan en hun haar was nog nat van de douche. Ze waren in een druk gesprek gewikkeld, maar toen ze mij zagen, zwegen ze meteen. Eerst keken ze naar mij, toen naar elkaar; toen ging hun blik naar de vloer en weer naar mij.

Sammy probeerde een grijns te onderdrukken. Hij stak Koby zijn hand toe. 'Sjabbat sjalom.'

Koby gaf hem een hand, en toen Jacob: 'Sjabbat sjalom.'

Sammy zei: 'Mijn vader zei dat je uit Israël kwam.'

'Ja, maar voordat ik Israëliër ben geworden, was ik Ethiopiër.'

'Ja, dat zie ik,' antwoordde Sammy. 'Een Ethiopische jood.'

'Een Ethiopische jood.' Een korte stilte. Toen zei Koby: 'Als jullie me niet geloven, wil ik mijn *mila* wel laten zien.'

De jongens barstten in lachen uit en Koby deed mee. Ik snapte de mop niet, maar glimlachte.

Sammy zei: 'Ik geloof dat ik tevens voor mijn broer spreek als ik zeg dat dat echt niet hoeft. En aangezien Cindy niet de moeite neemt ons voor te stellen… Ik ben Sammy en dit is Jacob.'

'Jullie hebben me de kans niet gegeven,' zei ik. 'Dit is Koby.'

'Nog een Jaakov,' zei Jake. 'Waar woonde je in Israël?'

'Mijn familie woont nog steeds in Petach Tikvah.'

'Dat is niet ver van Kfar Saba, hè?'

'Nee, de steden grenzen aan elkaar.'

'Ik heb op de jesjiva veel vrienden die daar wonen, en ook vrienden uit Ranana.'

'Ja, al die steden zijn erg Amerikaans.'

Sammy vroeg: 'Wil je iets drinken voordat we naar de sjoel gaan?'

'Nee, dank je.' Hij keek op zijn horloge. 'Het is tijd om de kaarsen aan te steken. Heeft iemand lucifers voor me?'

'In het dressoir,' zei ik.

Koby en ik staken elk onze kaarsen aan en spraken zachtjes de zegen uit, maar hij verstond de woorden die ik zei. Toen we klaar waren, wensten we elkaar sjabbat sjalom. Rina stak kaarsen aan voor het hele gezin en daarna gingen we op weg naar de synagoge.

Er was één voordeel wanneer mijn stiefbroer Sammy erbij was. Niemand had zo'n vlotte babbel als hij. Ik wist dat we niet bij elkaar zouden zitten toen we bij het kleine winkelpand aankwamen dat dienstdeed als orthodoxe synagoge. Vlak voordat we uiteengingen – de mannen aan de ene kant van de muur en de vrouwen aan de andere kant – vroeg ik Sammy wat het woord 'mila' betekende. Met een uitgestreken gezicht antwoordde hij: 'Besnijdenis.'

Ik wachtte tot ik aan mijn kant van de synagoge was en proestte het toen uit.

Orthodox jodendom is een religie die routines volgt, en aan tafel begin je altijd met het verwelkomen van de metaforische sabbatbruid door middel van een lied dat 'Sjalom aleichem' heet. Na deze ode komt een loftuiting aan de vrouw des huizes, een lied uit Spreuken dat 'Esjet chajil' heet, oftewel 'sterke vrouw'. Ik heb de Engelse vertaling een paar keer gelezen. De tekst gaat over de vrouw als huisvrouw, die de hele dag hard werkt, zonder zich te beklagen, om voor haar echtgenoot en gezin te zorgen; een tekst die in deze postmoderne feministische tijd een beetje ouderwets en oppervlakkig aandoet. Ik ga vrij vaak voor de sjabbatmaaltijden naar het gezin van mijn vader en wanneer er gezongen wordt, neuriet mijn vader altijd alleen maar een beetje, omdat hij de teksten niet goed kent. Vanavond ging het er heel anders aan toe. Mijn vader zong echt, want nu had hij de steun van mijn stiefbroers, die geen enkele moeite hadden met het Hebreeuws. Ze zongen mooi en gevoelig en lachten erbij naar Rina. Maar de grote verrassing was Koby. Hij had een heldere, zware stem en zong volkomen zuiver mee met mijn stiefbroers, in prachtig, vloeiend Hebreeuws. Een zwarte man uit Afrika zat aan tafel met mijn blanke familie uit Los Angeles, mensen die hij nog geen twee uur kende, en hoorde er meer bij dan ik. Nu begreep ik pas goed waarom een traditionele sabbatavond alle cultuurgrenzen moeiteloos overschrijdt. Toen ze het refrein spontaan meerstemmig zongen, kreeg ik een brok in mijn keel van ontroering.

Binnen een mum van tijd was de sfeer lekker ontspannen. We genoten van het heerlijke eten en iedereen had wel iets te vertellen. Mijn vaders gezin was erg rumoerig, en omdat mijn broers zo snel praatten en Hannah er voortdurend dingen tussendoor gooide, viel het soms niet mee om alles te volgen. Gek genoeg voelde juist ik me het minst op mijn gemak. Hoewel het mijn eigen familie was, gebeurde het vaak dat ik een buitenbeentje was, vanwege het Hebreeuws en de dingen die over Israël en religie gingen. Koby, daarentegen, leek volkomen op zijn gemak. En hij kon leuk vertellen, omdat het leven hem veel stof had gegeven waar hij over kon praten.

'Ik was twaalf toen ik voor het eerst een uitstapje maakte in de moderne wereld,' begon hij. 'We waren ongeveer een halfjaar in Israël. We hadden op de oelpan gezeten en spraken op school natuurlijk Hebreeuws, maar in het vluchtelingenkamp woonden alleen maar Ethiopiërs en spraken we Amharisch met de volwassenen, die niet zo snel Hebreeuws leerden als de kinderen.'

'Ik weet precies wat je bedoelt.' Pa had zijn tweede glas wijn al op. Er gaat niets boven alcohol om de scherpe kantjes weg te nemen. Koby vulde pa's glas bij en toen zijn eigen.

'Niet gek, deze wijn, vindt u niet?'

'Heel lekker,' antwoordde mijn vader instemmend. 'Ben jij een liefhebber van rode wijn?'

'Daaraan geef ik inderdaad de voorkeur.'

'Vertel eens over dat uitstapje,' zei Sammy.

Koby lachte. 'Mijn vriend Reuven en ik werden opgehaald door twee achttienjarige jesjivastudenten van Itri, of Hakotel, een school in Jeruzalem in ieder geval. We zouden 's ochtends choemasj leren en 's middags leuke, avontuurlijke dingen gaan doen. De ochtend was een ramp. Hun Hebreeuws was nog slechter dan het onze. Misschien kwam het door hun Amerikaanse accent. We vroegen de hele tijd: "*Ma atem omrim?*" Wat zeggen jullie? We verstonden er geen woord van! Bovendien had iemand in het vluchtelingenkamp een basketbalnet opgehangen en wilden we het liefst terug om te gaan basketballen. Na de lunch namen ze ons mee naar de bushalte voor onze eerste dag in de stad. Reuven en ik hadden nog nooit in een stadsbus gezeten.'

'Ik voel al aan wat er komt,' zei Rina.

'In de bus holden we als gekken heen en weer. Iedereen begon tegen ons te schreeuwen, maar daar trokken we ons natuurlijk niets van aan. De jongens wilden met ons naar een *kanjoniet* gaan.' Hij wendde zich tot mij. 'Dat is een klein winkelcentrum. Het was nog zo nieuw dat er helemaal nog geen winkels waren, op één na, waar alleen maar *goefiot* verkocht werden. T-shirts. Een grote, lege ruimte en alleen maar T-shirts. Maar er was een roltrap… En wij hadden natuurlijk ook nog nooit een roltrap gezien. Voor ons was het net Disneyland. Hoe vaak we niet naar boven en naar beneden zijn gegaan! De arme jesjivajongens werden er gek van, want wij waren heel rap, zie je. Ik kan heel hard lopen. Ik heb bij Maccabee nog meegedaan aan wedstrijden.'

'Cool,' zei Jacob.

'Was je erg goed?' vroeg Sammy.

'Mijn trainer zei dat ik erover moest gaan nadenken of ik voor Israël wilde uitkomen bij de Olympische Spelen. Maar dan had ik uren en uren moeten trainen. Ik had niet voldoende ambitie om er zoveel in te steken, en als je daartoe niet bereid bent, kun je er maar beter niet aan beginnen. Hoe dan ook, ik kon erg hard lopen, zoals die jesjivajongens al snel merkten.'

'Die arme blanke jongens hadden geen schijn van kans,' merkte Sammy op.

'Inderdaad.' Koby wendde zich tot Rina. 'Het lamsvlees is verrukkelijk.'

'Dan moet je nog een portie nemen,' zei Rina.

'Heel graag.' Koby nam nog een kleine portie en begon weer te lachen. 'Goed. Na de avonturen op de roltrap kwamen ze op het briljante idee met ons te gaan bowlen. In die Kanjoniet was boven een bowlingbaan en een snackbar. Wij meteen over alle banen hollen. De manager schreeuwde in het Hebreeuws tegen de jongens, en die schreeuwden tegen ons in het Engels, wat we natuurlijk niet verstonden. En de weinige Israëliërs die er waren, staken nog maar een sigaret op, schudden het hoofd en zeiden: "*Eize chajot.*" Wat een beesten. Uiteindelijk wisten de jesjivajongens ons te grijpen. En toen begonnen we te zeuren dat we iets wilden eten.'

Hij keek naar mij.

'De snackbar had geen *teoedat kasjroet* – geen certificaat dat bevestigt dat het een koosjer etablissement is – en de twee religieuze jongens wilden daarom niets voor ons kopen. Maar wij zeurden net zolang tot ze zwichtten en toen kregen we elk een cola. Wij weer zeuren. Weer zwichtten ze en kochten ze zakjes chips waarop een stempel stond dat ze koosjer waren. Opeens zag ik een jongen die zo'n zakje opblies en liet klappen.'

Sammy begon te lachen. 'Dat deed ik ook altijd.'

'Ja, dat weet ik nog,' zei Rina.

Koby zei: 'Dat doe je natuurlijk alleen als het zakje leeg is. Maar dat wist ik niet. Ik deed het terwijl de chips er nog in zaten.'

Pa lachte. 'En hoe is het gegaan nadat ze jullie gearresteerd hadden?'

'De jongens wisten ons op tijd weg te krijgen, anders had ik nu vast een strafblad. Het was een regelrechte ramp. Maar ik zal u iets vertellen. Die jongens hadden veel geduld. Ze kwamen de week daarop terug en hebben het nogmaals geprobeerd... en daarna nog een keer. Ze hebben het uiteindelijk met ons op een akkoordje gegooid. Als wij de choemasj leerden, zouden ze 's middags met ons basketballen.'

'Waren ze daar goed in?' vroeg Sammy. 'Het is een jesjivasport, weet je.'

'Ja, dat weet ik. Ze hebben ons het spel geleerd. Wat wisten wij in Ethiopië nu over teamsport? Ik kom uit een dorp aan het Tanameer, niet uit Addis Abeba.'

'Speel je nog steeds?' vroeg Sammy.

'Basketbal? Heb ik heel lang gedaan. Ik was spelverdeler, omdat ik zo snel ben. Ik kan *dunken, lay-ups* schieten in een spelletje *one-on-one* en scoren van buiten de cirkel vandaan. Maar ik ben er minder goed in wanneer ik met andere mensen speel.' Hij lachte. 'Die lopen dan aldoor in de weg.'

'Een perfecte metafoor voor mijn leven,' zei pa droog.

Rina gaf hem een speelse tik.

Koby zei: 'Vooral hier in Los Angeles spelen ze erg ruw. Ze blokkeren en duwen, botsen tegen je aan, peuten je in je ribben en noem maar op. En dan ga je dat zelf ook doen. Je loopt constant tegen elkaar te duwen. Ik heb in een periode van drie maanden meegemaakt dat iemand zijn enkel verstuikte, iemand anders zijn pols brak bij een val, en een derde op zijn gezicht viel en zijn voortanden brak. En de laatste druppel was toen een goede vriend van me bij een wedstrijd een *lay-up* wilde blokkeren. De

118

speler met de bal maakte met zijn elleboog opgeheven een halve draai. Zijn elleboog raakte de neus van mijn vriend, waardoor het neusbeentje brak. Ik was toen net dertig geworden en ben er meteen mee opgehouden. God heeft me een gezond lichaam gegeven. Ik hou het in conditie door vier keer per week hard te lopen, maar ik ga niet meer basketballen.'

'Ik zou anders best een keer een potje één-op-één met je willen spelen,' zei Sammy.

'O, dat kan. Dat is niet gevaarlijk.'

'Pa zou als middenvelder moeten spelen, denk je niet?'

'Ja, ja, omdat ik te dik en te traag ben om heen en weer te lopen.' Pa keek de tafel rond en vroeg aan Rina: 'Waar is Hannah?'

'Ze zat daarnet op de bank te lezen. Misschien is ze in slaap gevallen.'

Misschien verbeeldde ik het me, maar pa leek jaloers. Hij glimlachte naar Rina. 'Het was een overheerlijke maaltijd.'

'Dank je.'

Decker nam nog een slokje wijn. 'Valt het jullie op dat ze mij niet nog een portie aanbiedt?'

'Je mag zoveel eten als je wilt, lieve schat.'

'Eerlijk gezegd zit ik vol...'

'Ik ook,' zei Jacob.

'Jij hebt bijna niets gegeten,' zei Rina.

'Wel, hoor. Ik wil gewoon ruimte overhouden voor het toetje.'

Pa zei: 'Ik ga een eindje lopen.'

'Ik ga mee,' zei Jacob. 'Anders voel je je misschien eenzaam.'

Mijn vader glimlachte vol genegenheid naar mijn stiefbroer, iets wat mij vanavond nog niet te beurt was gevallen. 'Je mag mee, hoor. Graag zelfs.'

'Wil jij ook mee, Shmuli?' vroeg Jacob.

'Ik help *ima* wel met tafel afruimen.'

'Dat doe ik wel, Sammy,' zei ik. 'Gaan jullie maar.'

'Dan maken we er een echt chauvinistisch uitje van,' zei Sammy. 'Koby, jij mag ook mee.'

Hij schudde zijn hoofd. 'Nee, dank je.'

'Je kunt best gaan, hoor,' zei ik.

'Nee, nee,' zei hij. 'Echt niet.'

Nu pas zag ik dat zijn ogen moe stonden. 'Heb je gisteravond weer twee diensten gedaan?'

'Maak je geen zorgen, Cindy.'

'Je valt om van de slaap.'

Hij haalde zijn schouders op. 'Misschien komt het door de wijn. Misschien moeten we de *birkat hamazon* zeggen.'

'Goed idee.' Rina gaf de boekjes door waarin de zegen stond die na de maaltijd moest worden gebeden.

Mijn vader gunde Koby de eer het gezin voor te gaan in het zingen van het gebed, niet alleen omdat hij een gast was, maar ook omdat hij een Kohen was. Vijf minuten later stond Rina op om de tafel af te ruimen.

'Ik help je wel even,' zei ik.

'Geen sprake van,' zei Rina. 'Ik pak de kliekjes voor je in en dan gaan jullie allebei naar huis.'

'Nee, nee, ik wil niets meenemen,' zei ik. 'Ik heb genoeg gegeten voor een hele week.'

Koby viel me bij. Hij gaf Rina een hand. 'Heel hartelijk dank, mevrouw Decker. Dit was voor mij een feest.'

'Je bent altijd welkom… met of zonder haar,' antwoordde Rina.

'Dat meent ze,' zei ik tegen hem.

'Dat is erg aardig van u.' Koby wendde zich tot mijn vader. 'Het was me een genoegen met u kennis te maken, meneer.'

'Insgelijks.' Mijn pa drukte zijn hand met kracht. Toen liep hij met ons mee naar de deur, met zijn arm om Koby's schouders. Volgens mij had pa in zijn eentje een halve fles wijn op. 'Rij voorzichtig.'

'Cindy rijdt,' zei Koby.

Mijn vader keek vertwijfeld naar me. 'Des te meer reden voor mijn waarschuwing.'

15

Toen we vertrokken wist ik dat pa boos op me was, maar daar was niets aan te doen. Hij had zijn rol gespeeld, was na het moeizame begin losgekomen en had zelfs grapjes gemaakt. Ik was allang blij dat hij zo fatsoenlijk was geweest niet te laten merken hoe kwaad hij op me was.

Het was al laat toen ik Koby's oprit indraaide. Hij bood me een slaapmutsje aan, maar dat sloeg ik af. Ik was moe en voelde me niet echt sexy. Bovendien was het nog een eindje rijden naar mijn eigen huis. Ik geloof dat Koby blij was dat hij niet voor gastheer hoefde te spelen, na alle overuren die hij had gemaakt. We spraken af voor een etentje op zondagavond.

Ik sliep zaterdag uit en ging vervolgens lunchen met mijn moeder. Ik bofte, want ze was in een goede bui, waardoor alles op rolletjes liep. Toen ik weer thuiskwam, pakte ik mijn fiets en reed ik helemaal naar Venice Boulevard. Ik maakte een toertje langs het strand en keerde toen weer huiswaarts. Nadat ik het zweet en zout onder de douche van me had afgespoeld, keek ik of er iemand had gebeld en of ik mail had. Koby had nu mijn telefoonnummer, maar had niet gebeld. Er was wel een e-mail van hem waarin hij schreef dat hij gisteravond erg had genoten. Ik stuurde een mailtje terug en zette toen de computer uit en sloot ook de rest van de wereld buiten.

Een broodje tonijn was genoeg als avondeten en daarna kroop ik in bed met een goed boek. Ik deed om middernacht het licht uit, vastbesloten acht uur zonder nachtmerries te slapen. Gedeeltelijk lukte me dat. Toen ik wakker schrok met de bekende hartkloppingen, bevend over mijn hele lichaam, slaagde ik erin tot rust te komen en weer in slaap te vallen.

Zondag stond ik bijtijds op om iets lekkers klaar te maken voor mijn vader. Ik koos voor vegetarische worstjes, wentelteefjes, sinaasappelsap en Ethiopische koffie. Als we geen van beiden een hap door onze keel konden krijgen, zou het in ieder geval lekker ruiken. In tegenstelling tot Koby's huis was mijn interieur erg kaal, het hoognodige meubilair en een functionele keuken. In de zitkamer was een heuse schoorsteenmantel, die ooit vol had gestaan met glazen beeldjes en foto's die getuigden van gelukkiger perioden uit mijn leven. Nu stond er niets op. Ik was wel van plan er weer iets op te zetten, maar sinds een krankzinnige figuur mijn privédomein kort en klein had geslagen, ontbrak me de energie voor zulke dingen. Ik moest er eerst een goede reden voor hebben.

Pa was op tijd, zoals altijd, een knappe verschijning in zijn zwarte bomberjack, donkergroene poloshirt en zwarte spijkerbroek. Hij begroette me met een kus op mijn wang en een beheerste glimlach.

'Hoe staan de zaken?' vroeg ik.

'Wat ruikt hier zo lekker?' Hij ritste zijn jack open en trok het uit.

'Geef maar.' Ik deed de halkast open en hing het jack op. Het was ongelooflijk zwaar; het hangertje boog er zelfs van door. 'Nogmaals bedankt voor vrijdag.'

'Graag gedaan.'

Ik wachtte af of hij er nog iets aan zou toevoegen, maar dat deed hij niet. 'Ik hoop dat je trek hebt.'

'Nu wel.'

'Laten we dan aan tafel gaan.' Ik had mijn kleine tafel gedekt voor twee, compleet met echte servetten. Ik schonk koffie en sinaasappelsap voor hem in terwijl hij met zijn vork een wentelteefje van de stapel prikte.

'Ik moet even mijn handen wassen,' zei hij.

'Dan bof je dat ik stromend water heb.'

Hij glimlachte, waste zijn handen en prevelde de rituele gebeden voordat hij een hap nam. Ik goot wat stroop over mijn wentelteefje en begon te eten. 'Niet gek, al zeg ik het zelf.'

'Erg lekker.' Pa sneed het brood in stukjes. 'Dus je hebt de moeder van de baby opgespoord. Mooi werk!'

'Dank je.'

'Je vraaggesprekken moeten dus goed zijn verlopen.'

'Je had me goed advies gegeven.'

'Toch moet je dat met de nodige behendigheid in praktijk hebben gebracht.'

'Ik luister echt wanneer je me iets vertelt, hoor.'

Hij hield even op met eten. 'Dat weet ik.'

'Je bent boos op me.'

'Helemaal niet.'

'Helemaal wel. Zou je me willen vertellen waar je mee zit?'

'Nee, ik wil graag van deze lekkere wentelteefjes genieten en je helpen met de dingen waarvoor je me hebt laten komen.'

'Ik kan me niet concentreren als je boos bent.'

'Ik ben niet boos.'

'Wat vind je van hem?'

'Het is een aardige jongen.'

'Maar…'

Hij legde zijn mes en vork neer en keek me recht in de ogen. 'Geen "maar", Cynthia. Het is een aardige jongen. Verder niets.'

We aten een poosje in stilte. Het had weinig zin erover door te gaan tot ik er zelf achter was hoe levensvatbaar mijn relatie met Koby was. 'Ik heb je echt niet alleen uitgenodigd om je op je zenuwen te werken.'

Hij leunde naar voren en kuste mijn voorhoofd. 'Wat heb je nodig?'

'Gesproken als een echte vader. Het gaat om de moeder van de baby, Sarah Sanders. Ik heb geen gelegenheid gehad haar vragen te stellen. En zelfs als dat mijn taak was, acht ik mezelf niet in staat haar te ondervragen.'

'Dat is begrijpelijk, maar wanneer je eenmaal rechercheur bent, zal het ondervragen je veel beter afgaan.'

'Ik heb het besproken met Russ MacGregor. Hij heeft de zaak overgenomen van Greg Van Horn, omdat die met vakantie is. Ik vind het moeilijk, pap. Ik wil gewoon zeker weten dat de juiste vragen worden gesteld.'

'Zoals?'

'Over de vader van de baby. Het lijkt me belangrijk iets over hem te weten te komen.'

'Heeft Russ daar niets over gevraagd?'

'Russ heeft maar een kwartier met haar gepraat, hoofdzakelijk over het dumpen van de baby. Waar heeft de bevalling plaatsgevonden? Waarom heb je de baby in de container gegooid? Waarom heb je niets aan je zus verteld? Alsof ze een misdadiger is… Ik bedoel, ze hééft wel een misdaad begaan, maar er zijn verzachtende omstandigheden.'

'Ik weet zeker dat de rechter rekening zal houden met haar verstandelijke handicap.' Decker nam een slokje koffie. 'Waarom ben je zo bezorgd? Heeft haar zus zich bij je beklaagd?'

123

Ik schudde mijn hoofd.

'Het komt best in orde, Cindy. Je kunt niet moeder spelen over de hele wereld.'

'Ik vind evengoed dat iemand haar naar de vader moet vragen.'

'Overleg het met Russ.'

'Dat heb ik gedaan. Ik ben vrijdag met hem gaan praten, voordat ik Koby ging afhalen. Hij zei dat hij het onderwerp had aangestipt, maar dat ze er niets over wilde loslaten. Hij was hem niet duidelijk of ze iemand wil beschermen of dat ze de vragen niet begreep, maar hij zou er maandag opnieuw naar kijken, wanneer hij terug is uit Mammoth. Toen heb ik hem gevraagd of ík in het weekeinde met haar mocht gaan praten.'

'En…?'

'Hij was er niet happig op, maar hij zei geen nee, dus heb ik verder niks gezegd en alleen maar afgewacht, en uiteindelijk zei hij dat ik het mocht doen, als ik maar geen schade zou aanrichten.'

'Als je het maar niet verprutst en hem voor gek zet, bedoelt hij. Daar kan ik inkomen.'

'Ik weet dat hij mijn meerdere is en hij mag best met de eer gaan strijken, dat kan me niet schelen.' Ik leunde op de tafel. 'Ik wil alleen maar weten of dat meisje soms is verkracht.'

'Ho! Moment!' Decker zette zijn koffie neer. 'Denk je dat ze is verkracht?'

'Dat weet ik niet.'

'Waarom denk je dat dan? Ook zwakzinnigen hebben seksuele begeerten.'

'Dat weet ik, maar ze kreeg er weinig gelegenheid voor. In dat tehuis worden ze goed in de gaten gehouden.'

'Eén keer is genoeg om zwanger te raken.'

'Moeten we er niet van uitgaan dat het mogelijk is dat ze is verkracht?'

Pa dacht over mijn vraag na. 'Als het mijn zaak was… zou ik dat beslist onderzoeken.' Hij wreef in zijn handen. 'Ga haar ondervragen.'

'Ik had graag dat je meeging.'

'Je wilt graag onafhankelijk zijn, maar je zit vol tegenstrijdigheden. Waarom moet je pappie mee?'

'Om te voorkomen dat ik de mist in ga.'

'Cynthia, je zult echt moeten leren op jezelf te kunnen vertrouwen.'

'Als jij nu eens de vragen stelt en ik aantekeningen maak.'

'Geen goed idee.'

'Ik weet dat ik een watje lijk, maar dat kan me niets schelen. Ik wil dat dit wordt gedaan zoals het moet.'

Decker schudde zijn hoofd. 'Cin, ik mag niet aan zaken werken die niet tot mijn jurisdictie behoren. Bovendien trap ik dan op andermans tenen en ik weet nooit wanneer en waar ik de persoon in kwestie nodig zal hebben.'

'Oké.' Ik glimlachte tegemoetkomend. 'Nog koffie?'

'Graag. Het is lekkere koffie.'

'Ethiopische.'

Pa keek me aan. 'Dan zul je er wel een voorraadje van hebben.'

'Ik heb een leverancier.'

Decker grinnikte. 'Ik weet het goed gemaakt. Ik zal je vergezellen.'

Meer dan waarop ik had gehoopt.

'En me aanstoten als ik iets fout doe?'

'Als ik je iedere keer dat je iets fout doet, zou aanstoten, zou je bont en blauw zijn.'

'Aha! Zie je nu wel dat je kwaad bent?'

'Ik ben niet kwaad.'

'Jawel. Zeg het nu maar, dan hebben we het gehad.'

Hij keek me in de ogen. Ik voelde een blos opkomen.

'Toe maar!'

'Het heeft niets met Koby te maken. Ik meende het toen ik zei dat hij een aardige jongen lijkt.'

Hij keek me aan met een strenge, vaderlijke blik. Ik snapte zelf niet waarom ik dit op mijn achtentwintigste nog allemaal accepteerde, maar zo gaat dat blijkbaar met vaders en dochters.

'Ga door.'

'Je had het me moeten vertellen, Cynthia. Dat zou niet meer dan beleefd zijn geweest.'

'Waarom? Ik zou het er ook niet extra bij hebben gezegd als hij blank was.'

Decker sloeg zijn ogen op naar het plafond. 'Ik geloof dat je het leuk vindt om het me moeilijk te maken.'

'Welnee. Doe niet zo raar.'

'Ik geloof dat echt.' Hij stond op en pakte zijn bord. 'Zal ik wassen en jij drogen?'

'Ik kan die twee borden wel in mijn eentje afwassen.' Ik pakte mijn bord. Samen ruimden we de tafel af. 'Is dat alles wat je erover wilt zeggen?'

Hij streek een lok uit mijn ogen. 'Ja, dat is alles wat ik erover wil zeggen. Ga even pen en papier pakken, en vertel me welke vragen je dit meisje wilt stellen en waarom.'

Ik ging mijn blocnote halen. Ik was niet tevreden over ons gesprek, maar we hadden het er in ieder geval over gehad. Tegen de tijd dat we het vraaggesprek op poten hadden gezet, was het bijna elf uur. Ik wikkelde de restanten van het ontbijt in folie en legde ze in de koelkast. Ik keerde me om naar mijn vader en keek hem in de ogen. 'Ik mag hem graag, pap.'

'Dat is belangrijk wanneer je met iemand uitgaat.'

Ik tikte met mijn voet op de vloer. 'We zullen zien hoe het gaat. Het is waarschijnlijk nog te vroeg om erover te praten.'

'Ik mag hem ook graag, Cin.'

'Dat betekent heel veel voor me.'

'Een hele verbetering vergeleken bij je vorige aanbidder.'

Ik stompte hem tegen zijn schouder. 'Ik ben zover. Zullen we gaan?'

'Goed.' Hij sloeg zijn arm om mijn schouders. 'Heb je je moeder al iets over hem verteld?'

'Nee. Daarvoor is het nog veel te vroeg.'

Daar gaf hij geen antwoord op. Hij wist best dat dat lulkoek was.

16

Sarah was dat weekeinde uit het ziekenhuis ontslagen. Ze moest woensdag voor de rechter verschijnen, maar was tegen een borgsom van vijfduizend dollar vrijgelaten en onder voogdij van haar zus geplaatst. Pa was blij dat Sarah thuis was. Het was veel gemakkelijker om mensen te ondervragen in hun eigen omgeving, waar ze zich prettig en veilig voelden. Tegen de tijd dat we bij het huis van Louise Sanders aankwamen, was het over twaalven. Ze deed open in een badstoffen badjas, met een mok waar damp uit opsteeg in haar hand. Ze was niet blij met ons bezoek, maar nodigde ons evengoed uit binnen te komen.

'Het is niet persoonlijk bedoeld, Cindy,' zei ze. 'Je bent erg aardig voor ons geweest, maar ik ben al die vragen zo zat.'

'Daar kan ik inkomen.'

'Ik ga me even aankleden.'

'Voor ons hoeft dat niet, hoor. Dit is mijn vader, inspecteur Decker. We waren in de buurt en wilden even langskomen om te vragen hoe het met Sarah is.'

Pa en Louise glimlachten beleefd naar elkaar. 'Kan ze het allemaal een beetje verwerken?' vroeg hij.

Louise lachte kort. 'Eerlijk gezegd geloof ik dat ze alle aandacht schitterend vindt.'

'En u? Kunt u het aan?'

Goede woordkeus, pa. Bij Louise droop de wanhoop er gewoon van af. 'Laten we daar maar niet over beginnen. Wilt u misschien een kopje koffie?'

We zeiden 'graag'. Ze verzocht ons te gaan zitten terwijl ze de koffie ging halen. Het duurde langer dan nodig was. Toen ze terugkwam, had ze een zwart trainingspak aan. Zwijgend namen we teugjes van de koffie. Toen verbrak ik de stilte.

'Als Sarah het niet erg vindt, zouden we graag even met haar willen praten.'

Louise antwoordde: 'We hebben alles al doorgenomen met rechercheur MacGregor.'

'Ik heb rechercheur MacGregor gesproken, Louise, en daarom ben ik nu hier. Hij zei dat Sarah vrijwel niets over de vader van de baby heeft gezegd. Maar ook die is verantwoordelijk voor wat er is gebeurd.'

'Dat weet ik, maar ik wil er niet naar vragen.' Louise hief haar handen op. 'Ze wordt geacht de pil te slikken.'

'Waarom was ze aan de pil? Wisten ze bij Fordham dat ze seksueel actief was?'

'Ze staat onder doktersbehandeling,' zei Louise. 'De vrouwenarts heeft haar de pil voorgeschreven als voorzorgsmaatregel én om haar menstruatie in betere banen te leiden. Het besluit is niet klakkeloos genomen.'

'Louise,' zei ik, 'als haar seksuele activiteiten vrijwillig waren, is de identiteit van de vader van de baby haar eigen zaak. Althans, dan hoeft de politie die niet te weten. Maar zoals ik vorige week al zei… als het haar is opgedrongen, is het een heel andere zaak.'

Ze stond op en begon te ijsberen. 'Ik wil niet dat ze in een rechtszaak moet getuigen tegen een verkrachter! Daar komt niets van in!'

'Ik begrijp best dat je dat niet wilt. Maar vind je niet dat we het in ieder geval moeten uitzoeken?'

'Nee. Er zijn dingen die je beter met rust kunt laten.'

'Misschien heeft ze psychologische begeleiding nodig.'

'Ze is al onder behandeling. Als het onderwerp tijdens haar gewone sessies ter sprake komt, zal de psychologe er wel mee weten om te gaan.'

'Louise, als iemand bezig is zwakzinnige meisjes als Sarah te verkrachten, dan wil ik die kerel achter de tralies hebben. Laat haar me dan alleen vertellen of het zo is of niet.'

Louise staarde me indringend aan, maar ik zag aan haar ogen dat ze zich al gewonnen had gegeven. 'Geef me vijf minuten.'

'Neem zoveel tijd als je nodig hebt.'

Ze liep naar de achterkamer.

Pa zei: 'Mooi werk. Je hebt mij helemaal niet nodig.'

'Pap, ik heb je altíjd nodig.'

Hij gaf een klopje op mijn knie. We keken elkaar schouderophalend aan en dronken koffie. Toen Louise terugkwam, hing Sarah aan haar arm.

Het meisje was gekleed in een blauwe pyjama die bedrukt was met schaapjes. Louise liet haar plaatsnemen in een fauteuil. 'Kun je je agent Decker nog herinneren, Sarah?'

Het meisje knikte. Ze was rond en roze, en haar blonde haar zat in een staartje. Ik wierp een blik op haar handen. Haar duimen waren kort en plat. Ze hield haar hoofd gebogen.

'Sarah, mag ik...' Ik onderbrak mezelf, met de waarschuwing van mijn vader nog in mijn oren: vraag niet of je iets mag doen, als je het evengoed gaat doen. 'Sarah, ik ga je een paar vragen stellen. We zijn er zo mee klaar.'

Stilte.

Louise zei: 'Toe maar.'

'Weet je hoe de baby in je buik is gekomen?'

Een knikje.

'Kun je het aan me uitleggen?'

Ze staarde me wezenloos aan.

Pa schoot me te hulp. 'Hoe komen baby's in je buik, Sarah?'

Haar ogen gingen snel heen en weer door de kamer. 'Dat hebben ze ons op school verteld. Ze hebben ons plaatjes laten zien.' Ze sprak met horten en stoten, alsof de woorden niet uit haar keel kwamen maar uit haar middenrif. Opeens giechelde ze en kreeg een kleur. 'Die waren heel' – weer giechelde ze – 'mal.'

'Hebben ze jullie plaatjes laten zien van naakte jongens en meisjes?' vroeg ik.

'Niet echte. Tékeningen.'

'O.' Ik glimlachte. 'Ik ben blij dat je dit soort dingen weet... over seks.'

Ze giechelde. 'Dat is een vies woord.'

'Nee, hoor,' suste Louise. 'Het is een gewoon woord. Zo heet het wanneer je een baby maakt. Dat heet seks.'

Het gegiechel overstemde haar woorden.

'Heb jij seks gehad om je baby te maken, Sarah?' vroeg ik.

Ze kreeg een kop als een boei en begon onbedaarlijk te lachen. 'Dat geloof ik wel.'

'Sarah, met wie heb je seks gehad?'

Ze schudde haar hoofd. 'Dat mag ik niet vertellen. Dat heb ik beloofd.'

Louise zei: 'Sarah, je moet antwoord geven op hun vragen.'

'Nee!' Het meisje trok een koppig gezicht. 'Het is een geheim!'

Decker hief met een terloops gebaar zijn hand op naar Louise. Hij keek

129

het meisje glimlachend aan. 'Heb je een vriendje, Sarah?'

Haar gezicht versomberde. 'Nee.'

'Zo'n mooi meisje als jij...'

'Ik ben niet mooi,' zei Sarah.

'Jawel hoor,' zei Decker. 'Al dat mooie, blonde haar. Ik wil wedden dat je een vriendje hebt.'

Ze wendde haar gezicht af en keek naar de vloer.

'Wat is er, Sarah? Heb je een vriendje gehad?'

Ze knikte langzaam.

'Wat is er gebeurd? Is hij verhuisd?'

Weer een knikje.

Pa beduidde dat ik het van hem moest overnemen. Ik probeerde zijn redenering voort te zetten. 'Is hij iemand die bij je op school zat?'

'Ja.'

'Weet je waarom hij is verhuisd?'

'Misschien wel.' Ze hield haar hoofd gebogen. 'Maar ik mag het niet vertellen. Het is een geheim. Geheimen mag je niet vertellen.'

Louise blies hoorbaar haar adem uit en Decker kwam snel tussenbeide, voordat ze de kans kreeg haar zus een standje te geven. 'Sarah, ik ga je iets vertellen, omdat ik geloof dat je erg pienter bent...'

Haar gezicht betrok. 'Ik ben niet pienter. Ik ben zwakzinnig.'

'Je kunt zwakzinnig en pienter tegelijk zijn. Luister goed naar me. Oké?'

Sarah zei niets.

Decker zei: 'Er zijn goede geheimen en slechte geheimen. Goede geheimen zijn dingen als... als wanneer je zus een kerstcadeautje voor je koopt en je niet vertelt wat het is, zelfs niet wanneer je het vraagt. Heb je zulke geheimen wel eens gehad?'

Ze glimlachte. 'Ja.'

'Dat is dus een goed geheim. Je zus wil je graag verrassen, dus zegt ze niet wat het is. Snap je?'

'Ik geloof van wel.'

'Zie je wel? Ik zei toch dat je pienter bent?'

Haar glimlach werd breder.

'Sarah, een voorbeeld van een slecht geheim is wanneer iemand iets met je doet wat verboden is en dan zegt dat je het aan niemand mag vertellen. Zulke geheimen, slechte geheimen, mag je best verklappen. Dat móét zelfs. Je moet zulke geheimen aan mij of aan agent Decker vertellen, omdat wij van de politie zijn. Je kunt zulke geheimen altijd aan een politieagent vertellen.'

'Ze zeiden dat ik niks tegen de politie mocht zeggen.'

'Zeiden "ze" dat?'

Pa en ik stelden snel onze theorie bij.

Ik zei: 'Was het dan niet alleen maar één jongen die zei dat je het niet mocht vertellen? Waren er meer?'

Sarah zei: 'Ja.'

Decker zei: 'Die jongens... Sarah, kijk me aan.'

Ze hief haar hoofd op en keek schuchter naar mijn vader. 'Die jongens zijn heel slechte jongens. Ik vind die jongens helemaal niet aardig.'

'Ik ook niet,' zei Sarah. 'Ze hebben me pijn gedaan.'

'Ja, hè?' zei Decker. 'Welk deel van je lichaam hebben ze pijn gedaan?'

Louise wendde haar gezicht af, maar ik had de tranen in haar ogen gezien. Sarah praatte er kalm over. 'Mijn bips. Ze hebben mijn bips pijn gedaan.'

Pa vroeg me met zijn ogen of ik het weer wilde overnemen, maar ik schudde bijna onmerkbaar mijn hoofd. Dit was zo belangrijk dat ik het niet wilde verknoeien. Hij ging door. 'Hebben ze dingen in je bips gestopt?'

Tranen rolden over haar wangen toen ze 'ja' fluisterde.

'Ik zei toch dat het slechte jongens zijn?' zei Decker. 'Het was erg lelijk van ze dat ze dat met je hebben gedaan. Wat voor dingen hebben ze in je bips gestopt?'

Ze gaf geen antwoord en kneep haar ogen stijf dicht.

'Was het seks? Net als de tekeningen die ze jullie op school hebben laten zien?' vroeg hij haar. 'Hebben ze het jongensding in je gestopt? Je weet wel wat ik bedoel... waaraan je het verschil kunt zien tussen jongetjes en meisjes?'

Ze wendde haar hoofd af.

'Geeft niks, lieve meid,' zei Decker. 'Je hoeft geen antwoord te geven. Je kunt ook alleen knikken.'

Ze knikte.

'In welk gedeelte van je bips hebben ze dat gedaan?' vroeg pa. 'Het deel waar je mee poept of het deel waar je mee plast?'

Sarah zei: 'Waar ik mee plas.'

'Dan hebben die jongens seks met je gehad,' zei ik.

'Ik vond het helemaal niet leuk. Het deed pijn!'

'Dat weet ik.'

'Net zoals toen de baby naar buiten kwam.'

'Ik begrijp het.'

'Niet zoals met David.' Ze sloeg haar hand voor haar mond en giechelde. 'Oeps.'

Decker en ik wisselden even een blik. Ik zei: 'David was je vriendje, hè?'

Ze zuchtte. 'Hij is weggegaan.'

'Maar voordat hij wegging, zat hij bij jou op school?'

'Ja.'

'Ik ken geen David,' zei Louise. 'Wat is zijn achternaam, Sarah?'

Ze haalde haar schouders op.

'Daar komen we wel achter,' fluisterde mijn vader tegen haar. 'Dus… je hebt seks gehad met David. Maar dat was fijne seks, hè?'

'Nee, ik vond dat ook niet fijn, maar David was mijn vriendje. Met je vriendje mag het.'

Ik probeerde mijn gedachten op een rijtje te zetten. We zaten nu met twee dingen: vrijwillige seks met David en een incident dat een groepsverkrachting kon zijn geweest. 'Weet je waarom David is weggegaan?'

Ze knikte. 'Omdat ze hem in een vuilnisbak hadden gestopt.'

Weer wisselden mijn vader en ik een blik.

Decker krabde op zijn hoofd. 'Vertel dat eens. Over toen ze David in de vuilnisbak hadden gestopt?'

'Ze zeiden dat ik het aan niemand mocht vertellen. Ze zeiden dat ze me zouden vermoorden als ik het aan de politie vertelde.'

Ik zei: 'De slechte jongens zullen je geen kwaad doen.'

'Dat kun je niet weten!' zei Louise.

Decker zei: 'Mevrouw Sanders, we moeten eerst uit zien te zoeken wat er is gebeurd. Daarna kunt u besluiten hoe u Sarah wilt helpen.'

Hij liet haar de keuze, gaf haar de macht. Mijn vader had een verbazingwekkend talent voor deze dingen. Louise zei dat hij door mocht gaan.

Hij zei: 'Sarah, nu moet je me vertellen wat er is gebeurd. Dat moet echt.' Hij probeerde oogcontact met haar te maken. 'Je bent nu een grote meid, Sarah. Je hebt een grote, sterke baby gekregen omdat je een grote, sterke meid bent. Dus kun je dit ook. Je kunt me vertellen wat er is gebeurd. Hoe is David in de vuilnisbak terechtgekomen?'

Haar ene been begon te trillen. Haar knie ging op en neer, op en neer. 'We waren in het park.'

'Wie?'

'David en ik.'

'Wanneer?'

'Langgeleden. Voordat David wegging.'

'Vorig jaar?'

Ze haalde haar schouders op. 'Misschien een halfjaar.'

'Goed. Je was in het park met David,' zei ik. 'Welk park? MacFerren Park?'

Ze knikte.

Decker zei: 'Goed zo. Vertel me nu wat er in het park is gebeurd.'

'Ik moest eigenlijk uit school meteen naar huis, maar ik ging niet.'

'Dat weet ik. Je bent niet naar huis gegaan. Je hebt niet naar je zus geluisterd.' Decker keek naar Louise. 'Maar Louise is niet boos op je. Nietwaar, Louise?'

Louise was woedend, maar speelde mee, ook al sprak ze met opeengeklemde kaken. 'Nee, Sarah, ik ben niet boos.'

Mijn vader glimlachte ontwapenend. 'Zie je wel? Ze is niet boos. Vertel me over het park.'

'Ze kwamen bij ons.'

Pa keek naar me en gaf me met zijn ogen een teken dat ik het weer moest overnemen. Ik zei: 'Wie kwamen bij jullie?'

'De slechte jongens.'

'Sarah, weet je nog hoeveel slechte jongens het waren?'

'Drie of vier.'

'Drie of vier,' herhaalde ik. 'Ze kwamen naar jou en David?'

'Ja.'

'Waar waren jullie in MacFerren Park, toen de slechte jongens bij jullie kwamen?' Een wezenloze blik in haar ogen. 'Zaten jullie onder een boom of op een bankje of...'

'Op het toilet.'

'Goed zo. Was je samen met David op het toilet?'

Ze bloosde.

'Had je met David seks op het toilet?' vroeg ik.

'Nee... alleen... u weet wel...' Ze glimlachte en maakte smakgeluidjes met getuite lippen.

'Jullie waren aan het kussen?' vroeg ik.

'Ja... we waren aan het kussen.'

'En wat gebeurde er tocn?'

'Toen kwamen de slechte jongens binnen.'

'Zeiden de slechte jongens iets tegen jullie?'

'Vieze woorden.'

'Wat voor vieze woorden?'

Ze boog haar hoofd. 'Gewoon, vieze woorden.'

'Oké.' Ik zocht verwoed naar de juiste volgorde waarin ik de vragen moest stellen. 'En nadat ze die woorden hadden gezegd, wat gebeurde er toen?'

'Ze sloegen David heel hard. Hij kreeg een bloedneus…'

'Godsamme!' riep Louise uit. Ze wendde zich af en drukte haar hand tegen haar mond. 'Dit is…'

'Doe ik het niet goed, Louise?'

'Jawel.' Ze glimlachte en droogde haar ogen. 'Jawel, je doet het heel goed. Heel goed. Ga maar door. Vertel maar wat er is gebeurd.'

Sarah boog haar hoofd. 'Ze stopten hem in de vuilnisbak. Hij vond dat niet leuk. Hij schreeuwde. Maar toen zetten ze de vuilnisbak ondersteboven'– ze sloot haar ogen – 'en een van de jongens ging erbovenop zitten zodat David niet weg kon. En iedere keer dat hij schreeuwde, gaf de jongen een harde schop tegen de vuilnisbak en zei hij dat hij zijn mond moest houden.'

Ze kromp ineen toen ze het vertelde. Ik zei: 'En nadat ze David in de vuilnisbak hadden gestopt? Wat gebeurde er toen?'

Haar stem was nu zo zacht als pas gevallen sneeuw. 'Ze duwden me op de grond en scheurden mijn onderbroek kapot. En toen… deed de eerste het… de seks. Het deed heel erg pijn. Ik wilde schreeuwen dat hij het niet moest doen, maar ik wilde hem niet kwaad maken… want toen David had geschreeuwd, waren ze allemaal kwaad geworden. Ik wilde geen bloedneus. Dus heb ik mijn ogen dichtgedaan en niks gezegd.'

'Dat was heel slim van je,' zei Decker. 'Zie je wel? Ik zei toch dat je pienter was?'

Haar kin rustte weer op haar borst en ze kneep haar ogen stijf dicht.

Decker vroeg: 'Weet je nog hoeveel jongens seks met je gehad hebben?'

Langzaam stak ze twee vingers op.

'Twee jongens hebben seks met je gehad.'

Ze stak drie vingers op.

Louise trok wit weg. Ik pakte haar hand en kneep erin. Pa zei: 'Drie jongens?'

Ze knikte.

'Sarah, de volgende vraag is heel belangrijk. Wat gebeurde er nadat ze klaar waren met de seks?'

'Toen moest ik beloven dat ik het aan niemand zou vertellen. Ze zeiden dat ze me zouden vermoorden als ik het aan de politie vertelde. En ik geloofde dat, hoor!'

'Natuurlijk. En zijn de slechte jongens toen weggegaan, of ben jij eerst weggegaan?'

'Eerst de slechte jongens.'

'En wat heb jij gedaan?'

'Ik heb de vuilnisbak omvergeduwd om David te helpen. De vuilnisbak was heel zwaar en ik had zo'n pijn vanwege wat de slechte jongens hadden gedaan en ik moest zo huilen...'

'Wat zul je bang zijn geweest,' zei ik.

'Ja! Ik was heel bang!'

'Maar je hoeft nu niet bang te zijn omdat je hier veilig bent,' zei Decker. 'Sarah, je moet me nog iets vertellen. Toen je de vuilnisbak omverduwde, was alles toen in orde met David?'

Ze schudde haar hoofd.

Decker haalde zijn hand over zijn gezicht. 'Bewoog hij zich?'

'Hij had veel bloed op zijn gezicht.' Ze begon te huilen. 'Ik wilde hem helpen. Maar ik had beloofd dat ik aan niemand iets zou vertellen. Ik wist niet wat ik moest doen.'

'Je bent heel dapper geweest, hoor,' zei mijn vader sussend. 'Wat heb je gedaan toen je Davids gezicht zag?'

Ze begon steeds harder te huilen. Louise sloeg haar armen om haar heen en drukte haar hoofd tegen haar schouder. 'Het is voorbij, Sarah. Maak je geen zorgen, het is nu allemaal voorbij.'

Maar iedereen in de kamer, inclusief Sarah, wist dat het nog lang niet voorbij was.

Decker vroeg op kalme toon: 'Sarah, heb je David achtergelaten in de vuilnisbak?'

Ze huilde met gierende uithalen. 'Ik ben naar huis gehold. Ik heb me gewassen. Ik was zo bang.'

'Dat snap ik wel.'

We wachtten tot ze was uitgehuild. Het duurde een hele tijd. Toen keek ze naar mij. 'De volgende dag ben ik naar school gegaan. Hij was er niet.

Hij komt nooit meer op school. Ik wil aan meneer Klinghoffner vragen waarom niet, maar ik durf het niet.'

'Zal ik het voor je vragen?' vroeg ik.

'Ja.' Ze glimlachte door haar tranen heen. 'Ik zie hem nooit meer. Misschien vond hij het niet leuk dat de andere jongens seks met me hadden.'

'Dat is vast niet de reden,' zei ik.

'Ik wilde het niet. Maar ze deden het toch.'

Ik zei dat ik het begreep. 'Hoe zagen die jongens eruit?'

Ze sloot haar ogen. Ze haalde zich beelden voor de geest. 'Twee waren misschien Mexicanen.'

'Mexicanen?' herhaalde ik.

'Ja. Net als de conciërge op school. Die heet José. En hij is een Mexicaan. Maar hij is een aardige Mexicaan. Hij geeft ons wel eens snoep. De slechte Mexicaanse jongens waren gemeen.'

'Spraken ze Spaans?' vroeg ik.

Ze haalde haar schouders op. 'Weet ik niet.'

'Je denkt dus dat twee van de jongens Mexicanen zijn,' zei Decker. 'Je zei dat er nog meer slechte jongens waren. Kun je me vertellen hoe die eruitzagen?'

Weer deed ze haar ogen dicht. 'Eentje was kaal. Die was de gemeenste. Die heeft David geslagen.'

'Was hij blank of zwart of bruin?'

Ze trok een gezicht. 'Niet bruin zoals José, en niet roze zoals ik. De niet-kale had veel pukkeltjes. De kale was de gemeenste. Hij had geen pukkeltjes.'

'En de andere twee waren Mexicanen?' vroeg ik.

'Ja. Ze hadden zwart haar en een donkere huid en ze zagen eruit als José, de conciërge van onze school.'

'Verder nog iets?' vroeg Decker.

'Nee.'

Decker zei: 'Sarah, als ik je foto's laat zien, denk je dat je dan die jongens kunt aanwijzen?'

'Misschien wel.'

'Mevrouw Sanders, ik zou Sarah graag op het bureau wat foto's willen laten zien. Om te zien of ze iemand herkent.'

'Misschien een andere keer, inspecteur Decker. We moeten woensdag voor de rechter verschijnen. Ik moet dat eerst regelen, voordat ik haar aan

136

nog meer beproevingen blootstel. Ik hoop dat u daar begrip voor hebt.'

'Natuurlijk. Dan wachten we er nog even mee.'

Het was mijn beurt om nog wat informatie in te winnen. 'Sarah, is David zwart?'

Sarah wierp een zijdelingse blik op haar zus. 'Wees niet bang, Sarah. Geef maar gewoon antwoord op de vraag.'

'Ja.' Ze beet op haar lip. 'Sorry, Louise.'

'Waarvoor?' vroeg Louise haar.

'Dat ik David aardig vond. Je zei dat ik bij zwarte mannen uit de buurt moest blijven. Dat ze allemaal slechte dingen doen. Maar David was aardig. Hij was niet gemeen... behalve dat hij de seks deed. Maar dat deed hij niet gemeen.'

Louise had een hoogrode kleur gekregen. Na alles wat ze had moeten doorstaan, wilde ik haar een beetje troosten. 'Ik weet dat je dat alleen maar uit voorzorg hebt gedaan, Louise.'

'Ik probeer haar te beschermen...' Ze stootte een wrange lach uit. 'En daar ben ik dus niet in geslaagd.'

'Dat roep ik dagelijks. Ruilen?' vroeg ik.

Ze moest lachen. 'U had ook psychologe kunnen worden.'

Sarah vroeg: 'Is mijn baby in orde?'

'Ja,' antwoordde ik.

'Mag ik haar zien?'

Louise zei: 'Daar wordt aan gewerkt, Sarah.'

Ik zei: 'Louise, zou je kans zien morgen met Sarah naar bureau Hollywood te komen om een verklaring af te leggen? Dan kunnen we de bal aan het rollen brengen.'

Louise zei: 'Helaas niet, Cindy.'

'Geen fotoboeken,' zei ik. 'Ze hoeft alleen maar haar verhaal opnieuw te vertellen aan rechercheur MacGregor, omdat hij de leiding heeft over de zaak. Het identificeren van de daders kan wachten.'

Ze slaakte een diepe zucht. 'In mijn lunchpauze dan maar, om halfeen zijn we er. Je krijgt twintig minuten. Dan moet ik terug naar mijn werk.'

'Dank je,' zei ik. 'Ik zal rechercheur MacGregor ervan op de hoogte brengen en je bellen als er een wijziging in de plannen mocht zijn.'

'Uw medewerking zal zeer positief overkomen op de rechter,' zei Decker. 'Ik zeg dit niet om u onder druk te zetten, mevrouw Sanders. Ik vind gewoon dat u dat best mag weten.'

'Ja, ja.'

Het sarcasme droop eraf. We stonden allemaal op, behalve Sarah. Pa stak het meisje zijn hand toe. 'Hartelijk dank dat je met ons hebt gepraat, jongedame. Morgen mag je met Louise naar het politiebureau om het ook nog een keer aan rechercheur MacGregor te vertellen. Kun je je hem nog herinneren?'

Sarah knikte.

'Je moet hem hetzelfde vertellen als je ons hebt verteld.'

'Goed…' Sarah klonk weifelend.

'Maak je geen zorgen,' zei Decker. 'De tweede keer is het een stuk makkelijker, dat beloof ik je. Je bent een flinke meid, Sarah.'

'Meneer de agent?'

We glimlachten allemaal. Louise zei: 'Hij heet inspecteur Decker.'

'Ik dacht dat zíj Decker heette.'

'We heten allebei Decker,' zei ik.

'O… jullie zijn getrouwd.'

'Vader en dochter,' legde pa uit. 'Wilde je me nog iets vertellen?'

Ze knikte.

'Wat dan? Je kunt me alles vertellen wat je wilt.'

'Weet u zeker dat je slechte geheimen mag verklappen?'

'Heel zeker.' Mijn vader bekeek haar aandachtig. 'Heb je nóg een slecht geheim dat je me wilt vertellen?'

'Nee.' Maar Sarah antwoordde veel te snel.

'Wees niet bang,' zei Decker sussend. 'Als je wilt, mag je het in mijn oor fluisteren.'

'Is David dood?' vroeg ze.

'Dat weet ik niet, Sarah,' antwoordde ik. 'Maar dat ga ik uitzoeken.'

'Krijg ik nu straf?'

'Nee, hoor. Wees niet bang. Het was heel verstandig van je dat je het ons hebt verteld.' Decker gaf haar zijn kaartje. 'En als je nog een slecht geheim kwijt wilt, bel je me maar. Goed?'

Ze knikte. Ik volgde zijn voorbeeld en gaf haar ook mijn kaartje. Toen namen we afscheid en liepen terug naar de auto.

Ik deed mijn gordel om en startte de motor. 'Houdt Sarah iets achter?'

'Dat weet ik wel zeker.'

'Wat doen we daaraan?'

'Niets.'

17

Decker staarde uit het raam van de flat van zijn dochter en dacht na. Na een poosje draaide hij zich om naar Cindy. 'Het is verstandig je aantekeningen uit te typen voor je gesprek met MacGregor. Dan heb je niet alleen iets overzichtelijks om naar te kijken zodat je niet naar woorden hoeft te zoeken, maar kun je hem een kopie van de aantekeningen geven wanneer je klaar bent. Je hoeft niet alle details erin op te nemen. Integendeel, dan zou je de indruk wekken dat je jezelf erg geweldig vindt en dat is irritant.' Decker hield opeens op met praten. 'Luister je?'

Cindy hief haar hoofd op en keek hem aan. 'Ja, pap, ik luister.'

'Kun je dan alsjeblieft ophouden met aan dat kussen te frunniken en er ook uitzien alsof je oplet?'

'Ik zei dat ik luister. Waarom behandel je me als een klein kind?' Ze stond op. 'Ik ga koffiezetten. Wil jij ook?'

Decker masseerde zijn kloppende slapen en zei dat hij graag koffie wilde. Hij liet zijn blik door de kamer gaan en zag nu eigenlijk pas hoe kaal haar flat was geworden. Voorheen was het interieur huiselijk geweest, bijna meisjesachtig, alsof ze haar tienerkamer had mee verhuisd. Nu droeg het de littekens van de wonden die waren toegebracht. Hij stond op en liep naar het keukentje. Er was maar net genoeg ruimte voor hen beiden. 'Ik kan niet gelijktijdig inspecteur en vader zijn. Je zult moeten kiezen.'

Ze goot water in het koffiezetapparaat. 'Ik ga het je nog één keer vragen en ik verwacht een eerlijk antwoord. Vind je het vervelend dat Koby zwart is?'

'Nee.'

Ze draaide zich naar hem om. 'Waarom ben je dan nog steeds kwaad dat ik daar niets over had gezegd?'

'Niets over gezegd?' Decker keek haar vertwijfeld aan. 'Cindy, je hebt met opzet informatie voor me achtergehouden!'

'Wat maakt dat uit?'

'Het gaat om hoe je hem beschreef. Je vertelde uitgebreid dat hij een Israëliër was…'

'Hij is Israëliër.'

'Nee, Cindy. Hij heeft een tijd in Israël gewoond. Hij beschrijft zichzelf als een Ethiopiër. Dat is wat je me had moeten vertellen. In plaats daarvan heb je me ermee overvallen.' Een korte stilte. 'Ik heb vast heel vreemd gereageerd.'

'Helemaal niet.'

'Naar mijn gevoel wel. Ik voelde me opgelaten. Dat is niet jouw probleem, dat weet ik wel, maar je had me tegemoet kunnen komen. Waar was je bang voor? Maak ik je zo zenuwachtig?'

'Ja.'

Decker zuchtte. 'Dan… spijt me dat. Dat is echt niet mijn bedoeling.'

'Dat weet ik wel.'

Hij stak zijn handen in zijn zakken en staarde naar haar kale muren. Hij hoopte nog steeds dat hij ooit aan het einde van een gesprek met zijn dochter het gevoel zou hebben dat hij geslaagd was als ouder, in plaats van terug te keren naar zijn auto met het idee dat hij alweer had gefaald.

'Ik zal beter mijn best doen, Cin.'

'Dat hoeft niet. Je doet het prima, pap.'

Hij spreidde zijn handen. 'Ik weet het niet. Ik had gedacht dat ik soepeler zou worden naarmate ik ouder word, maar in plaats daarvan word ik alleen maar nog kribbiger… nog sneller geïrriteerd.'

'Dat wil alleen maar zeggen dat je in de kracht van je leven bent, pap.' Cindy pakte haar vaders hand. 'Dat is toch prima? En wat ik zei, is niet helemaal waar. Over het algemeen maak je me niet zenuwachtig, alleen wanneer je me bevelen geeft. Ik weet dat ik dat niet persoonlijk moet opvatten, zeker niet omdat ik je hier zelf bij heb gehaald, maar wanneer je me een standje geeft, wekt dat een oerreactie op. Maar dat is míjn probleem.'

Decker haalde zijn tong langs de binnenkant van zijn wangen. 'Als hij zich maar netjes gedraagt, anders vermoord ik hem.'

'Pleeg voor mij alsjeblieft geen moord. Ik ken hem nog maar net.'

'Hij is verliefd op je. Zorg ervoor dat jullie hetzelfde tempo houden.'

'Dat is mijn zaak, pap.'

'Je hebt gelijk. Zullen we dan maar weer verdergaan met onze zaak?'

'Je zei dat ik mijn aantekeningen moest uittypen.'

'Weet je wat? Mail me je aantekeningen nadat je ze hebt uitgewerkt, dan zal ik ze nog even voor je bekijken.'

'Graag. Bedankt.'

'Geen dank, prinsesje. En hou het bij eenvoudige bewoordingen, Cindy. De gemiddelde rechercheur heeft geen universitaire opleiding.'

'Weet ik.'

'Verder nog vragen?'

'Nee, op het moment niet.' Ze keek naar haar nagels, die tot op het leven waren afgebeten. 'Dus je vindt dat ik niet in mijn wijk moet gaan informeren naar straatbenden? Het feit dat er latino's en blanken in dat groepje zaten, elimineert er al een paar.'

Decker antwoordde, na een korte overweging: 'Cindy, je bent nog geen rechercheur. Je moet dat aan Russ MacGregor overlaten. Stel het aan hem voor en wacht af wat hij ervan zegt.'

'Dan komt het in het vergeetboek terecht. Het kan toch geen kwaad als ik mijn contactpersonen op straat een paar vragen stel?'

'Nu dram je door.'

'Ik wil alleen maar een oude verkrachtingszaak nieuw leven inblazen.'

'Nu moet je even goed naar me luisteren.' Een korte stilte. 'Luister je?'

'Ja, pap.'

'Goed. Dit is belangrijk. Je hebt een gevaarlijke baan. Iedere dag kan je iets overkomen. Dat houdt in dat je soms back-up nodig zult hebben. En dat houdt in dat je een teamspeler moet zijn. Bovendien weet je niet met wat voor tuig je hier te maken hebt. Als je de verkeerde mensen de verkeerde vragen stelt, zou je wel eens in een menselijke zeef veranderd kunnen worden.'

'Wat een cliché.'

'Het is niet om te lachen, Cynthia.'

Ze keek op haar horloge. 'Je moet maar eens gaan, anders haal je die matinee niet met Hannah Banana.'

'Je hebt gelijk. Maar jij moet me beloven dat je niets zult doen zonder dat je daar specifiek opdracht of toestemming voor hebt gekregen.'

'Ik beloof dat ik niets zal doen zonder de expliciete toestemming van Russ MacGregor.'

'Dat is nog beter dan ik had verwacht. Dank je.'

Precies op dat moment ging er een belletje. 'De koffie is klaar. Wil je

141

een bekertje mee voor onderweg? Ik heb reisbekertjes.'

'Ja, doe maar.'

Ze liep naar het keukentje en schonk een thermosbeker vol met koffie. Ze deed het dekseltje er stevig op en gaf hem de beker terwijl ze onderhand haar gedachten formuleerde. 'Ik vind hem leuk, pap.'

'Dat is fijn.'

'Ik geloof dat we veel gemeen hebben, ondanks de oppervlakkige verschillen.'

Decker wachtte af.

'Ons werk, bijvoorbeeld. We houden allebei van ons werk. En op dat gebied hebben we veel gemeen.'

'Een verpleegkundige en een politieagente?'

'Toch wel, wanneer je er even over nadenkt. Het werk bestaat voornamelijk uit routineklusjes. Aldoor dezelfde dingen. Maar wanneer het géén routine is… dan begint de adrenaline te stromen… met volle kracht. Dan wordt het koren van het kaf gescheiden. En wie goed is in ons soort werk… écht goed… komt in moeilijke situaties pas goed uit de verf.'

Hij werd wakker met een knik in zijn nek, de prikkelende geur van barbecue in zijn neus en het ruisen van de afzuigkap in zijn oren. Rina was vlees aan het grillen en alhoewel hij nog half sliep, ging zijn maag knorren toen de geur door zijn hersenen werd vertaald. Hij zwaaide zijn benen van de bank, stond op en rekte zich uit. Zijn mond was kurkdroog. Toen hij de keuken binnenging, zag hij een stuk vlees met grillstrepen dat te midden van uitjes en champignons in een braadpan lag.

'Lekker dutje gedaan?' vroeg Rina.

'Heerlijk. Hannah is een schat, maar erg vermoeiend.'

'Dat denkt zij misschien ook van jou, want ze heeft geen boe of bah gezegd sinds jullie zijn teruggekomen.'

'Mooi. Nu voel ik me minder bezwaard.' Hij pakte een fles water uit de koelkast en dronk met grote teugen. Rina droeg een schort over haar halflange wollen rok en zwarte trui. Ze liep op gympjes met sokken en had haar haar tot een paardenstaart gebonden, waardoor ze eruitzag als een schoolmeisje. 'Er ruikt iets heel lekker. Wat eten we?'

'Longhaas.'

'Rundvlees op zondag? Hoe komt dat?'

'Omdat de jongens er zijn. Omdat we gezond zijn. Omdat Hannah in een goed humeur is. Je mag zelf kiezen.'

'Waar zijn de jongens eigenlijk?'

'Ze zouden over een kwartiertje terug zijn.' Ze tilde de braadpan van het gas en zette hem in de oven. 'Het vlees is over twintig minuten klaar.'

'Medium?'

'Uiteraard. We houden hier niet van schoenzolen.'

'Jij maakt nooit schoenzolen.'

'Dank je.' Ze droogde haar handen met een servet en draaide zich naar hem toe. 'Als je een paar minuten hebt, kun je misschien nog even naar het dossier over mijn grootmoeder kijken.'

'Hè, ja.'

'Niet tegensputteren. De spullen liggen op de eetkamertafel. Ik heb wat huiswerk gedaan.'

'O, ja?'

'Ik heb een stadsplattegrond voor je gehaald.'

'Dat is nooit weg.' Hij waste zijn handen onder de keukenkraan en maakte zijn gezicht nat. Hij keek naar de koffiepot. 'Dan heb ik wel versterking nodig.'

'Ik zal een pot verse koffie zetten.' Ze ging op haar tenen staan en gaf hem een kus op zijn voorhoofd. 'Eerst Cindy, toen Hannah en nu ik. En het is nog wel je vrije dag. Ik leef met je mee, hoor.'

Decker sloeg zijn armen om haar middel. Haar haar rook naar knoflookpoeder en sojasaus. 'Zolang het maar gewaardeerd wordt. En aangezien jij me waardeert, zal ik je helpen.'

'Dank je wel.'

Hij kuste haar zachtjes op haar lippen en liep toen naar de eetkamer. Rina had alles voor hem klaargelegd: de paperassen keurig in een map, een nieuwe blocnote, een pen, een potlood en een plattegrond van München. Eerlijk gezegd was hij blij dat hij iets te doen had. Hij was bang voor lege uren, omdat zijn hoofd dan vroeg of laat gevuld zou worden met beelden die hij liever wilde vergeten.

Hij pakte de map en sloeg hem open.

Het stoffelijk overschot van Regina Gottlieb was aangetroffen tussen het struikgewas in de Englischer Garten, een langgerekt park dat parallel liep aan de rivier de Isar, maar ervan was gescheiden door een aantal straten. Naar de plattegrond te oordelen, doorkruisten het park en de rivier de noordelijk gelegen wijk Schwabing. Daar eindigde het park en boog de Isar af.

Decker leunde achterover op zijn stoel en herinnerde zich hoe hij op een ochtend was gaan joggen in het park, dat een voorproefje had geleken van het ruige Beierse landschap. Het park was zo lang dat het soms onder straten door liep. De betonnen pilaren waarop de bovenliggende wegen rustten, waren beklad met graffiti, die natuurlijk in het Duits waren, maar ongetwijfeld dezelfde onaangename strekking hadden als de leuzen die men in Amerika op muren kladde. Hij herinnerde zich hoe verdoofd zijn hele lichaam had aangevoeld toen hij 's ochtends om zes uur buiten kwam en de kou in zijn gezicht beet. Jetlag had zijn biologische ritme danig verstoord en op dat vroege uur was het buiten nog aardedonker, omdat de dageraad pas een paar uur later zou aanbreken. Het was gevaarlijk om zo vroeg buiten te zijn, maar hij ontleende een eigenaardig genoegen aan het flirten met gevaar, alsof hij schurken uitdaagde het te wagen hem iets te doen. IJskoude druppels vielen van de kale bomen, de grond was op veel plekken nat en modderig, de kuilen gevuld met het bezinksel van de nachtelijke regen. Het park rook naar mos, schimmel en rottend gebladerte, en het water van de Isar was wild, omdat het had gestormd. Er stonden schuimkopjes op en golven braken woest op de rotsblokken langs de oever.

Tegen de tijd dat hij was uitgejogd, was de stad in grauw licht gehuld. Decker zag in gedachten weer de chique wijken aan weerskanten van de rivier. Indrukwekkende herenhuizen met perfecte proporties en aandacht voor details.

Hij wou dat hij beter op de omgeving had gelet. Zijn verblijf daar miste nu de scherpe, duidelijke lijnen van een heldere terugblik; alsof hij bij slecht licht de krant las. Hij was langs toeristische attracties gekomen, maar had geen idee in welke verhouding die tot elkaar stonden. Maar hoe had hij ook kunnen weten dat hun verblijf in de stad later van belang zou zijn voor het oplossen van deze oude, onopgeloste zaak?

Nu hij de stad als stad bekeek, en niet alleen als een plattegrond om te zien hoe ver de bezienswaardigheden van het hotel verwijderd waren, zag Decker dat de Englischer Garten in het noordoosten van München lag. Rina en hij hadden gelogeerd in een hotel aan de Maximilianstrasse, een brede straat met goede restaurants, vijfsterrenhotels en bekende designwinkels. Toen ze er waren, had de afstand tussen het hotel en het park niet erg groot geleken, maar de plattegrond gaf de indruk dat ze een stuk verder uit elkaar lagen.

144

Rina had er ook een gedetailleerde plattegrond van het park bij gedaan. Het was een bijzonder groot park met grasvelden, meertjes en wan-
delpaden. In het midden ervan stond de herbouwde Chinese Toren, een
bronskleurig, spiraalvormig bouwsel dat inderdaad veel weg had van een
pagode. Ernaast was een van Münchens vele *Biergärten*, een zomercafé
met tafels en stoelen, waar de mensen kwamen om uit te rusten, bier te
drinken en van het groen te genieten. Er waren ook allerlei stalletjes, maar
die waren 's winters gesloten.

In het park waren verder de gemeentelijke cricketvelden, en langs de
noordgrens was een deel dat Aumeister heette en daar stond een jagershut
uit het begin van de negentiende eeuw. Toch maakte geen van deze bezienswaardigheden herinneringen in hem los. Wat hij zich eigenlijk alleen herinnerde, waren groepen kale bomen in de ijzige kou, vochtigheid
en de geur van verrotting.

Het zou wel aan zijn gemoedstoestand liggen.

Rina kwam binnen met de koffie en zette de mok voor hem op de tafel.
'Al iets gevonden?'

Hij keek op zijn horloge. 'Ik zit hier precies vier minuten.'

'Ik verwacht wonderen.'

'Trek dan maar een nummertje.' Hij nam een slokje. 'Heerlijke koffie.
Dank je wel.'

Rina ging zitten en legde haar hand op de zijne. 'Neem gerust de tijd.'

'Ik ben de ligging van de stad aan het bekijken. De Englischer Garten is
erg groot. Je grootmoeder is in het noordelijke deel ervan gevonden. Dat
roept diverse vragen op.'

Hij pakte het potlood en de blocnote en begon aantekeningen te maken. 'Vraag één: wat deed ze daar? Volgens de reisgids en mijn eigen armzalige herinneringen is en was dat een chique buurt. Je oma behoorde niet
tot de aristocratie. Niet eens tot de bourgeoisie. Ze ging niet dagelijks in
een geborduurde zijden jurk, draaiend met haar parasol, een wandeling
maken door het park. Je grootmoeder was een arme, joodse vrouw. Ze
werkte waarschijnlijk vanaf het moment dat ze wakker werd totdat ze
weer naar bed ging. Wat deed ze dus in die buurt?'

'Misschien was ze er niet zelf naartoe gegaan. Misschien is ze daar alleen maar gedumpt, omdat het een groot park is met veel plekken waar je
lijken kunt verstoppen.'

'Dan was de moord geen willekeurige moord. Dan heeft iemand haar daar speciaal naartoe gebracht of gelokt om haar te vermoorden, of in ieder geval om haar daar te dumpen. De andere twee vrouwen, Marlena Durer en Anna Gross, zijn een heel ander verhaal. Die woonden in de buurt van het park, dus is het heel goed mogelijk dat zij wél willekeurige slachtoffers waren van een verkrachter en moordenaar. Dat ze gewoon op het verkeerde tijdstip op de verkeerde plek waren.'

'Waarom heeft die man oma dan bij Gross en Durer gevoegd?'

'Welke man?'

'Kriminalpolizei-inspektor Axel Berg.' Ze glimlachte. 'Wat een woord! Ik denk dat de drie moorden met elkaar in verband staan. Heb je alle aantekeningen van *Inspektor* Kalmer al gelezen?'

'Nee. Hoezo?'

Rina bladerde in het rapport. 'Lees dit maar eens. Hier staat iets in wat je wel interessant zult vinden.'

Decker liet zijn ogen over de tekst gaan tot hij de bedoelde zin had gevonden. Hij las hem nogmaals, zorgvuldig. 'Julia Schoennacht is ondervraagd. Het slachtoffer, Regina Gottlieb, heeft drie maanden voor Frau Schoennacht gewerkt, tot haar diensten niet langer nodig waren.' Hij keek Rina aan. 'Je grootmoeder werkte dus buitenshuis?'

'Dat wist ik ook niet.'

'Wat voor baan denk je dat ze had? Dienstmeisje?'

Rina glimlachte liefjes. 'Ik moet je iets opbiechten.'

'Het is niet waar,' zei Decker smalend.

'Ik heb al mijn moed bijeengeraapt en mijn moeder gebeld. Vanochtend, nadat je was vertrokken.'

'Ik wíst dat er zoiets zou gebeuren! Hebben jullie ruzie gekregen? Rina, ze is dik in de tachtig!'

'Nee, we hebben geen ruzie gekregen. Tot mijn verbazing wilde ze best over het verleden praten.'

'Heb je haar verteld waar je mee bezig bent?'

'Niet echt.'

'Daar gaan we weer.' Decker was inmiddels gewend aan de halve leugentjes van zijn vrouw. 'Wat heb je haar op de mouw gespeld?'

'Ik heb gezegd dat Hannah een stamboom aan het maken is en dat ik daarom moest weten wat haar moeder en vader voor de kost deden. Dat ik al wist dat opa kleermaker was, en dat ik ervan uitging dat oma huisvrouw was. Ik vroeg of ze er nog iets meer over kon vertellen.'

146

'En?'

'Even bleef het stil. Toen vertelde mamma me heel trots dat oma naai-ster was geweest. Dat ze voor mamma en haar zus altijd prachtige jurkjes maakte, waardoor ze de best geklede meisjes in de hele buurt waren. En de mooiste meisjes.'

'Heeft ze dat letterlijk zo gezegd? Ik heb haar nog nooit horen opschep-pen.'

'Het zal de leeftijd zijn. Ze wordt steeds minder terughoudend. Ze ver-telde me dat oma japonnen maakte voor vrouwen uit de rijkste families van München. En toen zei ze, op een samenzweerderige toon, alsof mijn grootvader het vanuit zijn graf zou kunnen horen, dat oma beter in haar werk was dan opa. En ze zei...' Er verscheen een blos op Rina's gezicht. '... dat als Hannah nog meer dingen wilde weten, ze haar met plezier zou hel-pen.'

'Heb je Hannah op de hoogte gebracht van je bedriegerij?'

'Hannah wil graag meedoen. Ik geloof dat ze het wel leuk vindt om voor detective te spelen. Een kind van haar vader. Maar een logische con-clusie zou dus zijn dat oma als naaister voor die Julia Schoennacht heeft gewerkt.'

'Waar woonde Julia Schoennacht?'

Ze wees het adres aan. 'Dicht bij de Ludwig Maximilian-universiteit in Schwabing. Niet ver van de Englischer Garten. Dus misschien was de moord op oma dan tóch willekeurig. Misschien liep ze na haar werkdag door het park naar huis en is ze overvallen.'

'Waar woonde je grootmoeder dan? Liep de kortste weg naar haar huis door het park?'

'Mijn grootmoeder woonde hier.' Rina wees de plek aan. 'Dicht bij de Gärtnerplatz, die aan de Reichenbachstrasse ligt.'

'Ik zal mijn tong nog breken over al die rare namen,' zei Decker.

'Je moet er denkbeeldige streepjes tussen zetten.'

'Het adres van je grootouders is niet eens in de buurt van het park,' zei Decker. 'En om bij het huis van Julia Schoennacht te komen in de... hoe heet deze straat... Ludwigstrasse of Leopoldstrasse... zo te zien lopen die in elkaar over... Hoe dan ook, je grootmoeder had geen enkele reden om via de Englischer Garten te lopen. Dat is om.'

'Het is geen grote omweg en het is een veel mooiere route. En kijk eens...' Rina bladerde in het rapport. 'Kijk hier eens naar, Peter. Het dienstverband van mijn grootmoeder was, en ik citeer, circa twee weken voor haar dood beëindigd. Wil je horen wat ik denk?'

'Zeg het maar.'

'Misschien is ze teruggegaan naar die familie wegens een onopgeloste kwestie. Misschien hebben ze ruzie gekregen om geld en is dat uitgelopen op een tragedie. Het huis stond dicht bij het park, dus was dat de voor de hand liggende plek om van het lijk af te komen. Julia Schoennacht zou de politie natuurlijk niets vertellen.'

'Jij bent dus al tot de conclusie gekomen dat de voormalige werkgeefster van je grootmoeder de dader is. Welnu, die theorie is net zo aannemelijk als iedere andere.' Decker deed de map dicht. 'Daar zullen we het dan maar bij laten. Er staan me veel te veel *Strassen* op die plattegrond.'

Rina zei: 'Ik wil de waarheid weten, of in ieder geval proberen er zoveel mogelijk over te weten te komen. Eerlijk gezegd kan ik me niet voorstellen dat een rijke, aristocratische vrouw mijn grootmoeder naar het park sleept en haar daar het hoofd inslaat.'

'Dat zal ze door een bediende hebben laten doen. Je zei het zelf al, Rina... Het was niet erg belangrijk. De zoveelste dode jodin. Nou en? Opgeruimd staat netjes. Wanneer was de Kristallnacht?'

'In 1938.'

'Dit gebeurde dus eerder.'

'Ongeveer tien jaar eerder. Maar Hitler was toen al een krachtige figuur.' Rina wreef in haar handen. 'Tussen haakjes... omdat het gesprek met mijn moeder zo aangenaam verliep, heb ik ja gezegd toen ze ons uitnodigde dinsdagavond bij hen te komen eten. Goed?'

'Als je per se een masochist wilt zijn.'

Rina gaf hem een mep. 'Doe niet zo lelijk.'

'Ik mag je ouders graag. Ik maak geen ruzie met hen. Dat doe jij alleen.' Stilte.

'Oké, daar zit wat in,' gaf Rina toe. 'Ik beloof je dat ik geen ruzie zal uitlokken. Bovendien willen ze de jongens zien. Zullen we dat verhaaltje van de stamboom dus maar volhouden?'

'Denk je niet dat je moeder iets in de gaten zal krijgen wanneer ik aantekeningen ga zitten maken?'

'Zou je dat niet op een subtiele manier kunnen doen?'

'Ik ben niet subtiel van aard,' zei Decker. 'Maar als ik van tevoren de vragen bedenk, en jij die aan haar stelt...'

'Ik weet het nog beter gemaakt. We laten Hannah de vragen stellen.'

'Wat voor soort moeder gebruikt haar eigen dochter als lokaas?'

'Niet als lokaas, als handlanger.' Rina klopte hem zachtjes op zijn schouder. 'Speuren in gezinsverband. Daar kan nog een goed filmscript uit voortkomen.'

'Ik zie er alleen maar problemen van komen.'

18

Het liefst was ik onmiddellijk mijn wijk gaan uitkammen, maar ik had mijn vader beloofd dat ik het niet zou doen. Wel maakte ik in gedachten een lijst van hoe ik het zou aanpakken als ik rechercheur was. Allereerst zou ik gaan praten met Klinghoffner en zoveel mogelijk te weten zien te komen over David: wie hij was en waar hij zou kunnen zijn. Daarna zou ik hem vragen of zijn leerlingen ooit werden lastiggevallen door straatbenden. Ik zou nogmaals gaan praten met de meisjes van Mid-City High. Als iémand me iets kon vertellen over straatbenden, waren het meisjes die in dezelfde buurten woonden als die jongens. Verder kon ik mijn licht opsteken bij Alice Ann, Magenta en anderen van haar slag; zelfs bij haar pooier, Burton. Ik had al een paar keer de gelegenheid gehad hem op te pakken, maar er iedere keer van afgezien omdat hij, na enig aandringen, had beloofd zijn etablissement voor de betreffende avond te sluiten. Ze waren me allemaal wel iets verschuldigd.

Ik dacht er lang over na hoe ik Russ MacGregor moest benaderen. Zou hij mijn hulp op prijs stellen? Zou een misdaad van maanden geleden hem iets kunnen schelen? Zou hij iets doen aan een zaak die nooit bij de politie was gemeld, een zaak waarover geen tastbaar bewijs bestond en waarin de hoofdgetuige een geestelijk gehandicapt meisje was dat vorige week haar baby had gedumpt? Ik dacht goed over al deze knelpunten na, omdat ons gesprek met Sarah en Louise Sanders me zeer nieuwsgierig had gemaakt.

Uiteraard vergat ik niet wat er de laatste keer dat ik mijn neus in andermans zaken had gestoken, was gebeurd. Na een jaar therapie was ik eindelijk in staat een volledige sessie met de psycholoog te doorstaan zonder in tranen uit te barsten. Ik ging langzaam vooruit en had geen behoefte aan nieuwe trauma's. Dus waarschuwde ik mezelf voortdurend alles volgens de regels te doen, maar de oude rebellie kwam steeds weer bovendrijven. Dat vatte ik op als een teken dat ik aan de beterende hand was.

Ik had geen zin om de hele dag thuis te zitten niksen. Ooit had ik het heerlijk gevonden om in mijn eigen flatje rond te keutelen; nu was het alleen maar een pitstop. Ik had beter kunnen verhuizen, maar zo'n grote verandering in mijn leven was me te vermoeiend geweest, dus woonde ik hier nog steeds en deed ik net of alles in orde was. Toen pa weg was, sloeg de eenzaamheid toe. Ik trok een lichtblauwe bloes en een zwarte broek van crêpe de Chine aan, en zwarte laarzen met hoge hakken waarop ik bijna één meter tachtig was. Snel maakte ik me op en ik vertrok in mijn vijf jaar oude, zwarte Lexus, een cadeautje van mijn ouders. Ze hadden gedacht dat een grote auto me een behaaglijker gevoel zou geven, maar het kostte me alleen maar een kapitaal aan benzine. Ik zeur niet hoor. De auto had fantastische stereoapparatuur en comfortabele, verstelbare stoelen, wat niet alleen goed was voor mijn gekwetste rug maar ook voor mijn gewonde ego.

Ik keek in het spiegeltje en zette een gezicht alsof alles kits was. Daar ben ik altijd goed in geweest.

Vanaf mijn flat reed ik noordwaarts over Beverly Drive, tussen de groene gazons en bloemperken van Beverlywood, door de winkelwijk van Beverly Hills, waar het erg druk was, en langs de waanzinnig dure, protscrige villa's. Na een poosje sloeg ik rechts af naar Sunset en reed met de verkeersstroom mee door West Hollywood. Bij een van de bekende nachtclubs stonden nu al mensen in de rij, hoewel de tent pas over een paar uur opening. Ik reed op mijn gemak verder, langs de hippe boetieks, theaters, en restaurants met kruiperig personeel, waar je voor veel te veel geld op een terras kon zitten, dure gerechten eten en eenzame mensen zien.

Toen ik over Hollywood Boulevard reed, keek ik nadrukkelijk níét uit naar contactpersonen, want aan onnodige frustraties heb je niks. Ik zette het dakraam open en genoot van de warmte en de zon op mijn huid. Het rossige dons op mijn armen was in het zonlicht roodblond. Hier, in het hart van de stad van het klatergoud, wemelde het van de voetgangers. Toeristen die de straatartiesten aangaapten en foto's maakten van rare figuren. Tieners met piercings en raar haar, die junkfood aten of alleen maar rondhingen. Ouders met kinderen die een zondagse wandeling maakten en de namen van de beroemdheden in de stoeptegels lazen. Ik kwam langs het Kodak Theatre, Mann's Chinese Theatre, El Capitan, langs nieuwe winkelcentra, oude souvenirwinkeltjes, tatoeagewinkels, winkels met gewaagde lingerie, seksshops en louche kantoren van goedkope advocaten met lage borgstellingtarieven. En tussen dat alles rezen de alomtegenwoordige wolkenkrabbers op. Ik sloeg links af en reed verder over Western tot die eindigde bij Griffith Park. Ook hier was het druk, veel auto's, veel voetgangers, maar dat kon me niet schelen. Ik had een bestemming in gedachten, maar geen haast er te komen.

De route naar Koby's adres voerde me zigzaggend door delen van Los Feliz waar ik nog nooit was geweest. We hadden afgesproken in een Italiaans restaurant, een paar kilometer bij hem vandaan. Het probleem was dat ik vier uur te vroeg was. Als Koby niet thuis was, was dat geen ramp. Ik kon altijd even langsgaan bij mijn kleine schatje dat nog steeds op de kraamafdeling van het kinderziekenhuis lag, in afwachting van de uitslag van de hoorzitting inzake de voogdij. Ik hoopte dat de baby zou worden toegewezen aan Louise, want die wilde haar graag. De vrouw was een engel en ik hoopte dat de rechter dat zou inzien.

Ik begon aan de klim door de heuvels van Silver Lake. Het was een prachtige, zonnige dag en toen het reservoir in zicht kwam, een staalblauw meer met de skyline van de stad als achtergrond, voelde ik me meteen een stuk beter. De wereld was groot en mooi, dacht ik relativerend, en je moest er gewoon zelf iets van zien te maken.

Koby's tien jaar oude Toyota stond op de oprit. Ik parkeerde langs de stoeprand, stapte uit, liep kwiek naar de voordeur en drukte op de bel. Hij had zo'n bel die je buiten niet kon horen. Toen er niet werd opengedaan, klopte ik op de deur en wachtte.

Nadat ik daar een minuutje had gestaan, kwam ik tot de conclusie dat hij waarschijnlijk was gaan fietsen of joggen. Het was ook zo'n mooie dag. Ik liep achterom naar het hek, dat de breedte van de oprit besloeg, een rechthoekig hek van ongeveer anderhalve meter hoog. Ik voelde me een beetje een gluurder toen ik de bovenrand pakte, mezelf omhooghees en de oprit aftuurde. Aan het einde zag ik een open deur waaruit de lome klanken van reggaemuziek naar buiten kwamen. Het hek had een hangslot, maar daar stoorde ik me niet aan. Ik klom er moeiteloos overheen.

De muziek werd luider toen ik langs het huis naar de deur liep. Dicht tegen de muur waren citrusbomen geplant, die langs latwerk werden geleid. De groene ranken slingerden zich door het witgeschilderde hout, en tussen het dichte gebladerte zaten geurige witte bloesems. Het was een smogloze dag en er stond een heerlijk zacht briesje. Ik had op de open deur willen kloppen, maar bedacht me en keek naar binnen.

Er stond geen meubilair in de kamer, maar een werkbank met een cirkelzaag. Koby was op zijn knieën bezig de vloer te schuren. Het was een reuze stoffige boel. Hij was gekleed in een geel hemd en een spijkerbroek, droeg kniebeschermers en een chirurgenkapje over zijn mond en neus. Je zag zijn spieren bewegen en zijn huid glansde van het zweet, alsof zijn lichaam was gebeeldhouwd en met olie ingewreven. Als ik een nog wat levendiger fantasie had gehad, zou ik er wat jazzmuziek aan toevoegen en een perfecte scène hebben voor een erotische film.

Ik bekeek hem een paar seconden en gaf toen een roffel op de deur. Hij keek op en sprong overeind, zo lenig als een panter. Hij trok het kapje van zijn gezicht en zette de muziek zachter. Nu Bob Marley naar de achtergrond werd verdrongen, hoorde ik een woordenstroom die alleen maar afkomstig kon zijn van een sportverslaggever. Hij keek me stomverbaasd aan.

'Hoe laat is het?' vroeg hij.

'Ik ben te vroeg,' antwoordde ik. 'Veel te vroeg.'

'Is er iets?'

'Nee, hoor.' Ik liep de kamer in. Hij was de houten vloer aan het repareren door de vermolmde delen te vervangen door nieuwe planken. De kamer was klein, maar je had er een prachtig uitzicht op de achtertuin: ik zag roodgepunte bladeren van rozenstruiken die bijna in bloei stonden, en in de verte een stukje van het meer. Zaagsel dwarrelde rond in de kamer en bedekte zijn donkere huid als sproeten.

'Hou je ook zelf de tuin bij?'

Zijn ogen volgden mijn blik door het raam. 'Het is maar een klein tuintje, en ik heb hoofdzakelijk rozenstruiken. Ik ben dol op rozen. Over ongeveer twee weken komen de knoppen uit.'

'Dat zal erg mooi zijn.'

'Dat is het ook.'

Ik keek naar de reparaties die hij al had verricht. De nieuwe planken pasten perfect in het patroon van het parket. In de hoek van de kamer stond een kleine tv op de grond. De zender stond afgesteld op de wedstrijd van de Lakers.

Ik wees naar de tv. 'Wat is de score?'

'De Lakers staan met drie punten voor en ze hebben nog twee minuten te gaan tot het einde van het tweede speldeel. Lawrence Funderburke is net ingezet en scoorde meteen voor de Kings. Ze staan om beurten voor. Het zal er nog om spannen.'

Ik tikte met mijn voet op de vloer. 'Ik ben ongedurig vandaag. Heb je hulp nodig?'

'Als je me twintig minuten de tijd geeft om de rommel op te ruimen en nog twintig minuten om me te douchen, kunnen we samen iets gaan doen.'

'Dan mis je het einde van de wedstrijd.'

'Ze kunnen het ook zonder mij wel.'

'Ik wil je anders best helpen.' Ik keek naar de werkbank. 'Ik zal me niet aan die cirkelzaag wagen, maar ik kan schuren als de beste.'

'Ben je gewend om met hout te werken?'

'Ik heb mijn vader vaak genoeg geholpen wanneer hij kamers aanbouwde. Hij is een echte doe-het-zelver.' Ik bekeek de reparaties met een bewonderende blik. 'Net als jij, zie ik. Ben jij ook al zo'n perfectionist?'

Koby haalde zijn schouders op. 'Als je iets doet, moet je het goed doen.'

'Alsof ik mijn vader hoor.' Ik keek weer naar buiten. 'Ik ben trouwens vanochtend met hem op stap geweest. Ik had hem om hulp gevraagd bij een zaak. Het was erg nuttig. We hebben goede informatie gekregen. Ik zou er het liefst meteen mee gaan werken, maar ik heb hem beloofd dat ik zou wachten tot de rechercheur die erover gaat, terug is van zijn vrije weekend.'

'Waarom?'

'Omdat het officieel niet mijn zaak is.' Ik draaide me naar hem om. 'Bij het LAPD moet je je aan het protocol houden, zie je. Al heb ik daar wel eens moeite mee.'

'Je moet een evenwicht in stand houden,' zei Koby. 'Zelfstandig nadenken, maar niet té zelfstandig handelen.'

'Daar komt het in het kort op neer.'

'Hetzelfde geldt voor mij. Ik ben de eerste die het ziet als er iets mis is, maar ik mag niets doen zonder het eerst te vragen. Ik moet het met de arts bespreken en met de psycholoog. Ik moet overleggen met de fysiotherapeut, de ergotherapeut, de pedagogische therapeut, de speltherapeut, en voor de wat oudere kinderen, de spraaktherapeut, de onderwijstherapeut en de leestherapeut. En uiteindelijk...' Hij glimlachte. '... ga ik af op mijn eigen oordeel. In het Israëlische leger was ik paramedicus. Bij spoedgevallen deed ik wat ik doen moest.'

'Raak je er wel eens door in moeilijkheden?'

'Nee, omdat ik vrijwel altijd inderdaad overleg pleeg. Daar zie ik ook het nut wel van in. Het leert je niet te hard van stapel te lopen. In de geneeskunde is het vaak niet goed om te snel te zijn.'

'Ben je altijd zo rationeel?'

'Meestal wel.'

'Alweer net als mijn vader. Die is ook zo rationeel.'

'Waarom zeg je dat zo smalend?'

Ik lachte. 'Sorry. Het is een compliment, ook al klinkt het uit mijn mond als een belediging. Mijn pa is erg rationeel. Daarom is hij zo goed in zijn werk.'

Koby hield mijn blik vast. 'En hoe is hij als vader?'

'Hij is... bezorgd. Maar ik vind dat we al met al een goede relatie hebben.'

'Ik ben blij dat ik kennis met hem heb gemaakt.'

Hoffelijk, dacht ik. De man is een diplomaat. Ik zei: 'Hij was een beetje kwaad op me.'

'Waarom?'

'Omdat ik hem niet had verteld dat je zwart bent.'

'Is mijn huidskleur belangrijk voor hem?'

'Nee. Maar het overviel hem. Hij vindt je een goede jongen.'

'Dat klinkt gunstig. Tenzij je niet van goede jongens houdt.'

'Juist wel. Alleen heb ik tot nu toe niet echt de besten gekozen.'

Koby zei niets.

'Je kent me niet,' zei ik.

'Dat is toch het doel van verkering?'

Ik keek naar de nog kale rozenstruiken. 'Daar heb je gelijk in.'

Koby keek naar zijn stoffige handen. 'Die verkeerde keuzen... wil dat zeggen dat er een ex is?'

'Nee... gelukkig niet.'

'Dus... je bent nooit getrouwd geweest of...'

Ik bekeek zijn vragende gezicht. 'Nee, ik ben nooit getrouwd geweest. En ik heb ook geen kinderen. Ik ben zo vrij als een vogel. En jij? Ben jij getrouwd geweest?'

Opluchting straalde uit zijn ogen toen hij zijn hoofd schudde. 'Cindy, er is toch niets mis met ervaringen opdoen? Daar ben je jong voor. En het is fijn dat we geen van beiden ooit getrouwd zijn geweest. Alweer een zorg minder.'

'Ik worstel evengoed met heel wat problemen.'

'Wie niet?'

Opeens legde hij zijn handen om mijn gezicht en kuste me vurig. Toen ik me niet verzette, kuste hij me nogmaals, ditmaal langdurig en traag. Zijn tanden beten zachtjes in mijn lippen, zijn tong flirtte met de mijne. Het was een kus vol wellust en begeerte, een hete, trillende kus. Hij sloeg zijn armen om mijn middel en trok me tegen zich aan. Zijn handen gleden over mijn achterste en ik voelde zijn erectie tegen mijn heup. Ik was het niet van plan geweest, maar voor ik het wist, gooide ik kolen op het vuur, om zo te zeggen.

Niet dat het iets uitmaakte, maar de man had flinke afmetingen.

Wie probeerde ik voor de gek te houden?

Het maakte wel degelijk iets uit.

Hij sloot zijn ogen en kreunde. 'Ik ben helemaal bezweet.'

'Je ruikt als een man,' zei ik. 'En dat vind ik prima.'

Uiteindelijk ging hij toch onder de douche. We gingen samen… wat even intiem was als alles wat eraan vooraf was gegaan. Hij zeepte mijn rug in, kuste mijn nek, sloeg zijn pezige arm om me heen en legde zijn hand op mijn borst. Ik keek naar zijn vingers, naar zijn kaneelkleur op mijn bleke, sproetige huid en opeens probeerde ik me voor te stellen hoe onze kinderen eruit zouden zien – lichtbruine huid, bruine ogen en heel dik haar. Ik had een hekel aan mijn bleke huid en het zou leuk zijn als de volgende generatie een andere kleur zou hebben.

Ik stapte als eerste onder de douche vandaan en begon me af te drogen, terwijl ik de douchemuts afnam en mijn haar schudde. Ik huiverde toen het water op mijn huid opdroogde en kroop gauw tussen de verkreukelde lakens om weer warm te worden en op adem te komen.

Een paar minuten later kwam hij poedelnaakt binnen en zag me in bed liggen.

'Ik rust heel even uit,' zei ik. 'Ik ben doodmoe. Gaat met een paar uurtjes wel over.'

Hij pakte zijn horloge van het nachtkastje en deed het om zijn pols. Nog steeds naakt, maar nu kon hij tenminste zien hoe laat het was. 'Heb je honger?'

Ik ging rechtop zitten. Het laken viel weg van mijn borsten. 'Eerlijk gezegd wel.'

Zijn lichtbruine ogen bleven op mijn lichaam gericht, maar hij zei: 'Dan kan ik me beter aankleden.'

Hij was een van de gelukkigen die er zowel met als zonder kleren fantastisch uitzien en ik vond het leuk om naar hem te kijken. Hij deed de deur van een kleine klerenkast open. Ik zag een rijtje overhemden, keurig aan hangertjes. Hij staarde bijna een minuut naar de rij, zoals je van een vrouw zou verwachten, en pakte toen twee overhemden. Hij hield ze voor me omhoog. Het ene was lila, het andere knalrood.

'Wat voor kleur broek doe je aan?' vroeg ik.

'Zwart.'

Ik dacht even na. 'Het rode.'

Hij hing het lila overhemd weer in de kast. 'Rood, want dat past bij je haar.'

'Dan moet je oranje hebben.'

Hij trok het overhemd aan. 'Nee, niet oranje. Dan zou het de kleur moeten hebben van een zonsondergang, stralend en warm, doorschoten met koper, al zou zelfs dat de kleur van jouw lokken niet evenaren.'

Ik keek hem stomverbaasd aan. 'Wat heb je dat mooi gezegd.'

Hij straalde. 'Dank je. Het heeft me twintig minuten gekost om de juiste woorden te vinden.'

Ik gooide een kussen naar hem. Hij blokkeerde het met zijn elleboog. 'Het gaat er toch maar om dat ik het heb geprobeerd?'

'Tuurlijk.'

'Ik heb een thesaurus gebruikt. Engels is niet mijn moedertaal.'

'Dat weet ik, maar je spreekt vrijwel vloeiend Engels.'

Hij trok een onderbroek aan en een zwarte spijkerbroek. 'Dat is een groot compliment. Dank je wel.'

Hij zei het volkomen serieus. Ik begreep dat dit erg belangrijk voor hem was. 'Waar heb je het geleerd?'

'Ik ben ermee begonnen in Ethiopië, daarna in Israël, maar het meeste heb ik geleerd van mijn stiefmoeder.' Hij knoopte het overhemd dicht. 'Engels is haar moedertaal. Ze komt uit Canada. Ik heb haar gevraagd Engels met me te spreken omdat ik het goed wilde leren, want ik beschouwde Amerika toen al als mijn weg naar de vrijheid. En ik geloof dat mijn woordenschat nu redelijk goed is.'

'Je hebt een fantastische woordenschat, Koby.' Ik kwam uit bed en begon me aan te kleden. 'Ik heb vrienden in de Ivy League die niet half zo goed geschoold klinken als jij.'

'Dank je. Dat stel ik heel erg op prijs, omdat ik er hard aan werk. Ik moet alleen mijn spelling nog verbeteren. Op de medische termen na schrijf ik nog veel fouten.'

'Ik maak ook fouten, en Engels is nog wel mijn moedertaal.'

Hij glimlachte. 'Het is lief van je om dat te zeggen. Engels is het derde alfabet dat ik heb geleerd. Amharisch en Hebreeuws hebben niets met elkaar gemeen, ondanks dat beide Semitische talen zijn, en Engels is weer heel anders. Toen ik hier aankwam, kon ik het redelijk spreken en verstaan, maar ik kon het amper lezen, afgezien van medische teksten, en dat alleen omdat de medische taal in het Hebreeuws uit het Engels komt. In het Hebreeuws zeg je "je tanden breken" wanneer je een moeilijk woord moet lezen. Ik brak mijn tanden op krantenartikelen. Nu kan ik de woorden lezen, maar nog steeds niet spellen. Dat is de volgende horde.'

Ik stopte mijn bloes in mijn broek en begon mijn laarzen aan te trekken. 'Je bent erg… ambitieus, hè?'

'Heb je dat nu pas door?'

Ik lachte en schudde mijn hoofd.

'Wat is er?' vroeg hij.

'Ik weet dat ik er elke keer op terugkom, maar…' Weer lachte ik. '… je bent precies als mijn vader. Alleen dunner en donkerder.'

'Zegt men niet dat meisjes zich tot hun vader aangetrokken voelen, en jongens tot hun moeder?' Hij kwam naast me zitten. 'Mijn moeder is gestorven toen ik nog jong was. Ik kan me haar niet goed herinneren. Dus kan ik verzinnen wat ik wil.'

'Hoe ziet je stiefmoeder eruit?'

Hij dacht even na. 'Lang… sterk… bruine ogen… bleke huid.'

'Komt me bekend voor,' zei ik. 'Rood haar?'

Hij schudde zijn hoofd. 'Bruin. En vanwege de tien kinderen werd het al snel grijs. Batja was een strenge, maar billijke moeder. Geen gevoel voor humor, al kreeg ik haar toch wel aan het lachen.' Hij bekeek me met een intense blik. 'Ik vind het zo leuk wanneer je lacht. Dat is net muziek.'

Ik sloeg mijn ogen neer en legde mijn hand op zijn knie.

Hij legde zijn hand onder mijn kin en kuste me zachtjes. En toen nog een keer, met meer hartstocht. Zijn handen streelden mijn armen, wellust sluimerde in zijn mooie, flonkerende ogen. 'Ben je nog steeds moe?'

'We zijn al aangekleed.'

'Daar is snel iets aan te doen, als de geest gewillig is.'

Ik beet op mijn onderlip. 'Als je erg je best doet, kun je me misschien wel overhalen.'

Hij trok zijn wenkbrauwen op. 'Ik hou van uitdagingen. Vooral van dit soort.'

'Doe je best, Jaakov.'

Hij grinnikte en begon met het losknopen van mijn bloes. Toen maakte hij het haakje van mijn bh los, dat aan de voorkant zat. Vervolgens trok hij de rits van mijn broek naar beneden, maar de broek zelf niet. Hij duwde me zachtjes achterover op het matras. Toen begon hij bij mijn voorhoofd en zakte met zijn lippen langzaam af, over het puntje van mijn neus, mijn mond, tussen mijn borsten door, over mijn buik en navel tot hij bij mijn schaamstreek was. Hij trok het elastiek van mijn slipje naar beneden en stak zijn tong in mijn rode schaamhaar. Zachtjes beet hij. 'Hoe vind je het tot nu toe?'

Ik greep met beide handen zijn zwarte krulletjes en duwde zijn hoofd nog wat verder naar beneden. 'Heel overtuigend.' Ik hield mijn adem in toen hij het juiste plekje vond. 'O god, ja, heel overtuigend.'

19

Uiteindelijk gingen we toch uit eten en om tien uur besloten we een bioscoopje te pakken. Aansluitend zijn we nog iets gaan drinken in een jazzcafé, waar we tot in de kleine uurtjes hebben zitten praten. We hadden twaalf uur in elkaars gezelschap doorgebracht en ik voelde me een beetje hyper, maar sloeg Koby's voorstel om bij hem te overnachten beleefd af. Ik hoefde weliswaar pas 's middags naar mijn werk, maar wilde wakker worden in mijn eigen bed, in mijn eigen tempo. Hij keek niet beledigd. Integendeel, ik geloof dat hij zelf ook wat ruimte nodig had.

Op de terugweg zeiden we niet veel; we waren het praten een beetje moe en hadden genoeg aan de muziek uit zijn stereo. Op Sunset Boulevard hadden we alle verkeerslichten mee, op de laatste na, die net op rood sprong. Zachtjes kwamen we tot stilstand. Er kwamen geen andere auto's achter of naast ons staan en er was geen ander verkeer in zicht.

Maar er was wel een eenzame voetganger die overstak. Een vrouw, in-eengedoken in een dikke, zwarte jas, met een handtas tegen haar borst geklemd.

Ik was meteen klaarwakker en keek op mijn horloge. Het was drie uur.

'Arme stakker,' zei Koby zachtjes. 'Kunnen we haar niet naar een tehuis voor daklozen brengen?'

'Ik weet niet of ze dakloos is,' antwoordde ik. 'Geen winkelwagentje, geen tassen… alleen een handtas. Bovendien draagt ze nylonkousen en voor zover ik het in dit licht kan onderscheiden, zien haar enkels er normaal uit.'

'Haar enkels?'

'Dakloze vrouwen krijgen vaak dikke enkels omdat ze zoveel lopen, meestal op slechte schoenen.'

'Een tippelaarster dan?'

'Niet eentje die ik ken. Ik denk eerder dat ze ruzie heeft gekregen met haar vriend en dat die haar de auto uit heeft gezet. Kijk maar hoe verslagen ze erbij loopt.'

'Dan kunnen we haar misschien een lift geven naar huis. Het is hier niet veilig.'

Voordat ik ermee kon instemmen, speelde zich in slow motion een weerzinwekkende scène af. Een Jeep Cherokee reed keihard door rood en schepte de vrouw, toen die nog geen vijf passen bij de veilige stoep vandaan was. Precies op het moment dat ze de lucht in werd geslingerd, stak een Dodge Caravan het kruispunt over. De Dodge werd door de Jeep in zijn flank geraakt en kantelde. Toen de vrouw op het asfalt neerkwam, werd ze opnieuw geraakt, nu door de Dodge die ondersteboven in de rondte tolde tot hij in een regen van vonken tegen een elektriciteitspaal tot stilstand kwam. Het lawaai was oorverdovend. De vrouw was naar de overkant van de straat geslingerd en met een doffe klap op het asfalt neergekomen. De Jeep scheurde op twee wielen de hoek om en sjeesde weg, naar de vrijheid.

'Shit!' riep Koby. Hij rukte een vakje in het dashboard open, haalde er een paar latex handschoenen uit en trok die snel aan. Hij was de auto al uit voordat ik mijn gordel los had. 'Beweeg u niet! Beweeg u niet!' riep hij naar de passagiers van de Dodge, terwijl hij zich naar het roerloze lichaam van de voetgangster haastte.

Ik schoot de auto uit met mijn mobieltje in mijn trillende hand.

'Zeg tegen de mensen in de Dodge dat ze zich niet moeten verroeren!' riep Koby me toe. Hij bukte zich over de vrouw en legde zijn vingers op haar halsslagader. Haar gezicht was een onherkenbare, bloederige massa, haar lichaam zo slap als dat van een lappenpop. Ik slikte de gal in mijn keel terug en holde naar de Dodge. Tegelijkertijd toetste ik het alarmnummer in op mijn mobiel. Mijn ogen prikten van de rook die opsteeg uit de verwrongen massa staal die stonk naar lekkende benzine, olie en de scherpe geur van geschroeid vlees. In de auto waren de airbags opgeblazen, maar desondanks zag ik veel bloed en ingewanden en hoorde ik de mensen kreunen. Ik werd er helemaal wee van, maar toen er bij het alarmnummer werd opgenomen en ik de man de nauwkeurige locatie gaf en hem verzocht zo spoedig mogelijk ambulances en de brandweer te sturen, klonk mijn stem gelukkig kalm.

Nadat ik had opgehangen, bleef ik met open mond naar het wrak staren. Ik had geen idee wat ik moest doen. Ik bleef maar tegen de inzittenden zeggen dat ze zich niet mochten bewegen en hoopte dat aan mijn stem niet was te horen hoe paniekerig ik me voelde. Toen Koby aan mijn zijde verscheen, slaakte ik een zucht van verlichting. Hij ging meteen aan het werk en zei op een sussende, kalmerende toon tegen de inzittenden – twee mannen, twee vrouwen, een paar kinderen en een levenloze baby – dat ze zich niet moesten bewegen terwijl hij de situatie opnam. Bloed spoot uit de arm van een van de vrouwen. Hij rukte zijn overhemd van zijn lijf en bond de slagader af. Hoewel het een koude avond was, transpireerde hij.

'Heb je het alarmnummer gebeld?'

'Ja.'

'In de kofferbak van mijn auto heb ik een EHBO-tas en een deken.'

'Ik ga al.' Mijn hoge hakken tikten op het asfalt toen ik naar de auto holde. Ik opende de kofferbak en haalde de tas en de deken eruit en ook een zaklantaarn. In de tas zaten latex handschoenen, die ik aantrok. Ik bracht hem de spullen, deed de zaklantaarn aan en liet het licht in de auto schijnen.

'Goed zo. Slim van je. Richt hem even hierop.'

'Hoe is het met die andere vrouw?'

'Dood. Ah, je hebt handschoenen aan. Kun je hierop drukken? Nee, niet daar… hier.'

Geloei van sirenes in de verte. Midden in de nacht kon je dat al van verre horen. Terwijl ik met mijn linkerhand druk uitoefende op een bloedende ader, toetste ik met mijn rechterhand nogmaals het alarmnummer in. Ik klemde het mobieltje tussen mijn schouder en wang, zodat ik met mijn vrije hand licht kon laten schijnen op Koby's werk. Hij probeerde de baby, die godzijdank nog in leven bleek te zijn, te bevrijden, maar een wirwar van vlijmscherp metaal zat in de weg.

'U spreekt met agent Cynthia Decker van het LAPD. Ik wil een melding doorgeven over een aanrijding met dodelijke afloop. De dader is gevlucht. Ik wil doorverbonden worden met de centrale van het bureau zodat ik lopende informatie kan doorgeven aan alle patrouillewagens in de buurt.'

Mijn nek stond akelig scheef omdat ik de telefoon vastgeklemd moest houden en mijn spieren begonnen pijn te doen. Adrenaline stroomde door mijn aderen en deed mijn hart zo bonken dat ik moeite had met ademhalen, maar toen ik werd doorverbonden met de centrale van de politie, slaagde ik er toch in zakelijk te spreken.

'Fatale aanrijding, minstens één dode. De auto is doorgereden. Het is een Jeep Cherokee, donker van kleur, en het kentekennummer eindigt op Hendrik-vijf-twee-drie, ik herhaal Hendrik-vijf-twee-drie. Voor het laatst gesignaleerd op Terrazzo Avenue, rijdende in noordelijke richting. Laat alle agenten in die buurt ernaar uitkijken. En ik verzoek extra manschappen op de plaats van het ongeluk, op het kruispunt van Terrazzo en Sunset.'

Ik wachtte tot de agente op de centrale de informatie had herhaald. Daarna hing ik op, legde het mobieltje neer en draaide mijn hoofd heen en weer. Koby zat tot zijn polsen onder het bloed en was bezig afgrijselijke wonden te verbinden met verband uit zijn EHBO-tas. Het was als het dichten van de spreekwoordelijke dijk met de even spreekwoordelijke vinger.

De sirenes werden steeds luider en nu zag ik de weerspiegeling van zwaailichten in de verbrijzelde ruiten. De ambulances arriveerden nog geen drie minuten na mijn melding, al leek het veel langer. Toen de verpleegkundigen me opzij duwden, zei ik bijna 'dank u'. Koby praatte heel snel terwijl hij bleef doorwerken. Hij gaf het ambulancepersoneel informatie over de toestand van de baby en zei dat hij via hun walkietalkie met een arts wilde praten. Toen mijn date in medisch jargon verderging, liep ik een stukje weg en probeerde te verzinnen hoe ik me verder nog nuttig kon maken.

Met grote schroom liep ik naar het andere slachtoffer. Ik sloeg mijn hand voor mijn mond toen ik haar van dichtbij zag: als een baal vodden lag ze erbij, haar ledematen gebroken en geknakt. Haar schedel was opengespleten en haar hersenen werden naar buiten geperst. Ik kreeg hevige aandrang te gaan overgeven en voelde me alsof ik ieder moment kon flauwvallen. Ik wendde mijn blik van haar af en zag vlak bij me een burgerauto tot stilstand komen. Twee mensen stapten uit, met hun politiepenning in hun opgeheven hand, maar dat was wat mij betreft niet nodig, want ik kende beiden, en niet alleen van naam.

Hayley Marx was een collega van me op bureau Hollywood en zo ongeveer mijn enige vriendin binnen het politiekorps. Vroeger gingen we eens in de veertien dagen samen uit eten, maar nu lieten onze dienstroosters dat bijna nooit meer toe. We beloofden elkaar steeds tijd vrij te maken, maar het kwam er nooit van. Ze was lang en zag er fantastisch uit in haar zwarte broekpak. Ik zag dat ze haar blonde haar wat had laten groeien, zodat het nu haar oren bedekte en haar gezicht verzachtte.

De man bij haar was de laatste man op de hele wereld die ik wilde zien. Rechercheur Scott Oliver had op moordzaken gewerkt toen mijn vader het hoofd van die afdeling was. Daarvóór waren ze collega's geweest en bij Oliver was een groeiende wrok om mijn vaders promotie blijven hangen, wat nog eens was verergerd toen ik een domme romance met hem had gehad, die al was beëindigd voordat hij goed en wel was begonnen. Ik had gehoord van mensen die het weten konden, dat hij zich daar nog steeds niet bij had neergelegd, al snapte ik niet waarom, want zulk leuk gezelschap was ik niet geweest.

Scott besteedde altijd erg veel aandacht aan zijn uiterlijk. Nu droeg hij een zwart jasje op een zwart T-shirt en een kakikleurige broek. Hij was een knappe man van middelbare leeftijd met dik haar dat doorweven was met zilver. Normaal gesproken zou zijn doordringende blik me gevloerd hebben, maar op dit moment had ik het te druk met andere dingen.

'Decker!' riep hij bars.

'O, mijn god!' riep Hayley uit. 'Gaat het een beetje, Cin?'

Ik begon zenuwachtig te babbelen. 'We stonden voor het verkeerslicht te wachten toen ze werd aangereden door een Jeep.' Ik merkte nu pas dat ik huilde. 'Ik weet niet of we haar op de stoep moeten leggen of…'

'Om te beginnen moet je rustig worden!' zei Oliver.

'Goed, goed…'

'We mogen niets met haar doen tot er mensen van de verkeerspolitie en van moordzaken zijn. De dader is toch doorgereden?'

'Ja.'

'We hebben de melding via de autoradio gehoord; anderen moeten het ook gehoord hebben. Doe maar even helemaal niks.' Oliver zei tegen Hayley: 'Ik heb politielint in de kofferbak. Kun je dat even halen?'

'Ik help je wel,' zei ik tegen haar.

'Nee, jij blijft hier en vertelt me wat er precies is gebeurd.'

Er was inmiddels een patrouillewagen gearriveerd met nog twee agenten van mijn bureau: Bader en Guensweit. Nu er meer mensen bij waren, was het iets makkelijker om het verhaal te vertellen; met mensen om me heen voelde ik me niet meer zo onpasselijk. Scott zei tegen de agenten in uniform dat ze het terrein rondom het slachtoffer moesten afzetten, nam mij apart en begon me uit te horen.

'Ik kan me echt alleen het laatste deel van het kentekennummer herinneren, Scott. Het ging allemaal erg snel.'

'Ik wil gewoon een beeld krijgen van de situatie, oké?'

'Oké.'

Toen hij een zucht slaakte, voelde ik me als een stout kind. Hayley zei: 'Maak je niet dik, Cin…'

'Zou jij je er even níét mee willen bemoeien?' Oliver richtte zijn blik weer op mij. 'Jullie reden dus in oostelijke richting en moesten stoppen voor rood.'

'Ja. Onze auto staat er nog precies zo.'

'Waar kwam de Jeep dan vandaan?' vroeg Oliver.

'Dat wéét ik niet. Aan weerskanten van ons stonden geen auto's. De Jeep kwam zomaar uit het niets en reed door rood.'

'Dus hij kwam achter jullie vandaan?' vroeg Oliver.

'Zou kunnen. Waarschijnlijk wel. Ik weet het niet, Scott. Ik zat niet achter het stuur en heb dus niets in het spiegeltje gezien.'

'Wie reed er dan?'

'Koby.' Ik keek in de richting van het wrak. 'De man met wie ik vanavond uit was. Hij is daarginds bezig de mensen van de ambulance te helpen.'

'Is hij dan arts?' vroeg Hayley.

'Verpleegkundige.'

'O.' Ze klonk teleurgesteld.

Ik reageerde woedend. 'Wat maakt dat in godsnaam uit?!'

'Sorry, Cin…'

'Ze had een handtas!' herinnerde ik me opeens. 'De vrouw… ze drukte een tas tegen zich aan. Ik zei daar iets over tegen Koby toen we haar de straat zagen oversteken. Ze zag er zo triest uit.' Ik begon heen en weer te lopen. 'We moeten die tas zoeken. Dan komen we er misschien achter wat haar naam is. Ik moet die tas gaan zoeken.'

'Nee, je moet even gaan zitten,' zei Oliver tegen me.

'Ik mankeer anders niks…'

Er kwam nog een patrouillewagen aan. Oliver zei: 'Cindy, ga zitten! Ik geef de informatie wel door aan moordzaken.'

Ik luisterde niet naar hem. Toen Oliver met Hayley wegliep om de zojuist gearriveerde agenten instructies te geven, ging ik naar de handtas zoeken. Overal lagen plasjes bloed. IJselijke kreten klonken op uit de verwrongen hoop metaal. De groep verpleegkundigen die er aan het werk was, was gegroeid. Er waren nu twee ziekenwagens en twee brandweerauto's ter plaatse en brandweermannen in gele pakken stonden bij het wrak te wachten, terwijl materieel om de Dodge open te snijden in gereedheid werd gebracht.

Ik zag Koby uit de schaduwen tevoorschijn komen. Hij maakte drukke gebaren terwijl hij met een van de verpleegkundigen sprak. Ik staarde naar hem, nog vol ontzag over de snelle manier waarop hij in actie was gekomen. Ik schrok toen Oliver me op mijn schouder tikte.

'Ik had gezegd dat je moest gaan zitten.'

'Ik hoef niet te zitten.'

'Jawel.'

Stilte.

'Wie is je date?' vroeg Oliver.

Ik wees naar Koby. 'Hij.'

'De shirtloze wonderboy?' vroeg Oliver.

Ik wendde met een ruk mijn hoofd naar hem toe en keek hem giftig aan.

Oliver glimlachte bitter en schudde zijn hoofd. 'Weet je pappie dat je van een chocoladetaart snoept?'

De term 'met stomheid geslagen' was een zeer zwakke beschrijving van hoe ik me voelde toen hij dat zei. Ik werd zó kwaad dat er tranen in mijn ogen sprongen. De oude Cindy zou hem in zijn gezicht hebben geslagen en hem hebben uitgevloekt. Maar als ik het afgelopen jaar íéts had geleerd, dan was het wel dat het vaak verstandig was zo weinig mogelijk te zeggen.

'Blijf bij me uit de buurt, Oliver.' Mijn stem klonk snijdend. 'Blijf heel ver bij me uit de buurt.'

'Hé!' riep Hayley, terwijl ze de laatste strook politielint vastmaakte. 'Is alles in orde?'

Ze kon blijkbaar aan mijn gezicht zien hoe woedend ik was. 'Ja, niks aan de hand.' Ik liep met grote stappen weg, stroopte de handschoenen af en ging weer naar de tas zoeken. Oliver was zo verstandig me niet achterna te komen. Even later kwam Hayley naar me toe met een zaklantaarn. 'Wat zei hij?'

'Niets.'

'Leugenaar.'

'Help me nou maar naar die tas te zoeken.'

'Dat doe ik toch?' Ze liet de lichtbundel heen en weer gaan over de grond. 'Wie is je date?'

Ik deed geen moeite meer subtiel te zijn. 'Die zwarte jongen daar.'

'O, ja?' Een korte stilte. 'Mooi lijf. Waarom is hij halfnaakt?'

Ik kon de minachting niet uit mijn stem houden. 'Omdat hij zijn overhemd heeft gebruikt om een bloedende slagader af te binden.'

'Wauw… cool!'

'Hayley, doe me een lol.'

Ze pakte mijn schouders beet en toen ik begon te huilen, sloeg ze haar armen om me heen. Ik liet haar begaan. 'Het komt wel goed, Cin, het komt wel goed.'

'Het was zo afschuwelijk… dat afgrijselijke geluid!' Ik maakte me van haar los. 'We moeten die tas zien te vinden. Dan weten we tenminste wie ze is… was.'

'Ik weet dat hij een eikel is, Cin. En ik weet dat het niet eerlijk van me is dat ik met hem uitga, vooral omdat hij jou nog steeds leuk vindt.'

'Mijn hoofd staat echt niet naar psychodrama's, Hayley.' Ik deed een paar stappen bij haar vandaan en keek om me heen. De vrouw was ongeveer drie meter van de gepleisterde muur van een kantoorgebouw terechtgekomen. Om het gebouw was een dichte ligusterhaag van ongeveer negentig centimeter hoog. Misschien was de tas daarin terechtgekomen. Ik begon de takken uiteen te buigen, maar omdat het zo donker was, zag ik alleen zwarte gaten.

'Misschien gaat het beter als je er licht op laat schijnen.' Hayley reikte me de zaklantaarn aan. Ik nam hem van haar aan en richtte de lichtbundel op het dichte gebladerte.

'Bedankt.'

'Zal ik hem voor je vasthouden, zodat jij kunt kijken?'

Ik knikte. 'Bedankt.' Een korte stilte. 'Ik weet dat ik kribbig doe.'

'Geeft niks, joh. Je bent per slot van rekening getuige geweest van iets afgrijselijks. Oliver heeft gelijk. Je zou even moeten gaan zitten.'

Puntige takjes maakten schrammen op mijn handen. 'Oliver heeft helemaal geen gelijk.'

'Hoelang ga je al uit met die jongen?'

'Een week. Het heeft niets te betekenen, oké? En je kunt net zo goed óók kijken terwijl je die zaklantaarn vasthoudt.'

Hayley begon werktuiglijk te zoeken. 'Eerste date?'

'Derde.'

'Derde... Dat klinkt goed.'

'Kan ik hier wat licht krijgen?'

Ze richtte de zaklantaarn. 'Hebben jullie al iets gedaan?'

Daar gaf ik geen antwoord op.

Nieuwsgierig vroeg ze: 'Hoe is hij in bed?'

Ook daarop gaf ik geen antwoord.

Ze ging gewoon door: 'Is het waar wat ze over zwarte mannen zeggen?'

Het kostte me veel moeite haar niet af te katten, maar ik bleef zwijgen.

Hayley tuurde naar de struiken. Het licht van de zaklantaarn was over een voorwerp gegleden. 'Wat is dat?'

'Wat?'

'Dat!' Het was rechthoekig van vorm en gemaakt van chroom of metaal of zilver. Het glansde in het donker. Ze kneep haar ogen half toe. 'Misschien het lipje van een blikje?'

Ik bekeek het van dichterbij. 'Te groot. Misschien is het uit haar tas gevallen. We zouden het niet moeten aanraken... al weet ik eigenlijk niet waarom.'

'Voor alle zekerheid.' Hayley deed haar tas open en haalde er een papieren zakdoekje uit. 'Hier.'

Ik pakte het stukje metaal en merkte tot mijn verbazing dat het vastzat aan een ketting. Het had veel weg van een identiteitsplaatje van soldaten. Erin gegraveerd stonden een naam, telefoonnummer en de informatie dat de drager Dilantin en Phenobarbital slikte, allergisch was voor penicilline en alle derivaten daarvan, en voor erythromycine en alle derivaten daarvan.

'Deze vrouw is erg ziek.'

'"Belinda Syracuse",' las Hayley hardop in het licht van de zaklantaarn. 'Denk je dat het van haar is?'

Met bonkend hart haalde ik mijn mobieltje tevoorschijn. 'Er is maar één manier om daarachter te komen.' Toen ik het nummer intoetste, had ik een griezelig gevoel van déjà vu. Ik begon te transpireren, omdat ik geen idee had wat ik zou moeten zeggen tegen degene die om halfvier 's nachts zou opnemen. Na drie belletjes kreeg ik een antwoordapparaat. Toen de stem op het bandje me vertelde van wie het nummer was, stokte mijn adem in mijn keel en liet ik het mobieltje vallen. Het stuiterde een paar keer, maar ging niet kapot.

De wonderen van de moderne technologie.

20

Uiteindelijk volgde ik Olivers raad op en ging zitten, want als ik was blijven staan, zou ik van mijn stokje zijn gegaan. Hayley bleef me met vragen bestoken. Ik hoorde haar wel, maar kon de woorden niet bevatten, omdat ik zo duizelig was. Na een poosje begon er weer iets tot me door te dringen.

'Cindy? Wil je wat water?'

'Nee. Maak je niet zo dik!' zei ik kribbig.

Haar opgewonden toon trok Olivers aandacht. Hij kwam op een drafje naar ons toe.

'Wat is er aan de hand?'

'Dat weet ik niet,' zei Hayley. 'Cindy heeft naar het nummer gebeld dat op dat plaatje staat en liet opeens de telefoon vallen.'

'Welk plaatje?'

Ik liet Oliver het metalen plaatje zien dat Hayley en ik in de bosjes hadden gevonden. 'Het telefoonnummer is van het Fordham Communal Center, een instelling voor zwakzinnigen. Als het slachtoffer van de aanrijding deze Belinda Syracuse is, dan is het, om met Yogi Berra te spreken, een heel nieuw déjà vu.'

'Wat bedoel je daar in godsnaam mee?'

'Mag ik een ogenblik om op adem te komen?' beet ik hem toe.

Ze staarden me afwachtend aan. Niettegenstaande zijn botte gedrag keek Oliver bezorgd en zei dat ik gerust de tijd kon nemen.

'De baby die ik uit de vuilniscontainer heb gehaald… haar moeder verblijft overdag in die instelling… het Fordham Center…' vertelde ik.

Ze staarden me aan. Toen zei Oliver: 'En…?'

'Vind je dat niet een erg groot toeval?'

Oliver spreidde zijn handen met de handpalmen naar boven, als de schalen van een weegschaal. 'Tja… wat zal ik ervan zeggen?'

Opeens voelde ik me als een leeggelopen ballon. Had het eigenlijk wel iets te betekenen?

'Wat denk je?' vroeg Oliver. 'Dat deze twee zaken iets met elkaar te maken hebben? Zeg het maar. Ik luister.'

'Dat weet ik niet.'

'Waarom doe je dan zo hysterisch?'

'Geen idee, Oliver. Misschien van de schrik omdat ik zojuist iemand door de lucht heb zien vliegen als een badmintonshuttle?!'

Ik praatte veel harder dan ik zelf besefte. Koby riep naar me: 'Alles in orde, Cindy?'

'Ja, hoor,' riep ik terug. 'We voeren hier gewoon een levendig debat!'

Mijn stem had een messcherpe klank. Koby gebaarde naar een van de verpleegkundigen en kwam op een holletje naar ons toe. Iemand had hem een blauw verplegersjasje met korte mouwen gegeven. Hij bekeek me aandachtig; zijn ogen stonden al net zo bezorgd als die van Oliver. 'Je ziet bleek.'

'Het gaat wel.' Ik wees naar mijn metgezellen. 'Dit is agent Marx, van het bureau Hollywood… en dat is Scott Oliver, rechercheur moordzaken.'

'Jaakov Kutiel.' Hij hief zijn nog in bebloede handschoenen gestoken handen op. 'Neem me niet kwalijk dat ik u geen hand kan geven.'

Oliver knikte.

Koby richtte zijn blik weer op mij. 'Zal ik je even naar huis brengen?'

'Ik kan haar ook wel naar huis brengen,' zei Oliver.

Ik kromp ineen. Als nog niet duidelijk was dat wij iets met elkaar gehad hadden, was dat nu zonneklaar.

Koby antwoordde voordat ik iets kon zeggen. 'Nee, dat is niet nodig.'

'Ik stel het alleen maar voor, omdat u het nogal druk lijkt te hebben,' zei Oliver.

Ik zei: 'Eerlijk gezegd moet ik eerst naar het Fordham Communal Center gaan om uit te zoeken of Belinda Syracuse in haar eigen bed ligt of niet.' Ik liet Koby het identiteitsplaatje zien. Hij las de informatie zonder het plaatje aan te raken. 'Dit heb ik in die heg daar gevonden. Het telefoonnummer is van het Fordham Center, de instelling waar ook Sarah Sanders staat ingeschreven.'

'De moeder van de baby uit de container?'

Ik knikte.

'Eigenaardig.'

'Vind ik ook. Misschien is het toeval. Maar omdat ik er al eens ben geweest en met een paar van de mensen daar heb gesproken, vind ik dat ik erheen moet gaan om navraag te doen naar Belinda Syracuse. Als zij deze vrouw is, kunnen we haar tenminste bij haar naam noemen.'

'Je bent geen rechercheur, Cindy, en je werkt niet op moordzaken.' Oliver vond het noodzakelijk me daarop te wijzen.

'Maar jij wel. Ga dan even mee.' En ik vervolgde: 'Jij en Marx.'

Koby zei: 'Als jullie gaan werken, ga ik met de gewonde kinderen mee naar het ziekenhuis. Omdat ik hier van het begin af aan bij was, weet ik precies hoe ze eraan toe zijn. Misschien kan ik nog iets voor hen doen.'

'Koby is…' Ik begon opnieuw. 'Jaakov is verpleegkundige, gespecialiseerd in traumazaken en werkt in Mid-City Pediatric.'

'Een man met een roeping,' zei Oliver.

'U hebt uw werk, ik het mijne.' Koby keek me aan. 'Weet je zeker dat je het aankunt?'

'Ja, ik red me wel.' Om dat te bewijzen, stond ik op. 'Mijn auto staat nog bij jou thuis, maar Hayley brengt me straks wel even.' Ik gaf hem een vluchtige zoen op zijn lippen. 'Ga maar. Ik spreek je straks nog wel.'

'Misschien wil ik u ook nog spreken,' zei Oliver. 'Decker is wat vaag over bepaalde details.'

Koby's lichte ogen keken hem priemend aan. 'Ik ben ervan overtuigd dat zij zich meer herinnert dan ik, maar ik ben uiteraard bereid u te helpen.' Hij draaide zich om en liep op een drafje weg.

Een paar seconden zeiden we geen van drieën iets. Het was vreselijk laat, ik was doodmoe en had geen geduld meer. 'De patrouilleagenten kunnen wel bij het slachtoffer blijven tot de mensen van moordzaken komen. Zullen we gaan?'

Oliver schokschouderde. Hayley stak haar arm door de mijne toen we naar Olivers Beemer liepen.

Ik zat achterin en wees de weg, maar deed er verder het zwijgen toe. Hayley drong nergens op aan. Scott deed een flauwe poging een gesprek gaande te houden, maar zijn poging stierf al snel een natuurlijke dood. Ik was woedend op Scott maar deed mijn uiterste best mijn werk niet door mijn woede te laten beïnvloeden.

Er waren geen andere auto's te bekennen. Een lichte nevel gaf de straatlantaarns een lichtkrans en Sunset Boulevard zag eruit als een wazige ansichtkaart. Je kon hard rijden op dit uur van de nacht waarop zelfs de dealers en hoertjes binnen waren. Er was geen kip te bekennen; alleen zagen we hier en daar op een bankje bij een bushalte een met vodden bedekte gedaante, die net zo goed dood kon zijn. De stad maakte een onaangenaam uitgestorven indruk, zelfs op echte nachtdieren zoals wij, en de tijd kreeg een surreële context. Binnen een kwartier waren we bij het Fordham Communal Center.

Ik klopte op de deur. Het duurde een paar minuten voordat er werd gereageerd. Ik zei tegen de angstige stem achter de deur dat we van de politie waren. De vrouw die opendeed, had ik de vorige keer niet gezien. Ze was vrij lang, had kort donker haar dat wegens statische elektriciteit alle kanten uit stak, en was gekleed in een badstoffen badjas. Ze keek met tot spleetjes toegeknepen ogen naar mijn penning, en toen naar die van Hayley en Oliver.

Ik bracht het gesprek op gang. 'Neemt u ons niet kwalijk dat we u storen, mevrouw, maar we hebben een paar vragen met betrekking tot Belinda Syracuse. We hebben begrepen dat ze hier woont.'

'Belinda?' De vrouw keek verbaasd. 'Belinda is een lief meisje. Wat is er aan de hand?'

'Is ze hier?' vroeg ik.

'Nee, ze is dit weekeinde naar haar broer. Zou u me willen vertellen wat er aan de hand is?'

Ik liet haar het identiteitsplaatje zien. De vrouw schrok hevig. 'Wat is er met haar gebeurd?'

'Dat weten we nog niet helemaal zeker. Daarom zijn we hier.' Oliver stapte over de drempel en liep naar binnen. We kwamen achter hem aan, blij dat we aan de kilte van de mist konden ontsnappen. 'We willen om te beginnen graag de naam en het telefoonnummer van Belinda's broer.'

'Mag ik uw penning nog even zien?' vroeg de vrouw.

Omdat het licht in de hal nogal zwak was, hield Oliver zijn penning vlak voor haar ogen. 'Ik weet dat dit erg vervelend voor u is. Hoe eerder u ons de informatie geeft, hoe eerder we u meer kunnen vertellen.'

'Ik ben hier al eens eerder geweest,' voegde ik eraan toe. 'In verband met Sarah Sanders.'

'Agent Decker is degene die Sarahs baby heeft gevonden,' legde Hayley uit.

'Ik heb toen gesproken met meneer Klinghoffner.'

'Die is er nu niet,' zei de vrouw. 'Hij overnacht hier nooit.'

Hayley zei: 'En u bent…?'

'Myra Manigan.'

Op dat moment vroeg een stem boven aan de trap: 'Mevrouw Manigan? Is alles in orde?'

'Ja,' riep ze naar boven. 'Ik kom zo.'

Oliver toverde zijn charmantste glimlach tevoorschijn. 'Het telefoonnummer, mevrouw Manigan?'

'Neemt u me niet kwalijk. Het is allemaal zo… onverwachts.' Ze deed nog een paar lampen aan. 'Wilt u even plaatsnemen? Hoe laat is het eigenlijk?'

'Vier uur ongeveer,' zei Hayley. 'Hebt u hulp nodig?'

'Nee, nee, dank u. Een ogenblikje graag.'

Toen ze buiten gehoorsafstand was, zei Hayley: 'Zielig voor dat meisje. Ze was al zwakzinnig, en nu is ze ook nog op zo'n afgrijselijke manier om het leven gekomen.'

Een paar minuten later kwam Myra de trap weer af. 'Ik heb meneer Klinghoffner gesproken.'

'We hebben dat telefoonnummer echt nodig,' zei Oliver.

'Ja, dat begrijp ik. En als u iets te weten komt…'

'Dan brengen we u meteen op de hoogte.'

Ze bleef aarzelen. Toen nam ze een besluit en gaf me de naam en het telefoonnummer.

Terrance Syracuse.

Het netnummer was van West Los Angeles.

Ik keek Oliver aan. 'U hebt de leiding over deze zaak.'

Oliver kaatste de bal terug. 'Ga je gang.'

Ik keek naar mevrouw Manigan. 'Mag ik van uw telefoon gebruikmaken?'

'Natuurlijk.'

Ik haalde diep adem en draaide het nummer. De man die opnam klonk slaperig en kribbig. Ik bracht hem kort en bondig op de hoogte van ons probleem, maar hij begreep het niet helemaal en reageerde geïrriteerd.

'Is ze dan niet bij u?' vroeg hij.

'Nee, meneer. We hadden gehoopt dat ze bij u was.'

'Maar ze had bij u moeten zijn. Wat is er aan de hand? Met wie spreek ik eigenlijk?'

173

'Met de politie. Bureau Hollywood,' zei ik nogmaals. 'Ik ben op dit moment in het Fordham Center. Ik denk dat we dit sneller kunnen ophelderen als we even bij u langskomen.'

'Ik wil eerst weten waar Belinda is,' zei Syracuse.

'Wat is uw adres, meneer?'

'Is haar iets overkomen?' Er lag een snik in zijn stem. 'Ze zei dat ze eerder terugging. Dat ze met iemand kon meerijden.'

'Heeft ze gezegd met wie?'

'Iemand van Fordham. Wat is er gebeurd?'

'We kunnen dit echt beter persoonlijk bespreken, meneer.'

'O, mijn god.' Een diepe zucht. 'O, jezus, vertel me toch gewoon wat er aan de hand is!'

'Uw adres, meneer?'

Hij bezweek onder de druk. Hij woonde in Mar Vista, niet ver bij mij vandaan. Het was jammer dat ik daar helemaal naartoe moest en dan weer terug zou moeten om mijn auto op te halen, maar ik kon de man moeilijk laten wachten.

Nóg een halfuur samen met Oliver in de auto.

Ik vermande me en deed net alsof we een normaal functionerend team waren.

Belinda's broer had een gedrongen figuur, was aan de dikke kant en had een weelderige bos grijs haar. Hij was net zo lang als ik, maar omdat ik tien centimeter hoge hakken droeg, kon ik over hem heen kijken. Hij was gekleed in een zwart trainingspak en liep op slippers.

Terrance Syracuse was letselschadeadvocaat, had een eigen praktijk en was soms genoopt in het weekeinde te werken. Zo ook dit weekeinde. Hij was met diverse zaken bezig en was aanvankelijk niet van plan geweest Belinda uit te nodigen te komen logeren, maar omdat zijn vrouw en twee dochters op familiebezoek waren in Vermont, had hij haar toch gebeld. Zijn vrouw kon wel overweg met zijn zwakzinnige zus, maar zijn kinderen waren nu op een leeftijd dat ze zich opgelaten voelden wanneer Belinda bij hen was. Hij hield veel van Belinda, maar stelde zonder meer de behoeften van zijn dochters boven die van zijn zus, omdat hijzelf was opgegroeid met het stigma van een gehandicapte zus. Hij kon dat nu goed aan, had geen probleem met de situatie, maar wist dat anderen tijd nodig hadden om aan zoiets te wennen. Hij wilde zijn kinderen niet dwingen

174

een kunstmatige relatie aan te gaan waar ze emotioneel niet aan toe waren.

'En nu hoeft dat dus niet meer,' zei hij snikkend.

Voordat hij naar kantoor was gegaan, had hij Belinda voor de televisie gezet en gezegd dat hij op tijd terug zou zijn om met haar uit eten te gaan. Dat had hij al heel vaak gedaan. Belinda was erg gehoorzaam en hield zich aan de regels. Voor zover hij wist, had ze nog nooit de deur opengedaan voor vreemden. Een keer was de zus van zijn vrouw bij hen langsgekomen, toen Belinda haar nog niet kende. Zijn schoonzus was woedend geworden en had staan razen en tieren, maar Belinda had haar niet binnengelaten. Ze was er ook niet het type naar om in haar eentje op avontuur te gaan. Ze was zwakzinnig, maar niet dom. Ze wist dat er mensen waren die misbruik van haar zouden maken als ze de kans kregen.

'En u weet niet wie haar een lift heeft gegeven naar de instelling?'

'Nee. Ze zei dat het iemand was die ze kende en ik had geen reden daaraan te twijfelen.'

'We kunnen het telefoonregister erop nakijken,' zei ik tegen Scott.

'Het moet iemand zijn die ze kende,' zei Syracuse nogmaals. 'Anders zou ze niet zijn gegaan.' Hij beet op een afgekloven duimnagel. 'Wat deed ze in hemelsnaam midden in de nacht in dat deel van de stad?'

Ik zei: 'Ik weet het niet, meneer. Ze zag er verloren uit. Ik wilde net stoppen om haar te helpen, toen het gebeurde.'

'En die auto…'

'Het was een Jeep.'

'Had die… gebeurde het met opzet?'

Ik hield een zucht in. 'Daar kan ik geen zinnig woord over zeggen. Het gebeurde zo snel dat ik geen details kon registreren. Misschien komt er later nog iets boven… wanneer ik er rustig over kan nadenken.' Ik boog mijn hoofd. 'Het spijt me.'

Hij knikte maar kon me niet aankijken.

'Kende ze, behalve u, nog andere mensen buiten het Fordham Center?' vroeg Hayley.

'Dat zou best kunnen. Mijn zus zei nooit veel over haar privéleven. En wanneer ze wel iets zei… luisterde ik maar met een half oor. Ze was een typisch tienermeisje, maar dan een van vierentwintig. Ze had de mentaliteit van een tiener. Ze was voortdurend verliefd. Meestal op filmsterren. Ze zei aldoor dat ze die ooit echt zou ontmoeten. Ze leefde in een fantasiewereld en ik schonk er eigenlijk amper aandacht aan.' Hij begon te ijsberen. 'Wat een ramp. Ik ben blij dat mijn ouders dit niet meer hoeven mee te maken.' Hij keek naar Cindy. 'Voor wanneer kan ik de begrafenis regelen? Het idee dat ze in het lijkenhuis ligt, vind ik echt onverdraaglijk.'

'We zullen contact met u opnemen zodra de sectie is verricht.'

'Wat denkt u daarmee eigenlijk te bereiken? Ze is aangereden door een krankzinnige figuur of onvoorzichtige automobilist. Wat kan een sectie verder nog uitwijzen?'

'Het is een standaardprocedure, meneer,' zei Oliver.

Syracuse sloeg zijn handen voor zijn gezicht. 'Ik moet regelingen gaan treffen voor de begrafenis.' Hij keek op zijn horloge. 'Ik neem aan dat er om vijf uur 's ochtends nog niets open is.'

'Ik denk dat u nog even zult moeten wachten.'

Ik vroeg: 'Vindt u het goed dat we uw telefoonregister opvragen?'

'Ja, natuurlijk. Als u denkt dat u daar iets aan zult hebben. Ze woont al tien jaar in de instelling. Ik kan me niet voorstellen dat iemand het op haar gemunt had.'

'Heeft ze in het instituut ooit ruzie gehad met bepaalde personen?'

'Niet voor zover ik weet.'

'Heeft ze het wel eens over een specifieke persoon gehad?'

'Een jongen of een man, bedoelt u? Nee. En zo ja, dan heb ik daar tot mijn spijt geen aandacht aan besteed.' Weer keek hij op zijn horloge. 'Wanneer kan ik het stoffelijk overschot identificeren?'

'Ik wil u wel even naar het mortuarium brengen,' bood ik aan. 'Misschien zetten ze er dan wat haast achter.'

'Ik ga wel mee,' zei Hayley.

'We gaan allemaal,' zei Oliver.

'U bent verder van huis dan wij, rechercheur Oliver,' zei ik. 'We kunnen het best zelf.'

'We gaan samen,' zei Oliver nogmaals. 'Dan gebeurt het tenminste volgens het boekje.'

Ik kon er niets tegen inbrengen.

Hij was officieel onze meerdere.

21

Tegen de tijd dat Terrance zijn zus had geïdentificeerd en we eindelijk klaar waren, was het halfzeven. Hayley nodigde me uit ergens te gaan ontbijten, maar ik voelde me zo onpasselijk dat ik niet eens aan eten kon dénken. 'Bovendien wil ik graag weten hoe het met Koby is.'

Oliver trok zijn schouders iets op. 'Ik kan Marx afzetten en je dan naar zijn huis brengen.'

Hayley zei: 'Laat dat nu maar aan mij over, Scott. Meiden onder elkaar, weet je wel?'

Dat was echt iets voor Hayley, en het verbaasde me niets, want ze was al vaker voor me in de bres gesprongen. Oliver drong niet aan en de rit verliep in een heerlijk stilzwijgen. We pikten Hayleys auto op en waren om acht uur bij Koby's huis. Mijn Lexus stond nog op de plek waar ik hem had achtergelaten, maar Koby's Toyota was er niet. 'Zo te zien is hij niet thuis. Dan zal hij wel in het ziekenhuis zijn.'

'Daar ga je toch niet naartoe, hè?' Voordat ik antwoord kon geven, zei ze: 'Cin, je moet naar huis. Je moet gaan slapen.'

'Jij ook.'

'Dat ben ik ook van plan. En jij gaat ook. Dat is een bevel.' We omhelsden elkaar. 'Zullen we dan woensdag ergens gaan ontbijten?' vroeg ze.

'Liever donderdag,' zei ik zonder enige reden.

'Afgesproken.'

Ik glimlachte naar haar en stapte uit. Toen ik in mijn Lexus zat en mijn mobieltje in de ingebouwde oplader had gezet, toetste ik het nummer in van Koby's mobieltje.

Ik kreeg zijn voicemail.

Ik sprak een kort bericht in.

Daarna belde ik het ziekenhuis. Nadat ik wel tien keer met allerlei afdelingen was doorverbonden, kreeg ik uiteindelijk Marnie aan de lijn, de tengere verpleegkundige die ik had ontmoet toen ik voor het eerst naar Sarahs baby was gaan kijken. Ze wist van het ongeluk en vroeg hoe het met me was. Ik zei dat alles in orde was.

Daarna volgde een geladen stilte.

'Hij is op de intensivecareafdeling,' zei ze toen. 'Al een tijdje. Kan ik iets voor u doen?'

Haar stem klonk gespannen. Misschien vanwege de afgrijselijke omstandigheden rond het ongeluk, al had het volgens mij eerder een persoonlijker reden, namelijk dat ik haar lastigviel omdat ik Koby zo nodig wilde spreken.

'Nee… als u alleen zou willen doorgeven dat ik heb gebeld.'

'Zal ik doen. Dag.'

Ze hing op voordat ik haar kon bedanken.

Ik was om negen uur thuis en belde Louise Sanders om onze lunchafspraak op het politiebureau te annuleren. Toen ze niet opnam, liet ik een bericht achter op haar mobieltje. Daarna zette ik de wekker op halftwee en kroop in bed. De wekker ging keurig op tijd en nadat ik me had gedoucht en aangekleed, was ik om twee uur gereed om aan het werk te gaan. Er stond een aantal berichten op mijn antwoordapparaat. Drie van mijn vader, een van Hayley en zelfs een van Scott, die maar drie woorden had ingesproken: 'Ik wil praten.'

Wat mij betrof konden ze allemaal wachten.

Er was niets bij van Koby.

Ik belde zijn mobieltje, maar kreeg weer de voicemail.

Ik belde zijn huis. Hij was er niet of nam niet op. Ditmaal sprak ik een bericht in. Ik zei dat ik erg trots op hem was, dat met mij alles in orde was en dat ik hoopte dat hetzelfde voor hem gold. Dat ik nog wat bibberig was, maar verder helemaal in orde. Toen hing ik op.

Hij was aan zet. Met een landerig gevoel ging ik aan het werk.

Er was enig doorzettingsvermogen voor vereist, maar tijdens mijn koffiepauze kreeg ik uiteindelijk Russ MacGregor te pakken. Hij zat in de agentenkamer telefoontjes af te werken voordat hij er weer op uit moest. De aanrijding had me enig aanzien gegeven, omdat ik snel had gereageerd en volgens het protocol te werk was gegaan, maar Russ was evengoed niet erg scheutig met zijn tijd. Ik kreeg precies vijftien minuten om mijn verhaal te doen.

Ik had drie dingen op mijn lijstje staan: de verkrachting van Sarah Sanders, het opsporen van de vermiste David, die mogelijk de vader van Sarahs baby was, en de aanrijding. Ik wist dat ik niet al te sterk stond en Russ wist dat ook. Toch deed ik een poging alles aan elkaar te breien. Russ reageerde sceptisch.

'Wat heeft de aanrijding in godsnaam te maken met Sarah Sanders en een in de steek gelaten baby?'

'Misschien wist Belinda Syracuse iets over Sarahs verkrachting. Meisjes praten over zulke dingen. Het kan best zijn dat ze daarom is vermoord.'

'Punt één, Decker, je weet niet eens of de verkrachting inderdaad heeft plaatsgevonden. Punt twee, als je denkt dat de dood van Belinda iets te maken heeft met de vermeende verkrachting van Sarah Sanders, waarom is Belinda dan niet maanden geleden al vermoord, en punt drie, als deze zaken inderdaad iets met elkaar te maken hebben, waarom is Belinda dan dood en Sarah Sanders niet?'

Op dat laatste had ik geen antwoord, dus negeerde ik de vraag. 'Ik vind dat we het in ieder geval moeten onderzoeken.'

'Ben je doof? Ze hebben niets met elkaar te maken.'

'Stom toeval dus?'

'Het zal niet de eerste keer zijn, Decker. Verder nog iets?'

Hij liep al weg. De panden van zijn donkerblauwe colbertje fladderden achter hem aan. Ik zei: 'Mooi pak.'

Russ hield zijn pas in. 'Dank je.' Hij bleef staan en bekeek me opeens met de ogen van een man. Toen herstelde hij zich. 'Decker, je hebt goed werk gedaan en dat mag iedereen weten. Maar je moet die aanrijding verder overlaten aan moordzaken.'

'Ik ben niet geïnteresseerd in de aanrijding.'

'Waarin dan wel?'

'In de vader van Sarah Sanders' baby. Volgens mij is de meest aannemelijke kandidaat een jongeman genaamd David, die ook op het instituut woonde.'

'De jongen van wie ze zegt dat hij in elkaar geslagen is?'

'Geloof je haar niet? Waarom zou ze liegen?'

'Omdat ze haar baby in de steek heeft gelaten en in grote moeilijkheden verkeert. Ze zal worden aangeklaagd wegens kindermishandeling.'

'Gezien haar geestelijke conditie kan ze zich beroepen op verzachtende omstandigheden.'

'Maar misschien gokt ze ook op medeleven. Je weet helemaal niet of de verkrachting en de mishandeling van die jongen waarheid of fictie zijn. Misschien heeft ze het maar verzonnen.'

'Laat me dat dan uitzoeken.'

'Decker, het is een zaak van maanden geleden. Het is oud nieuws.'

'Is het daarom minder erg?' Daarop had MacGregor geen antwoord. 'Het zou prettig zijn als we die jongen konden vinden… mede om uit te zoeken of hij in orde is.'

'En wanneer had je dat willen doen, Sherlock?'

'Ik heb morgenmiddag om drie uur pas weer dienst.'

'Dus je wilt dit in je vrije tijd doen? Waarom val je mij er dan mee lastig?'

'Omdat ik in niemands vaarwater wil zitten.'

Hij haalde zijn schouders op. 'Goed, je mag bij het instituut langsgaan, maar wacht er een dag of twee mee. Ik hoor van Justice Brill, die de leiding heeft over het onderzoek naar de aanrijding, dat ze erg aangeslagen zijn door de dood van Belinda.'

'Dat kan ik me voorstellen.'

MacGregor kon zeker iets op mijn vermoeide gezicht lezen, want hij zei: 'Je zou eens goed moeten uitrusten, Decker. Daar heb je meer aan dan halfbakken herinneringen najagen.' Hij schudde zijn hoofd. 'Hoe dan ook, wacht er een paar dagen mee. Verlies nooit je prioriteiten uit het oog.'

'Weet ik. Bedankt, Russ.' Ik schraapte mijn keel. 'Sarah Sanders is trouwens bereid op het bureau een verklaring af te leggen over de verkrachting.'

Hij antwoordde smalend. 'Jouw idee zeker?'

'Kan het morgen rond het middaguur? Alsjeblieft?'

Weer bekeek hij me met die blik. Gevolgd door de veelbetekenende glimlach. Ik deed net alsof ik er geen erg in had. Toen we opnieuw oogcontact maakten, was de glimlach verdwenen. 'Vooruit dan maar.'

'Je bent geweldig.'

'En jij bent vervelend.'

'Wees nou niet boos. Als ik iets ontdek, mag jij met de eer gaan strijken.' Ik stak mijn duim op en liep weg.

Toen ik thuiskwam, waren er twee nieuwe berichten bij gekomen op mijn antwoordapparaat. Alweer eentje van pa, en eentje van Hayley. Ik nam de hoorn van de haak, maar bedacht me.

Ik zette mijn computer aan en keek of er mail was. Ik zag zijn naam ingeklemd tussen een kortingsaanbod van AOL en een reclame van een makelaar. Ik was geen fan van elektronische communicatie, maar het was mijn eigen idee geweest. Ik klikte het bericht aan.

Lieve Cindy,
Ik draai een dubbele dienst. Juist goed. Beter dan piekeren over de
aanrijding. Ik bel je nog wel.
Groetjes, Koby

Het was een erg korte mail, vooral vergeleken met de nogal uitgebreide berichten die ik voor hem had achtergelaten. Hij was zeker zo druk bezig met zaken op leven en dood, dat hij geen tijd had voor gebabbel. Ik mailde hem terug en schreef nogmaals dat ik erg onder de indruk was van zijn snelle manier van handelen. Minder uitgebreid dan mijn telefoontjes, maar wel complimenteus.

Misschien zou hij erom moeten glimlachen.

Misschien zou hij me dan bellen.

22

Ditmaal was Decker degene die te laat aankwam. Toen hij door het restaurant liep, zag hij haar zitten aan het tafeltje in de hoek. Ze dronk koffie en las de krant. Van veraf zag ze er erg jong en kwetsbaar uit. Of misschien vond hij dat alleen omdat ze zijn dochter was. Hij haalde diep adem, voelde zijn hart een slag overslaan, en plakte een glimlach op zijn gezicht. Hij schoof op de bank tegenover haar.

'Sorry. Ik zat vast in het verkeer.'

Cindy legde de krant weg en gaf haar vaders hand een kneepje. 'Geeft niks. Ik zit me hier lekker te ontspannen.'

'Mooi.'

'Daar krijg ik tegenwoordig niet vaak de gelegenheid voor.'

'Heb je het zo druk?'

'Altijd.'

'Hoe is het met Koby?' vroeg Decker.

'Goed.'

Hij hoorde de tranen in haar stem en kon zich wel voor zijn kop slaan. Snel ging hij op iets anders over. 'Dit lijkt een traditie te gaan worden, samen ontbijten op de dinsdag.'

'Van mij mag het,' antwoordde Cindy.

Ze was somber gestemd en dat deed hem verdriet. Ooit zou hij zich moeten losmaken van zijn kinderen, maar dat viel hem nu al zwaar. 'Gaat het een beetje, lieverd? Wat zul je geschrokken zijn van die aanrijding.'

Ze deed haar mond open, bedacht zich, en knikte alleen.

'Verkeersongelukken zijn altijd naar. Ik herinner me er eentje nog heel goed uit mijn tijd als patrouilleagent, al is het al twintig jaar geleden. Ik was…'

Cindy zag de gepijnigde uitdrukking op zijn gezicht. 'Was jij er ook getuige van?'

'Nee…' Decker slaakte een zucht. 'Maar ik was er als eerste bij, en dat was al zo erg. Ik kan me niet eens indenken hoe ik me zou hebben gevoeld als ik het had zien gebeuren. Daarom snap ik ook niet hoe jij gewoon aan het werk kunt blijven.' Hij stak zijn vinger op om de serveerster te beduiden dat hij koffie wilde. 'Jij bent veel sterker dan ik.'

'Welnee.'

'Jawel. Ik zou eraan onderdoor zijn gegaan.'

'Pap, ik heb nog nooit gemerkt dat je ergens aan onderdoor ging.'

'Dan heb ik mijn werk als ouder goed gedaan, door er nooit iets van te laten merken.'

Dat zette Cindy aan het denken. Hij moest gedurende zijn loopbaan honderden zaken hebben behandeld die hem veel stress hadden bezorgd, maar had altijd een rustige indruk gemaakt, op de laatste paar maanden na.

'En hoe is het met jou?' vroeg ze.

'Goed.'

De serveerster bracht de koffie. 'Wilt u al bestellen?'

Cindy bestelde toast, fruit en nog een kop koffie; Decker hetzelfde. Ze namen een teugje van de slappe koffie en glimlachten geforceerd.

'We draaien om elkaar heen,' zei Cindy toen. 'Jij voelt je niet goed en ik ook niet.'

Decker stak haar zijn hand toe. 'Kan ik iets voor je doen?'

'Nee,' antwoordde Cindy. 'Ik voor jou?'

'Ben je mal.' Decker klopte zachtjes op haar hand en trok zijn hand toen weer terug. 'Zelfs als je iets kon doen, zou ik dat niet willen. Ouders moeten voor kinderen zorgen, niet omgekeerd.'

'Zul je me altijd alleen maar als je dochter beschouwen?'

'Waarschijnlijk wel. Maar vertel eens waar je mee zit.'

'Ik zit met van alles. Daarom ben ik onder behandeling.'

Decker glimlachte. 'Ik ben blij dat je nog steeds gaat. Rina zegt dat ik me ook onder behandeling moet laten stellen.'

Cindy haalde neutraal haar schouders op.

'Wat vind jij?'

Ze schoot in de lach. 'Vraag je míj om mijn mening?'

'Ja. Ik stel je mening erg op prijs. Wat zijn je ervaringen met je psychiater?'

Ze wist niet of haar vader het alleen vroeg om haar op te beuren, maar ging er maar vanuit dat hij oprecht belangstelling had. 'Het werkt. Je krijgt de gelegenheid over je problemen te praten zonder een ander ermee op te zadelen. Ik klaag niet gauw over emotionele problemen. Wat dat betreft lijk ik veel op jou.'

'Ik zou het een eer vinden om net zo te zijn als jij.'

Cindy lachte vreugdeloos. 'Jeetje, je moet wel erg met me te doen hebben, als je zo lief doet.'

Decker grinnikte. 'Goed zo. Nu ken ik je weer.'

'Zullen we maar over ons werk praten dan?'

'Beter dan dit kleffe gedoe.'

'Vind ik ook. Ik zal je vertellen wat ik te weten ben gekomen, en dan mag jij zeggen of ik in een goed denkpatroon zit of niet.' Cindy gaf hem een beknopt verslag van haar gesprek met Russ MacGregor, waarbij ze de klemtoon legde op haar gedachten over de twee zaken in kwestie: de dood van Belinda Syracuse en de verkrachting van Sarah Sanders, en de vraag of die iets met elkaar te maken hadden. Tegen de tijd dat ze ermee klaar was, werd hun bestelling gebracht.

Decker beboterde een geroosterde boterham. 'Ik wou dat ik het met je eens kon zijn, Cin, maar in dit geval denk ik dat MacGregor gelijk heeft.'

'Dat ze niets met elkaar te maken hebben, bedoel je,' zei Cindy.

Decker nam een hap en knikte. 'Je weet niet eens of ze met opzet is aangereden. Hebben ze de auto al gevonden?'

'Dat geloof ik niet.'

'Oké…' Decker stak de rest van de toast in zijn mond. Hij had trek. 'Stel dat we ervan uitgaan dat het opzet was, wat zou de link tussen de twee zaken dan zijn?'

'Dat Belinda iets wist over de verkrachting van Sarah Sanders?'

'Waarom hebben ze dan zes maanden gewacht om haar te vermoorden?'

'Dat zei Russ ook al.'

'Dat verbaast me niets. Heb je een antwoord op deze vraag?'

Nee, een antwoord had ze niet. 'Ik heb hier nog niet voldoende over nagedacht. Ik wil er daarom liever nog niets over zeggen.'

Decker lepelde wat fruit op, kauwde en slikte. 'Goede tactiek om uitstel te krijgen. Gebruik ik ook vaak. Zoek naar nóg een link, Cin. En tot je die hebt, kun je beter wachten of ze die Jeep vinden. Je hebt vast wel iets beters te doen met je vrije tijd.'

'Niet echt.'

'Mag ik vragen waarom niet?'

'O, ik ben gewoon een beetje down. Gaat wel weer over.'

Decker paste er wel voor op haar uit te horen. Dan zou hij de wind van voren krijgen. 'Je hebt een hobby nodig. Deed je vroeger niet aan pottenbakken of zoiets?'

'Ja, op de middelbare school.'

'Zie je nu dat ik wel degelijk luister?'

Cindy glimlachte. 'Ik ga evengoed terug naar het Fordham Communal Center. Ik wil meer te weten komen over Sarahs vriendje.'

'David.'

Ze knikte.

'Die misschien dood is.'

'Die misschien nog leeft.'

'Heeft MacGregor daar niets op tegen?'

'Nee.'

'Hou me op de hoogte als je iets ontdekt.'

'Zal ik doen. Heb je nog adviezen voor me?'

'Dezelfde als toen je op zoek was naar Sarah. Je licht opsteken in alle soorten opvanghuizen, navraag doen in goedkope motels en plaatsen waar daklozen zich ophouden. Geen prettig werk, Cindy. Weet je zeker dat je niet liever een klont klei op een pottenbakkerswiel gooit?'

Ik gooide een stukje appel naar hem. 'Ik vind het niet erg om terug te gaan naar Fordham. In ieder geval staat Oliver nu niet over mijn schouder mee te koekeloeren.'

Decker probeerde nonchalant te klinken. 'Heeft hij het je lastig gemaakt?'

'Je weet hoe hij is. Maar ik mocht wel het woord doen.'

'Dat is positief.'

'Ja. Hij is een etter, maar wel een goede rechercheur. Wat dat betreft kan ik niet klagen.'

Toch voelde Decker heel duidelijk dat ze ongelukkig was. Waarschijnlijk de nasleep van wat ze had meegemaakt. Dat stompte je zintuigen tijdelijk af, en bij haar maakte het natuurlijk ook herinneringen los aan wat er nog niet zo lang geleden was gebeurd. En wie weet wat voor effect het op Koby had gehad, toen hij zijn handen in al dat bloed had moeten steken? Decker vermoedde dat ze elkaar niet erg veel konden bieden op het gebied van geestelijke steun.

185

Cindy zag hoe bezorgd hij keek. 'Ik heb morgen een afspraak met mijn psychiater. Jij krijgt de rekening, dus maak je nou maar niet te sappel. Goed?'

'Ik krijg de rekening?' Decker fronste zijn wenkbrauwen. 'Hoeveel brengt hij per uur in rekening?'

Cindy sloeg haar ogen ten hemel. 'Om te beginnen is het een zij. En ik maak maar een grapje. Het LAPD betaalt de rekeningen. Hoort bij de schikking. "Kies wie je wilt, Cin, zolang je ons maar niet voor het gerecht sleept."'

Decker glimlachte.

'Het komt wel goed, pap. Het kost alleen wat tijd.'

Decker pakte haar hand en gaf die een kneepje. 'Ik heb niet veel geduld wanneer het om mijn kinderen gaat. Ik hou nu eenmaal van je, prinsesje.'

'Ik ook van jou.' Haar automatische reactie was het gesprek weer terug te brengen op hun werk, maar toen besefte ze dat dat precies was wat haar vader zou doen.

'Ik ben erg trots op je,' zei Decker opeens.

Cindy kreeg een brok in haar keel. 'Dank je, pap. Dat betekent heel veel voor me.'

'Ik ben trots op je,' herhaalde Decker, 'maar ik moet je ook iets bekennen. Ik ben er nog steeds boos om dat je bij de politie bent gegaan.'

'Het is niet waar!'

'Ik weet dat ik dit al vaker heb gezegd, maar nu komt er nog iets bij. Toen ik over de aanrijding hoorde, kreeg ik het vreselijk te kwaad. En opeens besefte ik dat ik niet alleen boos op jou ben om wat ik heb moeten doorstaan sinds jij bij de politie bent gegaan, maar dat ik boos ben op mezelf om alle ellende die ik mijn eigen gezin heb aangedaan, inclusief je moeder. Ik zie bepaalde dingen nu heel duidelijk en ze zijn niet aangenaam. Ik denk dat ik je moeder zelfs onrecht heb aangedaan.'

'Mamma wist wat het inhield dat je bij de politie zat.'

'Nee, Cindy, ik heb haar misleid. Ze dacht dat ik belastingconsulent voor welgestelde mensen zou worden met een doodgewone kantoorbaan. Dat ik terugging naar de politie had niet op het programma gestaan.'

'Maar je had een hekel aan je werk als jurist.'

'Ik wel, maar je moeder niet. Ik moet haar in veel opzichten verdriet hebben gedaan. Om te beginnen verdiende ik bij de politie veel minder geld. Ten tweede zat ze constant in angst. Ten derde was ik vrijwel nooit thuis. En nu moet ik boeten voor mijn zonden.'

'Als je het doen van je werk als een zonde beschouwt.'

'Dat ik haar en jou heb verwaarloosd, was verkeerd.' Hij pakte zijn dochters hand. 'Ik vind het enorm fijn dat je me dat nooit hebt aangerekend. Dank je wel.'

'Je hebt gedaan wat je kon, pap. Meer mag je nooit van een ander verlangen.'

'In sommige opzichten ben je veel volwassener dan ik, Cin.'

Cindy kreeg weer een brok in haar keel. 'Ouwe vleier.'

'Ik ben roekeloos wanneer het alleen om mezelf gaat, maar een zeurpiet wanneer het om mijn gezin gaat. Dat is hypocriet, maar ik ben te oud om nu nog te veranderen.'

'Ik wil ook niet dat je verandert. Ik vind je prima zoals je bent.'

'Cindy, ik vind het echt een eer dat ik je vader ben!'

'Dank je.' Er stonden tranen in haar ogen. Spontaan leunde ze over het tafeltje heen om hem een kus te geven. 'Doe me een plezier, pap. Onthoud wat je zojuist zei voor wanneer je weer eens kwaad op me bent.'

23

Tussen Buck, de bureaucraat, en mij boterde het de eerste keer al niet en de nieuwe tragedie veranderde daar niets aan. Hij droeg dit keer een spijkerbroek en een zwarte coltrui en gedroeg zich bijzonder onaangenaam. Zijn handen maakten onrustige gebaren terwijl hij op norse toon sprak.

'We hebben het druk, agent Decker. Onze secretaresse is er momenteel niet en we hebben slecht nieuws ontvangen.'

'Dat meen je niet!'

'Kom dus maar liever morgen terug met uw irritante vragen.'

Toen hij de deur voor mijn neus dicht wilde doen, stapte ik brutaal naar binnen. 'Ga meneer Klinghoffner even voor me roepen, Buck.'

Hij begreep dat hij de strijd had verloren, ging aan zijn bureau zitten en keek me nijdig aan. 'U zult moeten wachten. Ik zit tot mijn nek in het werk.'

Ik liep naar zijn bureau en zwiepte zijn werk met één zwaai van zijn bureau. 'Nu niet meer. Ga hem halen.'

'Ik kan een klacht tegen u indienen!' brieste Buck.

'Bel gerust. Maar als je er het lef niet toe hebt, ga dan Klinghoffner roepen.'

Tergend langzaam kwam hij overeind. 'Typisch bullebakgedrag. Wat is uw probleem, agent Decker? Bent u jaloers omdat de meeste vrouwen nog altijd de voorkeur geven aan mij boven een strijdlustig type als u?'

Ik negeerde dat en keek op mijn horloge. Ik had maar een uur. Dan zou Sarah Sanders haar verklaring af komen leggen op het bureau. Ik richtte mijn boze blik weer op hem en wachtte af. Hij probeerde net zo vuil terug te kijken, maar zijn gezicht stond eerder honend. Uiteindelijk pakte hij de hoorn van de haak en drukte met vinnige bewegingen een paar toetsen in. Hij draaide me zijn rug toe en sprak op zachte toon. Nadat hij had opgehangen, zei hij dat Klinghoffner over vijf minuten beneden zou komen.

Ik bedankte hem.

Hij keek naar de rommel op de grond. Ik bukte me om de paperassen op te rapen.

'Afblijven!' blafte hij. 'Ik… laat mij maar. Alstublieft.'

Ik richtte me weer op. 'Sorry.'

Hij ging op zijn hurken zitten, bekeek de rommel en raapte een bundeltje paperassen op. 'Sorry is niet genoeg.'

Ik keek om me heen en vond wat ik zocht: het koffiezetapparaat. 'Kan ik het goedmaken door een kopje koffie voor je in te schenken?'

Hij zat nog op zijn hurken. 'De blauwe mok is van mij. Eén zakje melkpoeder en één zakje suiker.'

Ik liep naar het apparaat en bereidde zijn bestelling met de behendigheid van een serveerster van Starbucks. 'Is het goed als ik ook neem?'

'Daar zijn de plastic bekertjes voor.'

Ik schonk een half bekertje voor mezelf in en zette zijn mok op zijn bureau.

Buck zei: 'Was u erbij toen het gebeurde?'

'Ja.'

Hij bekeek een paar vellen papier aan de voor- en achterkant en legde ze op de grond. Toen begon hij de stapeltjes bij elkaar te pakken. 'Rot voor u.'

'Zeg dat wel.'

'Wat is er precies gebeurd?'

'Nu niet, Buck.'

'Hebt u de dader al te pakken?'

'Bijna,' jokte ik.

'Nee, dus.'

'Er wordt aan gewerkt,' zei ik.

Hij snoof minachtend.

'Ik ben blij dat je weer onaangenaam doet. Ik zat me al zorgen te maken.'

Hij leek iets te willen zeggen, maar bedacht zich. Hij stond op en rommelde met de papieren.

'Heb je de paperassen op orde kunnen krijgen?' vroeg ik.

'Voor het grootste deel.'

'Moet ik ze nog een keer door elkaar gooien?'

'Ik had het liefste dat u gewoon wegging, maar aangezien dat niet zal gebeuren, verzoek ik u in ieder geval uw mond dicht te houden.' Hij ging aan zijn bureau zitten, legde de stapel neer en nam een slokje koffie.

'Heb jij het meisje gekend, Buck?'

'Ik ken iedereen hier.' Hij keek me aan. 'Gaat u me nog meer vragen stellen? Zo ja, dan zal ik geen moeite doen te proberen me op mijn werk te concentreren.'

'Ken je iemand die het slecht met haar voorhad?'

'Natuurlijk niet. Dat zou betekenen dat iemand voldoende om hen geeft om hen te willen vermoorden.' Hij beet op zijn lip. 'Hier zitten mensen die nergens anders passen. Als meneer Klinghoffner zich niet zo voor hen inzette, zou de gemeente de instelling maanden geleden al hebben gesloten.'

'Haar broer zei dat iemand van hier had opgebeld en gezegd dat ze een lift terug kon krijgen.'

'O, ja? Wie dan?'

'Dat proberen we uit te zoeken aan de hand van het telefoonregister. Heb jij enig idee?'

'Nee. Ik ben hier nooit in het weekeinde. Ik heb een administratieve baan. Maar er waren uiteraard mensen aanwezig. Vraag het hun maar.'

Ik bekeek hem aandachtig. 'Waar was jij zondagnacht?'

Buck grijnsde vals. 'Hemeltje!' Hij legde zijn hand op zijn borst. 'Ben ik een verdachte?'

'Geef antwoord op de vraag.'

'Even kijken.' Hij schraapte zijn keel. 'Over hoe laat hebben we het?'

'Drie uur 's nachts. In de nacht van zondag op maandag.'

'Drie uur 's nachts? Toen sliep ik.'

'Heb je een huisgenoot?'

'Mijn hond.'

'Wat heb je afgelopen zondag gedaan?'

'Eh… ik ben gaan brunchen met een goede kennis… in Café Romano. We hebben er gezeten tot… eh… drie uur, halfvier. Wilt u weten hoe ze heet?'

Hoe 'ze' heet. 'Is ze je vriendin?'

'Op goede dagen.' En hij sneerde: 'Jaloers?'

'Stinkend jaloers. Ga door.'

'Even kijken… daarna ben ik naar huis gegaan. Ik heb gelezen. Televisiegekeken. Gecomputerd. O, en ik heb een film gehaald bij een videowinkel. *In the bedroom... lekker luchtig.*' Hij keek honend.

Ik glimlachte.

Buck wees naar de deur. 'Daar is degene die u moet hebben.'

Ik volgde de richting van zijn uitgestoken vinger. Klinghoffner kwam de trap af.

'Verder nog iets?' vroeg Buck me.

Ik stond op. 'Op het moment niet.'

'Wil dat zeggen dat u me nog een keer komt lastigvallen?'

'Misschien wel.'

Hij glimlachte zuur. 'Ik begin bijna te genieten van mijn imago van slechterik.'

'Verbeeld je maar niks,' fluisterde ik toen ik langs zijn bureau liep.

We gingen naar een kantoor, zodat Buck niet kon meeluisteren en we niet zouden worden gestoord. Klinghoffner droeg een gekreukeld bruin colbertje, een gekreukeld wit overhemd en een gekreukelde bruine corduroy broek. Hij zag eruit alsof hij al dagen niet had geslapen. Zijn ogen lagen diep in de oogkassen en zijn huid had de vale tint die je vaak zag bij mensen die slecht nieuws hadden ontvangen. Het was alsof hij mijn eigen innerlijke onrust weerspiegelde.

'Het zijn kinderen,' zei hij tegen me. 'Kleine kinderen, agent Decker. Belinda ook... ze was nog maar een kind.' Hij zakte neer op een stoel en duidde me aan zijn voorbeeld te volgen. 'Niet te geloven dat die schoft niet is gestopt!'

'Het was afschuwelijk.'

Hij keek me meelevend aan. 'Hebt u het kentekennummer kunnen zien?'

'We zijn ermee bezig. Maar dat is niet de reden dat ik hier ben.'

'Nee?' vroeg hij verbaasd.

Voordat ik hem uitleg gaf, vroeg ik: 'Heeft de politie al contact met u opgenomen inzake Belinda's dood?'

'Nee. Eerlijk gezegd dacht ik dat ú daarvoor kwam.'

Het was niet mijn taak hem naar Belinda te vragen, niet mijn taak een onderzoek in te stellen naar de aanrijding. Niet alleen zou dat onethisch zijn, maar ik zou er zelfs schade mee kunnen aanrichten. Maar ik dacht bij mezelf: en wat dan nog? Dus zei ik: 'Haar broer zei dat iemand had opgebeld en aangeboden haar een lift te geven hiernaartoe. Weet u daar iets van?'

191

'Nee.' Hij dacht even na. 'Wat vreemd. Ik heb geen idee wie dat kan zijn geweest. In het weekeinde zit hier slechts een kleine ploeg: een paar docenten, de inwonende verzorgers en de conciërge.'

'We zijn bezig het telefoonregister van haar broer na te kijken. We zouden graag hetzelfde willen doen met het register van de instelling.'

'Dat kan. Ik hoop dat u die ellendeling dan zult vinden.'

'Haar broer zei dat ze jongensgek was. Misschien had ze stiekem met iemand een afspraakje. Is het mogelijk dat ze met iemand omging zonder dat u daarvan wist?'

'Dat ze een vriendje had, bedoelt u?'

'Ja, meneer Klinghoffner. Dat bedoel ik.'

'Dan kan het niemand van hier zijn. De jongens en meisjes hier hebben geen van allen een rijbewijs.'

'Sinds wanneer weerhoudt dat een vastberaden tiener ervan achter het stuur te kruipen?'

Klinghoffner zei: 'Dat weet ik wel, maar deze kinderen hebben geen auto's tot hun beschikking.'

'De aanrijding heeft acht kilometer hiervandaan plaatsgevonden. Misschien heeft ze een bus genomen.'

Hij dacht ingespannen na. 'Ik zal navraag doen.'

'Dank u,' zei ik. 'Maar zoals ik al zei, ben ik hier om een andere reden.' Klinghoffner wachtte af.

'Ik ben geïnteresseerd in Sarah Sanders... meer specifiek in de vader van haar baby. Het is mogelijk dat hij eveneens hier woonde. Ze had het over ene David. Het is mogelijk dat het om een zwarte jongen gaat en dat hij het syndroom van Down heeft... of aan mosaïcisme lijdt. Dat wil zeggen dat...'

'Ik weet wat mosaïcisme is,' onderbrak Klinghoffner me. 'Waarom vraagt u dit?'

'Zit ik op het juiste spoor?'

'David Tyler... vierentwintig, zwart, en hij leed inderdaad aan mosaïcisme. Nogmaals, waarom vraagt u naar hem?'

'Waarom spreekt u over hem in de verleden tijd?'

'Omdat hij ongeveer een halfjaar geleden is verdwenen. Ik heb mijn uiterste best gedaan hem op te sporen.' Hij keek gepijnigd. 'Heeft Sarah u iets over hem verteld?'

'Ze heeft ons verteld dat ze elkaar vaak in een park ontmoetten om te vrijen. Op een dag, ongeveer een halfjaar geleden, zijn ze door een stel jongens betrapt in een toiletruimte in het park. Die jongens hebben haar toen verkracht, en David mishandeld en in een vuilnisbak gestopt. Toen Sarah het toiletgebouw verliet, wist ze niet of David nog leefde of niet. Ze heeft daar al die tijd mee rondgelopen, omdat ze het aan niemand durfde te vertellen. Het kwam er pas uit toen we haar uithoorden over de vader van de baby.'

Het duurde even voordat hij in staat was daarop te reageren. 'Denkt u dat ze de waarheid spreekt?'

'Zou ze redenen hebben om te liegen?'

'Als ze seks had wel. Dat is hier verboden. Misschien dacht ze dat een verhaal over een verkrachting haar zou redden.'

'Maar waar is David dan?'

Klinghoffner leunde achterover op zijn stoel en slaakte een diepe zucht. 'David heeft hier nooit gewoond, agent Decker. Hij kon zichzelf erg goed redden, zoals de meeste mensen met mosaïcisme. Hij had zijn eigen flat, kende de buslijnen en was in staat van A naar B te reizen. Hij was daartoe in staat omdat zijn leven erg strak afgebakend was.'

'Als hij zich zo goed kon redden, wat deed hij dan hier?'

'Hij werkte hier. Vroeger hadden we een tekenleraar, maar vanwege de besnoeiingen op de begroting moesten we die ontslaan. David kon leuk tekenen en eiste geen hoog salaris. En omdat hij was zoals hij was, kon hij goed overweg met de leerlingen. Ze mochten hem graag.'

'Sarah in het bijzonder?'

'Iedereen.' Klinghoffners onderlip trilde. 'David was zelfstandig… maar hij was niet voor honderd procent betrouwbaar. Hij kwam soms niet opdagen… een dag, twee dagen. Toen hij een hele week wegbleef, werd ik ongerust en ben ik naar zijn flat gegaan. Ik heb eerst aangebeld en toen hij niet opendeed, heb ik zelfs de deur opengemaakt.'

'U hebt dus een sleutel.'

'Ja. Ik had erop gestaan dat David me een sleutel gaf, voor noodgevallen. In zijn flat… er lagen etenswaren in de koelkast… spullen op de planken… maar zijn klerenkast was leeg. Ik kreeg de indruk dat hij was vertrokken.'

'Hebt u dat bij de politie gemeld?'

'Uiteraard. Hij is per slot van rekening licht gehandicapt. Ik heb hun over Davids toestand verteld, maar aangezien hij zelfstandig woonde en het eruitzag alsof hij vrijwillig was vertrokken, zeiden ze dat ze niets konden doen.' Hij wierp me een verwijtende blik toe. 'De politie heeft haar handen ervan afgetrokken.'

Daar reageerde ik niet op.

Klinghoffner ging door. 'Ik heb een paar opvangcentra hier in de buurt gebeld, en zijn curator, maar die had niets van hem gehoord. Dat baarde me veel zorgen. David krijgt via hem namelijk geld. Hij kan te weinig om een echte baan te kunnen krijgen en zonder dat geld kan hij zich niet in leven houden.'

'Vertelt u me eens iets over die curator.'

'David komt uit een welgestelde familie. Hij was enig kind en is pas geboren toen de Tylers al op leeftijd waren. Joe was zestig, Betty zesenveertig. Het syndroom van Down, in dit geval de variant mosaïcisme, staat meestal in verband met de leeftijd van de moeder.'

Ik knikte.

'Zodra ze wisten dat er voor hem speciale voorzieningen getroffen moesten worden, hebben ze een trust voor hem geopend. Toen Betty zes jaar geleden is overleden, heeft David al het geld geërfd. Sindsdien leeft hij van dat fonds.'

'En de curator betaalt de rekeningen.'

'Ja,' antwoordde de directeur. 'David was vrij zelfstandig, maar had hulp nodig bij geldzaken.'

'En u hebt nu al een halfjaar niets van David gehoord.'

Hij knikte. 'Eerlijk gezegd heb ik mijn pogingen om hem op te sporen drie of vier maanden geleden gestaakt. Ik ben wel blijven bellen. En ik heb uiteraard zijn curator verzocht me op de hoogte te houden als hij iets van David mocht horen. Ik wil dolgraag weten of alles in orde is met hem.'

'Maar u hebt nooit iets van de curator gehoord?'

'Wanneer heb ik meneer Paxton voor het laatst gesproken… even denken… ongeveer twee maanden geleden.'

'En u vreest voor het ergste?'

Klinghoffner schudde zachtjes zijn hoofd. 'Het is een erg moeilijk jaar geweest.'

'Ziet u een verband tussen de verdwijning van David en de dood van Belinda?' vroeg ik.

Hij dacht enige tijd over die vraag na. 'Ik zou niet weten in welk opzicht. Er zit een halfjaar tussen de twee incidenten, en ik neem aan dat Belinda's dood een ongeluk was.'

Dat leek mij niet, maar ik hield mijn mening voor me.

'Nee, nee,' ging Klinghoffner door. 'Het moet toeval zijn. Een bijzonder triest toeval.'

'Weet u wat er na Davids dood met het geld van de trust zal gebeuren?'

'Nee, ik heb geen idee.'

'Ik neem aan dat die meneer Paxton jurist is?'

'Dat klopt.'

'Hebt u het adres van zijn kantoor?'

'Natuurlijk.' Hij stond op. 'Ik zal het even voor u halen. Wilt u dat ik hem bel?'

'Nee, dank u, dat doe ik zelf wel. Ik geloof zelfs dat het beter is dat u hem niets over ons gesprek vertelt. Hij zal het misschien niet prettig vinden dat u al deze informatie hebt doorgegeven.'

'Waarom niet? We hebben allemaal het beste met David voor.'

'U hebt het beste met David voor. Wat de jurist betreft, staat dat nog te bezien.'

Klinghoffner glimlachte. 'Moment, dan zal ik het adres voor u halen.'

Hij kwam een paar minuten later terug met een velletje papier. Raymond Paxton, met een kantooradres in Century City. 'Ik heb begrip voor uw wantrouwen, agent Decker, maar ik moet eerlijk zeggen dat meneer Paxton al zes jaar trouw Davids belangen behartigt. Ik zie het zelf niet, maar…' Hij hief zijn handen op.

'Hij is waarschijnlijk net zo ongerust als u. Ik wil alleen maar even met hem gaan praten.'

'Ik moet nu echt weer aan het werk, agent Decker. Ik ben blij dat de politie eindelijk aandacht besteedt aan Davids verdwijning. Ook al is het wat aan de late kant.'

Ik beantwoordde dat met een raadselachtige glimlach.

'Ik hoop dat u meer aandacht zult besteden aan de aanrijding. Zoals ik al zei, was het volgens mij gewoon een ongeluk, maar omdat de automobilist niet is gestopt, moet hij natuurlijk aangehouden worden. Het is een enorme tragedie.'

'Dat weet ik. Ik was er getuige van.'

Klinghoffner kreeg een kleur. 'O ja… dat is ook zo… sorry.'

'Dat zit wel goed. Ik had het niet moeten zeggen.'

'Het moet vreselijk zijn om getuige te zijn van zoiets.'
'Dat is het ook.'
'Het spijt me, maar ik moet nu echt gaan.'
'Natuurlijk.'
'Niet dat ik u de deur wijs…'
'Nee, nee, dat begrijp ik.'
Maar de laatste tijd leek iedereen me de deur te wijzen.

24

Als er zoiets bestond als delirium tremens ten gevolge van de consumptie van vet voedsel, dan leed Decker daar op dit moment aan. Rina had van haar moeder heel goed leren koken, maar was door de jaren heen overgegaan op een veel minder zware keuken: de jus minder vet, de groenten geblancheerd met alleen wat zout. Haar moeder, daarentegen, hield zich vast aan de gebruiken van vroeger en diende gigantische hoeveelheden veel te zware gerechten op. Niet dat dit Decker ervan weerhield zich er ruimschoots van te bedienen. Als hij nóg een portie kip met paprika had genomen, zou zijn gezicht helemaal rood en vlekkerig zijn geworden. Maar altijd werden zijn schuldgevoelens gesust door het feit dat zijn schoonmoeder zo was ingenomen met zijn eetlust.

'Het doet me altijd genoegen voor jou te koken,' zei ze tegen hem met haar zangerige Hongaarse accent.

Magda Elias was nog steeds mooi en slank, een vrouw die aandacht besteedde aan haar uiterlijk. Haar zwartgeverfde haar was altijd gekapt en ze maakte zich altijd op. Dit keer droeg ze een blauwe trui en een witte spijkerbroek. Rina was een jongere, eenvoudiger uitvoering van haar moeder.

Ze aten in de eetkamer, het porseleinparadijs. Magda's vitrinekasten stonden vol met haar mooie servies, beeldjes, beschilderde borden en vazen, en een tiental voorwerpen van kostbaar Europees zilver. Ze kon wel een antiekwinkel beginnen.

'En het doet mij altijd veel genoegen bij jou te eten, Magda,' antwoordde Decker op zijn beurt.

Magda glimlachte. 'Wat ben je charmant vanavond.'

'Ik heb geoefend.'

Ze stompte hem zachtjes tegen zijn schouder. Hij kon nu goed overweg met Rina's ouders, maar dat was niet altijd zo geweest. Er waren twaalf jaren en een kleindochter voor nodig geweest om dit niveau van goedmoedigheid te bereiken. Toen hij hieraan dacht, moest hij meteen aan Cindy denken. Hij had haar relatie met Koby helemaal verkeerd aangepakt. Misschien kwam het doordat hij nog steeds pissig was om haar affaire met Scott Oliver. Of doordat hij zich te veel met haar leven bemoeide. Zwart, wit, paars, oud, jong, man, vrouw… hij had zich beter moeten gedragen tegenover haar date. Hij nam zich heilig voor dat in de toekomst te veranderen, ongeacht met wie ze thuiskwam.

Sammy en Jacob duwden kreunend hun borden van zich af. Sam zei: 'Het was heerlijk, oma, maar ik heb veel te veel gegeten. Nu heb ik geen plek over voor het toetje.'

'Och,' zei ze nonchalant. 'We hebben alleen maar een strudel. Daar zit hoofdzakelijk fruit in.'

'Appel?' vroeg Sammy.

Ze knikte. 'En een notencake.'

'En koekjes,' voegde Jacob eraan toe. 'Ik heb ze in de keuken gezien.'

'Die zijn voor Hannah!' zei Magda.

'Waar is pappa eigenlijk?' vroeg Rina.

Magda wees naar de achterkamer. Stefan Elias had zich daar stilletjes teruggetrokken, naar zijn eigen stoel en zijn vertrouwde televisieprogramma's. Het was een vaste gewoonte geworden dat Decker zich na het diner en vóór het dessert bij hem voegde, maar toen Rina samen met haar moeder de tafel begon af te ruimen, pakte Decker een schaal en fluisterde tegen zijn vrouw: 'Wanneer gaan we het hebben over Hannahs stamboomproject?'

'Zo dadelijk,' antwoordde Rina.

'Waarom vertel je haar niet gewoon…'

'Ssst.'

Decker sloeg zijn ogen ten hemel. 'Ga jij de afwas doen?'

'Nee, de jongens.'

'O, ja?' zei Jacob.

'Ja.'

Magda kwam tussenbeide. 'Ik heb een vaatwasser.'

Rina zei: 'Maar dit is je goede servies.'

'Daar heeft die machine een programma voor, Ginny. Denk je soms dat ik in de negentiende eeuw leef?' En tegen haar kleinzonen: 'Jullie hoeven de boel alleen maar wat af te spoelen en in de vaatwasser te zetten. Goed? En daarna hebben jullie vast wel weer ruimte voor wat apfelstrudel.'

Sammy zei: 'Ja, ik heb laatst nog gehoord dat vaatwassers vullen gelijk staat aan een uurtje aerobics, oma.'

Decker glimlachte en gaf zijn zoon een por.

Magda zei: 'Ga je niet bij Stefan zitten, Peter? Hij zit vast op je te wachten.'

'Zo dadelijk. Ik wil graag horen wat je aan Hannah gaat vertellen over je familie.'

'Veel valt er niet te vertellen.' Magda's gezicht betrok. 'Ik heb geen gelukkige jeugd gehad.'

'Dat weet ik.' Decker liep naar haar toe en kuste haar wang. 'En als het je te zwaar valt, kunnen we je jeugdjaren overslaan en beginnen met de dag waarop je in Amerika aankwam.' Rina keek met priemende ogen naar hem, maar hij negeerde dat. 'Je mag het zelf zeggen.'

'Dat zou beter zijn.' Magda liep terug naar de eetkamertafel en begon meer vuile vaat bij elkaar te zetten.

'Laat de jongens dit toch doen,' zei Rina. 'Ga lekker zitten.'

'Nee, ik ben graag bezig.'

Decker zei: 'Zo moeder, zo dochter.'

Ze brachten nog een paar stapels vaat naar de keuken.

'Ha, fijn,' zei Sammy. 'Ik was bijna klaar en hoopte al dat er nog meer zou komen.'

'Niet zeuren,' zei Rina tegen hem.

Magda liep terug naar de eetkamer. Decker en Rina volgden haar.

'Ga zitten, Magda,' zei Decker. 'De jongens doen de rest wel.'

De oude vrouw ging zitten.

'Hoe komt het toch dat je wel naar hem luistert en niet naar mij?' vroeg Rina.

'Omdat hij eet wat ik hem voorzet,' zei Magda laconiek. 'Waar is Channaleh?'

'Bij opa,' antwoordde Decker.

Het was interessant dat hij Rina's moeder Magda noemde, maar dat Rina's vader altijd opa was. Decker ging aan de ene kant naast zijn schoonmoeder zitten, Rina aan de andere kant. 'Ze zitten naar Animal Planet te kijken. Wat zou je ervan denken, Magda, om in het kort iets over je kinderjaren te vertellen, zodat Hannah dat in haar stamboom kan zetten? Een paar minuten is genoeg. Bijvoorbeeld waar je in Duitsland hebt gewoond, wat je je herinnert over München voordat je naar Boedapest bent verhuisd…'

199

'Niet veel,' zei Magda. 'Ik was negen toen we verhuisden.'

'In welk jaar was dat?' vroeg Decker.

'In 1928 of misschien 1929. In ieder geval vóór 1933. We gingen verhuizen omdat mijn moeder was gestorven.' Ze vroeg op een fluistertoon: 'Weet je daarvan?'

Decker knikte. 'Ja, ik weet wat er met haar is gebeurd.'

Ze keek nerveus om zich heen. 'Ik wil dit niet aan Hannah vertellen.'

'Ben ik met je eens,' zei Decker. 'Dat zou voor haar veel te traumatisch zijn.'

Magda ging door. 'In Boedapest leerde mijn vader mijn stiefmoeder kennen en trouwde met haar. Ze hebben samen drie kinderen gekregen. Met mijn zus en mij erbij waren we dus met ons vijven. Eén zus en ik hebben het overleefd. Ik zat in Monowitz, weet je. Dat was de gojische kant van Auschwitz. De rest van de familie was naar Birkenau gestuurd. Alleen mijn zus Eva heeft het overleefd. Ik zie haar nog wel eens. Ze woont in New York. Ze is heel goed getrouwd.'

'Jij ook,' zei Decker.

'Ja,' zei Magda instemmend. 'Ik heb een geweldige man getroffen!'

Rina glimlachte. Het was heerlijk dat haar ouders nog steeds zo veel van elkaar hielden.

'Is Eva je echte zus of een halfzus?' vroeg Decker.

'Een halfzus,' zei Rina. 'De middelste van de drie dochters van mamma's stiefmoeder.'

'Ze heeft de oorlog overleefd, omdat ze was teruggestuurd naar Dachau, niet naar het hoofdkamp maar naar een van de kleinere kampen.' Magda's gezicht betrok. 'Er waren veel kleinere kampen, twintig of dertig, in het zuiden van Beieren, en die hoorden allemaal bij Dachau. Wist je dat?'

Decker schudde zijn hoofd en keek naar zijn vrouw.

'Satellietkampen,' zei Rina. 'Dachau was de naam van het hele complex. Het was erg ironisch. Hitler was erin geslaagd Duitsland *Judenrein* te maken, maar tegen het einde van de oorlog, toen hij aan het verliezen was, had hij dringend arbeidskrachten nodig. Dus haalde hij joden terug naar Duitsland om in de wapenfabrieken te werken, pure slavenarbeid. In de meeste van de kleine kampen werden wapens en ander oorlogstuig gemaakt, maar het waren evengoed concentratiekampen. Maar we hoeven hier niet over te praten, mam. Laten we het over blijere tijden hebben, zoals je kinderjaren.'

'Die waren niet zo blij…'

'De tijd vóór het is gebeurd,' zei Decker. 'Wat kun je over je moeder herinneren?'

'Dat ze erg mooi was.'

'Dan lijk je dus op haar.'

Magda glimlachte stralend om het compliment. 'Ze maakte prachtige japonnen. Van de meest *wunderbare* stoffen.'

'Zijde?'

'Ja, ja, zijde. In schitterende kleuren.'

Magda was Hongaarse, maar wanneer ze over haar kinderjaren sprak, kwam haar elementaire Duits weer naar boven. Decker vroeg: 'Voor wie maakte ze de japonnen? Wie waren haar klanten?'

'De rijkelui, de aristocraten, de bourgeoisie.'

'Weet je, mam, Peter en ik zijn onlangs in München geweest,' vertelde Rina haar.

Magda gaf daarop geen antwoord.

'We hebben veel van het oude joodse deel van München gezien. Woonde jij niet dicht bij de Gärtnerplatz?'

Ze dacht diep na. '*Nein*, niet de Isarvorstadt. Die was voor de oosterse joden… de arme joden. Mijn vader was gewoon kleermaker, maar mijn moeder verdiende ook geld, genoeg om goed te kunnen wonen. We behoorden tot de middenklasse. We hadden zelfs twee keer in de week een werkster, een meisje uit Tirol. Alle werksters kwamen uit Oostenrijk.'

Ze zocht diep in haar herinnering.

'Ze hadden er aldoor ruzie om, mijn vader en moeder. Hij wilde niet dat ze uit werken ging. Dat maakte geen goede indruk… alsof mijn vader zijn gezin niet kon onderhouden. Maar mijn moeder hield zo van japonnen maken.' Magda fronste haar wenkbrauwen. 'Ik ging vaak met haar mee naar haar klanten, naar de vrouwen in de mooie villa's in Bogenhausen. Ach, wat een weelde, ik herinner het me heel duidelijk, vooral de villa's waar de Russische aristocratie woonde. Er waren veel Russen in München… die waren gevlucht tijdens de revolutie.'

Ze zweeg.

'Mijn vader vond het niet juist dat een vrouw in haar eentje naar de rijke gojim ging. Ze hadden er aldoor ruzie om. Nee, het waren geen blije tijden.' Ze maakte een vaag gebaar. 'Ik wil er niet over praten.'

'Dat kan ik me voorstellen,' zei Decker meelevend.

Rina probeerde niets van haar frustratie te laten merken. 'Maar weet je nog op welk adres je woonde, mam?'

'Ik herinner me de naam van de hoofdstraat. We woonden in een zijstraat van de Türkenstrasse.'

'In Schwabing,' zei Rina.

'Ja, natuurlijk, Schwabing!' Magda sloeg met haar hand tegen haar voorhoofd. 'Ik word oud.'

'Schwabing was en is nog steeds een kunstenaarswijk.' Rina gaf haar moeder een kus op haar wang. 'Erg bijzonder van jullie, mam.'

'Daar zal mijn moeder wel de hand in hebben gehad. Ze was een bijzondere vrouw. Mijn vader was een brave Duitse burger. Een goed mens, maar erg strikt.' Ze kreeg tranen in haar ogen. 'Hij zou erg trots op je zijn geweest, Ginny.'

Rina pakte haar hand. Magda bracht haar vrije hand naar haar borst. 'Het valt me zwaar om erover te praten.'

Decker zei: 'We kunnen ergens anders over praten, als je wilt.'

Ze pinkte een traan weg en knikte.

Decker zei: 'Nog één ding. Kun je je toevallig namen herinneren van vriendinnen uit die tijd? Ik denk dat Hannah dat wel leuk zal vinden. Je weet hoe dol je kleindochter op haar eigen vriendinnen is.'

Magda glimlachte door haar tranen heen. 'Even denken. Ik herinner me Briget en Petra.' Een korte stilte. 'O… en Marta natuurlijk. Zij was Marta Een. Ik was Marta Twee. Ik heette namelijk Marta tot we naar Hongarije verhuisden.'

Rina keek verbaasd. 'Heb je je naam veranderd?'

'Dat heeft mijn vader gedaan. Magda klonk beter in Hongarije.'

'Dit heb ik allemaal nooit geweten.'

Magda haalde haar schouders op.

'Achternamen?' vroeg Decker.

'Van die meisjes?'

'Ja. Weet je die nog?'

'Van de eerste twee niet. Die kan ik me niet herinneren. Maar Marta wel, omdat ik in de *Schule* Marta Gottlieb was en zij Marta Lubke. Ik was joods en zij protestants, wat in München vrij zeldzaam was. Beieren is bijna geheel katholiek, zie je. Mijn zus en ik zaten op een erg liberale *Schule*, ook al een idee van mijn moeder. Mijn vader vond ook dát niet leuk.' Ze zuchtte. 'Ik weet nog hoe mijn vader en moeder met elkaar omgingen; en ik weet ook nog hoe mijn vader en mijn stiefmoeder met elkaar omgingen. Het eerste huwelijk… volgens mij was dat geen gelukkig huwelijk. Maar ook dat zal ik Hannah niet vertellen.'

'Ik denk dat Hannah het leuk zal vinden om te weten hoe haar grootouders elkaar hebben leren kennen, en wanneer ze zijn getrouwd en naar de Verenigde Staten gegaan,' zei Decker.

'We zijn in '56 gevlucht toen de communisten kwamen. Dat is weer een heel ander verhaal.'

Decker legde even zijn hand op de hare. 'Je bent een ware heldin.'

'Welnee!' Ze stompte hem tegen zijn schouder en stond op. 'Ik ga eens kijken wat de jongens in de keuken aan het doen zijn. Wil je een stukje *Apfelstrudel*, Peter?'

'Alleen als ik er een kopje cafeïnevrije koffie bij krijg.'

'Allicht. Op dit uur serveer ik alleen maar cafeïnevrije. Anders hang ik de hele nacht aan de telefoon met Ginny.' Ze lachte om haar eigen grapje.

Zodra ze buiten gehoorsafstand was, fluisterde Rina: 'Je bent er aardig in geslaagd dingen van haar los te krijgen.'

'Dank je.'

'Maar we zijn nog niet erg ver gekomen. We weten nog steeds niet veel over het leven van haar moeder.'

'En dat laten we zo,' fluisterde Decker nadrukkelijk.

'Peter…'

'Luister, Rina. Hoe oud is ze nu? Dik in de tachtig? Dit zijn pijnlijke herinneringen voor een vrouw die al zoveel andere pijnlijke herinneringen heeft. We gaan er niet dieper op in, en daarmee uit.'

Rina zuchtte. 'Diep in mijn hart weet ik dat je gelijk hebt. Ik vind alleen dat ze… dat ze er recht op heeft te weten wat er is gebeurd.'

'Daar heeft ze geen behoefte aan. Alleen jíj bent er nieuwsgierig naar.' Decker masseerde zijn slapen. 'Rina, gezien wat ze ons heeft verteld, kan het net zo goed haar vader zijn geweest die haar moeder heeft vermoord…'

'Nee!' zei Rina onthutst.

'Jawel,' zei Decker. 'Ze zegt zelf dat het geen goed huwelijk was. Hoe zou je je voelen als je dát ontdekte?'

Ze zweeg.

'Ik worstel zelf nog steeds met zaken die nooit zijn opgelost, maar heb geleerd ermee te leven.'

'Bij die zaken gaat het niet om je eigen grootmoeder.'

'Praat dan maar met haar wanneer ik er niet bij ben. Ik wens geen deelgenoot te zijn aan verder stiekem gedoe.'

'Goed,' stemde Rina in. 'Jij bent rechercheur, jij zult het wel het beste weten.'

'Dank je.' Decker keek zijn vrouw aan. 'Nu dat is opgelost, zal ik je vertellen wat we kunnen doen. Ik heb niet zomaar naar de achternamen van haar oude vriendinnen gevraagd. De herinneringen zijn voor je moeder erg pijnlijk, maar waarschijnlijk niet voor Marta Lubke, áls die nog leeft en áls ik haar kan vinden en áls ze zich nog iets herinnert.'

Rina bekeek haar man met nieuwe bewondering.

'Ja... ik ben niet voor niets inspecteur.' Hij deed de knoop van zijn broek los en trok zijn overhemd over zijn broek heen. 'Ik heb veel te veel gegeten.'

'Morgenavond zal ik een heel lichte maaltijd maken.'

'De komende zes avonden graag.'

'Dank je, Peter, dat je al dit extra werk voor me hebt gedaan.'

'Ja, ja.' Hij fronste zogenaamd spottend zijn wenkbrauwen, maar kuste haar toen op haar lippen. 'Graag gedaan. Ik hou van je.'

'Ik ook van jou.' Rina kuste hem terug.

Hij stond op. 'Ik ga samen met Hannah en je vader naar Animal Planet kijken. Ik zag daarnet dat ze naar een documentaire kijken over Vietnamese hangbuikzwijntjes. Daarbij voel ik me vast helemaal thuis.'

25

Op woensdagmorgen was er een mailtje waarin alleen maar stond:

Ik maak nog steeds overuren. Tot gauw.
Koby

Hij had niet eens mijn naam erboven gezet.
En er stond niet eens groetjes, Koby, alleen maar Koby.
Ik was niet achterlijk.
Ik wist donders goed wanneer ik de bons kreeg.
Ik gaf geen antwoord.
Alweer aan de kant geschoven.
'Krijg de pest,' fluisterde ik terwijl ik mijn tranen droogde.

Het was bijzonder vermoeiend om naast mijn gewone diensten ook nog eens in mijn eigen tijd voor speurneus te spelen, maar werken was een goed substituut voor leven. Ik dacht erover na of ik een afspraak moest maken met David Tylers curator, maar ging uiteindelijk toch onaangekondigd naar hem toe.

Century City is Los Angeles' grootste zakendistrict. De hele streek is ooit eigendom geweest van Fox Studios en een deel is nog steeds onbebouwd, maar verder bestaat de wijk hoofdzakelijk uit hoge kantoorflats met ondergrondse parkeergarages waar je een schandalig uurtarief moet betalen.

Het kantoor van Raymond Paxton was op de tweeëntwintigste verdieping en bereikbaar via een lift waar je oren van dichtklapten en die ik dan ook nooit zou nemen als ik verkouden was. Ik stapte eruit, sloeg links af en duwde een deur open waarop een koperen naamplaat was bevestigd die me vertelde dat Paxton niet alleen een mens maar ook een juridische firma was. De secretaresse, een Aziatisch meisje van begin twintig met een paardenstaart, begroette me met het geijkte: 'Waar kan ik u mee van dienst zijn?'

'Ik kom voor meneer Paxton,' zei ik. 'Ik heb geen afspraak.'

'Dat is dan een probleem,' was haar antwoord. 'Hij zit vol tot het middaguur en heeft dan een lunchafspraak.'

Hij was dus in ieder geval op kantoor. Dat viel alweer mee. Ik liet haar mijn penning zien.

Nu keek ze bezorgd. Ze droeg een rode, zijden bloes en frunnikte aan het puntje van de kraag. 'Waarover wilt u hem spreken?'

'David Tyler. Ik heb maar een paar minuten nodig.'

'De naam komt me niet bekend voor,' zei ze.

'Maar meneer Paxton kent hem wel.'

Ze pakte de telefoon en sprak op gedempte toon. Even later kwam Paxton tevoorschijn. Hij was ongeveer één meter drieënzeventig, gekleed in een zilvergrijs pak met een zwart overhemd en een zwarte das. En hij was zwart. Toen het tot me doordrong dat ik dat onderscheid maakte, begreep ik wat mijn vader had bedoeld. Bovendien had ik zijn secretaresse meteen geclassificeerd als Aziatisch, en dus haar ras als beschrijvende factor gebruikt. Het viel niet mee dit te moeten bekennen.

'Hebt u iets van David gehoord?' vroeg Paxton op bezorgde toon.

'Nee. Kan ik even met u praten?'

Zijn gezicht versomberde. Hij fronste zijn wenkbrauwen en keek op zijn horloge. 'Ik heb vijf minuten.'

'Dat is meer dan genoeg.'

Geluidloos liepen we door gangen met vaste vloerbedekking steeds dieper het gebouw in. Ik vind dit soort gebouwen net doolhoven en heb altijd gedacht dat al die gangen bedoeld waren om de tegenstander van slag te brengen. Wanneer je je slecht kunt oriënteren, verlies je je doel uit het oog en heeft de thuisploeg automatisch een voorsprong wanneer je vragen komt stellen. Uiteindelijk kwamen we uit in een open ruimte. Niet zijn kantoor. Het was een vergaderkamer, eentje van bescheiden afmetingen. Hij was zo vriendelijk me koffie aan te bieden en ik was zo verstandig dat beleefd af te slaan. We namen tegenover elkaar plaats.

'Hoe is het met hem? Is alles in orde?'

'Dat weet ik niet. Daarom ben ik hier. Ik neem aan dat u niets van hem hebt gehoord sinds meneer Klinghoffner u heeft gebeld.'

'Als ik iets van hem had gehoord, had u hier nu niet gezeten.' Hij leunde naar voren. 'Waarom bent u hier?'

'Ik heb een verhaal dat u misschien zal interesseren. David had op het Fordham Communal Center, waar hij als tekenleraar werkte, een vriendinnetje. Ze heet Sarah Sanders. Ze gingen vaak naar het park om te vrijen. Op een dag werden ze daar betrapt door jongens van een straatbende. Die hebben Sarah toen verkracht en David mishandeld. Ze hebben hem achtergelaten in een vuilnisbak. Voor zover ik weet was dat de laatste keer dat iemand die hem persoonlijk kende, hem heeft gezien of iets van hem heeft gehoord. Neemt u me niet kwalijk dat ik dit zo bot vertel, maar u hebt me zelf verzocht het kort te houden.'

Hij keek geschokt. 'Allemachtig... is dit echt waar?'

'Ik heb geen reden eraan te twijfelen. Sarah Sanders heeft gisteren een verklaring afgelegd op het politiebureau, al heeft het incident ongeveer een halfjaar geleden plaatsgevonden. Ik ben pas enige dagen van deze informatie op de hoogte. Waarom? vraagt u zich misschien af. Omdat Sarah Sanders de jonge vrouw is die haar baby in een vuilniscontainer heeft gedumpt, en ik degene ben die de baby heeft gevonden. Nu ben ik nieuwsgierig naar de rest en maak ik me druk om het welzijn van de betrokkenen.'

'Ogenblik.' Hij bracht zijn wijsvinger naar zijn voorhoofd. 'Ik kan het allemaal niet zo snel bevatten.'

'Wat moet ik voor u herhalen?'

Hij keek me indringend aan met zijn donkere ogen. 'U hebt David niet gevonden?'

'Nog niet. Maar ik zoek ook nog niet naar hem.'

'En u denkt dat hij is mishandeld en... en wat nog meer?'

'Sarah heeft ons, dat wil zeggen de politie, verteld dat ze hem hebben geslagen en in een vuilnisbak geduwd. Omdat ze zwakzinnig is en bang was, heeft ze de toiletruimte in het park verlaten zonder te weten hoe het met hem was. En ze heeft het aan niemand verteld omdat ze dat niet durfde.'

'U zegt dus eigenlijk dat David dood is.'

'Nee, dat zeg ik niet. Ik had gehoopt dat u iets van hem had gehoord.'

Zijn houding werd nu een beetje kribbig. 'Nee, ik heb niets van hem gehoord.'

'Hij heeft niet gebeld?'

'Nee.'

'Ook niet op een andere manier contact opgenomen? Via een brief misschien?'

'Beschuldigt u me ervan informatie achter te houden?'

Ik had niet gerekend op zo'n felle reactie en zei: 'Nee, meneer, ik probeer alleen achter Davids verblijfplaats te komen.'

'En ik heb nu al een paar keer gezegd dat ik niets van hem heb gehoord.'

'Goed,' zei ik koeltjes. 'Daar zullen we het dan bij laten. Maar er is nog een andere reden voor dit tête-à-tête. De baby die Sarah Sanders ter wereld heeft gebracht. Volgens mij is David Tyler de vader van het kind.'

Daar had Paxton niet van terug.

'Ik weet dat er voor David geld vaststaat in een trust. Als mocht blijken dat David iets is overkomen, zou dat geld beschikbaar gesteld moeten worden voor de zorg voor het kind. Wettelijk komt het haar toe.'

'Wacht eens even! Eerst komt u plompverloren aanzetten met een verhaal over een vermeend misdrijf, en nu hoort daar ook nog een baby bij? Wie bent u eigenlijk?'

'Wilt u mijn penning nog een keer zien?'

'Waarom houdt u zich hiermee bezig, rechercheur…'

Ik verbeterde hem niet. 'Decker.'

'Rechercheur Decker, waar is het bewijs van die verkrachting? Waar is de confirmatie? En hoe weet u dat het kind van David is? En waarom maakt u zich zo druk om deze kwestie?'

'Ik doe gewoon mijn werk. U hebt dus geen verzoeken binnengekregen voor geld uit Davids trust?'

'Nee. Voor de zoveelste keer: ik heb niets van hem vernomen!' Paxton stond op en liep naar de koffiehoek. Van pure zenuwen schonk hij een kop koffie voor zichzelf in.

'Dus het geld staat nog steeds op de bank?'

Hij draaide zich met een ruk om en keek me nijdig aan. 'Natuurlijk staat het geld nog op de bank! Verdenkt u mij van duistere praktijken?'

'Helemaal niet. Ik wil alleen maar het volledige beeld hebben.'

Hij staarde me aan. 'Ik doe dit als een persoonlijke gunst voor de Tylers. Ik ontvang er een kleine vergoeding voor en breng de administratieve kosten in rekening. Ik vraag me af of u me ook zo fel zou ondervragen als ik een van de kopstukken was van Frisby, Mathews and Young.'

'Ik wist niet dat ik u aan het ondervragen was, meneer Paxton, en ik begrijp echt niet waar u op aanstuurt.'

'U kunt het in alle toonaarden ontkennen, maar ik weet heel goed wanneer ik geïntimideerd word.'

'Geïntimideerd?'

'U weet heus wel wat ik bedoel. Ik weet precies hoe ze bij u over minderheden denken!'

Ik deinsde op mijn stoel achteruit van schrik. Met 'bij u' bedoelde hij 'bij de politie'. Hij dacht dat ik het op hem voorzien had omdat hij zwart was. Nou, dan zat hij er goed naast! Ik kon wel gillen. Ik wilde hem toeschreeuwen: ik ben geen racist, stommeling! Ik doe alleen maar mijn werk! Ik ga zelfs met zwarte mannen uit!

Eerlijk gezegd was ik maar met één donkere man uit geweest, maar dat klonk minder indrukwekkend.

Om hem weer aan mijn kant te krijgen, ging ik op een sussende toon door. 'Uiteraard hebt u recht op een vergoeding voor uw administratieve bemiddeling. Als u denkt dat ik u verdenk van ongeoorloofd gedrag, dan hebt u het mis.'

Hij werd iets rustiger.

Ik vroeg: 'Wat zal er met het geld gebeuren als er geen nakomelingen zijn en David nooit meer komt opdagen?'

'Dat weet ik niet. Daar heb ik nooit over nagedacht.' Hij ging weer zitten. 'Als David eerder overlijdt dan ik, moet het geld verdeeld worden onder een aantal liefdadigheidsinstellingen. Maar als er een rechtmatige nakomeling is, verandert natuurlijk alles.' Hij bekeek me onderzoekend. 'Maar ik zou bewijzen moeten hebben, rechercheur. Een bloedtest, een DNA-test. Ik hoop dat u daar begrip voor hebt. De fantasieën van een zwakzinnig meisje kunnen voor mij geen reden zijn zomaar honderdduizenden dollars weg te geven.'

Honderdduizenden dollars. Sarah had een goede keus gemaakt. 'Dat zal moeilijk zijn zolang David vermist wordt.'

'Het spijt me, maar volgens mij heb ik weinig keus.'

'Als u de baby zag, zou u misschien van gedachten veranderen. Ze is half zwart en de moeder is blank. En ze lijdt aan mosaïcisme. Ik heb gehoord dat David hetzelfde genotype heeft.'

Hij keek me recht in de ogen. 'Hebt u gestudeerd?'

Over vooroordelen gesproken! 'Ik ben afgestudeerd aan Columbia University.'

'En u werkt voor de politie?'

'Pardon?' antwoordde ik.

Ik zou er niet op kunnen zweren, maar ik meende dat hij bloosde.

'Het is mogelijk dat Davids genetische profiel ergens is vastgelegd,' zei ik. 'Misschien in een ziekenhuis. Mosaïcisme komt niet vaak voor. Misschien kunnen we het vaderschap vaststellen aan de hand van eerdere medische onderzoeken.'

'We lopen veel te hard van stapel. Op dit punt zou ik zeggen dat u zich bemoeit met zaken die privé zijn. Ik zeg niet dat ik het niet zou toestaan, maar het is nog veel te vroeg dag.'

'Dat vind ik niet. Er is een baby die wel wat geld kan gebruiken.'

'Wie zorgt er voor het kind?'

'Ze is bij haar moeder, maar wordt verzorgd door Sarahs oudere zus. Zou u haar willen zien?'

'Misschien op den duur, maar niet nu. Niet tot bepaalde dingen met zekerheid zijn vastgesteld. Als u Davids medische dossier wilt, zult u daarvoor moeten terugkomen met een gerechtelijk bevel.'

'Waarom?'

'Omdat ik zeker wil weten dat het meisje geen verhaaltjes vertelt om aan het geld te komen.'

'Volgens mij is ze geestelijk niet in staat zoiets te bedenken.'

'Dat moet u niet te snel zeggen.' Hij keek op zijn horloge. 'Uw vijf minuten zijn allang om.'

'Klopt. Hartelijk dank.' Ik stond op en gaf hem mijn kaartje. 'Belt u me als u iets van hem hoort?'

'Ja, natuurlijk. En ik verwacht dat ook de politie mij op de hoogte zal houden.'

'Dat zal ik doen.'

Hij las het kaartje. 'Hier staat niet dat u een rechercheur bent.'

'Dat heb ik ook niet gezegd. Dat hebt ú gezegd.'

'Over bedrog gesproken…' Hij keek me verwijtend aan. 'En als u me nu niet kwalijk neemt…'

Ik kon gaan. Alweer.

Ik was nergens gewenst.

Op weg naar huis na mijn dienst, weer in burger, zag ik haar in een vuilnisbak snuffelen. Ik bracht mijn Lexus naast de stoeprand tot stilstand, stapte uit en riep haar. Ze keek op met de bevroren blik van een hert in de koplampen. Ze droeg laagjes kleren over elkaar heen. De bovenste laag was een oude, grijze trui vol gaten. Toen ze me herkende, ontspande ze zich merkbaar en ging ze verder met snuffelen. Ik haalde een briefje van tien uit mijn portemonnee, liet het ritselen en trok haar opzij. Haar begerige blik hechtte zich aan het geld en ze ontblootte haar vieze tanden in een brede grijns.

'Wat?'

Ik drukte het biljet in haar groezelige handen. Haar haar was vet en vies, maar plakte niet aan haar hoofd. 'Niks. Ga hiervoor een behoorlijke maaltijd kopen.'

Ze wist niet hoe ze het had. 'Zonder dat ik er iets voor hoef te doen?'

Ik hief mijn handen op. 'Laat niemand zeggen dat je nooit iets voor niets krijgt.'

'Ik wil niks voor niks. Daar word ik zenuwachtig van.'

'Ik kan het geld terugnemen.'

Ze schudde haar hoofd en duwde het bankbiljet tussen haar bengelende borsten. 'Wil je iets weten?'

'Wil je me iets vertellen?'

Ze haalde haar schouders op.

Ik dacht even na. 'Straatbenden. Met bendeleden van verschillende rassen. Wat kun je me vertellen over benden die hun prooi bespringen in MacFerren Park, in het bijzonder in de toiletruimten?'

'D'r zijn zoveel benden, agent Cindy.'

'Dat weet ik.' En ze veranderden wekelijks. Zodra je er een van de straat had gejaagd, kwam er een andere voor in de plaats. En wanneer je die had opgeruimd, keerde de eerste weer terug naar zijn oude stek. 'Ik vroeg me gewoon af of deze je bekend voorkomt. Verschillende rassen in één bende, Alice Anne: blanken, latino's, misschien Aziaten. Een van de blanke jongens zit onder de puistjes. En er is er eentje bij die kaal is of kaalgeschoren.'

'Er zijn er zoveel die zich kaal scheren.' Ze trok haar neus op. 'Een bende waar blanken en Mexicanen samen in zitten?'

'Ja.' Alice Anne had nog nooit van politieke correctheid gehoord. 'Ik ben op zoek naar twee Mexicanen die omgaan met een kale blanke en een blanke met puistjes. De kale is misschien de leider. Enig idee?'

'Ideeën zat.'

211

'Vertel eens.'

'Er zitten veel benden in MacFerren.'

'Heb je namen?'

'Ze vallen mij ook lastig, agent Cindy. Een keer hebben ze mijn boodschappenkar afgepakt.'

'Heb je daar melding van gemaakt?'

Alice Anne grijnsde. 'Dat is zeker een grapje, hè?'

Ik glimlachte alsof ik dat bevestigde. 'We hebben dus allebei problemen met die ettertjes. Heb je namen voor me?'

'Ik ken er eentje… met Mexicanen en blanken… en een paar spleetogen.'

'Geen zwarten?'

'Nee. Die wonen hier niet meer. Maar in die bende zitten veel meer dan vier jongens… misschien wel tien of twaalf, en ze schieten 's nachts met echte pistolen. Ik blijf altijd ver bij hen uit de buurt.'

'De lui die ik moet hebben, horen misschien bij die bende. Wat weet je er nog meer over?'

'Ze horen bij de BB's.'

De Blood Bullets. Ik wist niet dat die al zo ver naar het westen waren gekomen. Dat was dan sinds kort.

Alice Anne zei: 'Ik ken een van de jongens. Die noemen ze Hermano.'

'"Hermano" is Spaans voor broer, Alice Anne. Dat kan dus net zoiets zijn als "Bro". Snap je?'

Ze keek me suffig aan.

'"Hermano" hoeft niet per se een naam te zijn.'

'Misschien is het Hermando.'

Oftewel Herman. In het Spaans zeiden ze Germando, waarbij de g werd uitgesproken als een zachte keelklank. Het was niet veel, maar beter dan niks. 'Bedankt.'

'Hij heeft' – ze vertrok haar gezicht misprijzend – 'een grote tatoeage van een tijger in zijn nek. Een tijger met zijn bek open en zijn tanden bloot. Je ziet het meteen.'

'Mooi.' Ik knikte. 'Dat is heel mooi, Alice Anne. Verder nog iets?'

Ze knikte nadrukkelijk. 'Ik zie hem vaak.'

'Waar? In MacFerren Park?'

'Ja, maar ook bij de koffieshop. 's Avonds laat. Soms om middernacht of nog later. Ik zie hem daar vaak wanneer ik de vuilnisbakken doorzoek.

Die tent is dag en nacht open, dus is er altijd veel vers afval.'

'Snap ik. En welke koffieshop is dat?'

'Boss's.'

'Die tent hier ongeveer vijf straten vandaan?'

'Ja. Ik heb Germando daar heel vaak gezien. Hij neemt altijd pannen-koeken met banaan.'

26

Iemand sloeg me op mijn hoofd, verpulverde mijn brein. Met afgrijzen zag ik stukjes hersenweefsel in de rondte vliegen en op de grond neerkomen, en het gebeuk ging maar door. Het duurde een paar minuten voordat ik erin slaagde de weerzinwekkende nachtmerrie om te zetten in geluid... Iemand bonsde op de deur. Ik deed mijn ogen open. Mijn hart ging als een razende tekeer en ik rook de zurige geur van zweet dat op mijn huid verdampte. Bibberend van de kou probeerde ik me een beetje af te drogen met het vochtige laken. Ik herinnerde me dat ik had afgesproken met Hayley Marx te gaan ontbijten en vroeg me af of ik me soms had verslapen en zij het was die op de deur bonsde. Maar toen ik op de wekker keek, zag ik dat ik nog een halfuur had kunnen slapen. Normaal gesproken zou ik woest zijn op degene die me uit bed haalde, maar nu was ik blij dat ik van de schrikbeelden af was.

Donkere dromen noemden ze deze nachtmerries, een bekend verschijnsel bij agenten die nog niet zo lang bij de politie waren. Eerstejaars studenten medicijnen dromen van patiënten die doodbloeden; eerstejaars studenten in de rechten dromen dat ze in hun ondergoed in de rechtszaal verschijnen. Voor zover ik wist, dromen alleen politieagenten ervan dat hun hersens worden ingeslagen. Ik stond bibberig op en trok mijn badstoffen badjas aan.

Toen bedacht ik dat het heel misschien Koby was en verving ik de badjas snel door een zijden peignoir. Ik nam een paar ogenblikken de tijd om me in de spiegel te bekijken, mijn tanden te poetsen en de vieze smaak in mijn mond weg te spoelen met gifgroen mondwater van een onbekend merk. Ik was nog steeds boos op hem, maar wilde er evengoed een beetje normaal uitzien en niet stinken.

Ik keek door het spionnetje.

Het was Oliver.

Mijn teleurstelling was zo groot, op zoveel niveaus, dat ik niet eens probeerde die allemaal te analyseren.

Ik deed de deur open en keek zo neutraal mogelijk. Oliver was gekleed in een blauw pak met een wit overhemd en een goudkleurige stropdas. Hij was gladgeschoren en rook lekker, een frisse geur zonder het zoetige dat vaak in aftershave zit. Zijn met grijs doorweven zwarte haar was naar achteren gekamd, maar één lok viel over zijn voorhoofd. 'Ik ga vanochtend met Hayley ontbijten, Scott.'

'Ik heb maar een paar minuten nodig.'

Ik aarzelde maar liet hem toen toch maar binnen. Hij liep langs me heen de kamer in, dus deed ik de deur dicht. In de huiskamer keek hij om zich heen alsof hij zich op onbekend terrein bevond. Dat was natuurlijk niet zo, al was de kamer een stuk kaler dan toen hij hier voor het laatst was geweest. Ik had al mijn persoonlijke spulletjes ingepakt, omdat ik me had voorgenomen te gaan verhuizen, maar was er nooit aan toegekomen dat plan uit te voeren. Het gevolg was dat mijn flat de gezelligheid uitstraalde van een kamer in een goedkoop motel.

'Ga je verhuizen?'

'Nee.'

'Ben je een fan geworden van het minimalisme?'

'Wat kom je hier doen, Scott?'

'Hoe is het met je, Cin?'

'Slecht. Maar het gaat jou niets aan waarom.'

'Dat spijt me.'

'Excuses aanvaard. Ik heb haast.'

'Je kunt toch wel een paar minuten voor me vrijmaken?'

'Waarom zou ik?'

'Misschien omdat je me dat verschuldigd bent?'

'Pardon?'

Hij stak zijn handen in zijn zakken. 'Je had me moeten bellen, Cin.'

Ik staarde hem aan. 'Wat?'

'Ik zei' – zijn ogen boorden zich in de mijne, maar zijn stem kreeg een zachte klank – 'dat je me had moeten bellen.' Een korte stilte. 'Je weet wel, vorig jaar, nadat het was gebeurd. Ik heb wel vijftig berichten voor je achtergelaten. Dat heb ik gedaan omdat ik om je gaf. Ik vind dat je tijd had moeten maken om me op z'n minst één keertje terug te bellen.'

We bleven elkaar aankijken.

Hij zei: 'Je wilt me niet meer. Goed. Dat kan ik accepteren. Ik ben een volwassen vent. Maar je had het best iets vriendelijker kunnen aanpakken. Je weet best hoe zoiets werkt: vragen hoe het met me is, hoe het met mijn werk gaat, of je pa me het leven zuur maakte. Je weet wel… een beetje interesse tonen. Je had er voorheen nooit problemen mee met me te praten wanneer je behoefte aan praten had.'

Hij daagde me uit erop te reageren. Ik hapte niet.

'Ik was er voor je toen je me nodig had,' zei hij zachtjes. 'Ik ben altijd goed voor je geweest. Je had je fatsoenlijk moeten gedragen.'

'Ik heb me niet onfatsoenlijk gedragen, Scott.'

'Nee, niet onfatsoenlijk. Maar ook niet fatsoenlijk. Ik bestond opeens niet meer voor je.'

Aanval is de beste verdediging. 'Wat ik ook heb gedaan, het is niets vergeleken met hoe verachtelijk jij je zondagavond hebt gedragen. Ik verkeerde in een shocktoestand… een zware shocktoestand… jouw walgelijke egoïsme was bijna de laatste druppel.'

Hij verbrak het oogcontact en draaide zich half om. 'Heb je een serieuze relatie met die vent?'

'Nee,' zei ik.

'Waarom doe je dan zo moeilijk? Oké, ik ben een racist. Ik ben geen correcte man. Maar ik heb me wat jou betreft altijd correct gedragen. Ik heb nooit uit de school geklapt over onze relatie, ook al had ik daar meer dan genoeg gelegenheden voor.'

Ik lachte sarcastisch. 'Ik denk dat het ook niet erg gunstig zou zijn geweest voor je carrière.'

'Jouw vader kan mij niets maken, zolang ik mijn werk naar behoren doe. En ik doe mijn werk heel goed. Ik had je in een heel slecht daglicht kunnen stellen, Cindy. En ik had ook je vader zwart kunnen maken. Je weet dat er bij de politie graag en veel geroddeld wordt. Het zou mijn imago alleen maar goed hebben gedaan als ik erover had opgeschept hoe ik het met de dochter van de baas had aangelegd. Jullie zouden allebei voor gek hebben gestaan. Maar dat heb ik niet gedaan, omdat ik zoveel om je gaf. En daarom… daarom zeg ik dat je had moeten bellen.'

Ik stond al op het punt antwoord te geven, toen ik snel mijn psychologische wapenuitrusting in ogenschouw nam. En opeens voelde ik me helemaal niet prettig. Ik dacht eraan hoeveel pijn Koby's zwijgen me deed, en ik kende hem pas een week. Oliver kende ik al heel lang en hij was er altijd voor me geweest. Hij was er geweest wanneer ik iemand nodig had bij wie ik kon uithuilen, wanneer ik een sterke man nodig had om moeilijke nachten door te komen. Hij had me 's avonds ingestopt en me 's ochtends met een ontbijt verwend... en me op een zalige manier bemind.

Verder was hij een klier, maar dat was ik net zo goed.

Tranen sprongen in mijn ogen. 'Je hebt gelijk. Ik had moeten bellen. Ik was er emotioneel niet al te best aan toe vlak nadat het was gebeurd... en toen... ik weet het niet... toen vond ik het niet belangrijk meer. Mijn excuses.'

Hij keek me veelbetekenend aan. 'Een beetje formeel... maar ik accepteer het.'

Hij had iets beters verdiend. Ik slikte met een droge keel. 'Scott, het spijt me echt heel erg.' Tranen liepen over mijn wangen. 'Echt waar.'

'Hé...' Hij kwam dicht bij me staan. 'Hé, stil nu maar.' Hij legde zijn handen op mijn schouders en trok me tegen zich aan. Ik snikte het uit tegen zijn witte overhemd. Alles werd me opeens te veel: deze onaangename, kale flat, de schok van de aanrijding waarvan ik getuige was geweest, mijn afgrijselijke eerste jaar bij de politie. Ik klemde me vast aan zijn overhemd en huilde met mijn hoofd tegen zijn borst. Dat hij niet degene was bij wie ik zou moeten uithuilen, bezorgde me nog meer verdriet. Hij sloeg zijn armen om me heen. 'Hé, de rekening is vereffend, hoor. Stil nu maar.' Hij klopte me zachtjes op mijn rug. 'Ik meen het. Niks meer aan de hand. Hou maar op.'

Ik snikte nog wat na. 'Dank je wel dat je niet over me hebt geroddeld.'

'Jij bedankt voor hetzelfde. Ik had veel meer te verliezen dan jij.'

Ik schoot in de lach en hij deed mee.

'Gaat het weer?'

'Nee.' Ik droogde mijn tranen. 'Maar het komt wel in orde.'

Hij had nog steeds zijn armen om me heen. Het was een fijn gevoel, maar het was niet wat ik wilde en niet wat ik nodig had. Ik gaf hem een kus op zijn wang en maakte me van hem los. 'Je bent een goede vriend geweest en ik heb niet veel goede vrienden. Dat zal ik voortaan onthouden.'

Hij knikte. 'Bedankt. Het is lief van je om dat te zeggen.'

'Ik moet nu echt opschieten voor mijn afspraak met Hayley.'

'Heb je morgen tijd voor een kopje koffie?'

'Scott, dat lijkt me geen goed idee.'

'Jij misschien niet, maar ik vind het een geweldig idee.'

'Je gaat uit met een van mijn vriendinnen.'

'Ik zou je zó terugnemen.'

'Dat heeft geen zin, Oliver.'

'Dat weet ik helemaal niet zeker.' Hij kwam achter me staan en sloeg zijn armen om mijn middel. Mijn peignoir zat slechts losjes dichtgebonden en zijn handen raakten naakte huid.

Weer maakte ik me van hem los. 'Je bent lief, Oliver, maar ik probeer verstandig te zijn.'

'Daar is geen lol aan.'

'Ik probeer mijn leven weer op te bouwen. Doe dit dus niet. Oké?'

Hij fronste zijn wenkbrauwen. 'Zeg in ieder geval dat je zin in me had.'

'Dat had ik.'

'Ga je met hem naar bed?'

Mijn gezicht werd warm. 'Hou op.'

'Is het waar wat ze zeggen over zwa…'

'Oliver, hoepel op.'

Hij liet zich zo gauw niet wegjagen. 'Hoe is het met de kinderen?'

'Welke kinderen?'

'Je vriendje was toch met de kinderen die bij het ongeluk betrokken waren meegegaan naar het ziekenhuis? Hoe heet hij trouwens?'

Alsof hij dat niet wist. Net als mijn vader was Oliver een uitmuntende rechercheur. Dat soort details vergat hij nooit. 'Jaakov.'

'Nee, je noemde hem anders.'

'Koby.'

'Net als de basketballer? Wat voor naam is Koby in godsnaam?'

Hij viste naar informatie. Ik zei: 'Het is een afkorting van Jaakov, Jacob. Toen hij naar Israël verhuisde, werd hij daar bij zijn Hebreeuwse naam genoemd, Jaakov, oftewel Jacob.'

'Waarom heeft hij een Hebreeuwse naam?'

'Omdat hij joods is.'

Oliver schoot in de lach. 'Dat meen je niet.'

'Jawel.'

'Een bekeerling?'

'Nee, hij is joods geboren. Hij is een Ethiopische jood. Kunnen we ergens anders over praten? Of liever nog, zou je nu weg willen gaan zodat ik me kan gaan aankleden?'

'Laat mij je daar vooral niet van weerhouden. Je hebt trouwens geen antwoord gegeven op mijn vraag. Hebben die kinderen het ongeluk over-leefd?'

'Dat weet ik niet. Ik heb sinds die avond geen contact gehad met Koby.'

'Oei,' zei Oliver.

'Maakt niet uit. Ik zei toch dat het niet serieus was?'

'Weet je zeker dat je morgen geen tijd hebt voor een kop koffie?' Hij glimlachte o zo charmant. 'Om erover te praten met oom Scottie? Hmm?'

Ik was gedeprimeerd, hij zag er goed uit en het was verleidelijk, maar het afgelopen jaar was ik toch ook wel een tikje wijzer geworden. Ik gaf hem nog een kus op zijn wang. 'Je had gelijk wat mijn slechte gedrag be-treft. Laten we het daarop houden en nu afscheid nemen.' Voordat ik als-nog voor hem zou bezwijken, liep ik de voordeur uit en wachtte in het hal-letje tot hij mee was gelopen. Toen trok ik de deur achter me dicht, hopend dat ik mezelf niet buitensloot. 'Ik zal hierover niets tegen Hayley zeggen.'

'Wat zou je moeten vertellen? Er is immers niets gebeurd.' Hij glim-lachte. 'Al heb je nog tijd om daar iets aan te veranderen.'

'Oliver, als je me niet met rust laat, stuur ik je baas op je af.'

'O nee! Het zware geschut.'

Ik glimlachte. Haal bij twijfel je pa erbij.

Na het ontbijt en een lekkere meidenbabbel c.q. therapie met Hayley (zonder een woord over Olivers bezoek uiteraard) was ik al een paar uur voordat mijn dienst begon op het bureau. Ik ging meteen informatie zoe-ken over Hermano of Germando. Ik had geen achternaam, omdat Alice Anne die niet kende, maar er was een archief met uitzonderlijke kenteke-nen en daaronder viel de tatoeage. Toen ik de gegevens intikte, stond ik versteld hoe nauwkeurig Alice Annes beschrijving was. Weer een lesje ge-leerd: onderschat niemand.

Germando El Paso was achttien. Er was een aanhoudingsbevel voor hem uitgevaardigd wegens verkeersovertredingen, in het bijzonder een voor hard rijden, en voor drie onvoldane parkeerbonnen. Hij was twee-maal opgepakt wegens rijden onder invloed en zijn rijbewijs was inge-trokken, maar dat had dergelijke figuren er nog nooit van weerhouden evengoed achter het stuur te kruipen. Hij was ook al eens gearresteerd we-gens bezit van marihuana en had een verzegeld dossier als jeugddelin-quent. Aangezien hij niet voorwaardelijk in vrijheid was gesteld, had hij geen reclasseringsagent, maar er werd een agent van Jeugdzaken genoemd die zijn zaken had behandeld. Ik noteerde zijn naam en belde hem op.

Ik kreeg zijn voicemail en sprak een bericht in.

Daarna ging ik naar de kleedkamer en trok mijn uniform aan. Ik wilde net naar het appel gaan, toen Justice Brill, een rechercheur van moordzaken, me zag. Brill was een jaar of vijfendertig, net zo lang als ik en knap om te zien in de soepele stijl van Steve McQueen en Paul Newman. Sterren zoals je die tegenwoordig niet meer ziet. Nu zijn het allemaal van die mooie, tengere knaapjes, die ik bij armworstelen vermoedelijk met gemak zou verslaan. Brill was getrouwd, maar mocht graag naar striptenten gaan. Ik bleef dus bij hem uit de buurt.

'Ik geloof dat we de Jeep te pakken hebben. Het is een gestolen auto met gestolen nummerplaten, maar dankzij het deel van het kenteken dat je had opgegeven, is het gelukt. Heel goed van je.'

'Hebben jullie de wagen in beslag genomen?'

'Nee, ik heb hem op eBay gezet.' Brill glimlachte maar zijn ogen stonden volkomen serieus. 'Mooi werk, Decker.'

Ik accepteerde het compliment gracieus en zelfverzekerd, en met een flinke korrel zout.

Hij zei: 'De voorbumper van de auto was als een vloeiblad vol menselijke lichaamsdelen, maar de achterbumper was schoon.'

'Ze is ook niet door de achterbumper geraakt.'

'Heel goed, Decker, ik zie een gouden penning voor je in de niet al te verre toekomst.' Hij keek me meewarig aan. 'Omdat de nummerplaten waren gestolen, heeft het lab ze onderzocht. En wat denk je?'

'Geen vingerafdrukken.'

'Juist. Maar ze hebben wel op het schroefje in de linkerbovenhoek wat vers bloed gevonden.'

'Genoeg om een gedeeltelijke vingerafdruk zichtbaar te maken?'

'Ja, maar het is er een die niet in de archieven zit.'

Jammer. 'Was het bloed afkomstig van het slachtoffer?'

'Dat weten we nog niet helemaal zeker, omdat er alleen nog maar algemene tests zijn gedaan, maar het lab heeft in ieder geval alvast de bloedgroep vastgesteld. Het slachtoffer had O, en het bloed op de schroef is B. Verder zat er niets op de nummerplaat.' Hij keek me aan. 'Suggesties?'

Hij had een horde neergezet waar ik overheen moest springen. Ik dacht na. 'Het lab heeft nergens anders op de Jeep bloed van het type B gevonden?'

'Nee.'

Ik tikte met mijn voet op de grond. 'Het zit op de schroef, maar niet op de nummerplaat.'

'Klopt.'

Opeens ging me een licht op. 'Als er geen vingerafdrukken op de nummerplaat staan, heeft hij die misschien niet schoongeveegd, maar droeg hij handschoenen. De randjes van nummerplaten zijn scherp. Misschien is het latex gescheurd toen hij ermee bezig was. Misschien was de rand zo scherp dat die het latex kapot heeft gemaakt en een deel van zijn vingertip ontbloot. Vandaar de gedeeltelijke vingerafdruk. Misschien heeft het metaal in zijn vinger gesneden en heeft hij dat niet gemerkt omdat het maar een paar druppels waren. Het bloed kan op de schroef zijn gedrupt toen hij de nummerplaat aan de bumper schroefde.'

Brill staarde me aan.

Ik haalde mijn schouders op. 'U vroeg of ik suggesties had. Het is een redelijke theorie.'

Hij knikte traag. 'Ja, het is een redelijke theorie.'

Meer dan dat zou hij er niet over loslaten.

Hij glimlachte jongensachtig. 'Als ik er meer over te weten kom, kunnen we dat misschien onder het genot van een kopje koffie verder bespreken. Goed?'

Waarom kreeg ik van iedere vent die iets van me wilde, alleen maar een kop koffie aangeboden? Waarom was het nooit meer een etentje en een bioscoopje?

'Bedankt dat u me dit hebt verteld, rechercheur Brill.'

'We houden contact, Decker,' zei hij. 'Je bent goed.'

Ik glimlachte. Ik had zo graag gewild dat het iets was geworden met Koby. Ik mocht hem graag. En zelfs als ik hem niet had gemogen, zou ik met hem zijn uitgegaan om alle anderen op een afstand te houden.

27

De agent die Germando El Paso's jeugddossier had behandeld, had niet teruggebeld, dus vond ik dat ik net zo goed nóg een avond theorieën kon najagen, ook al zouden ze vermoedelijk op niets uitlopen. Ik vertrok naar Boss's, de koffieshop die dag en nacht open was, een café waar randfiguren, mislukkelingen, verslaafden en andere gedrochten die zich liever niet overdag vertoonden, hun toevlucht konden zoeken. Ik hoopte daar meneer Tijgertatoeage te vinden. Alice Anne had me een uitstekende tip gegeven, dus nam ik me voor haar de volgende keer dat ik haar zag, nog een briefje van tien toe te stoppen.

Ik werd naar een tafeltje gebracht door een broodmagere, pukkelige jongen die de indruk wekte net een slechte trip achter de rug te hebben. Gelukkig was hij alleen de maître d' en werd ik bediend door een oogverblindende jongedame in zwart nepleer met blauw haar dat recht overeind stond. Ze had een piercing in haar bovenlip en eentje in haar neus, en die waren met elkaar verbonden door een zilveren kettinkje. Ik vroeg me af of het pijn deed wanneer ze nieste.

Ze schonk een kop koffie voor me in en liet de pot bij me op het tafeltje staan. Ik had een krant meegebracht en liet mijn ogen over het dagelijkse slechte nieuws gaan, nadat ik behoedzaam op de kunstleren bank aan de tafel in de uiterste hoek van het café was gaan zitten, en met de rug van mijn hand oude broodkruimels van de tafel had geveegd. Ik lette goed op of mijn prooi binnenkwam. Ongure types zat, maar geen tijgertatoeage. Ik nam kleine teugjes van de koffie en knabbelde op de droge slablaadjes die moesten doorgaan voor een salade. Toen mijn mobieltje ging, schrok ik me lam. Ik was vergeten dat het nog aanstond.

'Decker.'

'Ik heb net mijn dienst erop zitten. Ben je toevallig in de buurt?'

Een stem uit het schimmenrijk. Ik wilde hem niet zien, maar ik wilde ook niet liegen. 'Het is al laat.'

'Wil je bij me komen?' vleide Koby. 'Een hapje en een drankje… een massage…'

Ik werd steeds nijdiger, maar bleef op een effen toon praten. 'Het lijkt wel alsof je een callgirl uitnodigt.'

Stilte op de lijn.

'Nee, Cindy, zo moet je het niet zien.'

'Nee? Hoe moet ik het dan zien?'

De seconden tikten weg.

'Laten we het opnieuw proberen.' Hij klonk somber. 'Ik heb zondag de hele dag vrij. Ik zou je graag willen zien. Wat zou je denken van een brunch. En daarna zien we wel waar we zin in hebben.'

Dat wilde zeggen dat hij geld aan me wilde uitgeven. Iets beter, maar ik had evengoed geen belangstelling. Daarom loog ik nu toch. 'Ik moet zondag werken.'

'Eerlijk gezegd heb ik vrij van zaterdagavond tot maandagochtend. Of eigenlijk van vrijdagavond tot maandagochtend, maar zaterdag is de sjabbat. Maar als je alleen zaterdag vrij hebt, kunnen we dan ook wel iets doen. Alsjeblieft? Zeg maar hoe laat.'

Wat dacht hij wel? Vier dagen amper een woord, en nu dit geflikflooi. Hij was zeker hitsig. 'Op zaterdag ga ik altijd lunchen met mijn moeder. Dat is een heilig moeten.'

Een nieuwe stilte. Toen: 'Een heilig moeten? Wat betekent dat?'

'Dat ze helemaal gek wordt als ik een zaterdag niet kom.'

'Misschien na de lunch dan…'

Hij gaf het niet snel op. Die volharding was hem in zijn leven natuurlijk goed van pas gekomen. Ik zwichtte, waarschijnlijk omdat hij me had gevraagd wat 'heilig moeten' betekent. Om de een of andere reden vond ik dat lief. Maar ik bleef afstandelijk. 'Eerlijk gezegd ben ik nog in de buurt. Ik heb nog wat dingetjes af te werken. Laten we dit afspreken: ik bel je over ongeveer een halfuur en als ik dan nog fut heb, kunnen we ergens een kop koffie gaan drinken. Goed?'

'Prima… wat je maar wilt. Fijn. Geweldig.'

Ik hing op voordat hij nog meer bijvoeglijke naamwoorden wist te bedenken.

Na een halfuur rinkelde mijn mobiel weer.

'Ben je nog steeds aan het werk?'

'Ja, ik werk net zo hard als jij schijnbaar de afgelopen vier dagen hebt gedaan.'

Stilte.

Het zat me niet lekker. Niet omdat hij het niet verdiende, maar omdat mij was geleerd dat je mensen niet moest afkatten. Ik besloot het een beetje goed te maken. 'Weet je waar Boss's is? Daar zit ik nog een halfuur.'

'Ik ben al onderweg.'

'Tot zo dan.' Ik verbrak de verbinding.

Hij arriveerde twintig minuten later. Het eerste wat me opviel, waren zijn ogen. Hoe kon het ook anders? Die kende ik alleen als helder en stralend, maar nu waren de pupillen troebel en hadden de irissen de gele kleur van geelzucht, maar dan gecombineerd met het rood van gesprongen adertjes. Hij hield van kleur. Daar ontbrak het hem op het moment niet aan.

Ik dacht meteen dat hij aan de drugs was. Het zou niet de eerste keer zijn dat een verpleegkundige zich te goed had gedaan aan de inhoud van een medicijnkastje in het ziekenhuis. Hij glimlachte schaapachtig toen hij tegenover me plaatsnam. Ik schoof mijn koffiekopje naar hem toe. Toen hij het oppakte, zag ik dat zijn handen niet trilden.

'Ik zit hier op iemand te wachten,' zei ik tegen hem. 'Maar hij is nog steeds niet komen opdagen.' Ik glimlachte. 'Niet de eerste keer dat me dit overkomt.'

Zijn vermoeide ogen bekeken me. 'Het spijt me dat ik je niet heb gebeld.'

'Geeft niks. Je had het druk.'

'Op wie zit je te wachten?'

'Een misdadiger.'

'Ik hoop dat je mijn gezelschap prettiger vindt, ook al is de marge klein.'

Ondanks alles moest ik daarom glimlachen. 'Je ziet er erg moe uit.'

'Ben ik ook. Ik heb uiteindelijk gezegd dat ik zou instorten als ik niet een paar dagen vrij kreeg.'

'Dan had je meteen naar huis en naar bed moeten gaan, in plaats van hier slechte koffie te drinken waar je brandend maagzuur van zult krijgen.'

'Je hebt gelijk.' Hij wilde me wel aankijken, maar had er moeite mee. 'Ik wil mijn slechte gedrag graag goedmaken. Kunnen we voor dit weekeinde iets afspreken?'

'Welk slechte gedrag? Je hebt toch alleen maar gewerkt?' Ik zweeg toen ik terugdacht aan de bezitterige toon van Marnie door de telefoon. Die twee hadden iets met elkaar gehad, dat was duidelijk. 'Of wil je me iets opbiechten?'

Hij keek op. 'Ik snap niet wat je bedoelt.'

'Druk gehad met iemand anders?' Ik wilde het nonchalant laten overkomen. 'Wat is er gebeurd, Koby? Heeft ze je laten stikken? Heb je mij gebeld voor de seks die je moet ontberen?'

Nu keek hij me aan. 'Nee. Helemaal niet. Ik heb echt alleen maar gewerkt. Drie diensten van twaalf uur en een van zestien.'

Ik zei niets.

'Je kunt het aan iedereen in het ziekenhuis vragen,' zei hij. 'Er zijn mensen genoeg die het je kunnen vertellen, want ik heb daar de afgelopen week zo'n beetje gewóónd.' Hij wreef in zijn bloeddoorlopen ogen. Ze gingen ervan tranen. 'Cindy, ik stik van het geld. Mag ik dat alsjeblieft aan jou besteden?'

Ik bekeek hem aandachtig.

'Alsjeblieft?'

Ik schokschouderde. 'Goed dan. We spreken wel iets af voor zondagavond.'

Hij blies zijn adem uit en leunde achterover op het bankje. 'Dank je. Ik zal mijn best doen het goed te maken.'

'Ik ben moe. Ik ga naar huis.' Ik stond op, gooide een briefje van tien op de tafel en liep weg.

'Ik loop wel even mee naar je auto.'

'Nergens voor nodig. Ik ben gewapend.'

'Dat mag ik voortaan wel onthouden, ja.' Hij had me ingehaald en mijn arm vastgepakt. 'Ik heb je gemist.'

'Dat laat je dan wel op een rare manier merken.'

Hij hield de deur voor me open. 'Weet ik.'

'Waarom gedraag je je dan zo idioot?'

'Een andere keer, goed? Ik ben echt heel moe.'

Ik kreeg medelijden met hem. 'Oké.'

Toen we naar buiten liepen, zag ik de tijgertatoeage voordat ik het gezicht zag. Ik rukte me los van Koby en nam een paar reuzenstappen. 'Hé!' riep ik. 'Politie!'

Germando ging ervandoor.

Ik sprintte achter hem aan, blij dat ik platte schoenen aanhad, maar hij was veel sneller dan ik. Maar Koby was net een bliksemschicht. Binnen een paar seconden was hij zo dicht bij de man dat hij hem kon aanraken. Hij gaf Germando een duw. De voortvluchtige verkeersovertreder viel plat op zijn gezicht. Toen ik hen bereikte, hijgde ik als een herdershond. Koby transpireerde niet eens. Ik zette mijn knie tussen Germando's schouderbladen en trok snel zijn handen op zijn rug.

'Wanneer iemand "Politie!" tegen je roept, blijf je staan!'

'Ik heb niks gehoord…'

'Nou, nu hoor je me wél. Ik ben van de politie, Germando. Blijf doodstil liggen, anders breek ik allebei je armen!'

'Dan klaag ik u aan!' Hij rekte zijn nek om Koby te kunnen zien, maar met mijn knie op zijn rug kon hij niet veel doen. 'Jij bent mijn getui…'

'Je praat tegen de lucht, vriend,' riep ik hem toe. 'Er is hier niemand!' Ik haalde mijn pistool uit mijn tas en richtte de loop op zijn nek. 'Blijf doodstil liggen, Germando. Ik hou een pistool op je hersenstam gericht en wens geen ongelukken. Ik ga je de handboeien omdoen.'

Ik haalde ze uit mijn tas. Pas toen hij was geboeid, kwam mijn hartslag tot bedaren. Ik keek op… Koby stond met grote ogen naar me te staren… Ik pakte mijn mobieltje en belde het bureau om back-up en transport.

Zijn mond hing nog open. Ik zei: 'Je kunt nu gaan. Het zou zelfs heel verstandig zijn als je nu ging.'

Hij deed zijn mond dicht en draaide zich om.

'Hé,' riep ik.

Hij draaide zich weer om.

'Bedankt,' zei ik. 'Maar waag het niet om nóg eens mijn werk te doen, oké?'

Hij gaf geen antwoord. Hij staarde nog even naar me, knipperde toen met zijn ogen en liep op een drafje weg. Ik zag zijn Toyota op de weg keren, vlak voordat de zwaailichten van een patrouillewagen in zicht kwamen.

Het was maar goed dat de inzittenden van de patrouillewagen moesten reageren op mijn oproep. Anders zouden ze hem een bon hebben gegeven omdat hij op een weg met een dubbele witte streep was gekeerd.

28

'Nog een keer, Decker.'

Ik liet mijn hoofd achteroverzakken, schoof onderuit op de harde stoel, en bekeek de tl-buizen van de verhoorkamer. Dit was eigenlijk wel eens goed, vond ik. Nu wist ik hoe de misdadigers zich voelden die ik hier ooit zelf zou ondervragen. 'Waar moet ik beginnen?'

'Je bent naar Boss's gegaan omdat...'

'Ik ben naar Boss's gegaan omdat ik op zoek was naar Germando El Paso, die daar vaak pannenkoeken met banaan eet. Ik was naar hem op zoek omdat er een aanhoudingsbevel tegen hem is uitgevaardigd.'

'Wegens verkeersovertredingen.'

'Ook die zijn strafbaar.'

Brill wreef zijn voorhoofd. 'Is dit wat je in je vrije tijd doet? Op kerels jagen die hun parkeerbonnen niet betalen?'

'Ik beschouw dat als mijn burgerplicht.'

Hij glimlachte wrang. 'Dan heb je een luizig privéleven.'

'Dat is waar,' antwoordde ik, 'maar dat verandert niets aan deze situatie. De aanhouding was gerechtvaardigd en ik heb dat zakje troep niet in zijn zak gestopt, ook al roept hij nog zo hard van wel.'

'Je hebt geen getuigen die dat kunnen bevestigen.'

'Die heeft hij ook niet.'

'Hij zegt dat er iemand bij je was.'

'Hij zegt zoveel.' Ik keek naar de spiegelwand. 'Wie zitten daar?'

Brill volgde mijn blik. Hij droeg een zwart pak en een wit overhemd. Een slordig geknoopte stropdas hing om zijn nek. Hij had zich blijkbaar haastig aangekleed. 'Iemand van het OM... en de baas.'

'Welke baas?'

'Mijn baas.'

'Hij mag best hierheen komen om zelf vragen te stellen, als hij wil.'

'Nu moet je niet brutaal worden.'

'Het was echt niet brutaal bedoeld, rechercheur Brill, geloof me.' Ik keek op mijn horloge. Het was twee uur. In ieder geval lag Koby in zijn eigen bed te slapen. Wanneer ik aan hem dacht, raakte ik gedeprimeerd. 'Ik zal het u nogmaals vertellen. Vanaf het begin. Ik zal het net zo vaak vertellen als u wilt.'

Brill hief zijn handen op met een gebaar van 'ga je gang'.

Ik begon, maar onderbrak mezelf meteen. 'Weet u wat? Ik zal nog verder teruggaan. Deze hele zaak is begonnen met de baby die ik een week of twee geleden uit die vuilniscontainer heb gehaald. Oké?'

'Ga door.'

Ik keek naar de bandrecorder op het formica tafelblad, dat vol krassen en vlekken zat. Op de hoek van de tafel stond een volle asbak. 'Ik heb de moeder van die baby opgespoord, helemaal in mijn eentje, om precies te zijn…'

'Dit is niet het juiste moment om daarover op te scheppen.'

'Ik zeg het er alleen bij om de officier van justitie aan de andere kant van het spiegelglas te laten weten dat ik obsessief ben.'

'Dat zit dan in de familie,' antwoordde Brill.

'Dat zegt u, niet ik.'

Hij glimlachte. 'Je hebt de baby gevonden; je hebt de moeder gevonden.'

'Voor alle duidelijkheid: ik heb de baby uit de container gehaald en de moeder opgespoord.' Voor de zoveelste keer ging ik verzitten. 'Nadat ik de moeder had gevonden, wilde ik weten wie de vader is.'

'Waarom?'

'Ik vind dat het arme kind, met haar zwakzinnige moeder, er recht op heeft te weten hoe ze genetisch in elkaar zit.'

'Waarom?'

'Omdat ik me aan haar ben gaan hechten. Ik ben een paar keer bij haar gaan kijken in het ziekenhuis, op eigen initiatief. Deze hele zaak zit echt niet als los zand aan elkaar, hoor.'

Brill wachtte af.

Ik ging door. 'Ik ben naar de moeder gegaan om haar uit te horen over de vader van de baby. Dat heb ik gedaan met toestemming van rechercheur Van Horn én rechercheur MacGregor. Ik ben op zondag naar haar toe gegaan en heb mijn vader, inspecteur Decker, meegenomen, omdat ik wist dat ik iemand nodig had met ervaring in zulke dingen, en omdat rechercheur Van Horn net op vakantie was gegaan en rechercheur Russ MacGregor, aan wie de zaak was toegewezen, dat weekeinde afwezig was.'

'En tijdens dit gesprek vertelde het meisje'– Brill bladerde in zijn aantekeningen – 'Sarah Sanders… dat ze het slachtoffer was geweest van een groepsverkrachting, en dat haar vriend was mishandeld en in een vuilnisbak gestopt.'

'Klopt. En omdat de zaak al een halfjaar oud is, raadde inspecteur Decker me aan niets met die informatie te doen tot ik rechercheur MacGregor op de hoogte had gebracht van deze ontwikkeling. En dat heb ik toen gedaan.'

'En?'

Ik glimlachte. 'Zijn reactie was dat ze het verzonnen zou kunnen hebben. Maar inmiddels is het meisje naar het politiebureau gekomen en heeft ze er een verklaring over afgelegd. In de veronderstelling dat ze de waarheid spreekt, heb ik MacGregor gevraagd of ik er nader op in mocht gaan. Hij zei dat als ik in mijn vrije tijd naar de vader wilde zoeken, hij daar geen probleem mee had.'

'Dat je naar de vader wilde zoeken. Niet dat je ging proberen een twijfelachtige, zes maanden oude misdaad op te lossen.'

'Hoor eens… meneer. Ik ben op zoek gegaan naar Germando omdat ik had gehoord dat hij omgaat met tuig dat daklozen lastigvalt en mensen in openbare toiletten bespringt. Toen ik Germando's dossier bekeek, zag ik dat er een aanhoudingsbevel voor hem was uitgevaardigd en dat ik dus het volste recht had hem in hechtenis te nemen. Waarom zou ik dan de moeite doen een zakje xtc in zijn zak te frommelen?'

'Om de arrestatie meer rechtmatigheid te geven.'

'Die xtc heeft me tot nu toe alleen maar problemen bezorgd.'

'Maar dat wist je toen niet.'

'Ik weet hoe de politie staat tegenover oneerlijke agenten. Ik doe wel een leugentest, als u me niet gelooft.'

'Wie is de man die volgens Germando bij je was?'

Ik keek naar mijn handen.

Brill wees naar de spiegel. 'Ze zullen het niet leuk vinden als je iets achterhoudt. Als je hierover liegt, zullen ze je ook niet geloven wat die xtc betreft.'

Ik tuitte mijn lippen. 'Ik heb hem naar huis gestuurd.'

'Dat klinkt niet goed.'

'Waarom zou hij erbij betrokken moeten worden?'

'Hij is er al bij betrokken.'

'U kunt het vragen aan iedereen die in dat café zat. We hebben er nog geen tien minuten samen gezeten.'

'We hébben het gevraagd, Decker. En wat je zegt, is waar. Maar dit is op zich al verdacht. Tien minuten is meer dan genoeg tijd om een zakje pillen te kopen.'

Ik keek hem ongelovig aan. 'Denkt u dat hij een dealer is?'

'Dat mag jij me vertellen.'

'Waarom?' beet ik hem toe. 'Omdat hij zwart is?'

Brills gezicht bleef neutraal. 'Zeg het maar.'

'Hij is verpleegkundige. Hij werkt op de intensive care van Mid-City. Het kinderziekenhuis. We zaten daar om een date te regelen.'

'Dat kan net zo goed per telefoon.'

'Hij had net zijn dienst erop zitten. Hij wilde me zien. De arme jongen had bijna vier dagen aan één stuk door gewerkt. Toen ik hem zag, heb ik meteen gezegd dat hij naar huis moest gaan om eens flink uit te slapen.'

'Hoe heet hij?'

Ik slaakte een diepe zucht. 'Jaakov Kutiel. Hij is de man die ook bij me was toen ik getuige was van de aanrijding.'

Brill zei niets.

'Hij liep alleen maar met me mee naar mijn auto.'

'Dus hij is je vriend?'

Niet meer, dacht ik bij mezelf. 'We zijn een paar keer uitgeweest.' Ik begon mijn geduld te verliezen. Ik haalde een paar keer diep adem. 'Ik heb niets met de xtc te maken. Punt uit.'

Weer zei hij niets.

'Als ik u was,' zei ik, 'zou ik erover gaan nadenken hoe we dit mazzeltje kunnen uitbuiten.'

Brill keek me alleen maar aan.

'De pillen gebruiken om hem aan de praat te krijgen over de verkrachting van Sarah Sanders.'

'Als die niet verzonnen is.'

'Dat kunnen we op z'n minst proberen uit te zoeken.'

'We?'

Het was tijd hem te laten zien dat ook ik een ego had. 'Ik heb hem in hechtenis genomen. Mijn aanwezigheid bij het verhoor zal hem nerveus maken. Al wil ik de ondervraging best aan u overlaten.'

'Goh, dank je wel.'

'Als hij niet de aanstichter van de verkrachting was, kunt u de pillen misschien gebruiken om hem over te halen ons te vertellen wie de daders zijn.'

'Waarom denk je dat hij niet de aanstichter was?'

Ik haalde mijn schouders op. 'Sarah heeft de ergste dader beschreven als een blanke man met een kaalgeschoren hoofd. Eens kijken hoelang hij het volhoudt als we die op de pijnbank leggen.'

Brills mobieltje ging. Hij stond op, sprak kort en hing op. 'Een ogenblikje.'

Ik haalde mijn schouders op.

Hij verliet de kamer. Ik wist dat er aan de andere kant van de spiegelwand overleg werd gepleegd. Na tien minuten kwam inspecteur Mac Stone van de recherche van bureau Hollywood samen met Brill de kamer in. Stone was halverwege de vijftig, één meter vijfentachtig, zwaar gebouwd, en had een vlezig gezicht en dik, donker, krullend haar. Hij ging tegenover me zitten en keek me aan met zijn indringende ogen.

'Alles goed met je arm?'

'Mijn arm?'

'Connor zegt dat je een goede gooiarm hebt.'

'O.' Hij bedoelde dat ik goed kon bowlen. Ik zat in de LAPD Hollywood Bowling League. Mijn ploeg was vorig jaar kampioen geworden. 'Ik kijk al uit naar de volgende competitie, meneer.' Na mijn zware eerste jaar bij de politie had ik besloten me nooit meer te laten kennen.

Toen Stone me fronsend aankeek, hadden de diepe rimpels in zijn voorhoofd veel weg van die van een buldog. Hij harkte met zijn stompe vingers door zijn krullen. 'Germando El Paso. Wat wil je precies van hem?'

'Ik wil weten of hij betrokken is geweest bij een groepsverkrachting.'

'Hoe kom je aan je informatie over zijn mogelijke betrokkenheid?'

'Van een informant.'

'Wie?'

Ik haalde mijn schouders op. 'Een dakloze vrouw.'

'Een dakloze vrouw?'

'Ja, maar voordat ik naar dat café ben gegaan, heb ik informatie over hem opgezocht om me ervan te verzekeren dat ik een rechtmatige reden had om hem aan te houden. Het laatste wat ik wilde, was voor gek gezet worden. Mijn informant heeft me een goede tip gegeven, meneer. Het is duidelijk waarom hij voor me op de vlucht ging.'

'Hij ziet eruit alsof hij heel hard kan lopen. Hoe heb je hem te pakken gekregen?'

'Ik ben zelf ook erg snel, meneer.'

'Ik bedoel, je zou niet op hem geschoten hebben wegens een paar onnozele verkeersovertredingen, nietwaar?'

'Ik zou nooit mijn wapen richten op een vluchtende verkeersovertreder, meneer. Daarmee zou ik op grove wijze misbruik maken van mijn dienstpistool.'

'Hoe heb je hem te pakken gekregen zonder gebruik te maken van je wapen?'

'Ik ben hem achternagegaan en heb hem een duw in zijn rug gegeven. Hij struikelde en viel.'

Stone bekeek me aandachtig. 'Heb je ooit de lijst van vierenveertig gehaald?'

Ik lachte. De lijst van vierenveertig was die van de agenten over wie de ergste klachten waren ingediend door burgers. 'Nee, nog niet.'

'Is er ooit een klacht tegen je ingediend?'

'Nee.' Ik keek hem aan. 'Waarom vraagt u dat? Is El Paso van plan me aan te klagen wegens gewelddadig gedrag?'

Hij glimlachte. 'Daar zal hij wel van afzien tegen de tijd dat we met hem klaar zijn.'

'Je zit diep in de stront, *mi amigo*,' zei Brill. 'Het zal wel een veroordeling worden wegens bezit van en handelen in drugs. Daar staat een paar jaar op. Gecombineerd met je verkeersovertredingen en je voorgaande vonnissen wegens drugsbezit, kun je wel zeggen dat je naar de hoofdprijs dingt.'

El Paso's pokdalige, smalle gezicht verbleekte. Zijn bleke huidskleur vormde een scherp contrast met zijn zwarte T-shirt. Zijn magere benen waren gestoken in een ruime, afzakkende spijkerbroek. Door de val waren zijn neus en voorhoofd geschramd, wat zijn geniepige bakkes weinig goed deed. Hij had tatoeages op zijn handen en in zijn nek. Als hij zijn shirt zou uittrekken, zouden we vast een hele galerie aan blauwe inkt te zien krijgen.

Met de hoofdprijs bedoelde Brill levenslang. Dat de aantijgingen niet voldoende waren voor levenslang, kon Germando niet weten.

'Zij heeft ze in mijn zak gestopt,' riep hij.

'Welnee,' zei Brill. 'Weet je hoe we dat weten?'

Germando zei niets.

'We hebben een getuige gevonden die bij haar was.'

'Zie je nou wel! Ik zei toch dat er iemand bij haar was. Een zwarte man. Een dealer.'

'Hij is geen dealer,' antwoordde Brill. 'Hij is haar vriend.'

'Haar vriend is een dealer?'

'Nee, Germando, hij is geen dealer. Maar ze hebben verkering, dus je kunt wel raden voor wie hij zal kiezen als we hem als getuige oproepen tijdens de rechtszaak.'

Germando trok een koppig gezicht. 'Ik wil een advocaat.'

'Da's goed,' zei Brill, 'maar voordat je er eentje gaat bellen, ga ik je een verhaaltje vertellen. Je doet er verstandig aan te luisteren. Dat kan wel eens heel goed voor je zijn.'

El Paso richtte zijn bruine ogen eerst op mij en toen op Brill.

Justice zei: 'Dit verhaal gaat over iets wat zes maanden geleden is gebeurd. Het gaat over een verkrachting, amigo, en niet zomaar een verkrachting. Een gangbang in MacFerren Park. En niet zomaar een gangbang. Het slachtoffer was een zwakzinnig meisje dat daar aan het vrijen was met haar zwakzinnige vriendje. Haar vriendje is in elkaar geslagen, in een vuilnisbak geduwd en voor dood achtergelaten. Klinkt dit je bekend in de oren?'

Hij zette grote ogen op en schudde zijn hoofd. 'Nee. Ik heb niemand iets gedaan.'

'Dit zegt je niks?'

'Ik heb niemand iets gedaan.'

'Dat zeg ik ook niet. Ik vraag alleen of je erbij was.'

'Nee.'

Ik zei: 'We gaan je in een verdachtenrij zetten, Germando. We zullen je door het meisje laten bekijken.' Ik wees naar zijn nek. 'Die tijger in je nek is een duidelijk visitekaartje.'

'U zei dat ze achterlijk is.' El Paso haalde zijn vingers onder zijn drupneus door. 'Dan gelooft niemand haar.'

'Dat heb je mis,' zei ik. 'Ik denk dat juist heel veel mensen haar zullen geloven.' Ik leunde op de tafel en schonk nog een bekertje water voor hem in. 'De vraag is… of jij zeker genoeg van je zaak bent om terecht te staan voor een jury van twaalf mensen die een verkrachter maar al te graag levenslang willen geven.'

Brill zei: 'Wil je nu je advocaat bellen?'

Doodse stilte. We wachtten allebei af wat hij zou doen.

El Paso zei: 'Wat gaat er gebeuren als ik mijn advocaat bel?'

'Dan houden we op met praten en word je aangeklaagd wegens drugsbezit,' zei ik.

Zijn ogen schoten heen en weer. 'En als ik hem niet bel?'

'Dan gaan we door met praten,' zei Brill.

'Over het verhaaltje dat rechercheur Brill je zojuist heeft verteld,' voegde ik eraan toe.

'Ik heb die griet niet aangeraakt. Ze is achterlijk.'

'Maar je weet over wie we het hebben,' zei ik.

Hij schokschouderde. 'Zou kunnen.'

'Zou kunnen is niet goed genoeg,' zei Brill. 'Bij "zou kunnen" denken we dat je bereid bent van alles te zeggen om onder de aanklacht wegens drugsbezit uit te komen.'

'Ik heb er iets over gehoord,' zei El Paso. 'Dat ze het met een achterlijke meid hebben gedaan. Zelf hoef ik die griet niet. Ze is me veel te lelijk.'

'Wie heeft het precies gedaan?' vroeg Brill.

'Wat krijg ik ervoor als ik me dat herinner?'

'Dat zullen de advocaten uitmaken,' zei Brill. 'Ik moet de zaak aan hen voorleggen. Maar ik kan de zaak niet voorleggen als ik niet weet hoe het in elkaar zit. Dus moet je me dat vertellen.'

'Maar als ik het vertel, heb ik niks.'

'Je zult ons moeten vertrouwen,' zei ik.

El Paso lachte schamper.

'Au. Dat doet me pijn,' zei ik.

'Dat uw vriend mij op de grond heeft gesmeten, deed ook pijn.'

'Doe niet zo kleinzerig, zeg!' Ik stak een sigaret voor hem op. Hij pakte hem aan.

Brill zei: 'Vertel op, Germando. Ik ben moe.'

'Ja, dat kun je wel zien. U ziet er belabberd uit.' El Paso grijnsde wellustig in mijn richting. 'Zij niet. Zij ziet er heel lekker uit.'

Ik pakte hem de sigaret af. 'Germando… als ík je kan vloeren, kun je erop rekenen dat de gorilla's in de gevangenis je binnen een oogwenk je tenen laten aanraken. Blijf dus beleefd en schiet een beetje op met je verhaal.' Ik stak de sigaret in zijn mond, ging weer zitten en sloeg mijn armen over elkaar.

Brills blik ging van mijn gezicht naar de afzichtelijke tronie van El Paso.

'Ik heb haar niks gedaan,' herhaalde hij. 'Ik ben bij de deur blijven staan tot ze klaar waren.'

'Wie hebben haar verkracht?'

'Ik geloof Juice Fedek... en misschien Pepe Renaldes. Ik weet het niet meer. Het is langgeleden.'

Ik zei: 'En de jongen die jullie in elkaar hebben geslagen...'

'Ik heb niemand in elkaar geslagen,' zei El Paso.

'Iemand heeft het gedaan,' zei ik.

'Ik niet. Misschien de anderen.'

'Leefde hij nog toen jullie weggingen?'

El Paso haalde zijn schouders op. 'Ik stond de hele tijd bij de deur.'

'Hoe kom je aan die pillen?' vroeg Brill.

'Wat?'

'De xtc,' zei Brill. 'Van wie heb je die?'

Weer vroeg El Paso om zijn advocaat. Ditmaal hield hij voet bij stuk. De deur tot discussie werd officieel gesloten en vergrendeld.

29

Juice Fedek was Joseph Nicholas Fedek, die op zijn eenentwintigste al een aanzienlijk strafblad had: twee inbraken, één aanval met geweldpleging, twee arrestaties wegens drugsbezit, en twee veroordelingen voor rijden onder invloed, waardoor zijn rijbewijs voor een jaar was ingetrokken. Hij had acht maanden gezeten, was vervroegd vrijgelaten wegens ruimtegebrek, opnieuw opgepakt wegens rijden onder invloed, had vier maanden gezeten en was opnieuw vervroegd vrijgelaten, om dezelfde reden. Waar hij zich nu ophield, was een groot vraagteken. Germando beweerde dat hij hem niet had gezien sinds hij uit de nor was gekomen.

Pepe Renaldes had een vaste baan bij Do-Rite Construction, een bonafide maatschappij, die naam probeerde te maken met de bouw van villa's in Brentwood, een progressieve, welgestelde, blanke wijk in de West Side van Los Angeles; een wijk die ik goed kende, omdat mijn moeder en stiefvader er woonden. Daar hadden ze hun boekenclubs, hun wijn-en-kaasfeestjes en hun eindeloze gesprekken over de toestand in de wereld. Ik hield zielsveel van mijn moeder. Zoals mijn vader zelf had toegegeven, was ze in haar eerste huwelijk niet fair behandeld. Nu was ze gelukkig en dat vond ik erg fijn voor haar. Alleen kon ik hun filosofische uitspattingen niet zo goed velen. Hun manier van leven bevatte alle valkuilen van academisch gekissebis zonder de bijbehorende diploma's.

Aangezien er tegen geen van beide jongens op het moment een aanhoudingsbevel uitstond, zat er niets anders op dan te wachten tot El Paso's advocaat en de officier van justitie een plan hadden uitgewerkt. Ik had Sarah Sanders graag fotoboeken met mugshots willen laten zien, benieuwd als ik was of ze hen eruit zou pikken, maar had te horen gekregen dat ik daarmee moest wachten. Met mijn handen figuurlijk gebonden begon ik aan mijn patrouilledienst en maakte mijn acht uren vol. Tegen twaalven was ik thuis, moe en leeg.

Een heleboel berichten op mijn antwoordapparaat, maar niets van Koby. Ook geen e-mail van hem.

Niet dat dit me verbaasde.

Ik besteedde de zaterdagochtend aan mijn zoektocht naar David Tyler. Telefoontjes naar tehuizen voor daklozen, opvangcentra en instellingen voor zwakzinnigen. Daarna ging ik lunchen met mam. In Brentwood keek ik bij alle huizen in aanbouw of er soms een bord van Do-Rite Construction bij stond, maar helaas zag ik er geen.

's Middags waren er nog steeds geen berichten van Koby. De relatie zou een stille dood sterven als ik er niets aan deed, dus zette ik zondag mijn trots opzij. Ik ging winkelen en kocht een oranje overhemd voor hem – in de uitverkoop, waardoor het niet geruild kon worden. Een uurtje later vroeg ik me af waarom ik het had gedaan, want wie dacht hij wel dat hij was?

Ik had hem kunnen laten stikken, maar ik was eenzaam. Het afgelopen jaar had ik de fut niet kunnen opbrengen om naar feestjes en bars te gaan, dus ontmoette ik nergens anders mannen dan op mijn werk, en die waren taboe. Het had geklikt tussen ons en ik vond het zonde als het hierbij zou blijven. Al bleef ik in dubio staan.

Intussen stapte ik weer in mijn auto en reed de canyon door voor een bezoekje aan pa, om hem op de hoogte te brengen van mijn speurtocht naar David Tyler. Dat maakte ik mezelf tenminste wijs. In werkelijkheid hunkerde ik naar een schouderklopje voor de aanhouding van Germando El Paso. Toen ik naar de voordeur liep, met het cadeautje voor Koby in mijn hand, snapte ik zelf niet waarom ik het meenam.

Maar niet heus.

Ik klopte op de deur. Rina deed open. 'Hoi, Cin. Je vader is niet thuis. Hij is met Hannah naar een creatieve dag. Je weet wel, waar je voor vijftig dollar een bordje mag beschilderen dat je in een la legt en nooit gebruikt.'

Ik glimlachte. Ik wist precies wat ze bedoelde.

'Kom erin, dan zoek ik het adres even voor je op.'

'Och, dat hoeft niet, hoor. Zeg maar gewoon dat ik ben geweest.'

Rina bekeek me onderzoekend. Naar de blik in haar ogen te oordelen, stond mijn gezicht niet normaal, laat staan gelukkig. 'Dan zou je die hele rit voor niets hebben gemaakt. Zou je niet liever op hem wachten? Hij is over een uurtje wel terug.'

'Nee, dank je. Zeg maar dat ik ongeveer een kwart van alle mogelijkheden heb onderzocht en nog steeds op zoek ben naar David. Hij weet wel wat dat betekent. Misschien kan hij me straks even bellen, om wat dingen te bespreken.'

Rina trok me naar binnen. 'Ik lust wel een kopje koffie. Jij?'

Ik glimlachte en haalde mijn schouders op. Ze wees met haar duim in de richting van de keuken. Ik ging gehoorzaam met haar mee. In de keuken veegde ik afwezig met mijn hand over het aanrecht.

'Wat scheelt eraan, meisje?' vroeg Rina.

'Niks.' Dom antwoord. 'Het gaat wel over. Maar bedankt.'

Ze drong niet aan. 'Wat heb je in dat tasje?'

'O.' Ik haalde mijn aankoop tevoorschijn. 'Iets voor Koby.'

Het overhemd was knaloranje, veel feller dan ik me uit de winkel herinnerde. Rina staarde ernaar.

Ik zei: 'Ik heb het in de uitverkoop gekocht. Hij kan het dus niet ruilen.'

'Aha…'

Ik glimlachte. 'Koby houdt van kleur.'

'Dan zal hij het vast wel mooi vinden.'

'Hij heeft bij die aanrijding van laatst zijn overhemd gebruikt om bloed te stelpen. Dus vond ik dat ik wel een ander voor hem kon kopen.'

'Dat is erg attent.'

'Dat zal het zijn, als ik het hem ooit geef.'

Rina wachtte op uitleg. Maar ik ging er niet over door. Ze schonk twee kopjes koffie in. 'Ik had toevallig net koffiegezet. Jij wilt er melk in, niet?'

'Melk en een zoetje. Meisjeskoffie.'

'Ik ook.'

Ik nam een slokje. De koffie was erg lekker en er zat kaneel in, waardoor ik me nog mistroostiger voelde.

Ze zei: 'Ook dit zal overgaan.'

'Uiteindelijk gaat alles over. Wanneer je dood bent.'

Rina glimlachte. 'Nu lijk je net je vader.'

'God verhoede.'

'Nee, dat is juist goed. Ik ben dol op je vader.'

'Dat hebben we dan gemeen.' Ik zette het kopje neer. 'Ik weet het niet, Rina. Dit was bedoeld als vredesoffer. Nu betwijfel ik of het de moeite wel waard is. Misschien kan ik het beter opgeven.'

'Dat weet je zelf het beste.'

'Ik mag hem graag. Maar mannen zijn zo verrekte lastig.'

'Er zijn dagen dat ik het volledig met je eens ben,' zei Rina. 'Maar dit weekeinde gedraagt je vader zich toevallig voorbeeldig.'

'Misschien ligt het aan mij.'

'Wil je mijn advies?'

'Zeg het maar.'

'Je kunt het overhemd niet terugbrengen. En het is voor mensen met een heel specifieke smaak. Geef het aan Koby. Anders is het weggegooid geld.'

Het was een schitterende dag, die dus helemaal niet bij mijn stemming paste. Zijn auto stond op de oprit en een ogenblik wenste ik dat het allemaal zou verdwijnen – alle nare gevoelens die het leven zo moeilijk maakten – zodat we in die auto konden stappen en doelloos rijden over een eindeloze snelweg. Ik belde aan. Toen hij niet opendeed, liep ik langs het huis en keek over het hek. Ditmaal stond de achterdeur niet open, maar ik zag bewegingen in de tuin. Ik drukte de klink van het hek naar beneden, maar het zat op slot. Hij verwachtte geen bezoek, maar dat kon me niets schelen. Ik klom over het hek.

'Hallo!' riep ik.

'In de tuin.'

De sinaasappelbomen stonden nog steeds in bloei en verspreidden een zware, zoete geur. Ik bleef staan. Zijn voorspelling was uitgekomen. Binnen één week had de hele tuin kleur en geur gekregen. Hij was bezig de rozenstruiken te snoeien, gekleed in een verschoten spijkerbroek, een groen hemd en gympen zonder sokken. Hij wierp even een blik op me en knipte toen een takje af waar een robijnrood rozenknopje aan zat.

'Wauw!' Ik klopte mijn zwarte broek af, die stoffig was geworden van mijn klimpartij over het hek. 'Wat mooi.'

'Dank je.' Nog een blik op mij en toen begon hij de doornen van het takje te trekken. 'Maar volgens mij is mijn uitzicht beter.'

Ik bedankte hem. 'Wil het werk aan de achterkamer een beetje vlotten?'

Hij had het tegen mij, maar hield zijn blik gericht op de bloem. 'Nee. Ik werk nooit met elektrische apparaten wanneer ik van streek ben.'

Hij hield me het takje voor.

Ik pakte het aan en rook aan de rozenknop. '*Très élégant!* En nu we in zo'n goedgeefse stemming zijn...' Ik tilde het tasje op. 'Iets alledaagser dan een roos, maar zoals het gezegde luidt, gaat het om het gebaar.'

Hij keek naar mijn cadeautje, gewikkeld in vloeipapier, in het glanzende cadeautasje met touwtjes als hengsels. 'Voor mij?'

'Tenzij er iemand achter je staat.'

Zijn ogen waren niet meer bloeddoorlopen, maar de glans ontbrak. Zijn blik ging van het cadeautje naar mijn gezicht. 'Ik ben verbluft. Ik weet niet wat ik moet zeggen.'

'"Dank je" is altijd goed.'

'Dank je.'

'Pak het aan en maak het open.'

Dat deed hij. Hij haalde het overhemd eruit en zijn glimlach was een stralende halve cirkel van wit. 'Wat schitterend!'

'Als je het met Halloween aantrekt op een zwarte broek, denkt iedereen dat je je hebt verkleed als pompoen.'

'Vooral met die grote tanden van me.' Hij keek naar het etiket. 'Precies de juiste maat.' Hij hield het overhemd tegen zijn borst. 'En?'

'Alsof het voor je gemaakt is.'

'Wie weet.' Zijn glimlach vervaagde en hij deed het overhemd weer in het tasje. 'Ik zou het vanavond graag voor je willen aantrekken. Zit die mogelijkheid erin?'

'Misschien wel.'

'Hoeveel op een schaal van één tot tien?'

Ik was nog steeds niet in staat te glimlachen. 'Het spijt me dat ik je zo afblafte. Ik vind het niet prettig wanneer andere mensen mijn werk beter doen dan ik.'

'Ik doe jouw werk niet.'

'Ik zou hem niet te pakken hebben gekregen als jij er niet was geweest.'

'Ik heb aan hardlopen gedaan. Ik kan waarschijnlijk harder lopen dan alle agenten van het LAPD.'

'Maar dit was niet zomaar een agent. Dit was ík. En die man was míjn probleem. Koby, stel dat hij een pistool had getrokken.'

'Dan zou ik uitstekende back-up hebben gehad.'

'Hou op! Ik probeer je iets duidelijk te maken.'

Hij keek somber. 'Dat weet ik.'

'Ik… Het spijt me, oké?'

'Het ging niet alleen om het hardlopen,' zei hij zachtjes. 'Je was al kwaad op me.'

Ik bevestigde dat niet en ontkende het ook niet. Weer werd het onaangenaam stil. Toen zei ik: 'Ik heb de blik op je gezicht gezien toen ik die man in de boeien sloeg. Ik neem aan dat ik op dat moment helemaal voldeed aan het beeld dat je altijd hebt gehad van stoere politieagenten.'

'Ik schrok ervan,' gaf hij toe. 'Maar ik weet dat er een keerzijde is.'

Ik knikte.

'Wat heeft hij gedaan?'

'Officieel heb ik hem in hechtenis genomen omdat hij gezocht wordt voor verkeersovertredingen. Maar ik wilde hem oppakken in verband met de groepsverkrachting van een zwakzinnige vrouw.'

Koby's gezicht vertrok van afgrijzen. Ik dacht wat mijn vader tientallen keren moet hebben gedacht: waarom heb ik hem dat verteld?

Hij zei: 'Heeft de arrestatie geholpen?'

Uiteindelijk wel. Nadat ik tig vragen had gesteld. 'Ja, we zijn er erg mee geholpen.'

'Dat is mooi.' Hij stak het snoeimes in zijn broekzak en keek op zijn horloge. 'Wat zou je ervan zeggen als ik een pot koffie zette? Ga jij maar lekker in de tuin zitten terwijl ik onder de douche ga en me aankleed. Daarna kunnen we misschien naar het strand rijden om naar de zonsondergang te kijken. En daarna kunnen we ergens iets gaan eten.'

Het klonk aanlokkelijk, bijna als een therapie. Maar ik kon me nog niet ontspannen. 'Koby, waarom heb je me niet gebeld? Ik was helemaal overstuur na de aanrijding. Ik wist dat je het druk had met zaken op leven en dood, maar een kort berichtje op mijn antwoordapparaat zou heel welkom zijn geweest. Het zou je nog geen twee minuten van je tijd hebben gekost.'

Hij wendde zijn gezicht af. 'Ja, dat had ik inderdaad moeten doen.'

'Waarom heb je het dan niet gedaan?'

Hij keek naar een rozenstruik en haalde het snoeimes weer tevoorschijn. Weer sprak hij zonder naar me te kijken. 'Ik heb soms buien, Cynthia.' Hij knipte een dood takje weg. 'Ik had gehoopt dat ik er geen last van zou hebben tot we elkaar beter hadden leren kennen… zodat je eerst mijn goede kant zou zien.'

Ik snapte er niets van. 'Wat bedoel je met "buien"?'

'Buien.'

'Koby, iedereen heeft wel eens een slechte bui.'

'Die van mij zijn erg somber.'

'Een soort depressiviteit?'

Hij keek me aan. 'Een kwaadaardige depressiviteit, geloof ik. Dan ben ik niet aanspreekbaar. Ik ben er inmiddels achter dat ik me dan het beste helemaal op mijn werk kan concentreren. Dus werk ik tot ik niet meer kan... tot ik erbij neerval. Dan ga ik slapen, een dag, twee dagen. En dan... is het over. Het gaat altijd over. Omdat de wereld nu eenmaal mooi is.'

'Ben je er ooit voor in behandeling geweest?'

'Bij een psycholoog, bedoel je?'

'Ja. Ik ben zelf ook in behandeling. Het helpt.'

'Waarom zou ik? Het gaat altijd over.'

'Je zou het moeten doen om erachter te komen wat de oorzaak is.'

'Ik weet altijd wat de oorzaak is. Ditmaal was het de aanrijding. Het meisje zal in leven blijven, maar er moest een been bij haar worden geamputeerd. De baby is gestorven, Cindy, wegens de ernstige verwondingen aan zijn hoofd. Daar kwam het door.'

'Koby, je werkt voortdurend met baby's die sterven.'

'Ja, maar die baby's zijn ziek. Bij die baby's weet je dat je het kunt verwachten. Dus ben je erop voorbereid. Wanneer het om een gezonde baby gaat... en het afdoende was geweest als de moeder hem in een autostoeltje had vastgebonden... dan word ik... En het gebeurde ook zo onverwacht! Het ene ogenblik was ik gelukkig, samen met jou... zo'n heerlijke avond. En toen... boem!' Hij sloeg met zijn vuist in zijn hand, zo fel dat ik ervan schrok. 'Net als in Tsahal... wanneer je *sjmierah* doet, de wacht houdt. Het ene ogenblik zit je rustig een sigaretje te roken en met je *chevre* te praten en het volgende moment is je maatje doodgeschoten door een sluipschutter. Of wanneer je als kind je *toekoel*, je hut, uit komt en alle vrouwen ziet huilen. Dat is niets bijzonders omdat de dood altijd rondwaart. Tot iemand je vertelt dat je eigen moeder is gestorven. Het gaat om de onverwachte dood. Anders dan in het ziekenhuis. In het ziekenhuis heb je weerstand. Snap je wat ik bedoel?'

Ik liet mijn adem ontsnappen. 'Je hebt veel trauma's moeten doorstaan in je leven.'

'Ik zei al dat iedereen een last draagt.'

'Maar de last van sommigen is zwaarder dan die van anderen.'

Hij knikte somber. 'Dat is waar. Ik neem het je niet kwalijk dat je me niet meer wilt.'

'Heb ik gezegd dat ik je niet meer wil?'

We zwegen allebei.

'Die man, die Oliver...' zei Koby. 'Mag je hem nog steeds?'

Ik lachte zachtjes. 'Dat, mijn beste jongen, is helemaal voorbij.'

'Niet voor hem.'

'Zit dát hierachter? Oliver?'

Hij schokschouderde. 'Gedeeltelijk. Voor een klein deel.'

'Een klein deel?'

'Heel klein.'

'Pietepeuterig.' Ik knikte. 'Oké.'

'Cindy, onder normale omstandigheden is het niet belangrijk. In combinatie met al het andere wat is gebeurd, wierp het vraagtekens op. Dat is alles.'

Ik wachtte net zolang tot hij me weer aankeek. 'Ik heb nooit iets gezegd over Marnie. Je had niet over Oliver moeten beginnen.'

Hij keek weer weg, richtte zijn blik over mijn schouder heen op een punt achter me, en gaf geen antwoord.

Ik zei: 'Je beroept je op je zwijgrecht. Maar nu je erover begonnen bent, wil ik iets zeggen. Je moet nooit een verhouding aangaan met iemand van je werk en ik ben niet van plan nogmaals in die fout te vervallen.'

'Dan zijn we dat met elkaar eens.'

'Laten we het hier dan op houden: ik vraag jou niks, en jij vraagt mij niks.' Ik keek hem veelbetekenend aan. 'Bovendien heb ik het idee dat de zaak in jouw geval nog niet helemaal is afgesloten.' Hij bloosde zowaar. Ik zei: 'Koby, er is op het moment niemand anders in mijn leven. Hou daar dus maar over op. Goed?'

'Ik ben dom.' Hij knipte nog een dood takje weg. 'Vergeef me.'

Ik pakte het snoeimes uit zijn handen. 'Je bent niet dom en wat mij betreft is dit verleden tijd. Maar voortaan moet je me laten weten dat je me wilt blijven zien.'

'Geloof me, dat is het probleem niet.'

'Als je weer zo'n zwartgallige bui krijgt, zeg je gewoon dat je niet kunt praten, omdat je een depressieve bui hebt. Dan weet ik dat het niet aan mij ligt. Ik weet zelf ook wel iets van trauma's, omdat mijn ouders zijn gescheiden toen ik nog jong was. Ik hou van orde, net als jij.'

'Goed, dat zal ik doen.'

Ik gaf hem het snoeimes terug. 'En je zou kunnen overwegen er met iemand over te gaan praten.'

'Ik praat er met jou over.'

'Ik ben geen psycholoog.'

'Nee, maar jouw uurtarief is lager.' Hij keek lange tijd naar me en streek toen met één vinger over mijn wang. 'God geeft me een stukje van het paradijs en ik verpruts het. Ik ben niet goed wijs.'

Ik lachte zachtjes. 'Dat is een beetje overdreven.'

'Je bent zo mooi, Cynthia. Het is al heerlijk om alleen maar naar je te kijken.'

'En goedkoop.'

'Wie maakt er nu domme grapjes?'

Ik gaf geen antwoord.

'Je bent pure hitte… Alles aan je is als vuur.' Zijn blik was indringend. 'Ik weet een restaurantje in de Malibu Canyon… aan een beek. Schitterende bergen en heldere lucht. Veel vegetarische gerechten. Het eten is erg goed en de sfeer is intiem.'

Ik kende het. Het was er mooi en erg romantisch.

'Zal ik me douchen en dat overhemd aantrekken?'

Zijn ogen getuigden al van seksuele fantasieën. Maar ik was er nog niet aan toe. 'Wacht even, Jaakov Kutiel. Je hebt me verteld waar jij mee zit. Nu moet je luisteren naar waar ík mee zit.'

'Het zal me een eer zijn.'

Dus vertelde ik het hem. Ik praatte en praatte en praatte.

We zijn uiteindelijk niet naar de bergen gegaan. Hij heeft niet eens de kans gekregen het overhemd aan te trekken. We zijn namelijk het bed niet meer uit gekomen.

30

Ik werd gewekt door een kus op mijn wang. Mijn sprookjesprins was gekleed in een spijkerbroek en een blauw T-shirt en had een plastic zak met daarin zijn blauwe ziekenhuiskleding over zijn schouder. En een mok koffie in zijn hand.

'Lieve hemel.' Ik ging zitten en trok de deken over mijn borsten. 'Hoe laat is het?'

'Even over tienen.' Hij gaf me de mok. 'Voor jou.'

Ik pakte de koffie aan en nam een slokje. 'Heerlijk. Ethiopische koffie. Dat weet ik omdat een vriend van me een pond van zulke koffie voor me heeft gekocht.'

'Er is nog meer. En ook toast, sinaasappelsap en de krant. Maar je zult helaas in je eentje moeten ontbijten. Ik moet aan het werk.'

Ik wreef in mijn ogen en keek naar hem. Zijn ogen sprankelden als champagne. Eindelijk was de flonkering teruggekeerd. 'Heb je goed geslapen?'

'Met jou naast me slaap ik als een blok. Jij dan?'

'Uitstekend. Ik was doodop.' Ik dronk nog wat koffie en bekeek de kleine slaapkamer. Het bed was kingsize, er was slechts één nachtkastje, met daarop een telefoon en een wekker, en een kleine kast met een spiegeldeur. Geen tv, omdat daar geen ruimte voor was. Zonlicht stroomde naar binnen door de vitrage voor het raam dat uitzicht bood op de rozentuin. Qua afmetingen was zijn huis net zo klein als mijn flat, maar omdat het interieur zo knus was, haalde mijn flat het er niet bij. 'Ik ga zo dadelijk ook.'

'Wanneer je maar wilt.' Hij haalde een metalen voorwerp uit zijn zak en gooide het in mijn schoot. 'Doe de deur op slot wanneer je weggaat.'

Een sleutel. 'En moet ik de sleutel dan in de brievenbus gooien?'

'Je mag hem houden. En hem gebruiken of ik hier nu ben of niet. Mijn huis is dicht bij je werk. Dat kan goed van pas komen als je er behoefte aan hebt een poosje uit te rusten.'

Ik keek hem in de ogen. 'Ik weet het niet, Koby. Gaat dit niet een beetje te snel?'

'Als je hem niet wilt, gooi je hem maar in de brievenbus.' Hij kwam naast me zitten en zette de plastic zak met kleren op de grond. 'Je zei dat ik belangstelling voor je moest tonen. Misschien geloof je me nu.'

'Ik bedoelde dat je op mijn telefoontjes moet reageren, niet dat ik bij je moet intr…' Ik zweeg abrupt. Ik had me lelijk versproken. Wie liep er nú te hard van stapel? Maar mijn eerste gedachte was geweest: als ik hier zou wonen, waar zou ik mijn kleren dan moeten laten?

Koby begon traag te glimlachen. 'Ik ben stapelgek op je, Cynthia.' Hij streelde mijn arm. 'Ik word er zelfs een beetje bang van… dat ik zo gek kan zijn op een vrouw.'

Mannen en hun emoties. Ik bood hem een uitweg. 'Zeg dat niet te hard. Je kent me nog maar amper.'

'Ik weet hoe ik me voel. Ik wist het al toen ik je voor het eerst zag. Ik voelde het in mijn hart. En ook op een andere plek.'

Het bed geurde nog naar feromonen. 'Het klikt inderdaad tussen ons.'

Hij kuste mijn naakte schouder. 'We hebben hartstochtelijke kleuren.' Zijn hand gleed onder de deken. 'Zwart en rood, een levensgevaarlijke combinatie.'

Mijn adem stokte. 'Ik dacht dat je aan het werk moest.'

'Dat is ook zo.' Hij stak zijn vingers tussen mijn benen. 'Ik ben aan het werk.'

'Ik bedoel náár je werk.' Ik deed mijn best niet meteen nat te worden bij zijn aanraking. Maar dat lukte dus niet. 'Werk waarvoor je een salaris krijgt.'

'Dit is veel prettiger werk.'

Ik trok zijn hand weg. 'Je zult te laat komen.'

'Je bent erg wreed,' zei hij.

Wat veel aardiger klonk dan 'je weet best dat je het nog een keer wilt, slet'. Mijn blik ging naar zijn kruis en toen naar zijn verwachtingsvolle gezicht. Hij trok zijn wenkbrauwen op. Hij wachtte op een teken.

Ik glimlachte.

Binnen dertig seconden was hij naakt. Een kwartier later was hij weer aangekleed. Hij bekeek me terwijl ik in bed lag, en ik zag hem weer groeien. 'Ik ben net een schooljongen.' Hij keek op zijn horloge en fronste zijn wenkbrauwen. 'En net zo gefrustreerd.'

'Het zakt wel zodra je het parkeerterrein van het ziekenhuis op rijdt.'

'Ongetwijfeld.' Hij maakte aanstalten om weer naast me te komen zitten, maar bedacht zich. Hij pakte de zak met kleren. 'Kunnen we elkaar vanavond zien?'

'Ik heb late dienst.'

'Dan slapen we morgen uit.'

'Ik kan niet,' zei ik. 'Ik moet morgenochtend om negen uur met mijn moeder naar een lezing.'

'Waarover?'

'Kunstgeschiedenis of zoiets. Ze studeert voor haar doctoraal. Ze is een eeuwige student. Ik heb al beloofd dat ik mee zou gaan en dat kan ik nu niet afzeggen.'

'Ik buig me voor *kiboed ha'em*. Men moet zijn moeder eren. Morgenavond dan?'

Ik knikte. 'Morgenavond kan ik wel.'

'Kan ik haar eens ontmoeten? Je moeder?'

'Ja… wanneer de tijd er rijp voor is.'

'Je zegt het aarzelend. Denk je dat ze me niet zal accepteren?'

'Daar komen we dan wel achter. Ze zegt dat ze ruimdenkend is, maar jij bent de eerste zwarte man met wie ik ooit iets heb gehad.'

'Maakt niet uit.' Hij kuste mijn voorhoofd, streek een lok haar uit mijn ogen. 'Zolang jij me maar accepteert.' Hij tilde mijn kin op en bracht zijn lippen naar de mijne. Hij kuste me zachtjes. En nog een keer, en nog een keer. Hij zuchtte, en kuste me weer. 'O godver, ik ben zo heet!'

Ik ook, jochie, ik ook. Maar een van ons moest verstandig zijn. 'Wegwezen. Ik zie je morgenavond.'

Met tegenzin richtte hij zich op en hij vertrok zonder nog iets te zeggen. Ik wachtte tot ik de voordeur hoorde dichtvallen voordat ik uit bed stapte, ging onder de douche en kleedde me aan. Omdat het een prachtige dag was, zette ik het blad met mijn koffie, sap, toast en de krant op het ronde tafeltje op de patio en ging in de tuinstoel zitten. De wijk waar Koby woonde was tegen de bergwand gebouwd, zodat ik uitzicht had op huizen en daken. Sommige huizen stonden lager dan dat van Koby, sommige hoger, en alles bij elkaar zag het er knus uit. Ik voelde me alsof ik midden in Montmartre zat, de Parijse artiestenwijk waar de Moulin Rouge staat. Er dreven witte wolkjes in de blauwe lucht en in de verte kon ik nog net een stukje zien van Silver Lake, dat echt van zilver leek in het zachte licht.

Een leuke man, geweldige seks, koffie en de krant terwijl je de geur van rozen opsnuift, en nog een meer om op uit te kijken ook.

Ik zou hier zo aan verslaafd kunnen raken.

Maar helaas moest ook ik aan het werk. Ik nam de spullen weer mee naar binnen, waste alles af en maakte de keuken aan kant. Omdat ik wist dat hij koosjer at, keek ik in de kastjes en laden en zag inderdaad twee sets serviesgoed en bestek. Ik zette mijn spullen bij de bijbehorende set.

Ik trok de voordeur achter me dicht en deed hem op slot. Gooide de sleutel een paar keer op in mijn hand en liet hem toen in mijn tas glijden.

Ik stond in meer opzichten bij Scott Oliver in het krijt dan hij zelf wist. Sinds we onze relatie hadden verbroken, was ik vrijwel nooit meer op het bureau geweest waar mijn vader werkte, omdat ik dat zo gênant had gevonden. Nu Scott en ik weer normaal met elkaar konden omgaan, kon ik naar mijn vader gaan zonder bang te zijn voor een toevallige ontmoeting. Ik wist dat Oliver van kleding hield. Toen ik voor Koby het overhemd had gekocht, had ik voor Scott een das gekocht. Hij was er niet toen ik de recherchekamer van bureau Devonshire in liep, dus legde ik het pakje op zijn bureau met een bedankbriefje erbij. De afdeling moordzaken zat helemaal achterin, als een vazalstaatje. Ik hoopte daar ooit lid van te worden, maar voorlopig moest ik genoegen nemen met bijkomstige voordelen, zoals het feit dat ik de meesten van de rechercheurs kende, en dat mijn vader er de baas was.

Ik maakte met een paar mensen een praatje, liet hen toen met rust zodat ze hun werk konden doen en ging mijn vader lastigvallen. Zijn deur stond open. Hij liet die altijd openstaan, tenzij hij in vergadering was. Het protocol vereiste dat ik moest aankloppen, dus deed ik dat. Hij was aan de telefoon en maakte onderhand aantekeningen. Toen hij mijn klopje hoorde, keek hij op en stak vijf vingers naar me op. Vijf minuten. Ik gaf aan dat ik geen haast had.

'Moment,' zei pa in de telefoon, en toen zei hij tegen mij, op zachte toon: 'Kom erin en doe de deur dicht.' Tegen degene die hij aan de lijn had: 'Ben ik weer. Ga door.'

Ik deed de deur dicht, ging tegenover hem aan zijn bureau zitten en keek toe terwijl hij dingen op een geel blocnote krabbelde. 'Dat lukt nooit, Alicia, zeker niet bij Malcolm Standish. Die is heel stipt. Je kunt beter via een gerechtelijk bevel de telefoonregisters en bankrekeningen opvragen, dan de zaak nu voor het gerecht brengen met het risico dat de beklaagde zal worden vrijgesproken. Zodra je de paperassen hebt, zal ik die door een van mijn mensen laten bekijken om te zien of we een duidelijker verband kunnen aantonen.'

Hij luisterde. Sloeg zijn ogen ten hemel. Hij had zijn jasje uitgetrokken en zijn das losgemaakt. Hij droeg een wit overhemd en een grijze broek. Met zijn vingers kamde hij strepen in zijn haar. 'Alicia, ik spreek met vijfentwintig jaar ervaring. Als je overhaast te werk gaat, blijf je uiteindelijk met lege handen staan. We hebben een goed begin. Forceer het niet, dan... ja, precies. Ga naar Standish en vraag hem om de gerechtelijke bevelen. Hij stelt gedetailleerd werk op prijs. Als je goed beslagen ten ijs komt, is hij altijd bereid te luisteren... Ja, juist omdat het een randkwestie is. Ja... ja... goed... bel me zodra je de papieren hebt, dan zal ik ze doornemen. Goed... goed... tot kijk.'

Hij hing op en slaakte een diepe zucht.

'Problemen?'

'Valt mee. In ieder geval stond ze open voor suggesties. Ik ben voortdurend bezig jonge assistent-officieren van justitie te leren hoe ze hun werk moeten doen.'

'Je had advocaat moeten worden.'

Mijn vader glimlachte om het grapje. Hij bekeek me. 'Ik heb een vraag voor je, Cindy.'

Nieuwsgierig zakte ik onderuit tegen de rugleuning van mijn stoel. 'Zeg het maar.'

'Ik wil weten waarom je voicemail op je mobieltje hebt, als je toch niet op de berichten reageert.'

Ik kreeg een kleur. 'Sorry, pap.'

'Ik heb gehoord dat je gisteren bent langsgekomen. Rina zei dat je er ongelukkig uitzag. Ik was bezorgd en heb je driemaal gebeld. Maar je hebt niet teruggebeld. Is alles in orde?'

'Ja, pap. En nogmaals sorry.'

'Ben je in bed gekropen om over een depressief gevoel heen te komen of zo?'

Ik kon me ergeren aan zijn bemoeienis, maar daar zou ik niets mee opschieten. 'Nee.' Ik leunde over het bureau heen en gaf hem een kus op het puntje van zijn neus. 'Nee, ik was bij Koby en het was een nogal emotionele middag en avond en ik heb helemaal niet op de tijd gelet. Mijn schuld. Nogmaals, mijn excuses.'

'En wat kom je hier doen?' bromde hij.

'Jou lastigvallen.'

'Dat lukt je aardig,' gromde hij. 'Ik heb over de aanhouding gehoord. Gefeliciteerd.'

'Dank je. Heb je positieve of negatieve dingen gehoord?'

'Hoofdzakelijk positieve. Een paar vervelende opmerkingen over het zakje pillen.'

'Gespuis blijft gespuis.'

'Hebben ze het je moeilijk gemaakt?'

'Ja, maar het leuke van eerlijk zijn, is dat je maar één versie van je verhaal hebt. Die kun je net zo vaak herhalen als nodig is, zonder in je eigen leugens verward te raken.'

'Vertel eens.'

Ik vertelde het hem. 'Ik heb de twee namen die El Paso uiteindelijk heeft genoemd, meteen opgezocht. Joseph "Juice" Fedek woont niet op het adres dat we van hem hebben, maar Pepe Renaldes wel. Hij werkt voor een aannemer die villa's bouwt in de West Side.'

'Snap je nu waarom ik thuis altijd zelf klus?'

'Niet iedereen kan huizen bouwen, pap. Het liefst zou ik zien dat Sarah Sanders op het bureau de foto's van El Paso en Fedek of Renaldes uit de mugshots weet te pikken. Zo ja, dan zou ik nagaan of Renaldes inderdaad bij die aannemer werkt. En ik zou jacht gaan maken op Fedek. Dat zou ik allemaal willen doen, maar het mag niet. Dus kom ik mijn frustratie hier even luchten.'

'En waarom ook niet. Dat doet immers iedereen. Hoe is de stand van zaken op het moment?'

'Russ MacGregor en Justice Brill wachten af of er een voorstel komt voor een deal vanwege die drugs. Ze zeggen dat El Paso ertoe bereid is, maar dat het OM hem liever meteen aanklaagt voor een zaak die ze kunnen winnen, dan te gokken op een wankele verkrachtingszaak van een halfjaar geleden.'

'Daar zit wel iets in.'

'Weet ik. Maar dan heb je wel kans dat twee bijzonder gewelddadige kerels op vrije voeten blijven in plaats van opgesloten te worden, en dat ze onschuldige burgers kunnen blijven terroriseren.'

'Als Sarahs verhaal waar is.'

'Daarom wil ik haar de fotoboeken voorleggen. Om te zien of ze die lui eruit haalt.'

'Ik ga je de raad geven die ik zojuist aan de jonge assistent-officier van justitie heb gegeven. Wees geduldig.'

'Ben ik toch? Ik doe niks stiekem, hoor. Maar omdat ik obsessief en toegewijd ben, ben ik onderhand aan het zoeken naar David Tyler. Als ik hem weet te vinden, en als hij en Sarah onafhankelijk van elkaar Fedek en Renaldes identificeren, komt mijn zaak over de verkrachting en de mishandeling op een veel steviger basis te staan.' Ik leunde weer achterover op mijn stoel. 'Aanvankelijk dacht ik dat die pillen in ons voordeel zouden werken, dat we ze konden gebruiken om El Paso onder druk te zetten, maar nu geloof ik dat het OM voor de drugsovertreding zal gaan. Dat is beter voor de statistieken.'

'Je bent te jong om al zo cynisch te zijn.'

'Ik ben niet cynisch, ik ben realistisch. En ik ben in een goed humeur. Na een leuke date lijkt alles iets minder hopeloos.'

Pa keek me aan met een ondoorgrondelijke blik. 'Als jullie nog steeds met elkaar praten, mag je hem wel weer meebrengen voor de sjabbat-maaltijd. Ik beloof je dat ik ditmaal niet raar zal kijken.'

Ik haalde mijn schouders op. 'We zien wel.'

'Heb je het al aan je moeder verteld?'

'Het is niet ter sprake gekomen.'

'Je hebt het niet ter sprake gebracht. Waar maak je je zorgen om? Je moeder is veel ruimdenkender dan ik.' We wisten allebei dat ik uitstel wilde. Ik keek op mijn horloge. 'Ik ga me maar weer eens in dienst van het publiek stellen en verder zoeken naar David Tyler.'

'Heb je al iets gevonden?'

'Nul komma nul. Misschien is hij dood. Sarah Sanders zei dat hij zich niet bewoog toen ze hem daar achterliet.'

'Ja, daar heb ik over zitten denken. Het is mogelijk dat David dood is, maar dan denk ik niet vanwege dat pak slaag. Cindy, de gemeente haalt regelmatig de vuilnis op. En mensen maken gebruik van de toiletten in het park. Als er een overleden man in een vuilnisbak zit, valt dat heus wel op.'

'Tenzij die jongens hem hebben vermoord en later zijn teruggekomen om hem op een minder zichtbare plek te dumpen.'

'Dat lijkt me niet, Cindy. Dat zou te veel aandacht trekken. Dit lijkt mij een impulsieve verkrachting. Waarom zouden ze speciaal terugkomen? Dat zou alleen maar meer risico's met zich meebrengen.'

'Omdat David hen kon identificeren.'

'Hij heeft een verstandelijke handicap. In hoeverre zou men hem geloven, zelfs als hij de daders kon identificeren? En het is helemaal niet zeker dat hij dat zou kunnen.'

Dat kon ik niet tegenspreken.

Pa zei: 'Ik weet dat je bezig bent met de minder prettige zijde van speurwerk: navraag doen in tehuizen, opvangcentra, rehabilitatiecentra, asielen, bij het Leger des Heils en overal waar daklozen te vinden zijn. Het is een saaie klus, maar je maakt er de meeste kans mee.'

Er werd op de deur geklopt en toen kwam Oliver binnen. Hij had mijn stropdas in zijn hand. Ik had de das met flinke korting op de kop getikt, maar het was een heel mooie, een Mimi-Fongpatroon in goud en hemelsblauw. En hij paste toevallig prachtig bij het donkerblauwe pak dat hij aanhad.

'Hoe vind je hem?' vroeg ik.

'Heel mooi, Cin. Alsof ik hem zelf heb gekozen. Waar is het voor? Krijgsgeld?'

'Dat zou je kunnen zeggen.'

Mijn vader keek zuur. 'Je hebt een stropdas voor hem gekocht?'

'Ja, voor hem een das en voor Koby een overhemd.'

'Je hebt voor Oliver een stropdas gekocht en voor Koby een overhemd, maar je vader krijgt niets.'

Ik stond op en sloeg mijn armen om zijn hals. 'Ach, pap, jij bent voor mij nog steeds nummer één, hoor!'

'Je wurgt me,' bromde pa.

Oliver zei: 'Dus je bent weer terug bij die gozer?'

'Voorlopig, en die gozer heeft een naam, Scott, net als jij.'

'Ja, hij heeft een naam. De zwárte gozer. Of als ik heel politiek correct wil zijn, de Afrikaans-Amerikaanse gozer.'

'Als je het helemaal goed wilt doen, zou je hem alleen maar de Afrikaanse gozer moeten noemen. Of de Aziatische gozer, omdat hij Israëlisch staatsburger is, als ik me niet vergis. Als hij Amerikaan was, zou je hem dan de Afrikaans-Aziatisch-Amerikaanse gozer moeten noemen. Daarom vind ik het veel handiger om hem Jaakov te noemen.'

'Jij noemt hem Koby.'

'Dat is alleen voor vrienden, Oliver.'

Hij glimlachte. Pa trommelde met zijn vingers op zijn bureaublad. 'Was er iets wat je met me wilde bespreken, Oliver?'

'Nee, niet echt,' antwoordde Oliver.

'Doe de deur dan achter je dicht.'

Oliver lachte en vertrok.

Ik zei: 'Ik krijg het druk dit weekeinde. Zaterdag eerst naar de sportschool, dan lunchen met mam, en daarna heb ik van zes tot acht een oefenwedstrijdje bowlen. Als Koby 's avonds vrij heeft, gaan we uit. Op zondag staat er een brunch met mijn vriendin Hayley op het programma. 's Middags ga ik verder zoeken naar David en als Koby en ik zondagavond nog steeds met elkaar overweg kunnen, gaan we weer uit.'

'Ik word al moe als ik er alleen maar naar luister. Je bent hyperactief, agent Decker.'

'Dat is nog altijd beter dan thuis gaan zitten kniezen.'

31

Sinds ze vorige week bij haar moeder hadden gegeten, had Rina zich ingehouden en slechts één of twee keer zijdelings iets over de moord op
haar grootmoeder gezegd. Peter had net gedaan alsof zijn neus bloedde
en niet in het aas gehapt. Nu duidelijk was dat ze met haar subtiele aanpak niets bereikte, vond ze het tijd voor een directe aanval. Nadat ze de tafel hadden afgeruimd, liep ze heupwiegend de keuken in en sloeg haar armen om Peters middel. Hij was de vaat aan het wassen en had de mouwen
van zijn witte overhemd opgestroopt, maar de manchetten waren evengoed nat geworden.

'Zal ik het van je overnemen?' vroeg ze.

'Ik ben al bijna klaar,' antwoordde Decker. 'Maar je mag zo blijven
staan. Dit bevalt me wel.'

'Ik hou van mannen die een koekenpan schoon weten te schuren.'

Hij glimlachte. 'Wat is Hannah aan het doen?'

'Huiswerk. Vertel eens, hoe gaat het?'

'Z'n gangetje.'

Rina maakte zich van hem los. Nerveus streek ze haar spijkerrok glad
en stroopte de mouwen van haar roze trui op tot haar ellebogen. Ze pakte een theedoek en ging de vaat afdrogen. 'Ik wil graag antwoord op maar
één vraag. Heb je Marta Lubke gevonden?'

'Ja.'

Rina kon haar oren niet geloven. 'Echt waar?'

'Ja.'

'Leeft ze nog?'

'Je zei één vraag.'

Ze stompte hem tegen zijn schouder.

'Ja, ze leeft nog,' antwoordde Decker. 'En niet alleen zij, maar ook haar
oudere zus. Ik had het je willen vertellen wanneer Hannah straks naar bed

is, maar nu we er al over begonnen zijn… wat wil je weten?'

'Om te beginnen hoe je haar hebt gevonden.'

'Daarmee zou ik mijn beroepsgeheimen verraden.' Decker knipoogde naar haar. 'Ik heb de naam ingetikt in Google en kreeg ongeveer honderd Lubkes. Misschien niet zo slim van me, omdat de Lubke die ik hebben moet, een Duitse is, maar ik vond dat ik het net zo goed hier kon proberen. Misschien zou ik een familielid vinden. Nadat ik die treffers had gekregen, ben ik begonnen aan een eliminatieproces, op leeftijd. Ik heb ongeveer tien Lubkes gevonden die oud genoeg waren en heb aan elk van hen een e-mail gestuurd. En toen heb ik doodgewoon enorme mazzel gehad. Ik kreeg een mailtje terug van ene Anika Lubke. Het is op zich al heel wat dat een vrouw van in de tachtig met een computer kan omgaan, maar je gelooft nooit waar ze woont.'

'In Los Angeles?'

'Nee, maar het scheelt niet veel. In Solvang.'

'Dat meen je niet!'

'Jawel. Vlak bij Santa Barbara. Ik zei toch dat we enorme mazzel hebben?'

'Je bent geweldig. Wat schreef Anika Lubke?'

'Dat ze geboren is in München. En nu komt het nóg ongelooflijker deel van het verhaal: ze heeft een zus die Marta heet. Die Marta heet nu Wallek van haar achternaam en woont in St. Louis, Missouri. Daar wonen schijnbaar veel mensen van Duitse afkomst.'

'Ja, Anheuser-Busch zit daar. Je weet wel, van het Busch Stadium.'

'En Budweiser bier,' zei Decker.

'Mijn vriendin Ellie uit München gebruikt vaak de uitdrukking *Bierbauch Bayer*. Dat betekent "een man met een bierbuik uit Beieren". Bier hoort helemaal bij de Duitse cultuur, vooral in Beieren.'

'Hier in de goeie ouwe Verenigde Staten lust men het anders ook wel. Maar nu komt de klap op de vuurpijl: gisteravond kreeg ik een e-mail van Marta zelf. Hoe vind je die?'

'Ik kan nauwelijks geloven dat je al deze dingen binnen zo korte tijd te weten bent gekomen.'

'Bedank internet maar. Beide vrouwen zijn trouwens weduwe.' Decker hief de natte koekenpan op. 'Kun je iets sneller afdrogen, zodat er ruimte komt voor deze pan?'

Rina pakte de borden uit het rek en zette ze op het aanrecht. 'Beter zo?'

'Het zou zonde zijn als ik met de pan een flinter van een bord zou stoten.'

Ze glimlachte. 'Wat ben je toch een schat.'

Decker begon de opscheplepels af te wassen. 'Wil je het interessantste deel ook nog horen?'

'Is er dan nog meer?'

'Een heleboel. Hoe denk je dat Anika nu van achteren heet?'

Rina was klaar met de borden en pakte de pan. 'Aangezien er wel een miljoen Duitse achternamen bestaan, kan ik er onmogelijk naar raden.'

'Ook als je die allemaal zou opnoemen, zou je het niet raden. Ze heet namelijk Emerson.'

'Ze is met een Amerikaan getrouwd.'

'Nee, met een Brit.'

'Daar zal dan ook wel een interessant verhaal achter zitten.'

'Vast en zeker. Maar dat weet ik verder niet, want dat soort dingen mail je niet aan volslagen vreemden.'

'Weet je zeker dat je de juiste Marta Lubke hebt?'

'Ja, ik weet dat heel zeker omdat ze zich jouw moeder herinnert om dezelfde redenen dat jouw moeder zich háár herinnert. Omdat ze de twee Marta's waren. En ze herinnerde zich ook de andere meisjes toen ik hun namen noemde. Ze kunnen zich allebei de moord op je grootmoeder nog herinneren. Alleen weet ik niet in hoeverre ze op de hoogte zijn van details.'

Rina sloeg haar hand voor haar mond en bleef doodstil staan. Langzaam liet ze haar hand zakken.

Decker zei: 'Marta en Anika Lubke zijn dik in de tachtig. Ik denk dat jouw moeder een beetje heeft gefoezeld met haar leeftijd.'

'Ik ben er helemaal stil van.' Rina slikte. 'Niet van het feit dat mamma over haar leeftijd heeft gelogen, maar dat je de mensen hebt gevonden die ze als kind heeft gekend.'

'Marta Lubke Wallek vond het geweldig dat Marta Gottlieb Elias nog leeft. Ze zou graag contact met je moeder willen opnemen, Rina, als die dat goedvindt. Ze zegt dat haar eigen levensverhaal ook interessant is. Nu moeten we je moeder dus vertellen wat we aan het doen zijn.'

Rina zuchtte diep. 'Ja. En dat zal niet meevallen, want dan vraagt ze zich natuurlijk af waarom we op zoek zijn gegaan naar Marta Lubke.'

'Zeg maar dat je naar aanleiding van haar verhaal over haar jeugdjaren naar de vrouwen bent gaan zoeken die haar toen hebben gekend.'

'Goed.' Rina stemde er wat onzeker mee in, maar wilde dit wel op de juiste manier aanpakken. 'We zeggen niets over de moord op mijn groot-moeder. Ik vertel mamma alleen waar we mee bezig zijn. Eerlijk gezegd vind ik een mogelijke hereniging van die twee veel opwindender. Leuker dan oude lijken opgraven.'

'Ik ben blij dat je er zo over denkt.' Decker legde wat bestek in het af-druiprek. 'Maar ik heb een nog beter idee.'

Rina wachtte af.

'Ik vind dat we hen niet met elkaar in contact moeten brengen voordat we meer weten over Marta en Anika Lubke. Je moeder heeft in een con-centratiekamp gezeten en we moeten alles doen om te vermijden dat ze opnieuw verdriet heeft. Daarom lijkt het me het beste dat we eerst met die twee vrouwen gaan praten.'

'Naar St. Louis gaan, bedoel je?'

'Dat is niet nodig, omdat het ons alweer meezit. Marta Lubke Wallek gaat binnenkort naar Californië toe voor een bezoek aan haar zus. Als we dat nu eens uitbuiten en er een uitje van maken? We kunnen op een zater-dagavond vertrekken, meteen na de sjabbat, in Santa Barbara overnach-ten, op zondag doorrijden naar Solvang en op zondagavond weer naar huis gaan. De jongens kunnen best één dag op Hannah passen. Ze zijn al-lebei boven de achttien.'

'Sammy werkt op zondag.'

'Jacob niet.'

Rina trok een bedenkelijk gezicht. 'Ik weet het niet, Peter. Kan Cindy niet komen?'

'De zaterdag houdt ze altijd vrij voor Jan. Soms gaan ze 's avonds er-gens naartoe. Daar mag ik niet aankomen. Op zondag kan ze wel helpen. Ik weet zeker dat ze het niet erg zal vinden om de ochtend of de middag hier door te brengen.' Nu trok híj een gezicht. 'Tussen haakjes, ze komt vrijdag weer samen met Koby hier eten.'

Rina's ogen begonnen te stralen. 'Dus ze hebben het bijgelegd?'

'Voorlopig wel, ja.'

'Ik mag die jongen wel.'

'Je mag het feit dat hij besneden is,' zei Decker.

'Ik vind het inderdaad fijn dat hij joods is. Ik heb mijn voorkeur nooit onder stoelen of banken gestoken. Goed, wanneer gaan we naar Solvang?'

'Marta gaat over drie weken naar haar zus. Dat zal wel lukken, niet?'

'Ja. Dan zijn er geen feestdagen en hebben we voldoende tijd om alles voor te bereiden… Kan ik ook eten koken voor de zondag, voor Hannah en de jongens.'

'Rina, de jongens zijn inmiddels volwassen. Die kunnen heus wel iets klaarmaken.'

'Dat weet ik, maar het is voor mij geen punt om wat extra's te maken.'

'Mag ik je een kruis geven om je handen op vast te spijkeren, heilige R.?'

'Ik vind het nu eenmaal fijn om iets extra's voor mijn gezin te doen. Dat geeft toch niets?'

'Helemaal niet. En zou je ook iets extra's voor mij willen doen? In bed bijvoorbeeld?' Decker sloeg zijn armen om haar heen en trok haar tegen zich aan.

'Wat heb jij opeens?'

'Niet opeens. Ik heb dit aldoor.' Hij trok zijn wenkbrauwen op. 'Als ik heel eerlijk moet zijn, heb ik meer dan één reden dat ik graag een hele nacht met je van huis wil.' Hij kuste haar hard op haar lippen.

'Hé!'

Ze keken allebei naar de deur. Hannah keek met vies gezicht naar hen, draaide zich om en holde weg. Ze barstten in lachen uit.

Decker zei: 'Ik zal even gaan vragen wat ze wilde.'

Rina hield hem omarmd. 'Ze kan wel even wachten.'

Ze kuste hem langdurig, op een manier die zijn hele lichaam in vuur en vlam zette.

'Nou, nou,' zei Decker toen. 'Wat heb jíj opeens?'

'Niet goed?'

'Wel goed.' Hij maakte zich van haar los. 'Ik ga even naar Hannah.' Hij was nog hard. 'Of misschien kun jij beter naar Hannah gaan, dan stap ik onder een koude douche.'

'Niet té koud.'

'Wees niet bang, dit trucje kan ik zó nog een keer doen.'

32

'Het geheim van een optimale prestatie is concentratie van de geest en ontspanning van het lichaam. Je lichaam moet heel los zijn.' Koby schudde zijn armen. 'Je kijkt toch wel eens naar basketbal?'

'Soms,' zei ik.

'Heb je gezien hoe beroepsspelers van lange afstand schieten? De *trey* – de basket buiten de cirkel die drie punten waard is – is vrijwel altijd een boogbal die met een luchtige polsbeweging wordt losgelaten. Heel los. Of neem een honkbalspeler die aan slag is en met zijn hele lichaam zijn slag volgt, in een soepele draai. Wat niet meevalt, omdat je juist de neiging hebt je lichaam te spannen.'

'Klopt.'

'Je moet je erop kunnen instellen. Dat is een van de redenen waarom professionele atleten zo arrogant zijn. Ze moeten zichzelf als de besten beschouwen, anders kunnen ze zich niet ontspannen.'

'Professionele atleten zijn arrogant omdat ze tien miljoen dollar per jaar verdienen en duizenden vrouwen bereid zijn hun seksuele lusten te bevredigen.'

Koby glimlachte. 'Ik zei ook een van de redenen.'

Ik wreef mijn armen en balanceerde op mijn hakken. We hadden de rek- en strekoefeningen achter de rug, maar het was vrij koud en mijn spieren begonnen te trekken. Grijze wolken hingen als natte gymkleren boven Los Angeles. Het was pas zeven uur op deze woensdagochtend, maar er waren al heel wat mensen op de atletiekbaan. Koby zwaaide af en toe naar deze of gene.

'Toen ik aan wedstrijdsport deed, fantaseerde ik altijd dat mijn gewrichten dunne elastiekjes waren, die ik net zo ver kon rekken als ik wilde, omdat ze altijd terugsprongen. Daardoor slaagde ik erin met lange passen te lopen.'

'Je loopt met lange passen omdat je lange benen hebt,' zei ik tegen hem.

'Ja, ik ben nu eenmaal een Afrikaan. Die zijn erop gebouwd om voor leeuwen te vluchten. Maar iedereen kan zijn conditie verbeteren. Ben je zover?'

'Ja, laten we het maar doen.'

'Je wilde dit zelf, Cindy.'

'Het leek me gewoon nóg iets wat we samen konden doen, maar waar nu eens geen geld of seks aan te pas komt.'

Hij grijnsde. 'Als je wilt, kunnen we terugkeren naar de seks.'

'Het valt me op dat je niets zegt over geld.'

'Eerst seks; daarna geef ik geld aan je uit.' Hij lachte en pakte mijn arm. 'Kom op.'

'Doe alsjeblieft net alsof we hetzelfde tempo hebben.'

Hij jogde naast me toen ik rond de baan draafde; onderhand praatten we. Hij hoofdzakelijk over zijn werk. Dat was prettig, omdat hij de gelegenheid kreeg zijn frustraties van zich af te praten en mij ondertussen zo afleidde dat de tijd sneller leek te gaan. Hij was trouwens sowieso het meeste aan het woord, omdat ik mijn adem nodig had voor het hardlopen. Ik besefte het aanvankelijk niet, maar hij versnelde heel geleidelijk het tempo. Na drie kwartier kon ik niet meer. Ik zakte terug tot een sukkelgangetje en zei dat hij nog maar een rondje moest gaan lopen, terwijl ik afkoelde. Meteen schoot hij weg, pure poëzie in beweging. Tegen de tijd dat we weer thuis waren, was ik in een erg amoureuze bui en deden de benodigde endorfinen hun werk. Daar was hij zo mee in zijn schik dat hij voorstelde iedere ochtend te gaan hardlopen. Een hete douche nam de overgebleven restjes loomheid weg.

Toen ik de keuken in liep, zag ik dat het lampje van mijn mobieltje flitste. Ik bekeek mijn voicemail.

Koby kwam na mij binnen en zag meteen dat er iets mis was. Ik weet niet wie van ons tweeën het erger vond.

Ik keek op mijn horloge. Het was kwart voor tien en mijn dienst begon pas om drie uur. 'Ik moet naar het bureau komen… ze verwachten me om elf uur.'

'Wat is er aan de hand?'

'Geen idee.' Ik rolde mijn schouders. 'De laatste keer dat ik de inspecteur van onze afdeling sprak, zei hij dat de man die ik heb aangehouden van plan was een klacht tegen me in te dienen wegens buitensporig agressief gedrag.'

'Jemig.' Koby kwam naar me toe, legde zijn handen op mijn schouders en keek me in de ogen. 'Zal ik met je meegaan?'

'Welnee, joh. Ik red me wel.' Ik glimlachte flauwtjes. 'Maak je geen zorgen.'

'Weet je het zeker?'

'Zo zeker als ik hier sta.'

'Wat er ook gebeurt, Cynthia, je kunt altijd op me rekenen. Bel me wanneer het achter de rug is. En denk erom: geconcentreerde geest, ontspannen lichaam. Laat nooit merken dat je transpireert.'

Brill deed de deur van de verhoorkamer dicht. Stone was er en ook de assistent-officier van justitie, een tengere man met een ouderwets kapsel en een bril met een schildpadmontuur op de punt van zijn neus. Hij zag eruit als begin dertig, droeg een olijfgroen pak met een geel overhemd en een das met een druk patroon waarvan de hoofdkleur rood was.

Dat beloofde weinig goeds.

Rechercheur Brill en inspecteur Stone kwamen aan weerskanten van me zitten. De assistent-officier van justitie verkoos te blijven staan. Hij stelde zich voor: Geoffrey – met een G – Adamson.

'We hebben een probleem,' begon hij. 'Het zal moeilijk te bewijzen zijn dat de aanhouding niet geënsceneerd was.'

Ik zei niets.

'Niet dat ik geloof dat u die had geënsceneerd.'

Bedankt voor de motie van vertrouwen.

Ik sprak pas toen ik er zeker van was dat ik mijn stem de baas was. 'Ik heb dat zakje pillen met geen vinger aangeraakt. Agent Bader heeft het gevonden toen hij El Paso fouilleerde. Een onderzoek naar vingerafdrukken zal uitwijzen…'

'Dat zou alleen aantonen, agent Decker, dat u handschoenen droeg.'

Ik verstijfde. Ontspannen lichaam. Ik ontspande me bewust.

'En het feit dat u uw vriend hebt weggestuurd, maakt het alleen maar erger.'

Ik zei niets.

'Waarom hebt u hem weggestuurd?' vroeg Geoffrey.

'Omdat ik niet wist dat ik hem nodig zou hebben om mijn eerlijkheid te bewijzen.' Ik keek de man in de ogen. 'Ik heb hem naar huis gestuurd omdat hij vier dagen achter elkaar had gewerkt en zat te tollen van de slaap.'

Adamson nam mijn woorden in zich op alsof het een filosofische stelling was. Hij begon te ijsberen. 'Hoeveel tijd is er verstreken tussen het moment waarop u hem wegstuurde en het moment waarop de patrouillewagen arriveerde?'

'Nog geen halve minuut. Toen hij wegreed, zag ik de patrouillewagen al aankomen.'

'Dat is niet erg lang, maar we zijn er niet mee geholpen.'

'Waarom vraag je het dan?' vroeg Stone. 'Hoor eens, Geoff, jij en je collega's mogen denken wat jullie willen, maar ik weet dat ze niets verkeerds heeft gedaan. Ze is ook bereid een leugentest te ondergaan.'

'Dat maakt geen indruk op me.'

'Nou, op mij wel,' zei Stone nadrukkelijk.

'We willen niet dat het tot een rechtszaak komt, maar zijn advocaat zal met een proces dreigen vanwege het Rampart-schandaal. Nóg zo'n schandaal, echt of ingebeeld, zal ons in een bijzonder kwaad daglicht stellen.'

'Dus u wilt een zak xtc negeren omdat er toevallig niemand met een camera klaarstond toen ik die etter aanhield?' vroeg ik hem.

'U was niet in uniform, agent Decker,' zei Adamson.

'Dat weet ik. Ik ben hier in mijn vrije tijd mee bezig.'

'Dat maakt u juist extra verdacht. '

Op dit punt hield ik maar liever mijn mond.

Stone schudde zijn hoofd. 'Er zijn ook nooit mensen met een videocamera in de buurt wanneer je ze nodig hebt.'

Ik glimlachte.

'Waar zal het op uitlopen?' vroeg Stone. 'Dat we de pillen laten voor wat ze zijn en hij vier maanden cel krijgt voor de verkeersovertredingen?'

'Zoiets.'

Brill zei: 'Het probleem is, Decker, dat El Paso nu geen reden meer heeft de twee *compadres* te verraden die Sarah Sanders hebben verkracht.'

'Fedek en Renaldes,' zei ik.

'El Paso zal heus niet uit de school klappen vanwege vier maanden cel,' zei Brill. 'Tenzij we iets concreets in handen krijgen over Fedek en Renaldes, zoals een bevel tot aanhouding, mogen we hen van het OM met geen vinger aanraken.'

'El Paso heeft toegegeven dat hij aanwezig was bij de verkrachting,' zei ik. 'Kunnen we dat niet gebruiken?'

'Toen hij u dat vertelde, had hij al om een advocaat gevraagd en die niet gekregen,' zei Adamson. 'Dus moet dat deel van het gesprek buiten beschouwing gelaten worden.'

Ik strengelde mijn vingers heel strak ineen op mijn schoot… merkte het en ontspande ze weer.

'Mag ik Sarah Sanders naar een verdachtenrij laten kijken om te zien of ze El Paso eruit pikt? Díé informatie heb ik van iemand anders.'

Stone zei: 'Heb je informatie dat El Paso bij de verkrachting in kwestie aanwezig was, of alleen dat hij van gangbangs houdt?'

Ik zuchtte. 'Het laatste.'

'Jammer genoeg, agent Decker, hebben we daar dan niets aan.'

Hij deed zijn best voor me. Ik wilde zijn geduld niet op de proef stellen. 'Mag ik Sarah Sanders wel wat mugshots laten zien?'

'Dat wel,' zei Stone. 'Als je maar met A begint en haar op geen enkele manier beïnvloedt.'

'Hebben we het over dat geestelijk gehandicapte meisje?' vroeg Adamson.

'Ja,' antwoordde ik.

'Dat haar baby heeft gedumpt?'

'Ja.'

De assistent-officier van justitie zei: 'Gezien haar geestelijke vermogens en het feit dat het om een zaak gaat die zes maanden oud is, zal haar getuigenis niet veel gewicht in de schaal leggen.'

'En als haar getuigenis door een ander wordt bevestigd?'

'Door wie?'

'Door de jongen met wie ze in dat toilet was. De jongen die in elkaar is geslagen terwijl zij door de hele bende werd verkracht. Hij heet David Tyler.'

'Decker, die jongen is onvindbaar,' merkte Brill op.

'Stel dat ik hem zou vinden. En dat ik hen dan onafhankelijk van elkaar naar mugshots liet kijken en ze dezelfde mensen zouden aanwijzen. Zouden we daar iets aan hebben?'

Adamson haalde zijn schouders op. 'Dan zouden we er in ieder geval iets beter voor staan. Weet u waar die jongen is?'

'Ik ben ermee bezig.' Ontspannen. Ontspannen. 'En nu zal ik er nog wat harder aan gaan werken.'

Adamson keek op zijn horloge. 'Bel me maar wanneer u hem hebt gevonden. Tot dan noemt u Germando El Paso en de verkrachting niet in één adem, zeker niet wanneer u met Sarah Sanders praat.'

'Begrepen,' zei ik. 'Ik vind het niet leuk, maar ik begrijp het wel.'

'En stuur de volgende keer uw getuige niet naar huis,' zei de assistent-officier van justitie.

'Ik zal het onthouden, meneer.'

En toen had die etter het lef bij de deur tegen me te knipogen. Toen hij weg was, keek ik naar de inspecteur. 'Dat is seksuele intimidatie.'

'Het is een tic, Decker.' Stone legde zijn hand op mijn schouder. 'Je hebt je kranig geweerd. Het is jammer dat sommige rotte appels een rechtmatige arrestatie kunnen tenietdoen, maar ik kan me zijn situatie wel indenken. En ga jij nu maar even iets eten voordat je aan je dienst begint.'

Beleefd zei ik: 'Dank u wel, meneer, dat u helemaal achter me staat.'

Hij glimlachte. 'Graag gedaan.'

Brill zei: 'Ik ben nog bezig met die aanrijding van laatst, Cindy. Heeft die voor jou nog een nasleep?'

'Af en toe een donkere droom. Het valt mee. Aardig van u dat u ernaar vraagt.' En ik vroeg aan de inspecteur: 'Mag ik gaan?'

'Je mag gaan.'

Ik stond op, liep naar de deur en wuifde heel vrouwelijk naar hen. Zodra ik alleen was, toetste ik Koby's nummer in en liet hem oppiepen. Hij belde vijf minuten later terug.

Ik zei: 'Het viel mee. Ik ben een beetje teleurgesteld, maar verkeer niet in moeilijkheden.'

'Baroech Hasjeem.' Hij klonk oprecht opgelucht. 'Waar ging het over?'

'Ik praat via een mobiel, Koby. We hebben het er nog wel over. Tot hoe laat moet je werken vandaag?'

'Ik doe een rotatiedienst van twaalf uur. Dat levert meer geld op en dan ben ik tegelijk met jou klaar. Zullen we gewoon thuis afspreken?'

'Bij jou thuis, bedoel je?'

'Nee, Cindy, ik bedoel gewoon thuis.'

Dat was lief van hem en dat zei ik ook. En ik zei dat dat afgesproken was.

Ik transpireerde. Of ze het zagen of niet, wist ik niet.

33

Het werk ging door en een week verstreek zonder bijzondere incidenten. De zondag daarop hadden Koby en ik eindelijk tijd voor het romantische dineetje. De zon zakte langzaam naar de horizon en ontstak in de lucht een vuurwerk van hardroze, dieppaars en vlammend rood toen we kalmpjes over de Pacific Coast Highway reden. Even later sloegen we rechts af de Malibu Canyon Road in, waar de heuvels nog in de rossige gloed baadden, waardoor de bomen mosgroen leken en het gesteente bijna oranje. De maan was al zichtbaar in het bleke grijs van de naderende avond. Het was een prachtig moment, het werd een heerlijke avond en ik was al tipsy voordat ik een heel glas wijn op had. We aten van elkaars bord terwijl we elkaar aftroefden met slimme opmerkingen tot onze kwinkslagen langzamerhand overgingen in amoureuze toespelingen. Tegen de tijd dat we weer in de auto zaten, konden we nauwelijks wachten. Dus stopten we bij een oud strandmotel in Malibu dat bestond uit een reeks kleine hutjes. Het bed had de afmetingen van een salontafel, met een schuimrubberen matras en schurende lakens, en er was geen uitzicht op de oceaan, maar dat maakte niet uit. Het was één en al donder en bliksem en toen het voorbij was, bleek er voldoende warm water te zijn.

Ik voelde me alsof ik eindelijk de alom geprezen middelbareschooltijd beleefde, waarvan ik als tiener helemaal niet had genoten. Het was heerlijk om met mijn hoofd in de wolken te lopen, des te meer omdat mijn vriendje zo goed was in bed. Eigenlijk was onze relatie nog te pril voor dergelijke gevoelens en ik wist dat het kaartenhuis best zou kunnen instorten, maar aan de andere kant had ik Koby's sleutel en had hij niet gezegd dat hij hem terug wilde. Integendeel, het enige wat hij ervoor in ruil verlangde, was de sleutel van míjn flat.

Het was al na middernacht toen we terug waren in de stad. Ik was onderweg in slaap gevallen, maar werd wakker in de buurt van Sunset en La

265

Brea, ongeveer twintig minuten van Koby's huis. Ik rekte me uit en wreef in mijn ogen. 'Hoe gaat het?'

'Prima. Lekker geslapen?'

'Ja, heerlijk. Zal ik even rijden?'

'Nee.'

'Ben je niet moe?'

'Helemaal niet. Daarvoor ben ik veel te opgewonden.'

'Opgewonden als in blij, of opgewonden als in sexy…'

'Het laatste.'

Ik stond versteld. 'Ben je nu alweer hitsig?'

'Ja, omdat ik heb zitten fantaseren terwijl jij sliep.'

'Je bent een beest.'

'Nee, ik ben een man. Mannen hebben simpele interesses: auto's, sport en seks. Op dit uur van de nacht zijn er niet veel auto's op de weg, en er worden geen sportwedstrijden gehouden… dus blijft alleen seks over.'

Ik bekeek hem kritisch. 'Ik hoor toch wel bij die fantasieën, hoop ik?'

Hij grinnikte. 'Je bent mijn fantasie.'

Ik gaf hem een mep. 'Dat lieg je!'

Hij lachte. 'Nee, nee, ik zal het je bewijzen zodra we thuis zijn. Ik zal je laten zien wat ik fantaseerde.'

Ik gaf hem nog een mep. 'Zal ik je ervan af helpen?'

'Liever niet.'

Stilte.

'Wat is er?' vroeg Koby.

'Ik heb mijn moeder over je verteld,' zei ik.

Koby greep het stuur wat steviger vast, maar gaf geen antwoord.

'Werkt het?' vroeg ik.

'Nou en of. Het is een plotselinge, zielige dood gestorven. Wat zei ze?'

'Ze vroeg of het een serieuze relatie is.'

'En wat heb je daarop geantwoord?'

'Dat ik je pas een paar weken ken en dat het serieuze op het moment nog niet aan de orde is. En dat ik je erg graag mag. Ze wil je leren kennen.'

Hij glimlachte. 'Mag je me graag?'

'Nee, ik vind je een lapzwans.'

'Voor een lapzwans werk ik veel te hard.'

'Dat is waar. Je moet keihard gewerkt hebben om de aanbetaling op je huis te kunnen doen.'

'Er zit een verhaal vast aan het huis. Ik heb een vriend die aan het eind van de jaren negentig een start-up company begon. Meestal ben ik voorzichtig, maar... nou ja, ik heb hem toen tweeduizend dollar gegeven, die algauw uitgroeiden tot twintigduizend, binnen acht maanden ongeveer. Toen kreeg ik de kans om het huis te kopen en heb ik mijn winst geïnd. Een jaar later ging de maatschappij failliet. Pure mazzel.'

'Omdat je niet inhalig was.'

'Wat het ook was, ik stel geen vragen maar zeg alleen dank je wel. En ik ben bereid met je moeder kennis te maken wanneer je maar wilt.'

'Wat zou je zeggen van dit weekeinde?'

'Prima.'

'Bedankt.' Ik klapte het spiegeltje aan de binnenkant van de zonneklep open en begon mijn haar te fatsoeneren. 'We gaan op zaterdag altijd samen lunchen, maar ik heb al gezegd dat jij dan niet kan vanwege de sjabbat. Ik geloof dat het feit dat je traditioneel religieus bent haar meer stoort dan je huidskleur.'

Hij trok een verbaasd gezicht. 'Waarom?'

Ik streek een springerige lok naar achteren. 'Omdat Rina zo religieus is.'

'Ah. Ik word automatisch ingedeeld in het vijandige kamp.'

'Min of meer... hoewel mijn moeder eerder is hertrouwd dan mijn vader.'

'Kun je goed overweg met je stiefvader?'

'Ja, ik mag Alan wel.' Ik pakte een lippenstift en begon mijn lippen te stiften. 'Ik zie hem alleen niet zo vaak. Hij komt meestal niet mee voor de zaterdagse lunch, dus zie ik hem alleen wanneer ze feestjes geven. Al zijn dat er heel wat, zeker zes per jaar.'

Ik kneep mijn ogen iets toe en bekeek het verkeer achter ons.

Koby zei: 'En welke dag heb je in gedachten voor de ontmoeting?'

Seconden tikten weg.

'Cindy?'

'Zondag... wacht even.'

'Wat is er?'

'Moment!' Ik keek in het zijspiegeltje. 'Koby, blijf in dit tempo doorrijden. Kijk niet in het spiegeltje, ga niet sneller rijden. Blijf gewoon rijden zoals je nu doet. Ik geloof dat we geschaduwd worden.'

Hij zei niets, maar weer greep hij het stuur steviger vast. Het was blijkbaar iets wat hij deed wanneer hij nerveus was. En daar had hij reden toe.

'Het is een Chevy Nova, bruin metallic,' zei ik. 'Zo een heb ik al een tijd niet gezien. Grondverf aan de linkerzijde. Donker getinte ruiten. Dat mag officieel niet, maar dat maakt nu niet uit. Ik kan het gezicht van de bestuurder hiervandaan niet onderscheiden. Hij is alleen een silhouet.'

'Moet ik langzamer gaan rijden?'

'Nee! Ik zei toch dat je in hetzelfde tempo moest blijven rijden?'

Hij slikte. 'Is het de man die ik in zijn rug heb geduwd?'

'Zou kunnen. Al dacht ik dat die nog in het huis van bewaring zat.'

'De man van de aanrijding dan?'

'Zou kunnen. We rijden in dezelfde auto als toen. Er kunnen honderd redenen zijn waarom iemand ons schaduwt.'

'Kun je hem nog steeds niet onderscheiden?'

'Nee.'

Koby zei niets meer. Opeens drong het tot me door dat hij geen collega-agent was. Ik zou hem moeten begeleiden. 'Sorry dat ik zo kribbig doe. Ik ben een beetje gespannen. En het is waarschijnlijk loos alarm.'

'Geeft niks. Als je maar uitlegt wat ik moet doen.'

Ik klopte op zijn knie. 'Blijf maar gewoon rijden. Het is geen ramp. We rijden op een hoofdweg en er is nog redelijk veel verkeer.'

'Waarom bel je de politie niet?'

'Omdat ik eerst zeker wil weten of ik gelijk heb. Ik zou er heel wat voor overhebben als ik zijn kenteken kon doorgeven, maar aan de voorkant ontbreekt de nummerplaat. Hé, dat is een idee. Dat kan ik doorgeven, dan kan de verkeerspolitie hem aanhouden.'

Ik haalde mijn mobieltje tevoorschijn.

De batterij was leeg.

Het was een lange avond geweest.

'Doet jouw mobieltje het?' vroeg ik hem.

'Ik heb het niet bij me. Ik wilde vanavond niet gestoord worden.'

'Dat is heel lief van je, maar wel jammer, want we worden nu wel degelijk gestoord. Oké, ander plan. Denk je dat je een dergelijke situatie aankunt?'

'Hoe bedoel je?'

'Nou, je weet wel… scherpe bochten… piepende banden…'

'Deze auto heeft niet zoveel te bieden.'

'Als je de koppeling heel snel laat opkomen en tegelijkertijd gas geeft, schiet je heel snel weg.'

'Misschien kun jij beter rijden.'

'Oké, zorg er dan voor dat je bij het volgende verkeerslicht moet stoppen, dan ruilen we van plaats.'

Dat deed hij. Het viel niet mee om zonder ongelukken over de versnellingspook heen te komen, maar het lukte. Achter het stuur voelde ik me een stuk beter. Ik verzette het achteruitkijkspiegeltje en gooide mijn handtas op Koby's schoot. 'Heb je ooit met een vuurwapen geschoten?'

'Ik heb in het leger gezeten.'

'Ik heb het niet over een uzi, Jaakov. Ik bedoel een pistool.'

'Ja, ik heb ook met kleine wapens geschoten.'

'Ben je er goed in?'

'Dat was ik wel, maar het is nu al tien jaar geleden. Ik ben het misschien verleerd.'

'Ik heb een halfautomatisch pistool in mijn tas, een negen millimeter Beretta. Pak het maar.'

Hij haalde het pistool uit mijn tas en bekeek het. 'Heb je het magazijn ook?'

'Zit dat er niet in?'

'Nee.'

'Zoek maar in mijn tas. Als het er niet in zit, hebben we pech.'

Hij rommelde in mijn tas, vond het magazijn en schoof het in het pistool. 'We hebben geluk.'

'Oké, ik zal je vertellen wat ik ga doen. Twee straten verderop sla ik rechts af. Ik rij eerst een eindje keihard door, dan stop ik en doof de lichten. Ik zal aan de verkeerde kant van de straat stoppen. Op die manier hebben we meer kans dat hij ons over het hoofd ziet. Wanneer de Nova langskomt, zal ik proberen het kentekennummer aan de achterzijde te lezen. Ga onderuitgezakt zitten, voor het geval ze gaan schieten.'

'Kan ik niet beter proberen het kenteken te lezen, terwijl jij me dekt? Ik weet zeker dat jij beter kunt schieten dan ik. En als je aan de verkeerde kant van de straat parkeert, zit ik dichter bij de nummerplaat.'

'Maar als ze gaan schieten, zit jij ook dichter bij de kogels.'

'Prettig idee.'

'Het spijt me heel erg, Koby.'

'Doe niet zo mal. We regelen dit samen wel even.' Hij rolde zijn schouders. 'Oké, ik ben gereed.'

'Zullen we dan?'

'Doe maar.'

Ik sloeg opeens rechts af en gaf plankgas terwijl ik de koppeling snel liet opkomen. De auto hikte en schoot toen met verrassende snelheid naar voren. Ik doofde de lichten, reed naar de linkerkant van de straat, zette de motor af en bukte. De Nova stoof langs ons heen, maar ik slaagde erin een deel van de nummerplaat te lezen en de rest vulde Koby aan. Ik startte de motor, keerde met gedoofde lichten en reed snel terug naar de hoofdweg.

Blijkbaar niet snel genoeg. De Nova had andere plannen. De motor moest opgevoerd zijn, want binnen een paar seconden zat de wagen pal achter onze Toyota. Ik sloeg scherp links af, een woonwijk in.

De Nova volgde.

Rechtsaf, linksaf. Ik had niet gedacht dat de Nova zo soepel kon manoeuvreren, maar hij bleef me volgen.

En hij kwam steeds dichterbij.

Ik duwde Koby's hoofd naar beneden en werkte weer met de koppeling. Een salvo maakte gaatjes in de kofferbak en verbrijzelde de achterruit.

'Shit!' schreeuwde ik terwijl ik zo hard mogelijk doorreed. Ik nam op twee wielen een scherpe bocht en gaf weer plankgas. Ik hoorde de motor gieren en voelde het knarsen van de versnelling.

'*Koes amak!*' Koby draaide het raampje open, keek in het zijspiegeltje, stak zijn rechterarm naar achteren en vuurde een salvo op de motorkap van de Nova. Ik zag dat hij met één hand schoot, en als een politieman: met zijn handpalm parallel en niet schuin ten opzichte van de grond. Hij had blijkbaar iets geraakt, want er kwam rook uit de Nova. Voordat hij tijd kreeg opnieuw te laden, sloeg ik rechts af en reed de Nova rechtdoor. Ik stopte, zette de motor af en bleef hijgend zitten. 'O, god.' Ik greep Koby's hand. 'O, god, ben je nog heel?'

Hij betastte zijn borst. 'Geen kogelgaten. Alleen een bonkend hart.'

Ik hijgde als een paard. 'Gelukkig.' Inademen, uitademen, inademen, uitademen. 'Hoor eens. We zitten vijf minuten bij het politiebureau vandaan. Nadat we dit gerapporteerd hebben, zullen we er nog wel een poosje bezig zijn. Er zullen veel vragen worden gesteld. Denk je dat je dat aan kunt?'

Hij haalde diep adem. 'Dat denk ik wel.'

Ik wist hoe het zou gaan en was er niet happy mee. Ik slikte moeizaam. 'Koby, als ze horen dat je met mijn pistool hebt geschoten, komen we allebei in de problemen, vooral als je iemand hebt geraakt.'

'Het was zelfverdediging.'

'Dat weet ik, en wanneer ze de auto zien, zal niemand daaraan twijfelen, maar er gelden strenge regels voor wanneer een burger op iemand schiet, veel strenger dan wanneer een agent dat doet.' Ik keek hem in de ogen. 'Ik ben niet van plan jou daarmee op te zadelen. Jij zat achter het stuur en ik heb geschoten. Het is jouw auto. Het is dus logisch dat het zo is gegaan.'

'Maar zo is het niet gegaan.'

'Dat klopt. Het is een leugen. Ik zal een verklaring moeten ondertekenen en daarmee zal ik meineed plegen. En jij moet hetzelfde doen. Als je iemand hebt doodgeschoten, zal ik de verantwoordelijkheid op me nemen.'

'Dat kan ik niet van je verlangen.'

'Koby!' Ik pakte zijn gezicht in mijn handen. 'Doe het gewoon. Toe! Ga er niet tegenin, oké?'

Hij liet me een aantal lange seconden in het ongewisse voordat hij antwoord gaf. 'Ik wil niet dat je in moeilijkheden komt omdat ik onbesuisd heb gereageerd.'

'Jaakov, je hebt niet onbesuisd gereageerd. Je hebt ons leven gered! Doe alsjeblieft wat ik zeg... vertrouw me!'

We zaten allebei te hijgen. Uiteindelijk legde hij zich erbij neer. 'Als je denkt dat dit het beste is.'

'Dat weet ik zeker.'

Hij knikte. 'Goed dan. Ik reed en jij schoot. Maar ik ruik naar kruit en jij niet.'

Kruitresidue. Het was niet waarschijnlijk dat ze mijn hand zouden bekijken en nog onwaarschijnlijker dat ze zíjn hand zouden onderzoeken, maar voor alle zekerheid nam ik het pistool van hem over, draaide het raampje open en vuurde tweemaal. 'Wanneer we op het politiebureau aankomen, ga je onmiddellijk naar de wc. Je wast je handen met veel zeep. Als er niemand naar je kijkt, zeep je zelfs je armen in.'

Hij knikte. 'En ik moet dus gewoon vertellen hoe het is gegaan...?'

'Je vertelt precies hoe het is gegaan, behalve dat jij reed en ik schoot.'

'Dat de auto ons achtervolgde en jij het kenteken wilde weten?'

'Ja. En dat ik geen back-up kon oproepen omdat de batterij van mijn mobiel leeg is. En dat jij de jouwe niet had meegenomen omdat je niet gestoord wilde worden. Hou je aan de feiten.'

'Behalve dat ik reed.'

'Ja.' Ik haalde diep adem. 'Jaakov, het spijt me heel erg. '

Voor ik kon doorgaan, pakte hij me bij mijn nek en kuste me, langdurig, traag, intens. 'We leven nog, Cynthia. De rest is niet belangrijk. Ik zeg *"mekseft jasferawal"* in het Amharisch, ik zal zaterdag in de *beit knesset* in het Hebreeuws de *gomel* bidden en in het Engels zeg ik "Dank u, Hasjeem, dat u ons voor een ramp hebt behoed." God verstaat vele talen. En laten we hier nu maar wegwezen.'

34

De adrenaline stroomde op volle kracht. Decker was zo geconcentreerd op de taak die hem wachtte, dat hij hem bijna over het hoofd zag toen hij bureau Hollywood inliep. Maar vanuit zijn ooghoek zag hij hem op een van de harde, blauwe plastic stoeltjes zitten, met een vermoeid en betrokken gezicht. Moeizaam kwam Koby overeind.

'Ik geloof dat ze nog met de rechercheurs aan het praten is.'

De agent achter de balie keek op. Decker liet hem zijn penning zien, wisselde uit beleefdheid een paar woorden met hem en telde toen tot vijf. Hij haalde diep adem en sloeg zijn arm om Koby's schouders. 'Hoe is het ermee?'

'Ik ben lang niet zo dapper als uw dochter.'

'Wat is er gebeurd?'

Koby gaf hem een kort verslag.

Decker luisterde aandachtig en wist meteen dat er iets mis was. Niet dat Koby het niet erg goed deed: neutraal gezicht, ontspannen houding, goed oogcontact. Hij had de rechercheurs waarschijnlijk om de tuin weten te leiden, maar Decker had een neus voor leugens, én hij kende zijn dochter door en door. Hij hoorde háár woorden, háár zinnen, niet Koby's eigen staccato.

Hij bekeek hem onderzoekend. 'Kom, dan gaan we een frisse neus halen.'

Koby doorstond zijn blik. 'Dank u, maar ik blijf liever hier.'

Decker werd ongeduldig. 'Vijf minuten.'

'Liever niet, meneer. Ik wil op Cindy wachten.'

'Die komt de eerste paar uur nog niet.' Decker sprak op besliste toon. 'Kom mee.'

'Ik blijf hier wachten, meneer,' zei Koby. 'Zo nodig urenlang.'

De jongen liet niet met zich sollen.

Schitterend. Nu zat hij met het vriendje van zijn dochter in een soort staarwedstrijd. En dat was juist het probleem. Zijn dochter kon hij manipuleren. Hij kende de trucjes die alle ouders kennen. Hij wist wanneer hij haar hard moest aanpakken en wanneer hij haar de ruimte moest geven, en uiteindelijk wist hij haar altijd aan zijn kant te krijgen, omdat ze elkaar nu eenmaal heel lang kenden. Maar Koby was niet alleen het vriendje van zijn dochter. Koby was een man van tweeëndertig die al een heleboel gevaarlijke situaties had overleefd en zich door niemand iets liet voorschrijven, ook niet door Cindy's vader.

Decker zou bij het begin moeten beginnen. Een vertrouwensbasis leggen. Dat betekende dat hij hun grootste gemene deler moest zien te vinden, maar dat was niet zo moeilijk. Hij deed een stap achteruit om de jongen wat ruimte te geven en sprak op een zachte, indringende toon.

'Koby, jíj wilt wat het beste is voor Cindy en ík wil wat het beste is voor Cindy. Als ze problemen heeft met haar meerderen, kun jij haar niet helpen. Maar ik wel. Omwille van Cindy verzoek ik je me te helpen. Ga even mee naar buiten en loop een eindje met me op.'

Koby wendde zijn blik af. Toen pakte hij met een abrupt gebaar zijn leren jack van de stoel. Decker hield de deur voor hem open. Ze liepen een klein stukje bij het politiebureau vandaan in de richting van Wilton Place. Op dit uur van de nacht waren er auto's noch voetgangers te bekennen. De duisternis was deprimerend, de lucht klam en koud. Decker rilde.

'We kunnen beter in mijn auto gaan zitten. Daar is het wat warmer.'

Koby bekeek hem achterdochtig.

'Wat is er?' Decker kneep zijn ogen iets toe. 'Denk je dat ik je ga arresteren?'

'Ik vertrouw de politie niet.'

'Je hebt verkering met een politieagente.'

'Zij is geen agente; ze is Cindy.'

'En ik ben haar vader.'

'Reden temeer om u niet te vertrouwen.'

Decker keek hem nijdig aan, wendde toen zijn ogen af en schoot in de lach. 'Goed. Dan blijven we hier in de kou staan.'

De stilte tussen hen wedijverde met de stilte op straat.

Koby streek met zijn hand over zijn gezicht. 'O god… neemt u me niet kwalijk.'

'Welnee…' Decker legde zijn hand op Koby's schouder. 'Ik doe zo kribbig omdat ik ongerust ben. Maar, Koby, ik praat echt liever met je in mijn auto, niet alleen omdat het er een stuk warmer is dan hier buiten, maar ook omdat dan niemand ons kan horen. Maar als je het per se niet wilt, kunnen we ook hier blijven staan.'

'Waar staat uw auto?'

Decker wees naar de klassieke Porsche 911 Targa, die langs de stoeprand geparkeerd stond. Koby zette grote ogen op. 'Is dat uw auto?'

'Nee, dat is mijn hobby. Ik rij normaal gesproken in een Toyota Camry, maar ik wilde zo snel mogelijk hier zijn en met dit wagentje kan ik tenminste opschieten.' Decker drukte op de afstandsbediening om de portieren te ontsluiten. 'Na jou.'

Koby liep naar de auto en stapte in. Decker ging achter het stuur zitten. Hij zei: 'Ik ga zo dadelijk naar de recherchekamer. Ik wil horen wat mijn dochter zegt. Maar om haar te kunnen helpen, moet ik de waarheid weten. Koby, wat je me ook gaat vertellen, het blijft tussen ons.'

Koby staarde door de voorruit naar buiten en zei: 'Ik heb u al verteld wat er is gebeurd.'

'Nee, je hebt me bij benadering verteld wat er is gebeurd. Hoor eens, ik ben bereid te sterven voor Cindy. Ik zou zonder blikken of blozen bereid zijn voor haar te liegen. We staan aan dezelfde kant. Maar om haar zo goed mogelijk te helpen, moet ik weten wat er in werkelijkheid is gebeurd. In je eigen woorden, niet die van Cindy.'

Koby streek met beide handen over zijn gezicht en slaakte een diepe zucht. 'Het is gegaan zoals ik zei…'

'Niet waar.'

'Laat u me alstublieft uitspreken…'

'Sorry,' zei Decker. 'Ga je gang.'

'Het is gegaan zoals ik zei.' Koby sprak op zachte toon. 'We waren op weg naar huis toen Cindy merkte dat we werden achtervolgd. We zijn gestopt om het kentekennummer op te nemen en toen we weer optrokken, kwam de auto achter ons aan en openden ze het vuur op ons. We hebben teruggeschoten…' Hij keek Decker aan. 'Ik heb teruggeschoten. Zij reed. Ik ben degene die heeft geschoten.'

'Met háár pistool?'

'Ja. Een negen millimeter halfautomatische Beretta. Ik heb zelf geen vuurwapen.'

'Ga door.'

'Toen het voorbij was, zei ze dat ze in moeilijkheden zou komen als ze erachter kwamen dat ik met haar pistool had geschoten. Als iemand in die andere auto was verwond of gedood, zou ik in nog grotere problemen komen dan zij. Dus hebben we het verteld alsof het andersom was. Ik wilde het niet doen. Ik heb gezegd dat ik de verantwoordelijkheid op me zou nemen. Ze heeft me gesmeekt naar haar te luisteren. En dat heb ik gedaan.'

'Ze had gelijk.'

'Ik vind van niet.'

'Ik weet hoe zulke dingen werken. En ik zeg je dat ze gelijk heeft.'

'Ze hoeft mij niet te dekken.'

'Het gaat erom dat jullie hier zonder kleerscheuren uitkomen.'

'Ik heb me achter haar rokken verstopt,' fluisterde hij. 'Wat voor man doet zoiets?'

'Dat dondert niet!' zei Decker. 'Je hebt mijn kleine meid geholpen. Wat mij betreft heb je flinke *beitsim* in je broek en op dit moment ben ik de enige op wie je indruk moet maken. De rest is gelul!'

Koby keek hem aan. 'U spreekt Hebreeuws.'

'Een paar woorden.'

'Ik zou met de rechercheurs moeten praten, niet zij.'

'Koby, ze zou evengoed met hen moeten praten, omdat ze bij de politie zit.' Geduld, zei Decker tegen zichzelf. 'Ze heeft het op de juiste manier aangepakt. Maar zelfs als ze het mis had – en dat is niet zo – zou het nu al te laat zijn. Laten we dus vooruitkijken, goed?'

Hij wreef over zijn voorhoofd. 'Wat gaat er nu gebeuren?'

'Om te beginnen heb ik een paar vragen voor je,' zei Decker. 'Waarom reed zij in jouw auto?'

'We zijn van plaats geruild nadat ze had gemerkt dat we gevolgd werden. Ze zei dat ze een trucje kende hoe je de koppeling kunt laten opkomen om heel hard weg te schieten als het nodig is. Ik denk dat ze gewoon zelf wilde rijden, en ik ben er niet tegenin gegaan.' Koby streek met zijn wijsvinger over het metalen dashboard. 'Door de jaren heen heb ik geleerd dat je vrouwen die je graag mag, beter niet kunt tegenspreken.'

'Dat ben ik met je eens.'

'En ik mag haar erg graag…' Hij keek naar Decker. 'Ik hou van haar, inspecteur Decker. Ik kan geen nee tegen haar zeggen.'

Decker glimlachte. 'Da's niet best.'

'Weet ik. Het is niet goed om zoveel van een vrouw te houden.' Koby leunde naar voren en staarde naar de verlaten straat. '*Je-isat gize*. Wat doe ik eraan? Ik ben zwak.'

Verliefd zijn was zwak zijn... cultuurverschillen... of misschien niet. Decker legde even zijn hand op zijn schouder. 'Had je al eens eerder met een pistool geschoten?'

'Ik heb in het leger gezeten.'

'Ja, dat is ook zo. Ze zullen je misschien met paraffine testen.'

'Ik heb mijn handen tot aan mijn ellebogen met zeep gewassen.' Hij leunde weer achterover en keek naar boven. 'Dat moest van Cindy.'

'Een kind van haar vader.' Decker dacht na. 'Nu ik weet hoe het is gegaan, kan ik haar helpen. Het is goed dat je het me hebt verteld.'

Koby slaakte een zucht. 'Ze zal er wel kwaad om zijn.'

'Daar komt ze wel overheen. Je hebt het gedaan omdat het voor haar het beste is.'

'Ik hoop dat u gelijk hebt.'

'Dat weet ik zeker. Ik vertel jou niet hoe je kunstmatige beademing moet toepassen, en jij vertelt mij niet hoe ik het LAPD moet aanpakken.' Decker ging door: 'Eerlijk gezegd zou ik je wel kunnen vertellen hoe je kunstmatige beademing moet toepassen. Ik heb als paramedicus in Vietnam gevochten.'

Koby keek hem aan. 'Ik was in het leger ook paramedicus.'

'Hoe oud was je toen je in het leger moest?'

'Zeventien.'

'Erg jong. Ik was negentien. Heb je twee jaar dienst gedaan?'

'Drie. In Israël doen de jongens drie jaar dienst en de meisjes twee jaar. Was het heel erg? In Vietnam?'

'Ja.'

'Hebt u gevochten?'

'Ja. Mijn diensttijd eindigde vlak voor het Easter Offensive. Ik zat niet direct aan het front, hoewel ze ons meestal met de infanterie mee stuurden in teams van zes tot acht man. Ik evacueerde de gewonden, ik ging met de helikopter mee naar het front om de gewonden op te halen na de aanvallen. Het had erger kunnen zijn.'

'Voor mij geldt hetzelfde. Ik werd tegen het einde pas naar Libanon gestuurd, toen de gevechten niet meer zo hevig waren. Al was het vlak nadat de Berlijnse Muur was gevallen en de Sovjet-Unie nog macht had. De USSR, Syrië en Iran zorgden er samen voor dat de Hezbollah goed gewapend bleef. Veel grensincidenten. Ik heb nog vrij lang in het noorden gezeten… bij Ma'alot, waar Arafat – *jim'ach sjmo* – en de schoften van de Fatah op een bus vol kinderen hebben geschoten die op schoolreisje waren. Veel gespannen situaties, maar het was lang niet zo erg als in Gaza. Daar heb ik zes maanden gezeten. Daar deden we niets anders dan uitkijken naar boobytraps van de Hamas en de PLO terwijl we probeerden te voorkomen dat er burgers werden opgeblazen. Het was niet zo erg als het nu is – om de een of andere achterlijke reden vindt de wereld het verstandig de PLO van wapens te blijven voorzien – maar ik heb er wel het een en ander meegemaakt.'

Hij zweeg en glimlachte flauwtjes naar Decker. 'Nu ik erover nadenk, in het licht van wat er in de wereld allemaal gebeurt, valt dit nog wel mee.'

'Ja, het is een kwestie van perspectief.' Decker schudde zijn hoofd. Wat een wereld. 'Ze zullen je auto in beslag nemen. Ik zal ervoor zorgen dat je thuis wordt gebracht in een politieauto. Heb je ander transport om naar je werk te gaan?'

'Een fiets. Heuvel afwaarts is geen probleem. Maar de heuvel weer op is lastig.'

Decker glimlachte. 'Neem een taxi en ga morgen een auto huren. Ik zal ervoor zorgen dat je het geld terugkrijgt. En blijf nu even buiten wachten terwijl ik naar binnen ga om vervoer voor je te regelen zodat je naar huis kunt.'

'Ik wacht liever op Cindy.'

'Ze is hier echt nog uren bezig. Laat haar maar aan mij over. Ik zal zorgen dat alles in orde komt. Voor jullie beiden.'

Koby keek hem aan. 'U bent iemand wie men niets in de weg moet leggen.'

'Men moet niet aan mijn kinderen komen.'

'Dat neem ik zonder meer aan, meneer, maar ik wacht liever toch op Cindy.'

Decker bekeek hem, zag de vastbesloten blik, de koppige trek om zijn mond. Hij zou niet weggaan voor hij haar had gezien. Tot nu toe had Decker hem beschouwd als een fatsoenlijke jongen. Nu hij zag hoe hij reageerde in een crisissituatie, werd die indruk alleen maar positiever.

'Ik heb een voorstel. Als ik haar nu eens ging halen zodat ze je gedag kan zeggen.'

'Ik heb een ander voorstel. Ik ben bereid de hele nacht op haar te wachten, maar ik zal gaan wanneer zij zegt dat het goed is.'

Decker knikte. 'Goed. Ik heb het koud. Kom mee naar binnen.'

De koffie brandde in mijn maag – het resultaat van de combinatie van vermoeidheid en neurotransmitters die prikkels door mijn hele lichaam zonden. Ik had mijn verhaal nu al tien keer verteld, maar aan het gezicht van Justice Brill te zien was hij nog steeds niet tevreden. Hij en inspecteur Stone gedroegen zich heel netjes, maar ik had sterk het gevoel dat ze me spuugzat waren.

Brill zei: 'Het was dus een Nova. Bouwjaar… rond 1980? 1990?'

'Rond 1990,' antwoordde ik. 'Bruin metallic, maar gehavend. Grondverf op het portier van de bestuurder. Getinte ruiten. Ik meen me een gehavende voorbumper en grille te herinneren.'

'Je hebt de motorkap geraakt?'

'Daar ben ik zo goed als zeker van. Er kwam rook uit toen de auto er uiteindelijk vandoor ging.'

Stone zei: 'Maar je hebt de voorruit niet geraakt.'

'Dat weet ik niet, meneer.' Het was de derde keer dat hij deze vraag stelde. 'Misschien wel. Ik weet alleen dat de ruit niet is verbrijzeld.'

'En je hebt niet om versterking gevraagd omdat de batterij van je mobieltje leeg was?' vroeg Brill nogmaals.

Ditmaal haalde ik het mobieltje uit mijn tas. 'Knappe jongen die verbinding weet te krijgen.'

Brill probeerde het. 'Er zijn heel wat nieuwe modellen te koop met betere batterijen.'

'Ik zal er morgen eentje kopen… vandaag.' Ik wreef over mijn voorhoofd. 'Zodra de winkels opengaan.'

'En je vriend had geen mobieltje bij zich?'

'Nee.'

'Hij is verpleegkundige, maar neemt geen mobieltje mee?'

'Hij is verpleegkundige, rechercheur Brill, geen arts. Hij hoeft niet stand-by te zijn.'

'En hij is de man die je bij Boss's hebt weggestuurd?'

Ze hadden dit allemaal al tien keer gevraagd, maar ik moest evengoed netjes antwoord geven. 'Ja.'

'En de man die bij je was bij de aanrijding?'

'Ja.'

'Jullie hebben in korte tijd wel érg veel nare dingen beleefd.'

'We zijn ook wel eens uit geweest zonder dat er iets gebeurde.' Ik keek naar inspecteur Stone. 'Gaat u er een arrestatieteam op af sturen?'

'En wat zouden die moeten doen, Decker? We hebben de Nova niet in ons bezit, en de nummerplaat was gestolen, dus kunnen we het adres niet achterhalen. Als en wanneer we de Nova vinden, praten we verder.'

'Zijn er van ziekenhuizen meldingen binnengekomen over schotwonden?'

'Daar zijn we nog mee bezig.'

De deur ging open en mijn vader kwam binnen. Aan de ene kant voelde ik een enorme opluchting, aan de andere kant was ik meteen gespannen.

'Mack,' zei hij.

'Pete.' Stone stond op en ze gaven elkaar een hand. Hij stelde Brill aan hem voor. 'Rechercheur Brill, inspecteur Decker.'

'We kennen elkaar,' zei mijn vader.

Stone zei: 'En deze dame kent u ook.'

'Klopt.'

Pa legde zijn hand op mijn schouder. Ik keek naar hem op. 'De nummerplaat was gestolen. Mijn stem gaat naar Germando El Paso, en niet naar de man van de aanrijding, maar het is afwachten.'

'El Paso zit in de bak,' merkte Brill op.

'Zijn vriendjes niet,' was mijn antwoord.

'Koby wil pas naar huis gaan als jij zegt dat het mag,' zei pa tegen me. 'Het is halfdrie. Hij kan zijn nachtrust vast wel gebruiken.'

'Is hij er nog steeds? Ik heb gezegd dat hij naar huis moest gaan nadat hij was ondervraagd.'

'Ik geloof dat hij eerst gedag wil zeggen.' Decker keek naar Stone. 'Mag ze een paar minuten met me mee, Mack?'

'Zolang je haar maar terugbrengt.'

'Dat beloof ik.'

'Ik weet niet zeker of ik je wel geloof, Pete.'

'Gelijk heb je. Als ik haar zou kunnen ontvoeren en in een kast opsluiten, zou ik het doen.' En tegen mij: 'Kom je?'

Ik stond op en verontschuldigde me tegenover de anderen.

Zelfs toen we al buiten gehoorsafstand waren, nam pa me mee tot we wat verder bij de recherchekamer vandaan waren. Op de gang was niemand te bekennen. Hij vroeg op zachte toon: 'Waar is je pistool?'

'Dat hebben ze in beslag genomen.'

Hij liet zijn stem dalen tot een fluistertoon. 'Heb je zijn vingerafdrukken eraf geveegd?'

Ik keek hem verrast aan.

'Als je het hem aanrekent, ben ik de kwaaie peer. Laat dat dus uit je hoofd! Ik heb hem onder druk gezet tot hij het me heeft verteld. Uit bezorgdheid om jou.'

'Het antwoord op je vraag is ja,' zei ik.

'Mooi. Kom dan maar mee.'

Maar ik bleef staan en fluisterde: 'Zou jij niet hetzelfde hebben gedaan?'

'Ik zou precies hetzelfde hebben gedaan.'

'Germando moet zijn vriendjes over mij hebben verteld. Ik heb een vergissing gemaakt en nu moet Koby daarvoor boeten. Ik kon me weer eens niet gewoon bij mijn werk houden! Ik moest per se mijn hoofd in een strop steken en onschuldige mensen in gevaar brengen met mijn overdreven gedoe! God, wat ben ik een trut...'

'Hou op!' Pa pakte me bij mijn schouders en keek me met felle ogen aan. 'Cynthia, als je niet kalm bent, krijgen we Koby nooit weg. Als je hem graag mag en het beste met hem voor hebt, ga je naar hem toe en zeg je dat hij naar huis kan gaan, zodat hij kan gaan slapen!'

De tranen stonden me in de ogen. 'Hij was zo geweldig. Ik ben hem zoveel verschuldigd.'

'Aandoenlijk. Kunnen we nu gaan?'

Ik hield het niet meer. 'Moet je echt zo cru doen?' Tranen rolden over mijn wangen. 'Ik red me heus wel, maar een klein beetje medeleven van jouw kant zal je reputatie van stoere bink echt niet schaden, hoor.'

Mijn vader blies hoorbaar zijn adem uit, trok me naar zich toe en sloeg zijn armen om me heen. Prompt was ik weer het kleine meisje dat bang was in het donker. Hij was zo groot en sterk en onoverwinnelijk. Hij was er niet vaak geweest, maar bij hem had ik me altijd veilig gevoeld. Nu ook. Ik vroeg me af of hij die legendarische uitstraling ooit zou verliezen.

'Ik hou van je, lieverd.'

'Ik ook van jou, pap.' Ik maakte me van hem los en probeerde me weer volwassen te gedragen. 'Het gaat alweer.' Ik droogde mijn ogen. 'Echt waar.' Ik glimlachte flauwtjes. 'Nieuw voer voor mijn therapeut.'

'Cynthia, je hebt bewezen dat je sterk bent. Doe ons nu allebei een lol en neem ontslag.'

'Ik peins er niet over. Wat zou ik dán moeten doen?'

'Je hebt een MA in criminologie. Ga rechten studeren.'

'En dat zeg jij, de gesjeesde rechtenstudent?'

'Ik ben niet gesjeesd, ik heb mijn studie afgemaakt.'

'Wil je een pleister?'

'Wat?'

'Om op de wonde te plakken? Je hebt je graad, maar je bent evengoed niet geslaagd.'

'Weet je, ik ben niet de enige die niet blij is met het beroep dat je hebt gekozen. Hij houdt ook niet van politieagenten.'

'Wie niet?'

'Koby. Dat heeft hij me zelf verteld.'

'Misschien bedoelt hij jou.'

Pa lachte. 'Dat zou kunnen.'

'Hij is zwart. Hij heeft vooroordelen over de politie die niet geheel ongegrond zijn. Maar ik hou van mijn werk, net als jij, pap. Ik peins er niet over om mijn penning in te leveren.'

'Zelfs niet als hij dat van je zou verlangen?'

'Dat zou hij nooit van me verlangen. Alleen jij zeurt daar aldoor om.'

'Dat is mijn recht als vader.'

'Zullen we nu dan maar gaan?'

'Wie doet er nu cru?'

Ik zei snel: 'Ik hou heel veel van je, pap. Dank je wel dat je speciaal bent gekomen. Maar misschien kun je nu beter weer naar huis gaan. Je kunt zelf je nachtrust vast ook wel gebruiken.'

Hij glimlachte raadselachtig. Ik had geen idee wat er in zijn hoofd omging. Maar ik vroeg er niet naar. In plaats daarvan opende ik de deur naar de hal van het politiebureau. Koby zag me en stond op. Zonder na te denken vlogen we in elkaars armen, en liet hij zijn lippen op mijn haren rusten. Ik nestelde me tegen zijn harde lichaam en maakte me toen met tegenzin van hem los. 'Ga naar huis, Jaakov. Ga slapen. Ik red me hier wel.'

Hij pakte mijn hand. 'Is alles in orde?'

'Ja.' Ik kuste zijn hand en liet die toen los. 'Niets aan de hand. Ga naar huis. Heb je genoeg geld bij je voor een taxi?'

'Ik laat hem thuisbrengen in een politiewagen,' zei pa.

'Fijn! Bedankt.'

Koby zei: 'Weet je het heel zeker, Cynthia? Als je wilt, blijf ik op je wachten. Dat doe ik zelfs het liefst.'

'Heb je morgen geen dienst? Of liever gezegd vandaag?'

'Dat maakt niet uit.'

'Ga slapen, Koby. Niemand heeft er iets aan als jij straks doodmoe op je werk verschijnt. O, hemel! Hoe moet je nu naar je werk?'

Hij glimlachte met gesloten lippen. Daardoor leek het alsof zijn gezicht zich juist sloot, in plaats van zich open te stellen. 'Ik denk dat ik van de verzekering wel vijftig dollar kan krijgen.' Hij haalde zijn schouders op. 'Maak je geen zorgen. Ik huur wel een auto. Je vader zegt dat ik het geld daarvoor terug zal krijgen.'

'Ja, eveneens ongeveer vijftig dollar. Neem mijn auto maar.'

'Nee, nee. Ik regel wel iets.'

'Het is mijn schuld. Neem mijn auto.'

'Ik peins er niet over.'

'Ik kan je wel een auto lenen,' bood pa aan.

Koby's blik ging naar mijn vaders gezicht. 'Dat hoeft echt niet. Ik heb vrienden.'

'Dat geloof ik best,' zei pa, 'maar ik heb er een over.'

'Een klassieke Porsche,' zei ik tegen hem.

'Ik peins er niet over!' Koby glimlachte.

'Nee, nee, nee…' Pa glimlachte ook. 'Niet de Porsche. We hebben Rina's oude Volvo nog steeds. De jongens gebruiken die wanneer ze thuis zijn.'

'Maar die zíjn nu thuis,' zei Koby.

'Klopt, maar zij hoeven niet te werken om zichzelf te onderhouden. En ook zij hebben vrienden. Neem die auto nu maar tot je een andere oplossing hebt gevonden.'

Hij keek naar pa. 'Hoe oud is oud?'

'Tien jaar, en veel blutsen. Het is een rammelkast, Koby. Maak je dus geen zorgen.'

'Dank u.' Een korte stilte. 'Heel hartelijk dank, meneer.' Hij slaagde erin nogmaals te glimlachen, speciaal voor mij. 'Nou, ik geloof dat je wel in goede handen bent.'

'Bedankt,' zei pa droogjes.

Koby lachte zachtjes. Tegen mij zei hij: 'Zul je me bellen?'

'Ja. Daar ben ik goed in, in tegenstelling tot sommige mensen.'

Als antwoord op die stekelige opmerking nam hij me in zijn armen en gaf hij me een langdurige tongzoen, terwijl hij zijn vingers in mijn dikke haar strengelde. Ik beantwoorde zijn kus, dicht tegen hem aan, met mijn armen om zijn nek.

Ik zag dat mijn vader zijn ogen neersloeg en zijn gezicht afwendde.

Hij wilde niet dat ik hem zou zien glimlachen.

35

In een hoek van de kamer, met zijn armen over elkaar geslagen, één en al oor maar zonder een woord te zeggen, hield Decker zich op de achtergrond terwijl zijn oudste dochter, de eerste vrucht van zijn schoot, de vragen beantwoordde die van alle kanten op haar werden afgevuurd. Het was een uitputtingsslag, niet alleen voor Cindy maar ook voor hem. Was hij in staat urenlang naar dit gezeur te luisteren zonder zijn mond open te doen? Eindelijk, om halfvijf 's ochtends, zag het ernaar uit dat Cindy en hij de slag gewonnen hadden. Toen Stone en Brill de ondervraging min of meer hadden afgerond, bedankte Decker zijn gastheren van bureau Hollywood en verliet het vertrek, nadat hij tegen Cindy had gezegd dat hij buiten op haar zou wachten.

Hij belde Rina. Ze nam op toen de telefoon voor de derde keer overging.

'Ik ben nog in Hollywood, maar alles is in orde,' zei hij.

'Hoe is het gegaan?'

'Ze heeft zich kranig gedragen. Ben je al die tijd opgebleven?'

'Nee, ik ben weer naar bed gegaan… maar ik heb erg onrustig geslapen. Zoals wanneer je vroeg op moet om een vliegtuig te halen.'

'Je zult vandaag gebroken zijn.'

'Geeft niet. Ik kan altijd vanmiddag een dutje doen.'

'In dat geval voel ik me niet al te schuldig om wat ik je nu ga vragen. Kun je Hannah vandaag naar school brengen?'

'Kom je niet naar huis?'

'Nee.'

Stilte op de lijn.

'Natuurlijk kan ik Hannah naar school brengen,' zei Rina. 'Maar wat ga jij doen?'

'Ik wil een poosje bij Cindy blijven. Ik wil zelfs de hele dag vrij nemen.'

'O, jee... dan is ze er dus slecht aan toe.'

Decker sprak dat niet tegen. 'Ik wil haar niet alleen laten.'

'Is Koby er niet? Of staat hij buiten de emotionele kant van de zaak?'

'Hij is stapelgek op haar. Hem ervan overtuigen dat hij Cindy best alleen kon laten, stond gelijk aan tweecomponentenlijm van je vingertoppen trekken, maar uiteindelijk heeft zijzelf hem zover gekregen dat hij naar huis is gegaan. Ik neem aan dat hij ook niet erg goed zal slapen, maar dat overleeft hij wel.'

'Zou het niet beter zijn als ze elkaar troosten, Peter? Op een gegeven moment zul je dit toch echt moeten loslaten.'

Decker glimlachte voor zich uit. 'Er zit geen ring aan haar vinger. Voorlopig heb ik nog de oudste rechten. Ga nog een poosje slapen en dan zie ik je vanavond wel weer, goed?'

Even bleef het stil. Toen zei Rina: 'Ik heb een donkerbruin vermoeden dat je iets in je schild voert.'

'Daar is Cindy. Ik moet gaan.' Decker verbrak snel de verbinding en zette de telefoon af.

Ze glimlachte vermoeid naar haar vader. 'Sorry dat je helemaal hierheen moest komen.'

Decker gaf haar een knuffel. 'Daar heb je niet om gevraagd; dat wilde ik zelf.'

'Ik kan wel een taxi nemen.'

Decker barstte in lachen uit. 'Denk je nu werkelijk dat ik je met een taxi naar huis laat gaan?' Hij woelde door haar haar. 'Doe niet zo mal.' Hij stak zijn hand op naar de balieagent en hield de deur voor haar open. 'Kom, we gaan.'

Samen liepen ze de nevelige vroege ochtend in. Cindy zei: 'Nee, echt... heel erg bedankt dat je bent gekomen. En nog meer dat je je nergens mee hebt bemoeid.'

'Zie je nou wel dat ik me best kan gedragen?'

Ze liepen naar zijn Porsche. Hij hield het portier voor haar open. Cindy glimlachte om zijn hoffelijke gedrag en Decker glimlachte terug, immer een heer. Nadat haar vader was ingestapt, vroeg ze of ze zijn mobieltje even mocht lenen om Koby te bellen.

Decker startte de motor niet meteen.

'Eerst wil ik weten hoe je je voelt.'

Ze knikte. 'Goed. Het gaat best.'

'Mooi.'

Ze wachtte tot haar vader haar de telefoon zou geven. Toen hij dat niet deed, zei ze: 'Mag ik nu je mobieltje?'

'Nee.'

Ze had de vraag slechts als een formaliteit gesteld. 'Nee?'

'Nee. Laat hem slapen.'

'Maar, pap, hij verwacht een telefoontje van me.'

'Dat weet ik, maar als je hem belt, wil hij je zien en dat is nu geen goed idee.'

Cindy wachtte op uitleg, maar die bleef uit. In plaats daarvan vroeg Decker: 'Wat is je status op dit moment?'

'Ik heb de rest van de dag vrij gekregen.'

'Niet uit liefdadigheid,' zei Decker. 'Ze hebben je op non-actief gezet zolang het onderzoek gaande is.'

'Ik moet vandaag om twaalf uur het bureau bellen.'

'Dat moet altijd in zulke gevallen.'

'Wat zijn ze aan het onderzoeken? Ze hebben de auto niet; de nummerplaten zijn gestolen; niemand is naar een ziekenhuis gegaan met kogelwonden.'

'Nog niet.'

Cindy zweeg.

Decker zei: 'Er is op je geschoten, Cynthia, en je hebt gebruikgemaakt van je dienstpistool. Althans, Koby. Iemand zal het hele verhaal gaan uitpluizen. Als je er dus nog iets aan wilt toevoegen of afhalen, moet je dat nú doen.'

Ze leunde opzij en gaf haar vader een kus op zijn stoppelige wang. 'Ik heb hun alles verteld. Ik ben volkomen eerlijk geweest, op die kleine modificatie na. Ze mogen van mij dus uitpluizen wat ze willen.'

'Je hebt niet zelf een achtervolging ingezet, geen poging gedaan hen tot stilstand te dwingen of...'

'Nee, nee, nee,' zei ze met klem. 'Ik ben alleen maar gestopt om het kenteken van de Nova te noteren, omdat die me achtervolgde. Ik was van plan naar het bureau te gaan en bij de verkeersregistratie op te vragen wie de eigenaar van de auto is. Ik heb zelf geen enkel initiatief genomen.'

'En zij schoten als eersten?'

'Dat is een beledigende vraag, pap.'

'Ik moet het vragen, Cynthia.'

'Ja, zij hebben als eersten geschoten.'

'Dan is alles in orde.' Decker masseerde zijn nek en rolde zijn schouders.

'Kunnen we nu gaan?' vroeg Cindy.

Decker omzeilde de vraag. 'Weet je, als Koby niet had teruggeschoten, zou alles veel eenvoudiger zijn geweest…'

'Pap, je was er niet bij!'

'Luister nou even.'

Mokkend zakte ze onderuit op haar stoel, met haar armen over elkaar, meteen boos en in de verdediging. Maar ze hield haar mond dicht. Decker wist dat ze maar met een half oor luisterde.

Hij zei: 'Als hij niet had teruggeschoten, zou alles veel eenvoudiger zijn geweest. Val me niet in de rede, ook al zou je het nog zo graag willen.'

'Ik val je niet in de rede. Ga door.'

Decker zei: 'Als hij niet met jouw pistool had geschoten, zouden ze je niet op non-actief hebben gesteld. Dan zouden ze je een dag vrij hebben gegeven, een snel onderzoek hebben gedaan en meer niet. Omdat er in dat geval niemand in de andere auto gewond kon zijn geraakt en er geen sprake van kon zijn dat iemand je zou aanklagen… wat nu natuurlijk wél het geval is. Als er iemand gewond is geraakt, zullen er een heleboel vragen worden gesteld, en je mag drie keer raden wiens derrière er op het strafbankje zal zitten.'

Cindy sprak met opeengeklemde kaken. 'Hij heeft gedaan wat hij doen moest!'

'Doe niet zo nijdig. Waarom moest hij per se schieten?'

'Omdat we aangevallen werden.'

'Konden jullie niet ontsnappen?'

'Nee, pap, we konden niet ontsnappen. Dat is nu juist het punt!'

'Zou je hetzelfde hebben gedaan als de rollen omgedraaid waren? Zou jíj op de Nova hebben geschoten?'

'Ja.' Ze knikte. 'Ja, dat denk ik wel…'

'Je dénkt het?'

'Ik zou hebben geschoten.'

'Ik hoop dat je dat echt meent. Ik hoop dat je echt vindt dat dit de juiste manier van handelen was, want hij heeft je een heleboel problemen bezorgd.'

'Hij heeft correct gereageerd!' Ze keek hem aan met een gezicht dat rood was aangelopen van woede. 'Ik denk dat ik uiteindelijk toch maar een taxi neem!'

'Doe niet zo raar.'

'Ik heb dit vier uur lang zitten herkauwen voor die lui daarbinnen en heb echt geen zin om het nu nog een keer te doen.'

Decker legde zijn hand op haar arm. 'Wil je weten wat ik denk?'

'Nee, dat wil ik niet weten. Maar ik krijg het natuurlijk evengoed te horen.'

'Ik wéét dat Koby correct heeft gereageerd. En ik weet ook waarom.' Hij keek haar recht in de ogen. 'De vraag is… of jij dat ook weet.'

Cindy keek hem fel aan. Nu pas zag Decker dat er tranen in haar ogen stonden. Ze droogde ze en zei: 'Ik ben op het moment een beetje te moe voor vraag- en antwoordspelletjes. Vertel het me dus maar gewoon.'

Decker haalde zijn schouders op. 'Als hij niet had teruggeschoten, als hij niet had gereageerd… dan zou niemand, en ik bedoel helemaal niémand, nog met je willen werken. Je collega's zouden één blik op de kogelgaten in zijn auto werpen en denken: wat heeft ze gedaan toen die lui op hen schoten? Is ze weggedoken, terwijl hij probeerde weg te komen? Stel dat ík achter het stuur had gezeten? Niemand wil een partner die in een crisissituatie tekortschiet.'

Cindy's mond zakte open. Even later deed ze hem weer dicht.

Decker zei: 'Hij kent deze vuistregel, Cynthia. Dat het beter is om te fel te reageren en in leven te blijven, dan rationeel na te denken en dood te gaan. En weet je waarom hij dat weet?'

Ze keek van hem weg terwijl ze wachtte op de rest.

'Omdat hij op het moment dat het gebeurde, terug was in het oorlogsgebied waar hij onder vuur werd genomen door de PLO of de Hamas of de Hezbollah of welke terreurorganisaties je daarginds ook allemaal hebt. Je vriendje weet alles van survival, van de mentaliteit die zegt: jij of ik. Begrijp jíj die mentaliteit, Cindy?'

Ze keek haar vader aan, maar moest haar ogen weer afwenden. 'Waarschijnlijk niet zo goed als jullie. Maar ik geloof dat ik na mijn ervaringen van het afgelopen jaar heb aangetoond dat ik me niet laat kennen.'

'Cynthia, je bent ijzersterk. Zoals ik al eens heb gezegd, heeft het leven je een paar keer gemeen te grazen genomen, en verwerk je dat veel beter dan ik zou hebben gedaan. Maar aan de andere kant ben je gewoon een fatsoenlijk meisje. Mededogen is niet altijd het antwoord.'

'Je vindt dat ik een beschut leven leid.'

'Inderdaad.'

'Hoe kun je dat zeggen na wat er met me is gebeurd?'

'Niemand anders zou dat overleefd hebben. Ik ben dan ook verdraaid…' Decker kreeg tranen in zijn ogen. 'Lieverd, ik bedoel alleen maar dat je moet leren dreigingen te herkennen. Je moet jezelf de volgende vraag stellen: als jij op Koby's plaats had gezeten, zou je dan weggedoken zijn, of zou je je pistool hebben gepakt en het vuur geopend?'

'Ik heb hem het pistool zelf gegeven.'

'Dat is geen antwoord op mijn vraag.'

Ze gaf geen antwoord maar dacht na over de vraag. 'Mijn antwoord is dat ik er bijna zeker van ben dat ik net zo gereageerd zou hebben. Is dat genoeg?'

'Ja.'

'Mag ik nu dan je telefoon?'

'Nee.' Weer keek hij haar diep in de ogen. 'Koby heeft je een heleboel goodwill bezorgd.'

'Laat me hem dan bellen om hem te bedanken.'

'Nee, want eerst ga ik je leren een kerel te zijn.'

Stilte. Cindy knipperde met haar ogen en staarde naar haar vader. 'Ik red me al achtentwintig jaar heel goed als lid van het vrouwelijk geslacht. Wat ben je in godsnaam van plan?'

Als antwoord op haar vraag draaide Decker het contactsleuteltje om. De motor van de Porsche brulde even en begon toen te pruttelen. Decker trok met gierende banden op en reed zuidwaarts over Wilton tot aan Olympic. Daar vervolgde hij zijn weg oostwaarts door de binnenstad van Los Angeles. 'Iemand wilde je vermoorden, Cynthia. Ben je niet nieuwsgierig?'

Ze gaf geen antwoord. Het was een retorische vraag.

Decker zei: 'Is het zo dat je nog steeds geen aanwijzing hebt over wie er op Belinda Syracuse is ingereden?'

'Geen flauw idee.'

'Staat die zaak nog open?'

'Voor zover ik weet wel.'

'Maar we kunnen er niets mee. In tegenstelling tot de verkrachting van Sarah Sanders. Vertel me alles wat je weet over de man die je hebt opgepakt.'

'Germando El Paso.'

'Ja. Weet je waar hij op dit moment zit?'

'In het huis van bewaring.'

'Dat heb je nagegaan.'

'Niet ik persoonlijk. Ik geloof dat Brill heeft gebeld.'

'Maar zoals je al zo fijntjes opmerkte, zitten El Paso's vriendjes niet in de bak. Vertel me nog eens over hen, om mijn geheugen op te frissen.'

Ze wreef over haar voorhoofd. 'Germando heeft ons twee namen gegeven: Joseph Fedek en Pepe Renaldes. Fedeks verblijfplaats is niet bekend; van Renaldes hebben we een adres.'

'En wat is dat adres?'

'Dat weet ik niet uit mijn hoofd. Het staat in mijn aantekeningen.'

'En waar zijn die? Thuis?'

'Nee, in mijn kastje op het bureau. Als je even teruggaat, kan ik...'

'Nee, je gaat niet naar het bureau. Weet je nog in welke wijk hij woont?'

'Eh... even denken. Hij werkt voor Do-Rite Construction.'

'Daar hebben we niks aan. We willen er geen derden bij betrekken.'

Ditmaal keek ze hem met felle ogen aan. 'De officier van justitie heeft expliciet gezegd dat ik niets aan Renaldes mag doen, omdat El Paso over hem heeft verteld zonder dat er een advocaat bij was. Als ik met Renaldes ga praten, verpest ik misschien een toekomstige tenlastelegging in de verkrachtingszaak.'

Decker keek even fel terug. 'Kan het jou wat schelen wat dat ettertje zegt, wanneer er iemand is die je een kopje kleiner wil maken?'

Cindy boog haar hoofd. 'Als je het op die manier stelt... Dan niet, nee.'

'Waar woont hij?' herhaalde Decker.

'Moment... ik herinner me iets over het Exposition Park. Kan ik echt niet even naar het bureau om...'

'Cindy, je bent tijdelijk op non-actief gezet. Je mag niet eens in de búúrt van het bureau komen tot ze je bellen.' Decker sprak met opeengeklemde kaken. Hij nam Western, op weg naar de oprit van de snelweg. 'Goed. Exposition Park. Dicht bij USC of...?'

Ze sloot haar ogen. 'Misschien Forty-Second Street. Waarom klinkt dat me zo bekend in de oren?'

'Omdat het een musical is?'

'Ja!' Cindy stak haar vinger op. 'Ja! Heel goed!' Ze grinnikte. 'Dat is het! Het is niet Forty-Second, het is Thirty-Second en Broadway. Nu weet ik

291

het weer. Ik vond dat zijn adres klonk als de naam van een musical!'

'Weet je het huisnummer ook?'

'Zou je me niet eerst feliciteren?'

'Gefeliciteerd.' Hij sloeg links af naar 10 East en scheurde weg. De motor van de Porsche ronkte. 'Het huisnummer?'

Ze draaide een lok haar om haar wijsvinger. Ze moest haar stem verheffen om boven het geluid van de motor uit te komen. 'Misschien staat Renaldes gewoon in het telefoonboek.'

Decker haalde zijn mobieltje tevoorschijn.

'Laat mij maar even,' zei Cindy.

'Nee, ik doe het.'

'Pap, je rijdt 140 op de snelweg!'

Decker negeerde haar en belde Inlichtingen.

'Je bent gek!' riep Cindy. 'Mijn vader is stapelgek!'

'Stil! Anders versta ik niks.'

'O god!' Ze zakte onderuit. 'Was ik maar katholiek, dan kon ik een kruis slaan.'

Decker verbrak de verbinding en liet de telefoon in zijn zak glijden. 'Hij staat niet in het telefoonboek. Ga door. Herinner je je een cijfer?'

Cindy zuchtte. 'Er staat me iets bij van een zes of een zeven als eerste cijfer.'

'En als het inderdaad een adres in de buurt van Broadway en Thirty-Second is, moet het een huisnummer zijn met drie cijfers.'

'Dat klopt. Dat was het ook. Een even nummer, als ik me niet vergis.'

'Langzaam maar zeker komen we er wel. We zitten er vijf minuten vandaan. We zullen er wat gaan rondrijden, misschien schiet je dan iets te binnen. Of misschien zien we er toevallig ergens een bruine Nova met kogelgaten in de motorkap.'

'Ik wil je met alle liefde helpen met welke plannen je ook allemaal in je hoofd hebt, inclusief Pepe Renaldes de duimschroeven aanleggen, als we hem vinden, maar eerst wil ik je telefoon. Ik moet Koby bellen.'

'Nee.'

'Pa...'

'Ik peins er niet over!'

'Pa, hij maakt zich zorgen. En ik wil zijn stem horen.'

'Nee.'

'Als je me je telefoon niet geeft, stap ik bij het eerstvolgende kruispunt uit.'

'We zitten op de snelweg.'

'Pa, geef me goddomme je telefoon!'

'Ah, nú heb je me overtuigd!' Decker grijnsde naar zijn dochter en gaf haar de telefoon. 'Alsjeblieft.'

36

Een grijze lucht hing boven de ontwakende stad toen mijn pa de Porsche langs de stoep tot stilstand bracht. We bevonden ons in een wijk waar iedere seconde een misdrijf werd gepleegd. Een eenzame sportwagen in een stille straat schreeuwde dus: steel me! Sloop me! Toen ik hem vroeg hoe hij zijn lieveling hier onbeschermd kon achterlaten, liet hij me zijn Beretta zien. Ik gaf het op. De man was uit op wraak, vermomd als mijn beschermengel.

Het was een immigrantenwijk, hoofdzakelijk latino. De bewoners leefden niet in nijpende armoede, maar erg veel te verteren hadden ze niet. Omdat de wijk ouder was dan de huidige bevolking en nog niet zo lang geleden door welgestelde mensen was bewoond, stonden er nog veel mooie oude villa's, gebouwd met de aandacht voor detail die je tegenwoordig niet meer ziet. De meeste daarvan waren opgekocht door de nabij gelegen universiteit en deden nu dienst als studiehuizen. De rest was een mengeling van armoedige en nog armoediger huizen, waarvan sommige zichtbaar waren opgelapt en andere op instorten stonden. Er waren victoriaanse herenhuizen bij van rond 1900, compleet met bijbehorende versiersels, schulpranden en tierelantijntjes, die dringend aan een dure facelift toe waren, en de bekende Arts-and-Craftsbungalows met houten dakspanen op de muren en de daken, en een brede veranda aan de voorzijde. Verder had je er veel eengezinswoningen, onopvallende, gestucte huisjes die weinig méér te bieden hadden dan bescherming tegen de elementen. Maar zelfs deze waren nog altijd beter dan de flatgebouwen: saaie, vierkante gevallen zonder enige charme, waar stukken pleisterwerk van afbrokkelden als flarden zieke huid van het gezicht van een melaatse.

Ik vroeg Decker wat hij van plan was. We konden moeilijk huis aan huis gaan aanbellen. Hij stelde voor een eindje te gaan lopen om onze benen te strekken. Terwijl we door de armoedige wijk slenterden, bekeken we de brievenbussen, lazen de etiketten op bezorgde kranten en de namen naast de deurbellen van de flatgebouwen. Geen Renaldes. Niet eens iets wat erop leek. Na een uur vruchteloos zoeken, zei ik dat ik dit een stompzinnige manier van werken vond.

'Geduld.' Hij wreef in zijn handen. 'Nog even geduld.'

'Pa, we weten niet eens of dit de juiste wijk is.'

'Volgens mij zitten we goed.'

'Dat zeg je maar.' Het was halfzeven en ik leed aan ernstig slaaptekort. Helder denken werd steeds moeilijker. 'Weet je, bouwvakkers gaan vrij vroeg aan het werk.'

Mijn vader keek me aan.

Ik zei: 'Waar ik woon, staan altijd veel latino's op straathoeken en bij verfwinkels, in de hoop opgepikt te worden door een ploegbaas.'

'Ik dacht dat je zei dat hij een vaste baan had?'

'Ik heb gezegd dat Renaldes Do-Rite Construction had opgegeven als zijn huidige werkgever. Ik weet niet hoelang hij daar heeft gewerkt en of hij er nog werkt. Misschien heeft hij er niet eens gewerkt. Ik heb dat niet kunnen natrekken, omdat mijn meerderen gezegd hebben dat ik niks met hem mag doen. Maar als Renaldes Do-Rite Construction heeft opgegeven als werkgever, vraag ik me nu af of hij niet ook voor andere maatschappijen werkte.'

Decker gaf geen antwoord.

'We zouden dus wat kunnen rondrijden en…'

'Ik wilde hem in zijn slaap verrassen.'

'We weten niet waar hij woont!' Mijn vader was soms onvoorstelbaar hardleers. 'Ik denk dat we onze tijd beter kunnen gebruiken om wat van die bouwvakkers te zoeken en te vragen of ze Renaldes kennen. Je kunt gemakkelijk doorgaan voor een aannemer uit West Side die op zoek is naar mankracht. Je spreekt vloeiend Spaans en je rijdt in een dure auto.'

'Rijden aannemers dan in Porsches?'

'Die in Brentwood wel.'

'Ik dacht dat ze in pick-uptrucks reden.'

'Ook.'

'Ik heb het verkeerde beroep gekozen.'

'Dat heeft mam je jaren geleden al verteld.'

Decker keek me zuur aan.

'Aannemers en makelaars in onroerend goed rijden in Porsches, Mercedessen, Beemers, Jaguars... Hoort bij hun imago. Wil je mijn plan horen?'

'Toen we hier aankwamen, heb ik geen bouwvakkers gezien.'

'We hebben ook niet naar hen uitgekeken. Bovendien was het nog wat vroeg. We gaan even een kijkje nemen bij houtopslagplaatsen en verfwinkels om te zien of we iets te weten kunnen komen.'

Hij bleef staan, maar was niet bereid zijn mening te geven.

'Het is een goed plan, Decker,' zei ik tegen hem. 'Veel beter dan dat van jou. Hoor eens, ík ben degene op wie is geschoten en die geen actieve dienst mag doen. Bovendien heb ik al vierentwintig uur niet geslapen. Als je niet wilt, moet je het zeggen, dan ga ik naar huis.'

Mijn vader stak zijn handen in zijn zakken. 'Je hebt gelijk.'

'Dank je. Dus we gaan?'

Decker haalde de autosleuteltjes uit zijn zak. 'Ja.'

Onder voorwendsel dat Pepe Renaldes mijn vader, de ploegbaas, geld schuldig was – wat de mannen met wie we spraken, grif geloofden – kregen we een aantal adressen in de juiste wijk. Het had ons slechts twee uur van onze tijd en tweehonderd dollar in briefjes van twintig gekost. Omdat we geen van tweeën met zoveel geld op zak liepen, had mijn vader het uit de geldautomaat gehaald. Ik vroeg hem of hij echt vond dat het dit waard was, waarop hij reageerde met de vraag hoeveel ik zelf vond dat mijn leven waard was. Dat vond ik een beetje overdreven van hem, maar na zijn preek over het herkennen van bedreigingen leek het me beter dat niet te zeggen.

Het eerste adres bestond niet en het tweede was van een winkel. Het derde was van een van de eengezinswoningen. Dat leek ons veelbelovend, hoewel de familie die er woonde, Martez heette. Aanwezig waren een moeder en twee chagrijnige tienerdochters, die hun teennagels zaten te lakken. De geur van aceton mengde zich met die van spekvet. De moeder beweerde dat er geen Pepe Renaldes woonde, maar omdat het niet erg overtuigend klonk, doorzocht Decker het huis. De vrouw liet dat toe omdat Decker een boom van een vent was, autoritair deed en blijkbaar in het Spaans iets tegen haar had gezegd wat haar de stuipen op het lijf had gejaagd.

Tegen de tijd dat we bij het vierde adres aankwamen, in een van de sjofele flatgebouwen, was het bijna tien uur en begon de hoop dat we Pepe

Renaldes in zijn slaap zouden kunnen verrassen, snel te vervagen. Het was een gebouw van drie verdiepingen, met bruin pleisterwerk en aan de voorzijde een armzalig grasveldje met een paar volgroeide palmbomen die voortijdig palmnoten lieten vallen. De hele stoep lag vol met de zwarte balletjes die hard aanvoelden onder mijn schoenzolen. Het gebouw had geen hal, maar wel een rijtje namen naast de bellen: twaalf flats, waarvan nummer 4 er veelbelovend uitzag, omdat de bewoner slechts als 'R' stond vermeld. R's riante onderkomen was aan de achterzijde van het gebouw, beveiligd door tralies voor de voordeur en de ramen. Toen we eropaf liepen, hoorde ik het felle geblaf van een hond in de flat. Ik kreeg meteen grote bedenkingen over de geplande inval, maar mijn vader wist van geen wijken.

'Jij zorgt dat je uit het zicht blijft,' fluisterde hij.

'Er zijn tralies en een hond, pa. Hoe denk je binnen te kunnen komen?'

'Laat dat maar aan mij over.'

'Je kunt de deur niet intrappen. En ook al kon dat wel, dan zit je nog met de hond.'

'Blijf uit het zicht en laat de rest aan mij over.'

'Heb je geen pistool voor me?'

Mijn vader grijnsde naar me. 'Goh, je geeft dus tóch om me…' Toen keek hij weer serieus. 'Ga daar maar staan.'

'Weet je dit heel zeker?'

'Ja.' Hij trok aan de traliedeur. Die bleek niet op slot te zitten. Hij draaide hem open en klopte op de deur.

De hond blafte als een bezetene. Ik stelde me voor hoe mijn vader naar binnen stormde en de hond naar zijn strot vloog. Ik voelde me naakt zonder mijn pistool en dat was geen prettig gevoel.

We wachtten… een halve minuut… een minuut.

Decker klopte nogmaals. En hij riep iets in het Spaans.

De hond was nu buiten zichzelf. Ergens boven hoorden we iemand iets roepen. Pa riep iets terug.

'Je zult de hele buurt nog in rep en roer brengen,' zei ik.

'Nee hoor. Hij roept alleen maar dat de hond zijn kop moet houden.'

'Er is blijkbaar niemand thuis.'

'Of hij slaapt. Als hij gisteravond op pad is geweest, Cin, slaapt hij misschien uit.' Pa klopte nogmaals op de deur.

De hond hield de vocale terreur aardig vol.

Nu bonsde Decker met zijn vuist op de deur.

'Laat nou maar…'

'Wil je zelf over je lot beslissen, of het in handen geven van die klootzakken?'

Ik slaakte een zucht. Pa bonsde nogmaals op de deur. 'Laatste keer,' zei hij.

De hond begon hees te worden.

Tien seconden… twintig.

De hond gaf het op. Hij blafte nog een of twee keer, maar niet van harte. Tot mijn stomme verbazing hoorde ik achter de deur iemand iets zeggen. Mijn vader duwde me opzij. '*Yo, Pepe,*' zei hij. '*Soy Miguel.*'

De rest van wat hij zei, verstond ik niet. Ik ving wel wat woorden op, maar meer niet. Pa spreekt Spaans en Koby spreekt drie talen. Ik vind mijn moedertaal al moeilijk genoeg.

Achter de deur klonk gedempt Spaans.

Pa antwoordde: '*Un hombre blanco, alto con pelo rojo. El la busca, hombre. El dice que usted le debe dinero. Yo no le dije nada pero el dice que tiene una pistola, amigo. Si me da cincuenta dolares y una cerveza, pienso que yo puedo hacerlo esperar.*'

Stilte.

Ik fluisterde: 'Wat heb je gezegd?'

Hij bracht me met een gebaar tot zwijgen en legde zijn vinger tegen zijn lippen. De hond blafte nog een paar keer plichtmatig en toen hoorde ik het geluid van een slot dat werd opengedraaid. Pa drukte me tegen de muur.

Het beeld van een pitbull die naar mijn vaders keel sprong, werd erg reëel.

'Geef me je pistool,' zei ik tegen hem.

'Wat?'

'Geen vragen!' zei ik fel. 'Je zei dat ik me moest laten gelden. Dat doe ik nu. Geef me je pistool, anders ga ik om de politie gillen!'

Hij gaf me zijn wapen.

Langzaam ging de deur open. Eerst op een kier, toen iets verder. Decker gooide zich er met zijn hele gewicht tegenaan. De deur vloog open.

Zoals verwacht sprong de hond naar voren, maar Decker was erop voorbereid. Hij gaf hem een snelle, harde trap tegen zijn kop, waardoor het dier door de kamer vloog en tegen een tafel klapte. Pepe wilde vluchten, terwijl de hond, een pitbull van een onzuiver ras, zich schudde en gereedmaakte voor de tweede ronde.

Ik sprong op Pepes rug, klemde mijn benen om zijn middel en mijn linkerarm om zijn hals. Ik zette de loop van het pistool in zijn nek. 'Roep die hond terug!' Ik duwde de loop van het pistool hard tegen zijn nekwervels. 'Roep hem terug! Roep hem terug!'

De pitbull ging weer in de aanval. Pa tilde een bijzettafeltje op. Ik schreeuwde en schoot op het aanstormende dier. De kogel schampte zijn kop, maar het dier liet zich daardoor niet van de wijs brengen. Pa gooide het tafeltje naar hem toe en raakte weer zijn kop. Intussen voerde Renaldes een regendans uit om mij van zijn rug te krijgen.

'Roep hem terug!' Ik vuurde vlak langs zijn slaap een kogel af. 'Roep hem terug!' Een kogel langs zijn andere oor.

'Niet schieten!'

'Roep hem terug anders krijg je de volgende kogel in je harses!'

Eindelijk zei hij wat tegen het beest, noemde hem bij zijn naam, Fuego, en kraaide alsof hij het tegen een parkiet had. Hoewel Fuego nog fel deed, was hij een beetje gedesoriënteerd van zijn botsingen met het meubilair. Ik zat nog steeds op Renaldes' rug. 'Stop hem in een kast!' beval ik.

'Laat me los…'

Ik vuurde vlak langs zijn oor nog een kogel af. 'Stop el perro in de kast!'

Eindelijk drong mijn bevel tot hem door. Pepe bukte zich, waarbij hij bijna omviel door mijn gewicht, slaagde erin Fuego's halsband te grijpen en sleurde hem naar een kast. Zodra de pitbull veilig opgeborgen was, sprong ik van Renaldes af en op hetzelfde moment greep mijn vader hem bij de keel. Hij drukte hem neer op de versleten bank en verstevigde zijn greep. Renaldes' gezicht kreeg een erg ongezonde rode kleur. Met zijn rechterhand beduidde Decker dat hij zijn pistool terug wilde. Ik gaf het hem. Hij stak de loop in Renaldes' mond. Ik geloof dat Pepe in zijn broek plaste.

Ik merkte opeens dat mijn eigen mond openhing en deed hem snel dicht. Ik had mijn vader nog nooit zo meegemaakt. Ik zag er waarschijnlijk net zo geshockeerd uit als Koby toen ik El Paso tegen de grond drukte. Achter de deur van de kast begon Fuego hard en nijdig te blaffen om een herkansing tegen mijn vader.

Renaldes probeerde zich te verzetten, maar mijn vader was veel groter en zwaarder, dus was hij absoluut geen partij voor hem. Pepe was redelijk gespierd, maar klein van stuk, kleiner dan ik. Hij had een kaalgeschoren hoofd en donkere ogen die nu uit de oogkassen puilden. Zijn badstoffen badjas hing halfopen waardoor we zijn met tatoeages bedekte borst konden zien: een duivel, een slang, een spin, et cetera, et cetera, gaap, gaap. Over zijn huidskleur kon ik weinig zeggen, omdat zijn gezicht knalrood was van angst en gebrek aan lucht.

Decker haalde het pistool uit Pepes mond en zette de loop op zijn voorhoofd. Hij fluisterde: 'Je hebt de verkeerde persoon te grazen genomen, *amigo*.'

Hij hoestte: 'Nee, *se...*'

'Kop dicht en luisteren!'

'*Por favor...*'

Decker greep hem nog wat steviger bij de keel. Renaldes stond letterlijk op het punt te exploderen. 'Ik zei kop dicht en luisteren!'

Ik zag dat de man ieder moment het bewustzijn kon verliezen. Ik legde mijn hand op mijn vaders vingers en probeerde ze een beetje los te maken, zodat Pepe wat lucht zou krijgen. Decker besefte niet eens dat ik het deed.

Decker sprak langzaam en zachtjes. 'Iemand heeft gisteren op een agent geschoten. Iemand in een bronskleurige Nova met een gestolen nummerplaat. Luister goed, Pepe. Als je me eerlijk antwoord geeft, laat ik je leven. Als je liegt, ga je dood. *Muy fácil. La verdad o la muerte. ¿Comprendes, amigo?*'

De man knikte heftig. De hond sprong nu tegen de deur van de kast. Ik keek om me heen en schoof de salontafel tegen de kast om te beletten dat Fuego zou ontsnappen. Ik bonsde op de deur om het beest tot zwijgen te brengen. Dat hielp een paar seconden, maar toen ging Fuego weer net zo hard tekeer.

'Wie heeft het gedaan, Renaldes? *¿Quien?*'

'*No conozco.* Ik weet het niet...'

Weer werd het pistool in Pepes mond geramd. Decker telde tot tien. 'Laten we het nog een keer proberen. *¿Quien tiene un carro,* een bronskleurige Nova?'

Renaldes' ogen draaiden naar boven. Mijn hart klopte razendsnel en pompte adrenaline door mijn lichaam. Fuego blafte als een bezetene. 'Hij verliest het bewustzijn!' riep ik boven het geblaf uit. 'Knijp niet zo hard!'

Mijn vader keek naar me met de ogen van een roofdier in de dierentuin. Ik geloof dat hij vergeten was dat ik erbij was.

'Laat hem los!' riep ik, nog harder dan voorheen.

Decker verslapte zijn greep en trok het pistool uit Pepes mond.

'Laat hem rechtop gaan zitten,' zei ik tegen mijn vader. 'Ik zal een glas water halen.' Ik gaf zachte klapjes tegen Pepes rode, bezwete gezicht en zei tegen hem: 'Ik kan hem niet erg lang meer in bedwang houden. Maak hem dus niet kwaad.'

Ik liep naar het keukentje en gaf onderweg nog een hengst op de deur van de kast. Mijn borst deed pijn en ik hapte naar adem. De gootsteen was smerig, gevuld met serviesgoed waarop aangekoekte etensresten zaten uit het stenen tijdperk. Zwarte mieren marcheerden over het aanrecht. Ik deed een kastje open, op zoek naar een schoon glas. Ik zag een paar blauwe plastic bekers en vulde er eentje met troebel kraanwater. Ik had zelf ook dorst, maar uit angst voor onzichtbare bacteriën zag ik ervan af mijn waterhuishouding met dit water op peil te brengen. Ik liep met de beker terug naar Pepe en gaf onderweg weer een dreun tegen de kastdeur.

Ik geloof dat Fuego het begon te snappen. Ditmaal duurde het wat langer voordat hij het blaffen hervatte.

Pepe zat nog op de bank. Hij hield zijn kale kop gebogen en wrong zijn handen. Mijn vader stond pal naast hem, met het pistool in zijn rechterhand. Ik gaf de kleine man het water. Hij dronk gulzig en bedankte me zowaar.

'Gaat het een beetje?' vroeg ik aan Pepe.

Renaldes gluurde naar Decker. 'Hij is gek!'

'Prikkelbaar,' verbeterde ik hem.

Decker gromde naar me: 'Wil jij hem naar de Nova vragen, wijsneus?'

'Hou je gedeisd,' antwoordde ik korzelig.

'Mijn vingers jeuken.'

Ik keek veelbetekenend naar Pepe. Zijn ogen zeiden: dank u wel. Decker en ik hadden automatisch de rollen van boze en aardige agent op ons genomen, alleen was het niet helemáál toneel. Ik ging naast Pepe zitten.

'Sunset en Marchant… om even na middernacht. Een bronskleurige Nova met getinte ruiten, grondverf op het portier van de bestuurder, gedeukte motorkap, gestolen nummerplaat.' Ik gaf hem het kentekennummer. 'Ze hebben geschoten op een zwarte Toyota Corolla, bouwjaar '92. In de Toyota zat iemand van de politie. Da's niet best, Pepe. Daar wil je niks mee te maken hebben.'

'Ik weet niks.'

Decker duwde hem weer tegen de rugleuning van de bank, waardoor de rest van het water uit de beker op zijn blote borst spatte. Renaldes trok wit weg van angst.

'Hou toch op!' zei ik verwijtend. Ik stond op om een handdoek te halen en gaf onderweg weer een dreun op de kastdeur. Ik zag wat servetten die uit Tasty Taco waren gestolen en gaf ze aan Pepe zodat hij het water ermee kon opdeppen.

Weer ging ik naast hem zitten. Ik zei: 'Renaldes, we hebben een probleem.'

Hij keek me suffig aan.

Ik zei: 'Het probleem is dat ik je niet geloof. Ik jou *no creo*.'

Decker glimlachte.

Ik zei: 'Zo te zien zit je lelijk in de penarie. *Muchos problemos, usted tiene. ¿Comprendes?*' Ik keek naar mijn vader. 'Zou je dat even willen vertalen?'

'Nergens voor nodig. Hij snapt het wel.'

'Aan jou heb ik ook niks.' Ik keek weer naar Pepe en wees naar Decker. 'Hij is gek.' Ik wees naar mezelf. 'Ik ben niet gek. Werk mee, Pepe.'

'Ik gisteren niet rijden. Ik hier.'

'Wie heb je als alibi? Afgezien van Fuego?'

Een lege blik in zijn ogen.

Ik keek naar mijn vader. 'Vertaling?'

Pa herhaalde mijn vraag in het Spaans.

Renaldes haalde zijn schouders op, schudde zijn hoofd. 'Ik hier,' zei hij.

'In je eentje?' vroeg ik. '*¿Solo?*'

'*Sí, solo.*'

'Gelul!' zei mijn vader venijnig. Hij zette het pistool tegen Renaldes' hoofd.

Zachtjes duwde ik zijn hand met het pistool weg en wees met mijn wijsvinger naar mijn voorhoofd. Ik hield Pepe goed in de gaten. Zijn gezicht, dat eerst vuurrood was geweest, was nu lijkbleek. Het had zelfs een ziekelijke, groenige tint. Ik zei: 'Renaldes, ik geloof je. Maar hij niet en dat is een probleem.'

Pepes ogen gingen snel heen en weer. 'Ik niet daar. Ik weet niet!'

Weer liet mijn vader hem het pistool zien. Ik zwaaide vermanend met mijn wijsvinger. Tegen Pepe zei ik: 'Ik heb een idee. Vertel me van wie die auto is, dan zal ik proberen hem' – een duim in Deckers richting – 'rustig te krijgen.'

Zijn ogen gingen van mijn gezicht naar dat van Decker. Ik weet niet zeker of hij alles begreep, maar de toon waarop ik sprak, zei veel. Pa vertaalde wat ik had gezegd. Renaldes keek weer naar mij.

'Wat voor auto?'

'Een bronskleurige Chevrolet Nova. Grondverf bij het linkerportier. Getinte ruiten. Gedeukte motorkap.'

Renaldes zei: 'Ik ken de *carro* niet. Ik weet niet wie die heeft... ik niet erbij. *Pero si el carro es caliente*... als hij is gestolen, ken ik de mensen die... die hem in stukjes maken.'

Mijn vader en ik keken elkaar aan.

Pepe voelde een verzachting van de omstandigheden in de lucht hangen. 'Ik geef u de *numeros*... de adres.'

Pa zei: 'Nee, je gaat ons laten zien waar het is.'

Renaldes keek naar mij. Ik keek naar mijn vader. 'Jouw auto heeft geen achterbank.'

'Dan mag je op zijn schoot zitten. Zal hij best leuk vinden.'

37

Pepe zei tegen Decker dat hij zijn kleren in een doos onder zijn bed had liggen. Ik trok de doos tevoorschijn. Decker pakte er een paar kledingstukken uit en hield het pistool op Renaldes' gericht terwijl die zich aankleedde. Ik maakte van de gelegenheid gebruik om de flat te doorzoeken, waarbij ik af en toe een dreun op de kastdeur gaf om de hond koest te houden. Ik begon net een beetje medelijden met het dier te krijgen, toen ik me herinnerde ooit ergens gelezen te hebben dat de kaken van een pitbull ongeveer duizend kilo aan bijtkracht hebben. Het beeld van mezelf met slechts een half gezicht hield me op het juiste pad.

Ik snuffelde in wat laden en vond een zakje pillen en een pistool, een geladen Colt .32. Ik liet het wapen aan mijn vader zien toen Pepe de veters van zijn gympen strikte.

'*Amigo*,' zei Decker.

Pepe keek op.

'Heb je hier een vergunning voor?'

Geen antwoord.

'Dat dacht ik al. We gaan hem een poosje van je lenen.'

Omdat ik goed kon omgaan met Beretta's, het dienstpistool van het LAPD, ruilden Decker en ik van wapen. Hij vroeg: 'Heb je ooit met dit ding geschoten, Renaldes? Ik ga hem naar het lab brengen, zie je, en als blijkt dat hij ooit bij een misdrijf is gebruikt, zul je lelijk in de problemen komen.'

'Heb gevonden,' zei Pepe.

'Ja, ja. En die pillen heb je zeker ook gevonden?' Ik liet hem het zakje zien.

Renaldes keek me met een vermoeide blik aan.

'Als jij je netjes gedraagt,' zei ik, 'zullen wij ons ook netjes gedragen.'

Decker pakte een van Renaldes' broekriemen en bond daarmee zijn polsen op zijn rug vast. 'Niets persoonlijks, hoor.' Hij pakte hem bij zijn ene arm, ik bij zijn andere en zo namen we hem mee naar de deur.

'Mijn hond,' zei hij.

'Als het niet al te lang duurt, overleeft hij het wel,' antwoordde Decker. 'Kom mee.'

De Porsche had achterin een minibank. Ik wurmde me in de krappe ruimte en kwam dwars in de auto te zitten. Pa liet Pepe voorin instappen. We maakten zijn polsen los en bonden ze toen om de rugleuning van de stoel heen weer vast. Ik was gewapend en Decker ook. Hij startte de motor en trok op.

Strikt genomen hadden we Pepe ontvoerd en diep in mijn binnenste gaf me dat geen goed gevoel. Het gaf me tevens een nieuwe kijk op hoe gemakkelijk het overschrijden van een grens te rechtvaardigen was. Mijn vader was niet oneerlijk, dat wist ik donders goed, maar hij leek er niet voor terug te schrikken de regels aan zijn laars te lappen wanneer het doel de middelen heiligde.

Wat moest ik daarvan denken?

Ik bleef trouw aan mijn vader, en om mijn twijfels te sussen maakte ik mezelf wijs dat ik een denkbeeldig engeltje was, dat op zijn schouder zat en hem zou waarschuwen wanneer hij te ver dreigde te gaan.

Ik had een wapen en was bereid het te gebruiken als dat nodig mocht zijn, maar onze gevangene veroorzaakte geen problemen. Integendeel. Hij leek een nogal passieve jongen. Hij woonde ook al drie jaar op hetzelfde adres. Ik begon zelfs te betwijfelen of deze sul wel betrokken was geweest bij de verkrachting van Sarah Sanders. Ik vroeg me af of Germando El Paso uit zelfbehoud de rollen soms had omgedraaid. Misschien had Renaldes op de uitkijk gestaan, terwijl Fedek en El Paso zich aan haar hadden vergrepen. Ik zette die gedachte op een laag pitje, voor als en wanneer we vooruitgang zouden boeken in die zaak.

'Honger, Pepe?' vroeg ik hem.

'Een beetje.'

'Als je braaf bent, krijg je straks wat te eten, wanneer we klaar zijn.'

Hij knikte. Zijn vingers bewogen zich constant onder de riem waarmee zijn polsen vastgebonden waren.

Decker zei niets. Hij reed oostwaarts over de snelweg door het industriegebied van Los Angeles County, op weg naar het adres dat Renaldes ons had gegeven. Langs de weg een skyline van oude pakhuizen. Hier en daar was er een dat niet meer gebruikt werd en dichtgetimmerde of kapotgegooide ramen had. Het was bewolkt en smoggy en ik had moeite wakker te blijven. Ik deed mijn ogen een ogenblik dicht, maar sperde ze even later weer open toen ik merkte dat ik in slaap was gevallen. Hetzelfde was Pepe overkomen. Hij zat met zijn kin op zijn borst te snurken. Ik zag nu pas dat hij een dun snorretje had en een plukje haar onder zijn onderlip.

Vanaf het moment dat we bij Pepes adres waren aangekomen, had ik mijn vader niet bij zijn naam of rang genoemd. Hij was net zo omzichtig geweest tegenover mij. Ook toen Pepe zat te dutten, zeiden we niets tegen elkaar, want we wisten dat mensen in hun slaap dingen kunnen horen. De rit verliep in een gespannen sfeer en ik was al zo moe en zat er erg ongemakkelijk bij. Na ongeveer tien minuten nam Decker een afrit naar het hart van het industriegebied. Daar was de lucht nog zwaarder verontreinigd door rook en verzurende stoffen, zodat het pijn deed wanneer je te diep ademhaalde. De gebouwen waren lang en laag, fabrieken en werkplaatsen, monotoon en lelijk.

Het adres dat Pepe ons had gegeven was van een garage waar auto's werden gespoten, en op het oog leek het een bonafide zaak, want wie auto's stripte of omkatte, deed dat niet open en bloot. Bovendien waren er geen vrachtwagens te zien, die nodig zouden zijn om gestolen goederen te vervoeren. Wel stonden er een heleboel auto's op een aangrenzend terrein, veel ervan gedeeltelijk ontmanteld. Geen luxe auto's, maar doodgewone, goedkope personenwagens. Renaldes schrok wakker, hief met een ruk zijn hoofd op en knipperde een paar keer met zijn ogen.

In het Spaans zei hij iets tegen mijn vader. Pa knikte en parkeerde aan de overkant van de straat op een onbebouwd terrein. We bleven zitten om een plan te verzinnen. Pepe zat er lusteloos bij. Toen hij weer iets zei in het Spaans, viel me de angstige klank van zijn stem op. Mijn vader vertaalde.

'Hij zegt dat de eigenaars van deze garage onderaannemers zijn voor verkopers van tweedehands auto's. Ze knappen auto's voor hen op. Soms smokkelen ze samen met gewone auto's een paar gestolen wagens naar binnen. Soms kopen de autohandelaren die dan, zonder vragen te stellen.'

Weer Spaans.

Decker zei: 'Hij zegt dat ze gewapend zijn en dat ik voorzichtig moet zijn.'

Renaldes zei: '*Habla con Señor Angus o Señor Morton. Yo no puedo entrar...* ik kan niet naar binnen. Zij doden mij.'

'Laat hem maar hier,' zei ik tegen mijn vader.

'Goed,' zei Decker. 'Maar hou hem goed in de gaten.'

'Ik ga met je mee. Ze zijn gewapend en jij hebt rugdekking nodig.'

'Ik ben niet van plan te gaan schieten.'

'Ik was gisteren ook niet van plan beschoten te worden.' Ik boog me naar Pepe en liet hem drie van de briefjes van twintig zien, die we vanochtend uit de geldautomaat hadden gehaald. Ik scheurde ze in tweeën en stak de drie halve biljetten in Pepes zak. 'Als je hier netjes blijft zitten, mag je straks niet alleen naar huis, maar krijg je ook nog eens zestig dollar.' Tegen mijn vader: 'Kun je dat even vertalen?'

'Wanneer het over geld gaat, begrijpt hij het vast wel.'

Ik klopte zachtjes op de rugleuning van mijn vaders stoel. 'Ik zit helemaal dubbelgevouwen. Laat me eruit.'

Hij stapte uit en reikte me zijn hand. Het parkeerterrein was niet geasfalteerd. Stof dat door de wielen van de Porsche was opgewaaid, hing om ons heen toen we naar de garage liepen.

'Ik doe het woord wel,' zei ik tegen Decker. 'Ik kom minder intimiderend over en jij schiet beter dan ik, als de nood aan de man mocht komen.'

'Wat ga je zeggen?'

'Dat merk je vanzelf wel.' We liepen de garage in. Er stonden drie auto's op bruggen: een rode, tien jaar oude Honda Accord, een groene, zes jaar oude Mitsubishi Montero en een witte, tien jaar oude Suburban. Hun chassis werden behandeld door twee jonge latino's. Een van hen had een steeksleutel in zijn hand. Toen hij ons zag, wreef hij met zijn onderarm over zijn bezwete voorhoofd. Ik liet hem mijn penning zien. 'Ik ben op zoek naar Angus of Morton.'

Hij bekeek me achterdochtig en liet zijn blik toen naar mijn vader gaan. Wat hij zag, had effect, want hij wees met zijn duim over zijn linkerschouder.

'Bedankt,' zei ik.

Hij had naar een klein kantoor gewezen, een hok met ramen rondom, twee bureaus, twee telefoontoestellen, een computer en stapels gekleurde bonnetjes. Slechts een van de twee bureaus was bezet. De man die eraan zat was moddervet, had halflang bruin haar dat vettig en sluik in slierten neerhing, en een onverzorgd sikje. Hij was gekleed in een spijkerbroek en een wit T-shirt met korte mouwen, waardoor we vrij zicht hadden op de tatoeages die vanaf zijn polsen zijn armen bedekten. Hij had er ook een in zijn nek en een op zijn voorhoofd: stieren in twee verschillende posities.

Angus… stieren. Ha, ha, ik had het door.

Ik klopte op de ruit en liet mijn penning zien. Decker deed hetzelfde. Angus stond op en waggelde naar de deur. Hij deed die open, maar blokkeerde de doorgang met zijn dikke lichaam. Hij stonk naar sigarettenrook; zijn vingernagels hadden de kleur van vlekkerig amber. 'Ja?'

'Ben jij Angus?' vroeg ik hem.

'Wat?' zei hij.

'Ik ben op zoek naar een auto,' zei ik. 'Een bronskleurige Nova, bouwjaar '91 of '92, met grondverf langs het linkervoorportier. Getinte ramen. Zwaar beschadigd. Minstens vier kogelgaten.'

'Zo een heb ik er niet.'

'Dan heb je er zeker niks op tegen dat we een kijkje nemen in je zaak?'

Zijn blik gleed over mijn lichaam. Zijn stem bleef kil. 'Dat hangt ervan af. Wat willen jullie?'

'De auto,' antwoordde ik. 'De bestuurder van de Nova heeft gisteravond het gore lef gehad op mij te schieten. Zoiets vind ik niet leuk.'

Angus zweeg.

'Met zo'n hete wagen wil je niks te maken hebben,' zei ik. 'Die lui hebben op een juut geschoten.'

'Misschien wisten ze niet dat het een juut was.'

'Maar nu weet jíj dat en daardoor ben je een medeplichtige als die kar hier ergens staat.'

Angus zei: 'Ik zie geen huiszoekingsbevel.'

'Omdat we dat niet hebben. Anders zouden we niet met je staan praten.' Ik glimlachte. 'Vooruit, laten we dit even als volwassenen afhandelen. Hoeveel heb je ervoor betaald?'

Angus zei niets.

'Hoor eens, *hombre*,' ging ik door, 'ik wil alleen die auto. Ik kan je een hoop moeilijkheden bezorgen, maar je kunt ook als een oppassende burger naar het plaatselijke politiebureau gaan om er melding van te maken. Ik zal je zelfs een vergoeding geven voor je tijd en moeite. Wat vind je daarvan?'

'Vijfhonderd,' zei Angus.

'Laat me niet lachen! Je hebt er waarschijnlijk niet meer dan honderd voor betaald.' Ik haalde mijn portemonnee tevoorschijn. 'Ik heb zevenentwintig dollar bij me.'

'Lazer op, zeg!'

'Wat een taal!' Ik keek naar mijn vader. 'Hoeveel heb jij?'

Pa pakte zijn portefeuille. 'Zestig.'

Ik keek weer naar Angus. 'Ik moet wat kleingeld overhouden. Ik geef je er tachtig dollar voor. Ja of ja?'

Erg lang hoefde hij er niet over na te denken. Hij stak zijn hand uit naar het geld.

Ik gaf het hem. 'Waar is de wagen?'

'Niet hier,' zei Angus. 'Maar ik weet waar hij is. Als jullie beloven hier niet terug te komen, zal ik ervoor zorgen dat de auto op een bepaalde plek zal zijn.'

Ik keek pa aan om advies. Decker zei: 'We kunnen hem onder druk zetten, of hem op zijn woord geloven. Wat vind jij?'

'Hoelang duurt het voordat we de wagen krijgen?' vroeg ik aan Angus. 'Ik vind het écht niet leuk dat er op me is geschoten.'

'Uiterlijk eind van de middag.'

'Kun je er niet wat meer vaart achter zetten?'

'Alleen als er iets tegenover staat.'

'Ik heb geen geld meer.'

'Ik heb een adres.'

'Voor hoeveel?' vroeg ik hem.

'Honderd.'

Het zou tien keer zoveel waard zijn als we daarmee het onderzoek konden stroomlijnen. Maar ik wist dat ik dit keihard moest spelen. 'Vijftig,' zei ik. 'Omdat het uit mijn eigen zak komt.'

'Me reet. Eén inval in een hoerenkast en je hebt het weer terug.'

'Ik werk niet voor de zedenpolitie en ik pik nooit wat mee. Ik herhaal: vijftig dollar, omdat het uit mijn eigen zak komt.'

Angus dacht over het aanbod na. 'Vijfenzeventig en ik zal zeggen dat het vóór drie uur moet.'

Weer keek ik naar Decker. Hij vroeg aan Angus: 'Naar welk politiebureau ga je bellen, en naar welke afdeling?'

'Weet ik niet. Daar heb ik nog niet over nagedacht.'

Decker zei: 'Doe maar Industry PD, het bureau op Twenty-third en Preston.'

'Mij best. Geef me je nummer effe. Dan zal ik je bellen wanneer het is gebeurd.'

'Niet nodig,' zei Decker. 'Doe nou maar gewoon wat we hebben afgesproken, dan zijn we allemaal gelukkig.'

'Hoe ben je aan de auto gekomen?' vroeg ik hem.

'Gewoon. Een vent kwam hier vanochtend om halfzeven binnenzetten. Hij zei dat hij een gestolen auto moest dumpen. Toen ik al die kogelgaten zag, dacht ik dat het wel iets te maken zou hebben met een roofoverval of een strijd tussen twee benden. Dergelijke rotzooi moet ik niet. Dus heb ik hem een adresje gegeven van een schroothandel.'

'Wie was die vent?' vroeg ik.

'Weet ik niet. Ik ken hem niet.'

'Niet?' zei ik honend. 'Je geeft het adres van een bevriende schroothandel aan een vent die je niet kent?'

'Oké, hij is de stiefbroer van een jongen die voor me heeft gewerkt.'

'Zo,' zei ik. 'En hoe heet die jongen?'

Hij liet zijn tong langs zijn tanden gaan. 'Dat kost je nóg een honderdje.'

'Goed,' zei ik. 'Hoe heet hij? Die jongen die voor je heeft gewerkt?'

'Germando El Paso.'

Mijn vader en ik wisselden een blik. Decker zei: 'Hoe ziet die stiefbroer eruit?'

'Ja, weet ik het. Hij is ongeveer één meter vijfenzeventig.'

'Haar? Ogen?'

'Ja, daar let ik niet op, hoor.'

'Denk na, Angus,' zei ik. 'Het is belangrijk.'

'Kort haar… geschoren kop. Hoor 's, ik heb het druk, vooral omdat ik dit klusje voor jullie nou ook nog moet doen. Hoepel dus op en laat me met rust.'

'Waar is die schroothandel?' vroeg ik.

Angus kneep zijn ogen iets toe. 'Jullie hebben geen officiële papieren. Ik heb genoeg gezegd.' Hij draaide zich om.

'Dank je wel,' zei ik.

Hij bleef staan, draaide zich weer naar ons toe en staarde me aan.

'Dank je wel,' herhaalde ik. 'Ik zal zorgen dat je het geld krijgt. Dat beloof ik.'

Hij bekeek me aandachtig en knikte toen.

'Nog één ding…'

Hij wachtte.

'Weet je zeker dat je niet weet hoe die vent heet? Je begrijpt natuurlijk wel waarom ik dat graag wil weten.'

Hij zei niets.

Ik ging door: 'Oké, Angus, als ik nou eens wat namen noem. Je hoeft niet eens ja of nee te zeggen. Je gezicht zal me genoeg vertellen. En het is nog eens vijfentwintig dollar extra waard.'

Hij bewoog zich niet. Ik vatte dat op als een teken dat ik kon doorgaan. Ik noemde zomaar wat namen als aanloopje en zei toen: 'Pepe Renaldes?'

Geen reactie.

'Juice Fedek?'

Angus was een koele kikker, maar kon niets doen tegen de tic bij zijn oog.

'Juice Fedek is Germando El Paso's stiefbroer?' Toen Angus geen antwoord gaf, zei ik tegen mijn vader: 'Vandaar de gemengde bende.'

'Gaan jullie nou of hoe zit het?' Angus liep de garage uit en keek naar mijn vaders Porsche die aan de overkant van de weg stond. 'Is die kar van jullie?'

Decker zei: 'Als je hem aanraakt, sla ik je dood.'

'Heb je onderdelen nodig? Ik heb een motor van een 911 uit '81 die maar twintigduizend mijl heeft gelopen.'

'Verleidelijk, maar ik moet toch nee zeggen.'

Ik zei: 'Zodra je zeker weet waar de auto is, zeg je tegen Industry PD dat ze bureau Hollywood moeten bellen. Zeg maar dat je hebt gehoord dat de Nova betrokken is geweest bij een schietpartij op een politieagent.'

'Ja, ja, ja.' Angus schudde zijn hoofd en zei: 'Al dit geklets is niet erg gunstig voor jullie imago of het mijne.'

'Kom, we gaan,' zei mijn vader tegen mij. Toen we aan de overkant van de straat waren, sloeg hij zijn arm om me heen. 'Meesterlijk.'

'Ik heb een goede leermeester.'

Hij keek me in de ogen. 'Vanochtend was die niet op z'n best.'

'Dan is het maar goed dat ik hem ook onder minder emotionele omstandigheden heb zien werken.'

'Boft hij even.'

Decker ontsloot het portier. Renaldes zat nog precies zoals we hem hadden achtergelaten. Ik klapte de bestuurdersstoel naar voren en kroop weer achterin. Met enige moeite leunde ik naar voren om de overgebleven stukken van de drie briefjes van twintig in zijn zak te steken. Ik deed het echter met veel tegenzin. Ook al zat de vent er nu zo sullig bij, het was heel goed mogelijk dat hij een gewillige deelnemer aan een groepsverkrachting was geweest. Dat was ik niet vergeten. Ik gaf hem een schouderklopje. 'Mooi werk, Pepe.'

Hij glimlachte. 'U hem vinden?'

'Hoe minder je weet, hoe beter,' antwoordde ik. Ontwijkende antwoorden zouden de schrik erin houden. Ik woog mijn woorden zorgvuldig af. 'Maar als we je nog voor iets anders nodig hebben, kun je maar beter weer net zo goed meewerken.'

Pa vertaalde mijn woorden in het Spaans.

Hij kromp ineen. '¿*Que quiere*?'

'Op het moment niets,' zei ik. 'Maar je weet maar nooit.'

'Goed geformuleerd,' zei Decker complimenteus. Hij startte de motor en reed weg. Onderweg ging hij op mijn verzoek langs bij een Burger King waar ik een maaltijd kocht voor Pepe. Ik zette de zak op de vloer van de auto. Hij keek er hongerig naar.

'Ik niet kan eten met *faja*.'

'*Faja* is riem,' vertaalde pa.

Daarop antwoordde ik: 'Je mag eten wanneer je thuis bent. Voorlopig mag je alleen ruiken.'

Ikzelf vond de geur onaangenaam vet en werd er een beetje onpasselijk van, vooral omdat we er nog meer dan een uur voor nodig hadden om terug te komen bij Pepes flat. Het was erg druk op de weg: bumper aan bumper, chroom waar de zon op weerkaatste, uitlaatgassen die de lucht vervuilden. En het spitsuur was nog niet eens begonnen. Eindelijk, om halftwee, waren we terug op de plek waar we begonnen waren; we hadden Renaldes heelhuids en helemaal murw thuisgebracht. Toen ik de riem losmaakte, griste hij meteen de zak van de vloer. Nog voordat we bij de deur van zijn flat waren, haalde hij er een paar patatjes uit en stak die in zijn mond. Zodra mijn vader Renaldes' sleutel in het slot stak, werd de hond hels. Toen Decker de deur opende, roken we uitwerpselen en urine. Het beest had op een primitieve manier uiting gegeven aan zijn ongenoegen.

Pepe sloeg er geen acht op. Hij was staande bezig zijn hamburger uit te pakken. Voordat hij naar binnen ging, greep ik zijn arm en keek hem dreigend aan. 'Als je tegen iemand iets over dit bezoek zegt, vertel ik het aan Angus. En waag het niet de stad te verlaten. Ik heb ogen in mijn achterhoofd. *¿Comprende?'*

Hij keek naar mijn gezicht en toen naar mijn hand. Langzaam liet ik zijn arm los.

'*¿Pistola?*' zei Renaldes. '*Este es un mundo muy peligroso.*'

Dat verstond ík zelfs. Ik zei: 'Als blijkt dat hij niet gestolen is, krijg je hem terug.' Ik gaf hem een tikje tegen zijn wang. 'Braaf zijn.'

We liepen terug naar pa's Porsche. Het was heerlijk om weer voorin te zitten. Ik merkte nu pas hoe gevoelig mijn rugspieren waren geworden door de ongemakkelijke houding achterin. Ik strekte mijn benen.

'Denk je dat Angus te vertrouwen is?' vroeg ik.

'Nee,' antwoordde pa, 'maar we weten waar we hem kunnen vinden. Waar staat je auto?'

'Thuis.'

Decker reed terug naar de snelweg. Binnen een paar minuten vielen mijn ogen dicht. Tegen de tijd dat we bij mijn flat aankwamen, had ik veertig minuten geslapen. Ik werd vermoeid en versuft wakker.

'Ik loop even met je mee,' zei Decker.

'Dat is echt niet nodig...'

Maar hij was al uitgestapt en maakte het portier aan mijn kant open. Ik hing aan zijn arm toen we de trap op liepen naar mijn flat. Ik hoorde de telefoon rinkelen en slaagde er nog net in de deur te ontsluiten en de hoorn van de haak te grissen voordat degene die belde, kon ophangen. Pa was meegelopen naar binnen.

'Waar heb je al die tijd gezeten?' vroeg de stem.

Shit! Het was inspecteur Stone. Ik had om twaalf uur het bureau moeten bellen. Het was nu bijna drie uur.

'Ik sliep.' Dat was de waarheid. 'Het spijt me erg, inspecteur.'

'Stone?' mimede mijn vader.

Ik knikte.

'Shit,' siste hij geluidloos. 'Sorry.'

Ik duidde met een gebaar aan dat het niet uitmaakte. 'Wat is er aan de hand, meneer? Heeft iemand met een kogelwond zich bij een ziekenhuis gemeld sinds ik het bureau heb verlaten?'

'Nog niet.'

'Gelukkig.'

'Decker, ik heb zojuist een bijzonder eigenaardig telefoontje gekregen. Iemand van Industry PD vertelde me over een Nova met kogelgaten die op het punt staat tot schroot verwerkt te worden. De anonieme tipgever zei dat de auto gebruikt is bij een schietpartij op een politieagent.'

'Lieve hemel!' Ik hoefde geen verbazing voor te wenden. Ik was echt verbaasd. Angus was nog sneller dan hij had beloofd. Ik maakte in gedachten een aantekening het beloofde geld vandaag nog op te sturen. 'Is het waar?'

'Brill gaat naar Industry om poolshoogte te nemen.' Een lange stilte. 'Hoe denk je dat dit zo snel bekend is geworden?'

Ik glimlachte. 'Blijkbaar kon iemand het niet voor zich houden.'

'En waar heb jij al die tijd gezeten?'

'Ik sliep.'

'In je eentje?'

'In mijn eentje, ja, maar ik was hier niet alleen. Mijn vader is al die tijd bij me geweest. Hij heeft een vrije dag genomen omdat hij wist dat ik er slecht aan toe was. Hij is hier nog steeds. Wilt u hem even spreken?' Ik riep hem op luide toon, zodat Stone het kon horen, en vertelde pa dat ze bij Industry PD een tip hadden ontvangen over de auto. Hij klapte in zijn handen en stak zijn duimen omhoog.

Hij nam de telefoon van me over en zette hem op de luidspreker zodat ik Stone kon horen. Pa zei: 'Hebben jullie het adres waar die auto zou zijn?'

'Ze hebben een adres gegeven, ja,' antwoordde Stone. 'Ben jij de hele tijd bij haar gebleven?'

'Ja.'

Een lange stilte. 'En wat heb je de hele dag gedaan?'

'Hoofdzakelijk gelezen, terwijl zij sliep.' Hij keek naar een van mijn tijdschriften, eentje van *Earth and Heaven* waarop ik met airmiles een abonnement had gekocht. Hij las voor uit het hoofdartikel: 'Wist u dat het heelal zich ongeveer tweemaal zo snel uitbreidt als iedereen tot nu toe dacht? Dat blijkt uit de laatste roodverschuivingsgegevens.'

'Heel interessant, Pete,' zei Stone. 'Vind je het geen wonderbaarlijk toeval dat er meteen een tip is binnengekomen over die Nova?'

Decker begon traag en vergenoegd te grijnzen. 'Het leven zit vol toevalligheden, Mack. En ons werk ook. Wil je mijn dochter nog spreken?'

'Nee. Maar als deze tip correct blijkt te zijn, zal ze moeten bevestigen dat het de juiste auto is. Daarna zal de technische recherche haar dienstwapen onderzoeken en zodra we van hen bericht krijgen dat alles in orde is, mag ze zich weer melden voor actieve dienst. Dat zal wel overmorgen worden, maar wanneer ik zeg dat ze om twaalf uur moet bellen, dan moet ze om twaalf uur bellen.'

'Waarom geef je míj een standje? Ik ben niet mijn dochters hoeder.'

'Ik geef je geen standje, Pete; ik verzoek je vriendelijk dit op gepaste wijze door te geven.'

'Doe ik.' Decker knipoogde naar me. 'Bedankt voor alles, Mack. Ik zal dit niet vergeten.'

'Ja, goed.' Zijn stem klonk vermoeid. 'Tot kijk.'

Pa verbrak de verbinding en drukte toen op een knipperende toets. 'Iemand probeert je te bellen.' Hij gaf me de telefoon.

'Vanochtend zei je dat je tegen negenen zou bellen. Dat was zes uur geleden! Ik heb je wel tien keer gebeld. Waar heb je gezeten?'

'Alles is in orde, Koby. Bedankt voor je bezorgdheid.'

Een korte stilte. Toen: 'Hoe is het met je?'

'Ik ben misselijk van vermoeidheid. Ik ben de hele dag op pad geweest, maar als iemand ernaar vraagt, heb ik al die tijd in mijn eigen bed geslapen.'

Weer een stilte. 'Cynthia, wat is er aan de hand?'

'Niets.' Ik verzachtte mijn toon. 'Echt, alles is in orde. Hoe is het met jou?'

'Nu ik weet dat met jou alles in orde is, voel ik me een stuk beter. Ik wist niet waar je was. Ik was dodelijk ongerust.'

Nu weet je hoe het is om in het ongewisse te verkeren. Maar dat zei ik natuurlijk niet. De arme jongen. Er was op hem geschoten en zijn auto was zwaar beschadigd in beslag genomen. Hij was moe, prikkelbaar en ongerust en had geen vervoer. Dit was geen geschikt tijdstip om mijn gelijk te halen. 'Het spijt me dat ik niet heb gebeld. Ik had het zo druk dat ik het ben vergeten. Echt waar.'

'Vergeten?'

'Koby, mijn vader is hier. Hij staat op het punt te vertrekken. Kun je heel even wachten, terwijl ik afscheid van hem neem?'

Een lijdzame zucht, maar hij zei dat het goed was. Ik legde de telefoon neer en stond op. Ik glimlachte naar mijn vader. 'Heel erg bedankt, pap.'

'Graag gedaan.'

Opeens biggelden er tranen over mijn wangen. Ik omhelsde mijn vader dankbaar, en niet alleen vanwege dit incident. 'Ik hou van je.'

Hij omhelsde mij al even stevig. 'Ik ook van jou, prinsesje.'

Uiteindelijk maakte ik me van hem los. Of misschien hij van mij. Hij zei: 'Ik kom er wel uit.'

'Nee, ik loop even met je mee.' En ik fluisterde: 'Hij kan wel even wachten.'

Pa glimlachte samenzweerderig. Zodra ik de deur achter hem op slot had gedaan, plofte ik op de bank neer met de telefoon in mijn hand. 'Ben ik weer. Waar zit je?'

'Op mijn werk.'

'Heb je een auto weten te regelen?'

'Marnie heeft me afgehaald.'

'Marnie?'

'Ja, Marnie. Wanneer kan ik je zien?'

'Nou, heel snel dan maar, anders neemt Marnie nog mijn plaats in.'

'Hou op, Cynthia. Ik ben niet in de stemming voor zulke dingen. Ze is verloofd met een heel aardige arts, en jíj bent degene die de sleutel van mijn huis heeft.'

Ik gaf niet meteen antwoord, want ik dacht dat hij zijn excuses zou aanbieden voor zijn kribbige toon. Maar dat deed hij niet. Dus zei ik: 'Sorry. Mijn humor is puur verdedigend. Ik ben nog een beetje van streek. En jij ook, neem ik aan.'

Een diepe zucht. 'Het spijt mij ook. Ik wilde alleen je stem horen. Dat is alles.'

'Nou, die hoor je nu.'

'Baroech Hasjeem!' Daarna bleef het lang stil. 'Ik verlang zo naar je. Wanneer kan ik je zien?'

'Zeg het maar.'

'Kun je me na mijn werk komen afhalen?'

'Graag zelfs. Om hoe laat ben je klaar?'

'Om elf uur.'

'Ik zal er zijn, tenzij ik een auto moet bekijken.' Ik bracht hem op de hoogte van de laatste ontwikkelingen.

'Dat is ongelooflijk!' Hij klonk meteen een stuk beter. 'Wat een geluk.'

'Het is inderdaad een groot geluk,' zei ik.

Ik glimlachte.

Soms moet je je eigen geluk creëren.

38

De ouverture *Wilhelm Tell* is nooit mijn favoriet geweest en was helemáál om van te kotsen als ringtone van mijn mobiel. Ik had het liefst het dekbed over mijn hoofd getrokken om lekker verder te slapen, maar omdat mijn arbeidssituatie een tikje gespannen was, nam ik toch maar op. Ik tastte de vloer af, stak mijn hand in mijn tas en viste het rotding eruit.

Koby draaide zich op zijn buik. Hij kon wél lekker het dekbed over zijn hoofd trekken. 'Laat toch bellen.'

Ik drukte op de groene toets. 'Hallo?'

'Met Brill.'

Ik schoot rechtovereind in bed en voelde mijn hart in mijn keel. 'Wat is er?'

'Ik wilde je alvast vertellen dat het er goed uitziet. De technische recherche is bijna klaar en alles is in orde.'

Ik kon weer ademhalen. 'O, wat heerlijk! Hebben ze veel uit de Nova kunnen halen?'

'Een heleboel vingerafdrukken. Die gaan we vandaag in de computer stoppen.'

'Heel hartelijk dank, rechercheur Brill. Dat is een pak van mijn hart.'

'Daarom bel ik je ook.'

Koby trok het dekbed van zijn hoofd en ging zitten. Mijn ogen volgden zijn lichaam toen hij – in twee opzichten fier rechtop – naar de badkamer liep.

'Je krijgt er straks nog officieel bericht over,' zei Brill. 'Wil je weten waar de kogels terecht zijn gekomen?'

'Graag.'

'Allemaal in de motorkap van de auto. Niet één in de voorruit. Je hebt zuiver gericht. Alleen heb je zes schoten afgevuurd en heeft het team maar vier kogels teruggevonden.'

'Dan zijn er zeker twee langs de auto gegaan,' loog ik.

'Ja, zolang ze maar niet op een verkeerde plek terecht zijn gekomen. Maar het ziet er goed uit.'

'Nogmaals bedankt. Belt u me zodra ze de vingerafdrukken hebben doorgenomen? Ook als het niets oplevert?'

Een korte stilte. 'Of we kunnen nu eindelijk eens samen iets gaan drinken, Decker.'

'Ja, da's goed. Als u, met toestemming van Russ MacGregor natuurlijk, bereid bent om over de verkrachting van Sarah Sanders te praten.'

'Doen we. Jij hebt vandaag vrij en ik ben om zes uur klaar. Tegen die tijd weet ik meer over de vingerafdrukken in de auto. Zullen we dus voor zes uur afspreken?'

'Mag ik u daarover terugbellen? Ik moet mijn planning afstemmen met mijn vriend. En die slaapt nog.'

'Tuurlijk. Ik hoor het dan nog wel.'

'Goed. Tot zo.'

Koby kwam terug en glipte weer in bed. 'Welke planning zijn we aan het afstemmen?'

'Rechercheur Brill wil me spreken.'

'Waarover?'

'Over de vingerafdrukken in de Nova. Hij gaat die vanmiddag door de computer halen. Hij wil iets met me gaan drinken, vanavond na zijn werk.'

'Hij wil iets met je gaan drínken?'

'Hij is getrouwd, Koby.'

'Een ring aan je vinger zegt niet alles.'

'Vandaar dat ik het specifiek over mijn vriend heb gehad. Hij is niet dom.'

'Dus je gaat?' vroeg hij mokkend.

'Ik zal straks eerst bellen om te horen wat er op het National Register tevoorschijn is gekomen. Dat is een database. Als het iets heeft opgeleverd, ga ik. Ik heb dit soort dingen al eerder bij de hand gehad. Ik ken zijn type en weet hoe ik hem moet aanpakken. Dat ik jou heb, maakt alles een stuk gemakkelijker. Bovendien is Brill mijn meerdere en wil ik graag vooruitkomen met de zaak over Sarah Sanders; als hij me kan helpen, des te beter.'

'Er zijn wetten betreffende seksuele intimidatie.'

'Er is geen sprake van seksuele intimidatie. Hij steekt alleen zijn voel-hoorns uit. Maak je nu maar geen zorgen.'

Hij bleef verongelijkt kijken, maar even later dansten zijn lange vingers over mijn tepels.

'Ik ga even mijn tanden poetsen,' zei ik. Toen ik terug was, draaide hij zich op zijn zij, steunend op zijn elleboog. Hij bekeek mijn naakte lichaam.

'Wat ben je toch mooi.'

Ik streelde zijn wang. 'Jij ook. Maar je moet me vertrouwen.'

Hij trok mijn hand naar zijn erectie. 'Ik vertrouw jou wel, maar ik weet hoe mannen zijn.'

Weer ging mijn mobieltje.

'Laat hem rinkelen,' zei Koby fel.

'Het kan iets belangrijks zijn.'

Koby gooide zich om op zijn rug en staarde met boze ogen naar het plafond. Hij zei niets. Ditmaal was het Rina.

'Ik wilde even weten wanneer jullie de Volvo komen halen.'

'O… momentje.' Ik keek naar mijn bedgenoot. 'Wanneer wil je de Volvo gaan halen?'

Hij zuchtte. 'Hoe laat is het?'

'Negen uur.'

'Ik begin vandaag om drie uur. Twaalf uur, halfeen?'

'Komt halfeen jou uit?' vroeg ik aan Rina.

'Prima. Tot dan.'

Ik hing op.

'Zet dat ding af,' zei Koby. 'Als er nóg iemand belt, smijt ik hem kapot.'

Ik zette hem af.

Hij boog zich over me heen en kuste me.

Een paar seconden later klonk er een andere ringtone, *Für Elise*, en ditmaal was het Koby's mobiel.

'Godsamme!' riep hij uit.

'Neem maar op,' zei ik. 'Ik word er niet chagrijnig van.'

Hij keek me nijdig aan en pakte zijn mobieltje. 'Ja?… Mikal!… Shit, man!' Hij ging rechtop zitten. 'Sorry, man, helemaal vergeten te bellen. Nee, ik kan niet komen. Mijn auto is kapot… Nee, nee, ik mankeer niks. Een of andere kaffer reed door rood… Ja, total loss, man. Maar mijn vriendin heeft een karretje voor me. Van haar pa. Ja, man, je moet vandaag maar zonder mij gaan. Ik zie je donderdag... Wanneer? Zaterdag?... Misschien wel. Moet ik effe aan mijn meisie vragen. Oké, man. Tot kijk.'

Ik staarde hem aan. 'Waarom praat je opeens alsof je uit Jamaica komt?'

'Wat?'

'Laat maar. Wat moet je met me overleggen?'

'Er is zaterdagavond een feestje. Wil je ernaartoe?'

'Wil jij?'

'Als jij wilt.' Hij bekeek me wellustig. 'Al ben ik liever met jou alleen.' Hij legde zijn mobieltje op het nachtkastje, maar het begon meteen weer te rinkelen. Nu schoten we allebei in de lach.

'Neem maar op,' zei ik.

'Hallo?' zei hij ongeduldig. 'Wanneer?... Nee, dan kan ik niet... nee, kan niet... Je luistert niet, Marnie, ik kan niet. Ik heb geen auto. Ik ga er straks een oppikken... Om halfeen, dus kan ik op z'n vroegst om half-twee. Waarom bel je Lisa niet?... Wanneer?... Voor hoelang?... Bel Pat dan en zeg dat je een klacht zult indienen als ze niet komt. Je moet over-wicht hebben op je personeel, Marnie. Hoe vaak heb ik je dat nu al niet verteld? Pat heeft meer snipperdagen opgenomen dan wij allemaal bij el-kaar... Ik weet dat ze een alleenstaande moeder is, maar ík heb ook een privéleven. Ik kan niet altíjd voor haar invallen... Nee, ik ben niet kwaad, ik ben gefrustreerd!'

Hij sloeg zijn ogen ten hemel.

'Ja, ik weet dat jij er niets aan kunt doen, maar ík ook niet. Ik zal mijn best doen er om twee uur te zijn, maar ik kan het niet beloven... Ja, dat weet ik... ik weet het... geen probleem, Marnie... Ja, zal ik doen... Tot straks.' Hij verbrak de verbinding. 'Groeten van Marnie.' Hij gooide het mobieltje door de kamer. Het viel niet kapot, maar de batterij viel eruit.

Hij bekeek me hongerig. 'Zullen we het nog een keer proberen?'

'Weet je zeker dat je het aandurft?' vroeg ik.

'Als we het niet proberen, word ik pas écht onuitstaanbaar.'

'Dat wil ik liever niet meemaken.'

'Nee, beter van niet.'

Een uur later was hij een heel ander mens: ontspannen, vrolijk, la-chend. Nadat we onder de douche waren geweest, wilde hij per se een ont-bijt voor ons maken. Hij zette een cd met zydecomuziek op. Behendig ac-cordeonspel. Ik hoorde hem de woorden meezingen.

Tegen de tijd dat ik me had aangekleed en de keuken in liep, was alles al bijna gereed.

'De koffie is al klaar.'

'Je bent snel.'

Hij kuste me terwijl hij eieren in een koekenpan deed waarin kleingesneden paprika, tomaten en uitjes sudderden. 'Ik heb de tafel op het terras gedekt. Het is een prachtige dag.'

'Dit ziet er lekker uit.'

'Sjaksjoeka.'

'Ethiopisch?'

'Israëlisch. Marokkaans, geloof ik. Je hebt al een tijd niet behoorlijk gegeten. Je hebt proteïne nodig. En ik ook.'

'Ik dacht dat je koolhydraten moest eten wanneer je honger hebt.'

'Nee, koolhydraten zijn goed voor een snelle stijging van het suikerniveau in het bloed. Proteïne wordt langzaam verteerd. Het geeft geen snelle kick, maar ook geen terugval. Ga lekker buiten zitten met de krant.'

Vijf minuten later kwam hij naar buiten met het eiergerecht, sap en mijn mobieltje. Hij kuste me en ging zitten. 'O… wat een zaligheid.' Hij leunde achterover op zijn stoel met zijn handen achter zijn hoofd gevouwen. 'Wat heerlijk om frisse lucht in te ademen.'

Ik schonk koffie in de kopjes. 'Zeg dat wel.' Ik begon aan het eiergerecht. 'Mmm, lekker. Dank je wel.'

'Graag gedaan.'

Dit was niet de eerste keer dat hij iets voor me had klaargemaakt. Hij kon goed koken – eenvoudige gerechten met veel kruiden, vooral gedroogde rode pepers. Al na een paar happen stond mijn mond in brand. Ik dronk wat sap en nam daarna een slokje koffie. Toen keek ik hem aan. 'Voor jou is seks erg belangrijk.'

Hij bekeek me vanachter zijn koffiekopje. 'Ja… ik hoop dat het voor jou ook belangrijk is.'

'Uiteraard. Alleen… verandert het nooit veel aan mijn stemming.'

'Ik ben erg humeurig. Dat heb ik je al verteld.'

'Ja.'

'Wij zijn elkaars tegengestelde, Cynthia. Ik werk met vrouwen; jij werkt met mannen. Onze relatie is nog pril, dus ben ik nog erg onzeker. En gezien de recente omstandigheden moeten we veel dingen verwerken.'

'Ik heb je een hoop ellende bezorgd. Sorry.'

'Als ellende bij je hoort, neem ik die op de koop toe.' Hij pakte mijn hand en kuste die. 'Wanneer het mijn beurt is om jou ellende te bezorgen, zul je je dit herinneren.'

'Afgesproken.' Ik beet in de geroosterde bruine boterham en keek naar de rozenstruiken. 'Nu we weten dat seks voor ons allebei een grote rol speelt, zou ik misschien beter aan de pil kunnen gaan. Dan wordt het wat spontaner.'

Hij glimlachte van oor tot oor. 'Dat zou erg fijn zijn.'

'Je houdt niet van condooms.'

'Geen enkele man houdt van condooms. Maar het is jouw lichaam.' Hij smeerde boter op zijn brood. 'Ik doe wat jij wilt.'

'Ik vind het niet erg om aan de pil te gaan, maar als we geen condooms meer gebruiken, moet je volkomen monogaam zijn.'

'Dat weet ik.'

'Echt honderd procent. Ik heb geen zin in… problemen.'

'Ziekten, bedoel je. Dat begrijp ik volkomen, lieve schat. Ik ben twee-endertig, geen zestien.'

'Ik kan me niet eens voorstellen hoe je op je zestiende was.'

'Het sliep nooit.'

Ik lachte. 'Dus het is voor jou geen punt?'

Zijn lach klonk als muziek. 'Ik ben stapelgek op je, Cynthia. Ik dénk niet eens aan andere vrouwen. Is het een probleem voor jou?'

'Nee, hoor, ik denk ook niet aan andere vrouwen.'

Hij keek misprijzend.

'Nee, het is geen probleem.' Ik lachte. 'Ik vind het prima.'

'Mooi. Ga dan naar de vrouwenarts en geef me het recept. Ik kan wel wat gratis monsters krijgen van een of andere firma.'

'In een kínderziekenhuis?'

'We behandelen tieners.'

'Ah.' Ik at de rest van de sjaksjoeka en vroeg toen: 'Is het erg makkelijk om aan drugs te komen?'

Hij keek me aan. 'Pardon?'

'Ik bedoel harddrugs. Kun je die met gemak achteroverdrukken?'

'De opiaten zitten achter slot en grendel, en we weten allemaal wie de sleutels hebben. Nee, het is niet makkelijk. Ik gebruik geen drugs, heb ik ook nooit gedaan, maar er zijn in het ziekenhuis wel mensen die het wél doen; die snuiven veelal lachgas, omdat je daar gemakkelijk bij kunt komen en het effect van korte duur is. Maar het is dom. Ieder jaar raakt er minstens één collega van ons buiten westen vanwege een foutieve menging van zuurstof en stikstof. Waarom wil je dat weten?'

'Beroepsmatige nieuwsgierigheid. Omdat je zei dat je makkelijk voor mij aan de pil kunt komen. Dat zette me aan het denken.'

'Ik kan niet aan drugs komen die achter slot en grendel zitten, maar als ik er echt een dringende behoefte aan had, zou ik er wel iets op weten te verzinnen. Andere medicijnen, antibiotica, antigrippine, antihistaminen, pijnstillers, zowel met als zonder recept, zoals Percocet; zelfs Percodan en Vicodin, waar codeïne in zit. In het ziekenhuis hebben we kasten vol monsters van allerlei farmaceutische firma's. Dat is een van de voordelen van ons werk... zoals het voor jou gratis koffie is.'

'Ik krijg geen gratis koffie.'

'Nou, hier wel.' Hij pakte een stuk van de krant en gaf het aan mij. 'Laten we genieten van de tijd die we samen hebben, voordat de wereld zich weer aan ons opdringt.'

Ik bekeek de voorpagina van het katern Kunst en Cultuur: musicals uit de jaren vijftig die opnieuw werden opgevoerd, nieuwe versies van oude films, tv-specials over reünies. Het leek wel of niemand nog met originele ideeën kwam. Ik keek naar Koby, die geconcentreerd het wereldnieuws zat te lezen, zijn voorhoofd gefronst van bezorgdheid toen hij artikelen las over onze troepen in het Midden-Oosten. Hij kende dat deel van de wereld beter dan de gemiddelde Amerikaan, en ik vroeg me af in hoeverre hij zich in de situatie van de soldaten inleefde.

Slecht nieuws was voor geen van ons tweeën goed, omdat we zo intens leefden. Ik had het gevoel dat hij seks vaak als een soort kalmerend middel gebruikte, maar zolang hij niet overdreef en trouw was, maakte het mij niet uit. Twee dagen geleden had iemand op hem geschoten, zijn auto was total loss en evengoed maakte hij ontbijt voor me.

Dit was een geweldige man.

'Kus me,' zei ik tegen hem.

Hij liet de krant zakken. 'Dat is nog eens een aangenaam bevel.' Hij boog zich naar me toe, legde zijn handen om mijn gezicht en drukte zijn lippen op de mijne – een trage, hartstochtelijke, verrukkelijke kus.

'O, wat was dát lekker,' zei hij.

Ik sloeg mijn armen om zijn nek, drukte mijn lippen weer op de zijne en masseerde zachtjes zijn achterhoofd terwijl onze tongen een dansje uitvoerden.

We werden steeds amoureuzer.

Na een paar minuten stonden we op en liepen naar de slaapkamer.

Ik veegde met de rug van mijn hand het schuim van mijn lippen. Het bier was ijskoud, het café warm en rokerig. Zeven uur 's avonds, en in Bellini's was de kankerverwekkende sigarettenrook te snijden. Toch was deze tent iets beter dan de bekende politiecafés, want je kon er redelijk goed eten, niets ingewikkelds, maar voedzaam en lekker. Hayley en ik hadden hier vaak gegeten toen we nog alleen dagdienst hadden. Het was een klein café, met gedempt licht en jazzmuziek op de achtergrond. Dit keer nam Miles Davis de honneurs waar. Op het grootbeeldscherm was een honkbalwedstrijd te zien: de Dodgers tegen de Diamondbacks, in Arizona.

Brill had helemaal achterin een tafel voor ons gescoord. Door naar Bellini's te gaan, een openbare gelegenheid, wilde hij iets duidelijk maken, al begreep ik niet helemaal wat. Ik wist alleen dat het geen zuiver altruïsme was. Dat was te zien aan de manier waarop hij zijn bier dronk en met zijn mooie, blauwe ogen naar me keek. Ik nam kleine teugjes van mijn bier en liet hem kijken. Hij zag er netjes uit, een kostuum met een vaag krijtstreepje, wit overhemd, rood met gouden das. Brede gouden ring aan zijn linker ringvinger. Gouden horloge om zijn pols.

'Heb je honger?'

'Nee.' En als uitleg: 'Ik heb een stevige lunch gehad.'

'Met je vriendje?'

'Ja.' Vanaf mijn plek kon ik het televisiescherm zien. Shawn Green bereikte met gemak het tweede honk omdat de bal ver uit was geslagen. Randy Johnson keek nijdig.

'Hoe heet hij?' vroeg Brill.

Alsof hij dat niet wist. Hij had Koby een vol uur ondervraagd. 'Jaakov Kutiel.'

'Hij lijkt een aardige vent,' zei Brill. 'Vooral gezien de omstandigheden. Is zijn auto verzekerd?'

'Ja, maar u weet hoe dat werkt. Hij zal niet veel krijgen.'

'Dan boft hij dat hij een meisje heeft met een Lexus.'

'Er ontgaat u niet veel.'

'Logisch dat pappies lieveling het beste van het beste krijgt.'

'Nu moet u niet lelijk gaan doen.'

Brill glimlachte en wenkte de serveerster. 'Zou je iets voor me willen ophelderen?'

'Ik kan een poging doen.'

'Enig idee waar dat telefoontje vandaan is gekomen?'

'Nee.'

'Dat iets zo snel bekend is geworden' – hij keek me aan met 'politie-ogen' – 'is niet logisch.'

Ik ontkende het niet. Op het scherm werd de bal te laat naar het thuishonk gegooid. Dankzij McGriffs hoge boogbal kon Green scoren. Fred McGriff stond nu op het tweede honk. Aan het begin van de derde speelperiode stonden de Dodgers drie punten voor. Een close-up van de gefrustreerde Johnson. De serveerster kwam naar ons tafeltje toe. Brill bestelde lamskoteletten met gebakken aardappelen; ik alleen nog een biertje.

'Je hebt geen enkel idee?'

Ik dacht diep na. Alles wat ik zou zeggen, zou in mijn nadeel gebruikt kunnen worden. 'Nee.'

Brill glimlachte. 'Goed. Dan laten we het daarbij.'

'Goed.'

'Vingerafdrukken, massa's. Zeg maar stop als je ergens belangstelling voor hebt.'

'Ik heb belangstelling voor alles wat u me kunt vertellen.'

Hij haalde zijn notitieboekje tevoorschijn. 'Bobby Cantrell, Mohammed Nelson, Benny Rodriguez, Tomas Marin, Mabibi Ralson, Joseph Fedek...'

'Stop.'

'Ja, dat dacht ik al. Ik zal je de rest even geven: Leonard Chatlin, Mike Robinson, Cristofer Anez en Ted Bass. Cantrell, Rodriguez en Anez zitten achter de tralies. Tomas Marin woont niet in Californië, maar kan daarom nog wel reizen. Mabibi Ralson is dood. Dan houden we over: Joseph Fedek, Mohammed Nelson, Leonard Chatlin, Robinson en Bass. We hebben de adressen van Mohammed Nelson, Mike Robinson en Ted Bass. Helaas niet die van Chatlin en Fedek. Wanneer een agent gebruik moet maken van zijn of haar dienstpistool, wordt de zaak in kwestie behandeld als een misdrijf en Stone heeft hem op mijn bureau gedumpt, dus moet ik nu al die lui gaan natrekken. Dat vind ik niet leuk.'

Pepe Renaldes stond niet op de lijst. Dat vond ik toch wel prettig. Ik zei: 'Zeg maar wat ik kan doen.'

'Je mag niets doen. Tegenstrijdige belangen.'

McGriff scoorde een punt dankzij een mooie slag van Brian Jordan. Commotie op de werpheuvel van Arizona. 'Het kan toch geen kwaad als ik een paar mensen bel?'

'Als Stone erachter komt, kan dat heel veel kwaad.'

'Ik kan heel discreet zijn.'

'In dat geval mag je al die lui natrekken, inclusief de ventjes die in de nor zitten, behalve Chatlin en Fedek. Vooral van Fedek moet je afblijven. Ik doe het zware werk wel. Jij stelt alleen de routinevragen. En ik herhaal: handjes af van Fedek.'

'Ik zou niet eens weten waar ik hem zou moeten vinden.'

'Ja, net zoals je niet zou weten waar je die auto moest zoeken.'

'U slaat me veel te hoog aan.'

'Ik sla je vader hoog aan.'

Mijn bier werd gebracht. Ik bedankte de serveerster. Brill knipoogde naar haar en glimlachte wrang naar mij. 'Je mag morgen weer werken. Hoeveel tijd denk je ervoor nodig te hebben om die namen na te trekken?'

Het waren zeven namen, inclusief de lui in de gevangenis, exclusief de man die dood was. 'Ik denk een paar dagen. Maar ik moet voorzichtig zijn. Zullen we zeggen een week?'

'Oké. We zullen voor volgende week dinsdag afspreken om te zien hoever je bent gekomen.'

'Waar en hoe laat?'

'Ergens waar we rustig kunnen praten. Bij jou thuis?'

'Waar en hoe laat?' herhaalde ik met een uitgestreken gezicht.

Brill fronste zijn wenkbrauwen. 'Vind je deze tent wat?'

'Ja, hoor. Hij gaat 's middags om twaalf uur open,' antwoordde ik. 'Hebt u tussen de middag tijd?'

'Laten we om één uur afspreken.'

'Goed. En kunnen we het nu dan over Sarah Sanders hebben?'

'Waarom? Heb je nieuwe informatie?'

'Aangezien Joseph Fedek op de vingerafdrukkenlijst staat, ga ik ervanuit dat de schietpartij geen toeval was. Misschien heeft El Paso vanuit de gevangenis contact opgenomen met Fedek en hem verteld dat ik bezig ben met een onderzoek naar de verkrachting van Sarah Sanders. Misschien is Fedek toen bang geworden.'

'Maar, Cindy, hoe heeft hij je gevonden? Je reed niet eens in je eigen auto.'

Ik dacht na. 'Misschien heeft El Paso Koby's auto gezien toen hij weg-reed.'

'Wie is Koby?'

'Jaakov. Mijn vriend.'

'Noem je hem Koby?'

'Hij noemt zichzelf Koby. Het is een Israëlische afkorting voor Jaakov.'

'Is hij dan een Israëliër?'

Daar gaan we weer. 'Ja. Hij is zwart en hij is joods. Hollywood is onze wijk. We werken daar en aangezien we allebei nachtmensen zijn, gaan we daar ook vaak uit. Misschien hing Fedek er rond, in de hoop dat hij me er-gens zou zien.'

'Zou kunnen, maar we kunnen niets aan de zaak-Sanders doen voor-dat Fedek is opgepakt. En dat is op het moment het grote probleem.'

Zijn maaltijd werd gebracht. Hij wreef in zijn handen. 'Ziet er goed uit.' Langzaam hief hij zijn blik op van zijn bord naar mijn gezicht. We keken el-kaar een paar ogenblikken aan. 'Weet je zeker dat ik je niet kan... verleiden?'

Hij wees met zijn mes naar de lamskoteletten, maar de implicatie was duidelijk. Ik nam een slok van mijn tweede biertje. 'Nee, ik heb echt geen trek, maar bedankt voor het aanbod.' Ik stond op en legde dertig dollar op de tafel. 'Ik trakteer.'

Brill glimlachte. 'Je hebt stijl.'

'U hoort van me.' Ik liep weg.

'Ik heb gehoord dat je gesolliciteerd hebt bij de recherche,' zei Brill.

Ik draaide me om en voelde dat ik een kleur kreeg. 'Dat klopt. Ik weet dat het wat aan de vroege kant is, maar ik heb goede cijfers gehaald voor de examens. Dus dacht ik: wat heb ik te verliezen?'

'Ik heb het met Stone over je gehad. Ik heb tegen hem gezegd dat je er volgens mij geschikt voor bent.'

'Dat is erg aardig van u.' Ik glimlachte terwijl de warme gloed zich ver-der over mijn gezicht uitspreidde. 'Heel hartelijk dank.'

'Je hebt natuurlijk wel de juiste mentor nodig.'

'Natuurlijk.' Wilde Brill me in de toekomst als partner? Daar had ik niet eens van durven dromen. Toen knipoogde hij naar me. 'Bedankt voor het etentje. Volgende week betaal ík de lunch.'

'Prima.'

Samsam... dat was een goed teken.

39

Zoals ik al had gedacht, had ik er een week voor nodig om de namen op de vingerafdrukkenlijst van Brill na te trekken. Op het moment dat er vanuit de bronskleurige Nova op me werd geschoten, zat Bobby Cantrell in Folsom in de gevangenis, en Benny Rodriguez en Cristofer Anez in Lompoc. Tomas Marin was naar Houston verhuisd, waar hij als bouwvakker werkte, en Mabibi Ralson was inderdaad dood.

De achtendertigjarige Mike Robinson werkte voor een verzekeringsmaatschappij. Hij was de oorspronkelijke eigenaar van de Nova en had hem in 1996 ingeruild voor een GM Saturn. Ted Bass was filmeditor en had geen idéé hoe zijn vingerafdrukken in de Nova waren gekomen en ook niet waarom zijn vingerafdrukken in de databank van de politie zaten. Hij woonde in West Hollywood en op de avond van de schietpartij was hij samen met zijn vriend naar een diner.

Mohammed Nelson werkte in een van de filialen van MotoPhoto, in South Central. Hij was één meter negentig lang, een agressieve kerel die zei dat hij niet wist waar hij was geweest op de avond dat iemand mij dood wilde schieten, wat best zou kunnen, gezien het aantal dagen dat sindsdien was verstreken. Ik had hem onder druk kunnen zetten, maar omdat ik niemand bij me had, leek het me verstandiger alleen maar vervelend te doen. Mannen zijn tot veel bereid om van een zeurend vrouwmens af te komen. Uiteindelijk wist hij zich te herinneren dat hij op de bewuste avond had deelgenomen aan een feestje waar bepaalde farmaceutische producten vrij van hand tot hand waren gegaan. Daarvan kreeg ik later een bevestiging.

Ik gaf Brill een keurig overzicht met data, tijdstippen en alibi's. Hij was er verguld mee en zei dat we de zaak nog één keer moesten doorpraten, om alle details goed vast te leggen. Ditmaal stelde hij niet voor dat bij mij thuis te doen. Het werd een lunch in Bellini's, keurig netjes in het openbaar.

Nu al mijn verdachten van de lijst geschrapt waren, was onze laatste hoop gevestigd op Joseph Fedek en Leonard Chatlin. Ze hadden elk een strafblad met hoofdzakelijk kleine overtredingen: drugsbezit, ordeverstoringen, dronkenschap. Op de mugshots had Fedek een kaalgeschoren hoofd en een piercing in zijn wenkbrauw; Leonard Chatlin was gladgeschoren en had veel puistjes. Sarah had blijkbaar een goed geheugen, ondanks dat het vrij langgeleden was gebeurd.

Het probleem was dat het LAPD Fedek en Chatlin niet kon vinden. Maar omdat het kleine criminelen waren, en kleine criminelen niets van hun fouten leerden, was de kans groot dat ze binnenkort nogmaals zouden worden opgepakt wegens een soortgelijk vergrijp. Als ze tenminste nog in Los Angeles waren.

Ik belde het plaatselijke huis van bewaring. Nadat ik met zo'n beetje alle afdelingen was doorverbonden, bleek uiteindelijk uit het bezoekersregister dat Joseph Fedek een week voordat er op mij was geschoten, op bezoek was geweest bij zijn stiefbroer Germando El Paso. Jammer genoeg was dit slechts indirect bewijs, maar het bevestigde in ieder geval wat ik al had gedacht, namelijk dat El Paso me aan Fedek had uitgeleverd.

Met Justice Brill als contactnaam gaf ik een bericht door aan alle andere bureaus van het LAPD en aan het bureau West Hollywood Sheriff, dat als Joseph 'Juice' Fedek en/of Leonard Chatlin werd aangehouden – al was het maar voor een lichte overtreding als ordeverstoring of rijden onder invloed – ze niet op vrije voeten gesteld mochten worden zonder dat er contact was opgenomen met rechercheur Brill of, wanneer die niet beschikbaar was, met agent Cynthia Decker. Ik zou alle bureaus eens per week bellen. Niet vaker, want dan zouden ze een hekel aan me krijgen.

Nu was het een kwestie van afwachten.

Er ging nog een week voorbij voordat de rust min of meer was weergekeerd. Koby en ik wisten een gaatje te vinden voor een elegant diner in een van mijn favoriete restaurants. Musso & Frank was een van de oudste en beste restaurants in Hollywood. Het was gebouwd als een berghut met een balkenplafond en veel hout, had een rustieke bar die zowaar geen cliché was en een bijzonder uitgebreide menukaart. Het management ging er prat op dat ze de beste platvis in heel Los Angeles serveerden, en dat was ook zo, en de martini's waren beroemd. Ik zat aan mijn tweede cocktail toen Koby langs zijn neus weg zei dat er twee tafels links van mij een man zat die aldoor naar me keek.

Ik keek niet opzij, maar gooide mijn haar naar achteren en nam een slokje. 'Hoe ziet hij eruit?'

'Ongevaarlijk. Van middelbare leeftijd met grijzend haar. Hij draagt een jasje en stropdas en ziet eruit als een jurist.'

'Is hij alleen?'

'Nee, hij is met een vrouw die waarschijnlijk zijn echtgenote is, en nog twee stellen. Die zijn blank.'

'Is de man die je bedoelt dan zwart?' vroeg ik hem.

'Ja. Had ik dat er niet bij gezegd?'

'Nee.'

Koby glimlachte. 'Ze zijn op uitgaan gekleed, de mannen in een net pak, de vrouwen in een mooie japon. Niks op aan te merken, behalve dat hij aldoor naar je kijkt.'

Ik legde mijn servet neer. 'Dan ga ik maar eens even naar het toilet.'

Dankzij het vrij droge weer zat mijn haar erg goed. De halflange lokken kroesden niet, maar vielen zacht krullend tot over mijn schouders. Ik had een rode, mouwloze jurk aan waarvan het lijfje twee kruispanden had, waarmee ik, door ze losjes te strikken, een diep decolleté had gecreëerd. Omdat Koby op blote voeten één meter vierentachtig is, deed ik, wanneer we chic uitgingen, hoge hakken aan die me een lengte gaven van één meter tachtig. Toen ik opstond, keek hij met open mond naar me, en slikte toen.

'Misschien kijkt hij alleen maar naar je omdat je zo mooi bent.' Hij haalde diep adem en schudde zachtjes zijn hoofd. 'Soms denk ik dat ik droom.'

Ik bukte me om hem een blik in het decolleté te gunnen en kuste zijn kruintje. 'Je bent klaarwakker. Ik ben zó terug.'

Ik maakte van de gelegenheid gebruik om mijn make-up bij te werken. Ik vond het leuk om me mooi te maken voor Koby. Toen ik het toilet uit kwam kon ik de bedoelde stellen goed bekijken: allemaal in de vijftig en de mannen zagen er inderdaad uit als juristen. Waren ze waarschijnlijk ook. Van de zwarte man wist ik het zelfs zeker.

Het was Raymond Paxton, de curator van David Tyler.

Ik had hem de afgelopen weken driemaal gebeld en steeds zijn voicemail gekregen. De eerste twee keer had ik alleen gevraagd of hij iets van David had gehoord. De derde keer had ik ingesproken dat ik in mijn vrije tijd op zoek was naar David. Ik had hem de namen gegeven van de tehuizen en onderkomens waar ik al was geweest, en erbij gezegd dat het niet nodig was dat hij daar ook nog eens naartoe ging, als hijzelf ook bezig was naar David te zoeken.

Ik had geen reactie gekregen, zelfs niet van zijn secretaresse. Niet dat hij verplicht was me terug te bellen, maar hij had het uit beleefdheid kunnen doen. Toen hij me zag aankomen, stond hij op en excuseerde zich tegenover de anderen. We bereikten elkaar halverwege en vonden een plekje aan de drukbezette bar. Ik ging zitten; hij niet. Ik verwachtte een vijandige houding. In plaats daarvan bood hij meteen zijn verontschuldigingen aan.

'Ik neem aan dat u het druk had.' Mijn gezicht was volkomen uitdrukkingloos en ik keek hem recht in de ogen. De indringende agentenblik. Ik weet niet of wij die van de televisie hebben overgenomen of omgekeerd. Paxton was gekleed in een kakikleurige broek, wit overhemd, rode das en blauwe blazer. Studentikoos. Ik vroeg me af of hij aan een universiteit van de Ivy League had gestudeerd.

Hij zei: 'Voor een telefoontje heb je maar twee minuten nodig. De reden waarom ik niet heb teruggebeld, is dat ik u niet vertrouwde.'

Ik haalde nietszeggend mijn schouders op.

'Ik begreep doodgewoon niet waar u op uit was,' ging hij door. 'Dat snap ik nog steeds niet.'

'Ik ben op zoek naar David Tyler.'

'Ja, maar waarom?'

Ik dacht over die vraag na. 'Dat weet ik niet, meneer Paxton. Misschien omdat het leven mij een stuk beter heeft bedeeld dan hem.'

Paxton sloeg zijn ogen neer. 'Financieel zit hij er warmpjes bij. Weet u dat ik gedurende de eerste maanden na zijn verdwijning een privédetective in de arm heb genomen?'

'Nee, dat wist ik niet. Dat hebt u me niet verteld.'

'Het was een oplichter.'

'Jammer.'

'Mijn eigen schuld. Ik had niet goed geïnformeerd. Aangezien u al zoveel moeite doet om David te vinden, zou ik u een vergoeding kunnen geven voor uw tijd en onkosten. Maar dan moet het wel officieel. Dan moet u schriftelijk rapport uitbrengen van uw bevindingen.'

Ik hief beide handen op. 'Hooguit geld voor benzine… onderhoud van mijn auto. Verder niet. Waarom geeft u in plaats daarvan niet wat geld aan de baby?'

'Dat kan ik niet doen zonder medisch bewijs dat David inderdaad de vader van het kind is. Anders kan ik later aangeklaagd worden. Maar er zijn... andere manieren. Als u nu eens tegen de moeder van het kind zegt dat ze een advocaat moet nemen? Het is een stuk gemakkelijker als ik in juridische termen met hem... of haar kan praten.'

'Goed. Dat zal ik doen.' Ik stak hem mijn hand toe. 'Dank u.'

Hij aarzelde een seconde en gaf me toen een hand. 'Mijn verontschuldigingen voor mijn onbeleefde gedrag, agent Decker. Ik ben geen grote fan van de politie.'

'Net als mijn vriend.'

'De man met wie u hier bent, is uw vriend?'

Ik knikte.

'Ik dacht dat hij een collega was.'

'Dan zou ik deze jurk niet hebben aangetrokken.' Ik glimlachte. 'Ooit reed hij op het verkeerde tijdstip op een verkeerde plek. Hij heeft een nacht in een cel doorgebracht omdat hij was aangezien voor een verkrachter. Nadat ik het verhaal had aangehoord en wist onder welke omstandigheden het was gebeurd, heb ik tegen hem gezegd dat ik net zo zou hebben gereageerd als die andere agenten.' Ik haalde mijn schouders op. 'Hij wilde dat liever niet horen.'

'Ik voel met hem mee, omdat ik ook wel eens zoiets heb meegemaakt.' Paxton maakte een gebaar naar de tafeltjes. 'Na u.'

We keerden elk terug naar onze eigen tafel. Ik zag dat de Caesarsalades inmiddels waren geserveerd. 'Sorry dat het zo lang duurde.'

'Is alles in orde?' vroeg Koby.

'Ja, meer dan in orde zelfs.' Want ook als ik David niet zou vinden, zou men zich tenminste bekommeren om zijn baby. Louise Sanders kon wat financiële hulp goed gebruiken. Ze had het niet gemakkelijk. Als Paxton zich aan zijn woord hield, waren de onbeantwoorde telefoontjes dat dubbel en dwars waard.

Ik pakte mijn vork. 'Dit ziet er goed uit. Ik val om van de honger.' Ik nam een paar happen. 'Verrukkelijk!'

Koby prikte een crouton uit de salade en kauwde er langzaam op met een flauwe glimlach om zijn lippen. 'Ik vind het leuk om naar vrouwen te kijken wanneer ze eten. Het is erg sensueel.'

'Met zulke opmerkingen krijg je veel vrouwelijke fans,' zei ik lachend. 'Ik vraag me wel eens af of je het allemaal echt meent of dat het net zoiets is als in het Ethiopische restaurant, weet je nog wel? Je weet in ieder geval altijd precies wat je moet zeggen om vrouwen in bed te krijgen.'

'Ik wil alleen jou in mijn bed, lieveling, en daarvoor heb ik geen trucjes nodig. Je bent altijd erg gewillig.'

Ik kreeg het er warm van. 'Eet nou maar. Ik word er zenuwachtig van wanneer je zo naar me zit te kijken.'

'Waarom?'

'Omdat ik weet wat je denkt.'

'En wat denk jij?'

'Dat je er erg goed uitziet.'

Hij ontblootte zijn tanden in een stralende glimlach. 'Dank je.'

Ik keek weer naar hem op. 'Je ziet er zelfs erg goed uit.'

'Dubbel dank.' Er kwam een wellustige blik in zijn ogen. 'We kunnen de kelner vragen het hoofdgerecht voor ons in te pakken.'

Ik legde mijn vork neer. 'Jaakov, ik wil nu eindelijk wel eens een hele maaltijd uitzitten.'

'Goed.' Hij nam een slokje bier en likte met het puntje van zijn tong het schuim van zijn bovenlip. 'Wil je nog iets drinken?'

'Nee... dank je.' Ik pakte mijn vork weer.

'Alles wat je wilt, lieveling. Dat is mijn motto.'

'Heb je vandaag een pilletje extra charme ingenomen, Koby?'

'Wanneer jij bij me bent, heb ik dat niet nodig. Dan zijn mijn eigen gevoelens meer dan voldoende.'

'Mooi gezegd.' Ik glimlachte schuchter. 'Echt. Dat meen ik, Jaakov. En ik voel me precies zo. Ik vind je geweldig. Je bent sexy en intelligent en je hebt gevoel voor humor... je bent geweldig.'

Hij grinnikte. 'Nu heb je zelf een charmepilletje ingenomen.'

'Ja, maar ik heb ze nodig.' Ik lachte. 'Ik wou dat ik net zo goed van de tongriem was gesneden als jij.'

Hij pakte mijn hand. 'Je bent niet gehaaid, Cynthia, maar je bent altijd eerlijk.' Hij kuste mijn vingers een voor een en streek toen met zijn wijsvinger over mijn neus. 'Eet nou maar.'

Ik prikte een blaadje sla aan mijn vork en keek weer naar hem op. Hij bekeek me nog steeds even intens, met die prachtige ogen van hem, die de kleur van whisky hadden en omlijst werden door lange, dikke wimpers.

Jee, wat zag hij er goed uit!

Ik kauwde op de sla, maar opeens smaakte die nergens meer naar.

Wie dacht ik in de maling te kunnen nemen?

O god, ik hield het niet meer.

Ik wenkte de kelner en verzocht hem de rest van onze maaltijd in te pakken en ons de rekening te brengen.

40

De kust van Californië, van San Diego tot de grens met Oregon, moet door God persoonlijk zijn geschapen. Aan de ene zijde de glinsterende blauwe oceaan, aan de andere zijde majestueuze groene bergen. Toen Decker vanaf Santa Barbara noordwaarts reed over Route 101, had hij zich bovendien geen mooier weer kunnen wensen. De temperatuur lag rond de 25 graden en de zon speelde verstoppertje met wollige plukjes helderwitte wolken. Toen hij afsloeg naar Route 234 en oostwaarts de Santa Ynez Valley in reed, klom de Porsche steeds steiler omhoog tussen de granieten muren van indrukwekkende rotsformaties. Moeiteloos nam de krachtige auto de haarspeldbochten van de canyon. De temperatuur zakte en hoog boven hen hing een fijne nevel.

'Wat is het hier mooi,' zei Rina zachtjes.

'Hannah wordt al groot,' zei Decker. 'We moeten dit vaker doen.'

'Dat moeten we zeker.' Rina schoof haar honkbalpet wat naar achteren, genietend van de wind en de zon op haar gezicht. 'Het is fijn om je jong te voelen.'

'En vrij,' zei Decker. 'We hebben veel te weinig gelegenheid gehad dit soort dingen te doen.'

'Dat weet ik. Arme jij. Je kreeg een kant-en-klaar gezin toen je met me trouwde.'

'Niks "arme jij",' zei Decker. 'Ik voel me juist rijk en ik zou dit leven voor geen ander willen ruilen. Maar we moeten een gulden middenweg zoeken. We zouden eigenlijk geen project als excuus moeten hebben om er een weekend tussenuit te gaan. Maar aangezien we nu wél een doel voor ogen hebben, kunnen we onze strategie wel even doornemen.'

'Ik heb een paar vragen over de moord, maar als ik daar niet aan toe kom, is het geen ramp.' Rina haalde diep adem en blies die langzaam uit. 'Het gaat me nu eigenlijk alleen nog maar om mijn moeders kinderjaren.

335

De moord interesseert me niet meer. Die was alleen de aanzet.'

'Daar ben ik blij om. Het lijkt me het beste dat we de dames gewoon aan het woord laten.' Decker snoof de dennengeur op. Even later nam hij de afrit Solvang en kwamen ze uit op Mission Avenue, een brede twee-baansweg omzoomd door prachtige ceders, van onderen vol en breed, maar spits toelopend tot een indrukwekkende hoogte. Een paar kilometer liep de weg door een boerenlandschap met boomgaarden en velden met avocadoboompjes die als toefjes geïmplanteerd haar uit de grond staken. Daarna kwamen ze langs een struisvogelboerderij. De grote dieren waren nergens te bekennen, maar onderweg hadden ze ook een lama-fokkerij gezien, dus zouden de loopvogels wel ergens in de buurt zijn.

Algauw zagen ze het officiële groene bord dat bezoekers verwelkomde in Solvang, inwonertal 5.332.

Een Deens Disneyland.

Het toeristenstadje had echt een beetje de sfeer van een pretpark, tot en met de straatnamen: Vester, Aarhus, Nykobing, Midten, en woorden als Hof en Sted in plaats van straat, laan en plein.

Het leek regelrecht uit een sprookje te komen: beeldschone huisjes met hoge ramen, sierlijke gevels en heel aparte dakpannen die de indruk wekten dat de huizen rieten daken hadden. Kleine bungalows van rode bak-steen, wit pleisterwerk en dakranden versierd met houtsnijwerk. Elk van de huizen stond in het midden van een met zorg aangelegde tuin vol bloemen. De buitenmuren waren vrijwel zonder uitzondering opgesmukt met ouderwetse houten versierselen in de vorm van driehoekjes, vier-kantjes en rechthoeken, geschilderd in frisse kleuren, meestal lichtblauw, al hadden sommigen van de bewoners bruin of groen genomen en zag je hier en daar zelfs rood. De tuintjes waren afgeperkt door de bekende lage houten omheiningen van witte paaltjes, en veel van de huizen hadden op de bovenverdieping een balkon met een metalen balustrade. Bij twee van de motels aan Mission Avenue stond een echte windmolen, en de derde had een klokkentoren met een windhaan.

Decker had nog nooit zulke schone straten gezien. Het leek wel alsof ze dagelijks werden schoongespoten.

De langgerekte stadskern waar de winkels waren, lag eveneens aan Mission Avenue, en had een architectuur die vrijwel identiek was aan de woonhuizen. Boven de winkels, restaurants en *bacari's* stonden namen als Mortensen, Petersen en Olsen, en dat was niet voor de *couleur locale*.

Decker en Rina waren het met elkaar eens dat ze nog nooit binnen zo'n klein gebied zoveel oudere mensen hadden gezien met zo'n blanke huid en zulk spierwit haar. En toen ze langs de school kwamen, die tegenover een lutherse kerk stond, zagen ze allemaal blonde, blanke kindertjes, op een klein aantal na die duidelijk afstammelingen waren van de indianen.

Anika Lubke woonde in een laag, geel huis met erkers aan weerskanten van de voordeur, en blauw geschilderde lijsten op de hoeken. Boven de deur wapperde een Deense vlag, waarvan de stok in een speciale houder was gestoken. Het huisnummer was met de hand, in het rood, geschilderd op een tegeltje van Delfts blauw. De voortuin stond vol veldbloemen en leek daardoor op het kleurige palet van een schilder. Iemand had een ouderwetse zeeman, compleet met baard en pet, midden in een perk madeliefjes gezet, de Deense versie van een vogelverschrikker. Decker parkeerde de Porsche voor de deur en keek op zijn horloge. Tien over halfelf. Ze waren twintig minuten te vroeg.

'Wat denk je?' vroeg hij aan Rina.

'Ik denk dat ze het niet erg zullen vinden, maar we kunnen ook een paar minuten rondlopen.'

Voordat ze een besluit hadden genomen, ging de deur open. De vrouw die naar buiten kwam was lang en mager, gekleed in een met aronskelken bedrukte peignoir. Haar witte haar was tot een paardenstaart gebonden en ze had een bleek gezicht met roze wangen. 'Bent u inspecteur en mevrouw Decker?'

'Ja,' zei Rina vanaf de stoep. 'We zijn wat aan de vroege kant.'

'Dat geeft helemaal niet.' Ze sprak met een licht accent en had een kordate manier van spreken. 'Komt u binnen.'

Het pad naar de voordeur was smal. Decker liet Rina voorgaan. De vrouw zei dat zij Anika was en deed een stapje opzij om hen toegang te verschaffen tot een kleine zitkamer met lichtbruin parket en geel geverfde muren. Het meubilair was eenvoudig van vorm en gemaakt door iemand met een praktische inslag. Zowel de bank als de fauteuils hadden een rechte rugleuning en waren bekleed met stof in een blauw ruitjespatroon. Slechts hier en daar lag een sierkussen. Een met bloemranken beschilderde kist, die er antiek uitzag, deed dienst als salontafel. Aan de muren hingen olieverfschilderijen van stillevens, hoofdzakelijk bloemen; het waren originelen, maar niet van erg goede kwaliteit. Er hingen ook een paar pentekeningen en een kaart van Denemarken. Geen foto's. Misschien stonden die in de slaapkamer.

In het huis rook het sterk naar kool.

'De lunch is nog niet klaar.' Anika maakte fladderende gebaren met haar broodmagere armen. 'Mijn verontschuldigingen.'

Rina glimlachte naar haar. 'Dat geeft helemaal niets.' Van dichtbij zag ze dat Anika's gezicht gerimpeld was, met diepe lijnen en een droge, uitgezakte huid. Maar haar blauwe ogen straalden, en haar vermoedelijk valse tanden blonken. 'Het ruikt heerlijk, mevrouw Lubke, maar helaas kunnen we niet blijven voor de lunch. We eten koosjer, ziet u…'

'Ach! Natuurlijk.'

'Maar gaat u vooral aan tafel, wanneer het klaar is.' Rina snoof de geur op. 'Ik weet zeker dat het erg lekker is. Wat bent u aan het maken?'

'Hvidkälsrouletter, koolbladeren gevuld met vlees. Zal ik iets vegetarisch voor u maken?'

'Nee, nee, nee,' zei Rina. 'Dat hoeft echt niet. Maar een kopje thee zou ik wel lusten.'

'En u, inspecteur Decker?'

'Ja, een kopje thee is prima.'

'*Kommt sofort!*' Ze liep met verende pas weg en keerde alweer snel terug uit de onzichtbare keuken. 'Ik heb water opgezet. Marta is naar de kerk. We zijn lutheranen en in Beieren waren we echte buitenbeentjes. Beieren is erg katholiek, ziet u, en omdat het zo dicht bij Italië ligt, zijn de kerken gebouwd in rococostijl. Vaak hebben ze ook nog uivormige koepeldaken, vanwege de Russische aristocraten die in Beieren waren komen wonen. Het interieur bevat een rijkdom aan marmer en goud, en op de beschilderde plafonds zweven engelen in de lucht. Niet een hemel zoals ík me die voorstel.'

Zoals veel mensen uit Noord-Europese landen sprak ze op een zangerige toon.

'Marta zal zo wel terugkomen. Ah, het water kookt. Een ogenblikje graag.'

Toen ze weg was, fluisterde Rina: 'Hoe oud zei je dat ze is?'

'Vierentachtig, vijfentachtig. Misschien zelfs tegen de negentig.'

'Ze is erg energiek.'

'Net als jouw moeder. In hun tijd werden de kinderen blijkbaar stevig afgeleverd.'

Rina tikte met haar voet op de vloer. Peter en zij stonden nog steeds midden in de kamer. Anika kwam binnen met een dienblad. 'Gaat u toch zitten.'

Decker nam plaats op de bank. Die was net zo hard als hij eruitzag en de rechte rugleuning bood geen enkele steun onder in zijn rug. Rina pakte een paar kussentjes om enigszins gerieflijk te kunnen zitten. Anika schonk de thee in en ging toen met een kaarsrechte rug op de rand van een fauteuil zitten.

Misschien was ongemak iets wat bij hun cultuur hoorde.

Rina nam een slokje van haar thee. 'Het is erg aardig van u dat we mochten komen.'

'Ik dank ú juist voor het feit dat u contact met ons hebt opgenomen. Ik wist niet wat me overkwam. Je verwacht niet na zeventig jaar iets van iemand te vernemen. Zo lang is het geleden sinds ik uw moeder heb gezien.'

'Ja, het was vast een hele schok voor u.'

'Dat kun je wel zeggen.' Ze schonk voor zichzelf thee in een mok en nam een slokje. 'Het maakte herinneringen los die heel diep verborgen lagen. Ik herinner me de dood van uw grootmoeder niet specifiek, maar wel dat er opeens veel mensen vermoord werden. Ik geloof dat mijn moeder daar erg bang van was geworden. Niet lang nadat uw moeder was vertrokken, zijn ook wij verhuisd. Naar Hamburg.'

'U hebt me verteld dat u met een Engelsman bent getrouwd,' zei Decker. 'Hoe is dat gekomen?'

'Ach, dat is een lang en *traurig* verhaal.'

'"*Traurig*" betekent treurig,' zei Rina.

Decker zei: 'Ik wil geen onaangename dingen oprakelen.'

Anika glimlachte. 'Dat doet u niet. Ik had u zelf geschreven, in mijn e-mail, dat ik met een Engelsman in het huwelijk was getreden.' Ze dacht even na. 'Ze zijn nu allemaal overleden. Ik kan het u wel vertellen. In Hamburg heb ik op mijn zeventiende mijn man ontmoet.'

'De Engelsman,' zei Rina.

'Nee, nee, een Duitser. Ik ben toen met hem getrouwd, maar we leefden niet lang en gelukkig, zoals in de sprookjes van Grimm. Niet lang na de bruiloft, in 1933, koos Duitsland Hitler als leider en die bracht het land in staat van oorlog. Ik praat niets goed, Duitsland heeft gekregen wat het verdiende, omdat onze ouders die demagoog zelf hadden gekozen.'

Ze schudde haar hoofd.

'Als je na de Tweede Wereldoorlog aan een willekeurige Duitser vroeg of hij op Hitler had gestemd, dan zei hij altijd nee. Nee, nee, nee, we hebben niet op hem gestemd. Niemand had op hem gestemd! Niemand wist hoe hij aan de macht was gekomen!'

Ze maakte een minachtend gebaar.

'Mijn man moest in dienst en kwam terecht in een krijgsgevangenkamp. Hij was een *Staatsbeambte*, een doodgewone ambtenaar, maar omdat er in het Duits '*Staats*' in zijn functienaam stond, dachten de Engelsen dat hij een belangrijke figuur was. In het kamp werd hij ingedeeld bij anderen die functies hadden die met *Staats* werden aangeduid. Ze deden niets anders dan kaarten en over filosofie praten. Al die tijd hoorde ik niets van hem… een jaar lang. Ik was jong en dom, en toen de Britten het noorden veroverden, was ik nog dommer, want ik werd verliefd op een Engelsman omdat die het uniform van de overwinnaars droeg. Ik neem het mijn ouders nog altijd kwalijk. Als die niet waren verhuisd, was ik waarschijnlijk verliefd geworden op een Amerikaanse soldaat. Dan zou ik beter af zijn geweest.'

Rina glimlachte en knikte, maar Decker trok zijn wenkbrauwen op.

'Tegen het einde van de oorlog,' legde Rina uit, 'werd Duitsland op drie fronten onder vuur genomen: in het noorden door de Britten, in het oosten door de Russen en in het zuiden door de Amerikanen. Daarom werd Auschwitz door de Russen bevrijd, en Dachau door de Amerikanen. Ze bedoelt dat als ze in het zuidelijk gelegen München was blijven wonen, ze waarschijnlijk een Amerikaan zou hebben leren kennen.'

'O, nu snap ik het,' zei Decker.

Anika zuchtte. 'Ik heb me laten scheiden van mijn Duitse man. Arme jongen. Hij wist niet hoe hij het had toen zijn jonge vrouw ervandoor ging met de vijand.' Weer een zucht. 'Ik heb Hans veel verdriet gedaan. Later heb ik gehoord dat hij met een aardig meisje is getrouwd en dat ze vier kinderen hebben gekregen. Hij is erg gelukkig… veel gelukkiger dan ik. Maar het is mijn eigen schuld. Waar was ik gebleven?'

'U had u laten scheiden van uw Duitse echtgenoot,' zei Decker.

'O ja. Ik ben met Emerson getrouwd en met hem in een kleine stad in Devonshire gaan wonen. U kunt u wel voorstellen hoe de Engelse arbeidersklasse reageerde op een Duits meisje. Ik was doodongelukkig. Dus zijn we teruggegaan naar Hamburg, maar daar was híj ongelukkig. Uiteindelijk hebben we een compromis gesloten. Hamburg is niet ver van

Denemarken. Dus zijn we in Kopenhagen gaan wonen, en daar waren we allebei ongelukkig. Toch hebben we dertig jaar in Denemarken gewoond. Ik heb twee zonen gekregen, die allebei naar Amerika emigreerden. Op mijn zesenvijftigste ben ik van Cyril gescheiden, heb ik de naam Lubke weer aangenomen en ben ik naar Amerika verhuisd. Naar St. Louis, omdat Marta daar woonde.'

'Hoe is Marta in St. Louis terechtgekomen?'

'Haar man was een hoge piet bij Anheuser-Busch. Marta heeft het naar haar zin in St. Louis. Ik vind het er vreselijk. In de zomer is het er gloeiend heet en in de winter ijskoud. Sneeuw is leuk, maar daarginds zijn geen bergen, behalve het Ozarkgebergte... en dat kun je geen gebergte noemen. Tien jaar geleden kwam ik toevallig in Solvang. Omdat ik dertig jaar in Kopenhagen heb gewoond, kwam alles hier me erg bekend voor. Het koelere klimaat beviel me ook goed. En hier zijn tenminste echte bergen! Hier voel ik me thuis. Ik ga tweemaal per jaar op bezoek bij Marta. En Marta komt tweemaal per jaar bij mij. Wat dat betreft is zij beter af dan ik.'

Rina lachte. 'Dat ben ik met u eens.'

'Nog een kopje thee?'

'Graag,' zei Rina.

Anika pakte de theepot en liep ermee naar de keuken.

Rina had moeite haar lachen in te houden. 'Wat een type!'

'Ze heeft karakter,' zei Decker.

Na een paar minuten kwam Anika terug met de pot gloeiend hete thee. 'Ach, het aroma dat uit een theepot opstijgt... het enige wat de Engelsen goed kunnen, is thee zetten.' Ze schonk hun kopjes vol. 'Ik probeer in gedachten helemaal terug te gaan, mevrouw Decker, naar de tijd van de moorden. Het was een heel eigenaardige tijd.'

'Waarom?' vroeg Rina.

'Heel Duitsland was er slecht aan toe en München was geen uitzondering. Er heerste grote chaos in de stad en door de moorden werd de chaos nog groter. In München was het leger alomtegenwoordig, je zag overal uniformen en er werden veel parades gehouden. Het was de geboortestad van de nazi's, maar dat was niet de enige politieke partij. Er waren er veel, en elke partij had haar eigen vlag, haar eigen kenmerken. En ook een eigen kleur. Bruin voor de nazi's, groen voor de sociaaldemocraten, de communisten waren rood of hadden een zwart overhemd met een rode stropdas. En dan had je ook nog de royalisten. De Beierse koning was in

1918 door de communisten afgezet, maar er waren veel leden van de koninklijke familie achtergebleven en die staken zich bij iedere gelegenheid, voor iedere parade, in hun koninklijke kledij. Er werden voortdurend demonstraties gehouden op de Königsplatz... en op andere pleinen. Ik zat op school in de Türkenstrasse...'

'De *Schule* van mijn moeder,' zei Rina.

'Ja, uw moeder zat daar ook op school. Ernaast was het hoofdkantoor van de *Völkischer Beobachter*, de nazikrant. Vaak zagen we de Bruinhemden marcheren met hun paradepas. We hebben Hitler ook een paar keer gezien. Het hoorde allemaal bij de show. Nu ik er als volwassene aan terugdenk, herinner ik me dat ik erg bang was, omdat afgevaardigden van al die groeperingen vaak naar de *Schule* gingen om met ons te praten. Ze vroegen ons dan naar onze ouders – wat ze deden, wie hun vrienden waren, welke kranten we thuis lazen. De kranten in Europa zijn anders dan de kranten in Amerika. Ze horen bij politieke partijen, en door te vragen welke kranten we thuis hadden, wisten ze bij welke partij je ouders hoorden. En wanneer er iemand werd vermoord, zoals uw grootmoeder, mevrouw Decker, werd er gefluisterd dat ze misschien de verkeerde politieke partij aanhing.'

'Dus u denkt dat het een politieke moord was?'

'Toen het eerste slachtoffer werd gevonden, zei iedereen dat het een politieke moord moest zijn. In München had alles met politiek te maken. Er zijn nog meer jonge vrouwen om politieke redenen vermoord. Eén geval werd beroemd, de moord op een boerenmeisje genaamd Amalie Sandmeyer, dat werd vermoord door de Fememord, een geheime rechtse groepering. Iedereen was bang voor de Fememord.'

'Waarom werd Amalie Sandmeyer vermoord?' vroeg Decker. 'Was ze een spion?'

'Integendeel. Ze was een doodgewoon dienstmeisje, te naïef om te snappen wat er gebeurde. Wapenbezit was in die tijd verboden in München. Als je wapens vond uit de Eerste Wereldoorlog, moest je die naar de politie brengen. Maar alle groeperingen hadden geheime wapenvoorraden. Amalie ontdekte zo'n voorraad en omdat ze een oppassend meisje was, heeft ze het meteen aan de politie gemeld. Het probleem was dat de wapens van de nazi's waren en veel politiemensen lid waren van de NSDAP, de Nationaalsocialistische Duitse Arbeiderspartij. Het was duidelijk dat ze om politieke redenen was vermoord.'

Anika nam een paar slokjes thee, in gedachten verzonken.

'Maar toen werd er nog een vrouw gevonden. En daarna uw groot-moeder. Moeders drukten hun dochters op het hart niet in hun eentje over straat te gaan, omdat er behalve Hitler nog veel meer waanzinnigen rondliepen.'

'Ik heb de *Mordakte* van mijn moeder gevonden, het dossier over haar moord,' zei Rina.

'*Mein Gott*, hoe bent u daaraan gekomen?'

'Dat is een lang verhaal. Maar bij haar dossier zaten die over twee eer-dere moorden. Ze waren samen opgeborgen in een doos. Ik heb een ko-pie gekregen, niet het origineel.'

'Wat stond er in het dossier over uw grootmoeder?'

'Niet veel,' zei Decker. 'Het autopsierapport, ondervragingen, getui-genverklaringen, een beschrijving van de plaats waar ze is gevonden. Een vergelijking van de moord op haar en die op de twee andere vrouwen, Marlene Durer en Anna Gross. Voor zover ik kon zien, was het onderzoek vrij oppervlakkig. Herinnert u zich nog meer moorden?'

'Er waren er nog twee na uw grootmoeder, mevrouw Decker. Daarna zijn we verhuisd. Maar de laatste herinner ik me nog goed, omdat het een jong meisje was dat vlak bij me woonde, in Schwabing. Ze heette Johan-na en ze was iets ouder dan ik, maar we scheelden zo weinig in leeftijd dat het erg beangstigend was. Ach, het waren afschuwelijke dingen in een af-schuwelijke tijd, die nog veel en veel erger werd, voordat het weer beter werd.'

De vrouw was rood aangelopen en haalde moeizaam adem.

Rina zei: 'Maar dat is nu gelukkig allemaal verleden tijd.'

'Ja...' Het duurde even voordat de oude vrouw weer op adem was ge-komen. 'Ja, het is allemaal verleden tijd en ik maak iedere dag een wande-ling en geniet van de bergen, de lucht en de schoonheid van de natuur.' Ze slaakte een diepe zucht. 'Het was heel verstandig van uw grootvader dat hij indertijd is vertrokken. Van de gezinnen die bleven, werden de moe-derloze kinderen niet met medelijden behandeld, maar met achterdocht: "Wat heeft je moeder gedaan? Waarom moest ze dood?" Als u het mij vraagt, mevrouw Decker, zijn uw grootmoeder en die andere vrouwen al-lemaal door een en dezelfde persoon vermoord, niettegenstaande het feit dat de vrouwen uit heel verschillende milieus kwamen. Want goed be-schouwd zijn ze allemaal op dezelfde manier vermoord.'

'Enig idee wíe het heeft gedaan?'

'Ach, nee. Het spijt me. Een waanzinnige, of iemand van een politieke groepering, of een man die zowel waanzinnig als sterk politiek georiënteerd was. Wie zal het zeggen?' Anika keek verbeten. 'Er was een inspecteur… die met ons kwam praten. Ik herinner me hem nog goed, indringende blauwe ogen en zwart krullend haar. Hij had een… hoe zal ik het zeggen… een zwierige manier van lopen… en hij had charisma. Hij sprak op zachte toon, maar erg indringend. Als we iets hoorden of zagen, moesten we het hem komen vertellen. Hij was angstaanjagend en aardig tegelijk. Maar ik kan me zijn naam niet herinneren.'

'Heinrich Messersmit?' opperde Decker.

Ze haalde haar schouders op.

'Rudolf Kalmer?' zei Decker. 'Axel Berg?'

'Misschien was die het. Ik vraag me af wat er van hem geworden is.' Haar knokige hand maakte een wuivend gebaar. 'Nu is hij natuurlijk dood. Ze zijn allemaal dood. Ik had ook al dood moeten zijn.'

'God verhoede!' zei Rina.

Anika glimlachte. 'Ik was blij toen we verhuisden. Hamburg was heel anders, een vrije deelstaat, een havenstad, meer internationaal, minder Beiers. En het bier in Hamburg is sterker.' Ze keek naar haar kale pols.

Decker zei: 'Het is tien over twaalf.'

'Dan komt Marta zo,' zei Anika nogmaals. 'Zullen we soms een eindje gaan wandelen?'

Maar precies op dat moment ging de deur open.

Je kon goed zien dat Marta Anika's zus was. Ze had hetzelfde gerimpelde gezicht, dezelfde lange kaaklijn en hetzelfde witte haar, alleen had zij een knotje in plaats van een paardenstaart. Ze droeg een getailleerd blauw broekpak en liep op orthopedische schoenen. Toen ze Rina zag, sloeg ze haar hand voor haar mond. 'O, *mein Gott*, het is Marta Gottlieb!' Ze kreeg tranen in haar blauwe ogen. 'Ongelooflijk…'

Ze begon te huilen. Anika zei: 'Mijn zus is nogal emotioneel.'

Rina stak haar hand uit. 'Ik lijk erg op mijn moeder.'

Marta huilde zo hard dat ze niets kon zeggen. Anika schudde haar schouder. 'Hou op!'

'Hou zelf op!' bracht Marta hikkend uit. Ze greep Rina's hand. 'Hoe maakt je moeder het?'

'Heel goed. Gezond van lijf en leden.'

Marta slaakte een diepe zucht. 'We waren zulke dikke vriendinnen. Maar het leven heeft ons uit elkaar gedreven.'

'Dat weet ik.'

'Ze heeft in Auschwitz gezeten?'

'Ja.'

'Ach… wat erg, wat erg.' Ze legde haar hand op haar borst. 'Ze was heel sterk. Als iemand dat kon overleven, was Marta het. Ikzelf zou het niet gehaald hebben.' Ze droogde haar ogen. 'Het eten ruikt erg lekker, Anika. Ik heb trek.'

'Zij kunnen niet mee-eten. Ze eten koosjer,' legde Anika uit.

'Ja… dat had ik kunnen bedenken.'

'Het geeft niets,' zei Rina. 'Peter en ik moeten toch eigenlijk terug naar huis. We hebben thuis nog een jong dochtertje. Hoelang blijft u hier, mevrouw Wallek?'

'Zeg maar gewoon Marta. Ditmaal blijf ik tot en met augustus. Een lange tijd. Ik wil je moeder graag zien. Alsjeblieft. Het zou me zoveel goed doen. En ik denk haar ook.'

Rina knikte. 'Ik zal het vragen. Maar ik heb een verzoek, laten we niets meer zeggen over de moorden. We moeten aan het bezoek alleen aangename herinneringen overhouden.'

'Graag zelfs,' zei Marta. 'Er zijn al zoveel nare herinneringen.' Ze slaakte een zucht. 'Het is niet leuk om seniel te zijn, maar het is wel prettig wanneer je sommige dingen vergeet.'

'Selectief geheugenverlies,' zei Rina.

'Precies,' antwoordde Marta. 'We hebben nu niet zo lang meer te leven. Het is niet goed om te veel stil te staan bij het verleden.' Ze kneep in Rina's hand. 'We willen wel naar Los Angeles gaan.'

'O, ja?' vroeg Anika.

'Ja,' zei Marta stellig. 'Ik kan rijden.'

Dat was een bijzonder beangstigend vooruitzicht. Decker zei: 'Als ik nu eens een auto met chauffeur voor u regel? Kunt u rijden in stijl.'

'Nee, dat kan ik echt niet accepteren!'

'Als cadeautje voor Rina's moeder,' drong Decker aan. 'Het zou me een genoegen zijn.'

'Hij wil je niet achter het stuur hebben,' zei Anika tegen haar zus.

'Ik wil graag dat u op uw gemak kunt reizen,' zei Decker. 'We zullen het overleggen met Magda – Rina's moeder – en dan stuur ik u per e-mail een paar datums.'

345

Weer drukte Marta haar hand tegen haar borst. Weer kreeg ze tranen in haar ogen. 'Dat zou ik heerlijk vinden. Heel hartelijk dank.' Ze kuste Rina's linkerwang en toen haar rechter. Tranen stroomden over haar gezicht. 'Het spijt me zo!'

'Marta…'

'Alles wat we jouw volk hebben aangedaan!'

'Marta, we leven nu in een heel andere wereld.' Rina kneep zachtjes in haar hand en zuchtte. 'Hopelijk.'

'Ja, hopelijk.' Ze glimlachte. 'Dat is het enige wat we hebben… hoop.'

Zodra ze weer op de snelweg zaten, zei Rina: 'Hoe denk je dat mamma zal reageren wanneer we haar vertellen dat we Marta Lubke hebben gevonden.'

'We?'

'Ik had gehoopt dat je me daarbij zou helpen. Dat je een logische reden zou weten te verzinnen waarom we naar Marta zijn gaan zoeken.'

'Da's heel eenvoudig. Zeg gewoon dat je na het gesprek over haar jeugdjaren nieuwsgierig was geworden.'

Rina knikte. 'Ja, dat is helemaal niet zo gek, sluwe duivel die je bent.'

'Correctie,' zei Decker. 'Jij bent net zo sluw als ik. Ik weet het alleen beter uit te buiten.'

'Je hebt ook meer ervaring.'

'Inderdaad.' Decker streelde haar wang. 'Ben je echt tevreden? Ook al blijft de moord op je grootmoeder onopgelost?'

'Ja, echt. Zoals ik al zei, ging het me niet om de moord, maar om de kinderjaren van mijn moeder.' Ze kreeg tranen in haar ogen. 'Ik ken mijn moeder alleen als een vrouw die onder haar verleden gebukt gaat. Ik denk dat ik gewoon eens van een ander wilde horen dat ze ooit een klein meisje is geweest.' Ze legde haar hand op Peters knie. 'Maar vind jij het niet erg dat we het nooit zullen weten?'

'Helemaal niet.' Hij gaf zijn gedachten een paar ogenblikken de vrije loop. 'Bovendien weten we nu iets meer dan toen we hieraan begonnen.'

'Denk je dat er inderdaad politiek achter zat?'

'Zou kunnen. Al kan het net zo goed een seriemoordenaar zijn geweest die de politiek gebruikte als dekmantel. Maar laten we niet op die onaangename details ingaan.'

'Nee, liever niet.' Rina voelde haar oogleden zwaar worden. 'Vind je het goed als ik een dutje doe?'

'Natuurlijk. Vind jij het goed als ik naar een cd luister?'

'Ja, hoor. Met wat achtergrondmuziek val ik juist eerder in slaap.'

Decker zette het Los Angeles Quartet op, vier gitaristen, vier virtuozen. Een mooie vrouw naast zich, schitterend weer, prachtige muziek... het duurde niet lang of hij reed honderdtwintig op de snelweg, er helemaal klaar voor om de grote, boze wereld weer aan te pakken.

Met gesloten ogen zei Rina: 'Seriemoordenaars zijn overal ter wereld hetzelfde.'

'Dat klopt. Uit hetzelfde hout gesneden.'

'Waarom zou dat zo zijn?'

'Geen idee,' antwoordde Decker. 'Maar als de Duitse politie die psychopaat had gevonden en zijn buren had ondervraagd, zouden ze gezegd hebben dat hij een doodgewone man was, alleen wat eenzelvig.'

41

De dagen werden weken, de weken regen zich aaneen tot maanden en toen was het zomer en verspreidde de jasmijn 's nachts zijn bedwelmend zoete geur. Een zomer van zwoele nachten en intense vrijpartijen, waarna we uitgeput op de klamme lakens bleven liggen om op adem te komen en naar de muggen te slaan die door gaatjes in de horren voor de open slaapkamerramen naar binnen waren geglipt. Op die momenten, met één been over Koby's pezige, soepele lichaam gedrapeerd, was ik dankbaar voor wat ik had en vol hoop voor de toekomst. Jaakov en ik hadden nu officieel verkering. Ik leerde zijn vrienden kennen, hij de mijne. Er was altijd wel iemand die een feestje gaf, maar als we al een keer gelijktijdig een avond vrij hadden, brachten we die liever met ons tweetjes thuis door, wijn drinkend tussen onze lichamelijke capriolen door.

Wanneer onze werkroosters niet overeenkwamen, besteedde ik mijn vrije tijd aan de jacht: op Joseph Fedek, op Leonard Chatlin, op de arme David Tyler die nog steeds niet boven water was. Raymond Paxton hield zich aan zijn woord en hielp Louise Sanders en mij met geld en ook met persoonlijke dingen. Ik had een aantal goede foto's van David en doorzocht tientallen opvanghuizen, onbewoonbaar verklaarde gebouwen en kampementen waar daklozen zich ophielden. Overal liet ik zijn foto zien, maar de reactie was meestal een wezenloze blik. Ik belde de gemeenten van alle voorsteden en kreeg nog meer adressen die ik allemaal afliep, maar ik vond hem niet.

Soms ging Koby mee. Op een warme dag eind augustus verzocht ik hem zelfs specifiek me te vergezellen. Het adres dat ik had gekregen, was in een zwarte wijk in het zuidoosten van Los Angeles. Ik vroeg me af of David daar soms naartoe was gegaan omdat hij zwart was en zich tussen zijn eigen volk veiliger en minder opvallend zou voelen.

Na een rit van twintig minuten over de snelweg waren we in de bewuste wijk, waar hitte, beton, smog en vuil de boventoon voerden. Smerige straten vol gaten in het asfalt, haveloze flatgebouwen, de muren beklad met de oorlogszuchtige graffiti van straatbenden. Er waren meer drankwinkels dan scholen en bibliotheken, en niet veel hoop waar hoop had moeten bestaan. Ik zag hier en daar een soortement kerk, ondergebracht in een gewoon winkelpand, en een heleboel winkels in tweedehandsgoederen.

De routebeschrijving die ik had gekregen, klopte precies. Nadat we de snelweg hadden verlaten, sloeg Koby op mijn aanwijzingen een paar maal links af en rechts af en algauw hadden we het opvangcentrum gevonden. Het was gevestigd tussen een fastfoodrestaurant en een wasserette, maar er was geen parkeergelegenheid en we konden de auto een heel eind verderop pas kwijt. Ik voelde me slecht op mijn gemak, maar Koby gedroeg zich net als anders. Alleen sloeg hij beschermend zijn arm om mijn schouders. Dit was per slot van rekening niet Hollywood, ons thuishonk, en alles was voor hem net zo onbekend als voor mij. Omdat het zo warm was, had ik een afgeknipte spijkerbroek en een groen hemdje aangetrokken, en mijn haar tot een paardenstaart gebonden. Koby droeg een rood T-shirt zonder mouwen en een spijkerbroek. Zijn huid was door al onze strooptochten in de Californische zon chocoladebruin geworden.

Toen we naar het gebouw liepen, kwamen ons twee zwarte mannen tegemoet. Grote kerels, allebei net zo lang als Koby, en die met het kale hoofd was minstens twee keer zo breed als mijn vriend. Maar het was de andere, die dreadlocks en getatoeëerde armen had, die zei: 'Yo, *nigger!* Moet je hebben voor dat geile wijf?'

Koby kneep zijn ogen iets toe en ik zag dat hij zijn vuisten balde. Ik haalde snel mijn penning uit mijn zak en liet hem aan het tweetal zien. 'Rustig doorlopen, heren,' zei ik.

Dreadlocks keek me aan en wilde iets zeggen, maar ik gaf hem geen kans. 'Doorlopen zei ik!' Ik keek hem indringend aan en voegde er toen 'alsjeblieft' aan toe.

Ze bleven nog heel even uitdagend staan, om hun gezag te laten gelden, maar vonden me blijkbaar de moeite niet waard, want uiteindelijk slenterden ze verder. Alleen spuugde Dreadlocks een dikke fluim vlak naast mijn voet. Koby keek woedend achterom, maar toen hij achter hen aan wilde gaan, pakte ik zijn hand en trok hem mee.

'Hier is het.' Ik duwde de met hardboard betimmerde deur open en sleurde Koby mee naar binnen. We kwamen uit in een kleine hal, waar de verf van de muren bladderde. Er stond een rek met brochures en pamfletten over beschikbare dienstverleningen en verder alleen een kaal bureau met daarachter een kogelronde vrouw van een jaar of vijftig, met tot knoedeltjes gedraaid grijzend kroeshaar. Ze droeg een wit topje en transpireerde erg. Het was er ook erg warm en de traag draaiende plafondventilator bracht geen noemenswaardige verkoeling. Ze bekeek me achterdochtig. Weer haalde ik mijn penning tevoorschijn.

Ze bekeek die en fronste. 'LAPD? Dan mag je wel eens rijles nemen, *sister*. Dit is Los Angeles niet.'

Ik negeerde de sarcastische toon. 'Ik ben op zoek naar een jongen die wordt vermist.' Ik haalde zijn foto tevoorschijn. 'Hij is vierentwintig en heeft een lichte vorm van het syndroom van Down. Hij is zwart, zoals u ziet. Hij woont officieel in Hollywood, waar ik werk. Zijn zwakzinnige vriendinnetje is het slachtoffer geworden van een groepsverkrachting. Hijzelf is mishandeld en in een vuilnisbak geduwd. Sindsdien heeft niemand hem gezien, en dat was negen maanden geleden.'

Ze wachtte tot ik was uitgesproken en keek toen naar Koby. 'Ik heb jouw penning niet gezien.'

'Hij is niet van de politie,' zei ik. 'Hij is mijn vriend.'

Ze bekeek me met nieuwe ogen. Ze had niet veel met me op, maar keek iets minder vijandig. Ik had deze reactie al vaker gezien bij zwarten: omdat ik met Koby ging, was ik in hun ogen iets meer te vertrouwen dan het gros van de blanke agenten.

'Wat wil je precies?'

'Ik zoek al drie maanden in mijn vrije tijd naar deze jongen. Ik werk een lijst af van adressen die ik van allerlei mensen heb gekregen. Ik wil gewoon weten of u hem hebt gezien, en zo niet, of u me nog meer adressen kunt geven waar ik het zou kunnen proberen.'

Ze bekeek de foto. 'Heb je al in Los Angeles gezocht?'

'Ja, overal. Nu vraag ik me af of hij zich hier misschien veiliger voelt, omdat hij zwart is.'

'Dat zou voor het eerst zijn.' Ze lachte bitter. 'Dat iemand hier veiligheid komt zoeken.'

'Dit is mijn laatste hoop. Wat ruikt er trouwens zo lekker?'

'De keuken.' Ze wees met haar duim naar een deur achter haar. 'We moeten die lui te eten geven.' Ze wierp even een blik op Koby maar keek toen weer naar mij. 'Waarom zoveel belangstelling voor een zaak die al negen maanden oud is?'

'Dat is een lang verhaal.'

Ze sloeg afwachtend haar armen over elkaar.

Ik haalde diep adem. 'Zijn vriendin heeft een baby gekregen. Een meisje. Ze heeft haar meteen na de geboorte in een vuilniscontainer gegooid, en ik heb haar eruit gehaald. Ik vind dat het kind er recht op heeft te weten wie haar vader is. Vooral omdat hij alleen maar is gevlucht omdat hij bang was. Hij is trouwens niet onvermogend. Er staat geld voor hem op de bank. Als ik kan bewijzen dat hij de vader is, krijgt het kind een deel van dat geld. En dat kan ze goed gebruiken.'

'En wat zit er voor jou in? Een vindersloon?'

Cynische ogen.

'Ik krijg geen stuiver,' antwoordde ik.

Een honende lach. 'Je bent gewoon een onbaatzuchtige, blanke juut die de wereld wil verbeteren.'

Ik liet me niet kennen. 'Die zijn er nog.'

Ze keek naar de foto, pakte die van me aan en bekeek Davids gezicht aandachtig. 'Ik zal hem even aan Urlene laten zien.'

'Hoe heet u trouwens?' vroeg ik.

Ze aarzelde kort. 'Cerise.'

'Cynthia Decker.'

Ik stak mijn hand uit. Ze gaf me een slap handje en keek toen naar Koby. 'Waarom zeg jij niks?'

'Ik dien alleen als chauffeur,' antwoordde hij.

'Een waar woord, bro. Meer zit er niet voor je in.' Ze kwam overeind en waggelde naar de keuken. Haar onderlichaam was in een korte zwarte stretchbroek geperst.

Ik sloeg mijn handen voor mijn gezicht.

'Geeft niks,' zei Koby op vlakke toon.

Maar zijn ogen waren als dreigende donderwolken. Het ging bergafwaarts met hem.

We leven in een geëmancipeerde en zelfs vrijgevochten wereld, en over het algemeen is huidskleur voor ons van geen enkel belang. Wanneer we dan ook nauwelijks verhulde vijandigheid als van Cerise tegenkomen, is het altijd een koude douche. Koby had het meeste te verduren van blanke mannen; ik van zwarte vrouwen.

351

Hebben jullie zelf niet genoeg mannen? Moet je er per se eentje van ons inpikken?

Een paar weken geleden was ik met Koby op een feestje bij een van zijn vrienden. Tachtig procent van de mensen was zwart, vijftien procent latino en Aziatisch, en dan waren er nog een paar verdwaalde blanken. Alsof het onbewust zo was gepland, zochten wij blanken elkaar na een poosje op. We wisselden ervaringen uit en waren het erover eens dat je beter een hatelijke vrouw dan een vijandige man tegenover je kon hebben. Vrouwen vochten met woorden, mannen met vuurwapens.

Nu was het niet zo dat Koby zich tot mij aangetrokken voelde omdát ik blank was. Aan de andere kant was het wél belangrijk voor hem dat ik joods was. Nog belangrijker was het feit dat ik nooit getrouwd ben geweest. Hoewel Koby niet orthodox is, zoals Rina, houdt hij zich aan bepaalde tradities. Hij is geboren als Kohen en is daardoor lid van de joodse priesterklasse, en Rina had me verteld dat Kohanim hun priesterschap moeten opgeven wanneer ze met een gescheiden vrouw willen trouwen. In de praktijk heeft dat niets te betekenen; het is iets symbolisch waar de meeste Amerikaanse joden verder geen boodschap aan hebben, maar ik kende Koby en wist dat het voor hem belangrijk was. Dat was de reden waarom hij me in het begin al had gevraagd of ik ergens een ex had rondlopen. Het was duidelijk dat hij meer wilde dan losvaste vrijerij.

Cerise kwam na een paar minuten terug. 'Net wat ik dacht. Hij is hier geweest, maar de laatste keer is zeker alweer vier maanden geleden.'

Ik wist niet hoe ik het had. 'Hij is hier geweest?'

'Ja. Ben je doof?'

'O god, hij leeft!' Ik greep Koby's arm en begon te lachen. 'Ik kan het amper geloven!'

'Of hij nog leeft, weet ik niet. Ik heb hem al in geen maanden gezien.'

'Dit is meer dan genoeg!' Ik lachte haar toe, pakte haar hand en zwengelde die op en neer. 'Nu is het alleen nog maar een kwestie van hem opsporen. Hebt u met hem gesproken?'

'Kind, er komen hier elke dag wel honderd van die stakkerds.' Ze trok haar hand los en schudde ermee. 'Ik kan me hem alleen maar herinneren vanwege dat Down-gezicht. Hij zag er trouwens veel ouder uit dan op deze foto.'

'Maar volgens u was hij het.'

'Dat weet ik zeker. Hij heeft hier twee maanden elke dag gegeten.'

'Heeft hij met iemand gepraat?'

'Ja, hoor 's, dat weet ik niet. Met mij niet in ieder geval. Hij kwam alleen om te eten en kroop dan weer ergens in een hol. Daar zitten al die mensen, snap je? In holen, maar dan in de stad.'

'Hebt u enig idee waar hij nu is?'

'Hij zal wel in een hol zitten.'

'Zijn hier in de buurt nog meer opvanghuizen?'

'Je zei toch dat je een lijst had?'

Ik haalde het velletje papier uit mijn tas, liet het haar zien en wees naar een adres ongeveer zeven kilometer verderop. 'Dit was mijn volgende halte.'

Ze haalde haar schouders op. 'Kan best zijn dat hij daar zit. Ik zou het niet weten.' Ze kwam weer overeind en zei: 'Ik heb het druk. Jullie komen er zeker wel uit?'

Hoofdschuddend liep ze de keuken weer in. Ik pakte Koby's hand en strengelde mijn vingers door de zijne. 'Kom, schat. We gaan.'

Hij gaf geen antwoord, en dat was een veeg teken. Er broeide iets bij hem en als het tot een uitbarsting kwam, wilde ik in een veilige omgeving zijn. Ik trok hem mee naar de auto, die zowaar nog helemaal heel was.

'Jij hebt de sleuteltjes,' zei ik tegen hem.

Hij haalde ze uit zijn zak en ontsloot de portieren. Zijn automatische piloot nam het van hem over toen hij de motor startte, optrok en door de straten reed tot we de oprit naar de snelweg hadden gevonden. Ik vertelde hem hoe hij moest rijden naar het volgende opvangcentrum, maar had de indruk dat er niets echt tot hem doordrong.

Zijn 'buien' vielen beslist niet mee. Ik had het nu al een paar keer meegemaakt en hem, zoals hij had verzocht, met rust gelaten tot het over was. Maar vandaag waren we samen op pad en konden we er geen van beiden aan ontsnappen.

Ik zei: 'Laat maar zitten, Koby. Trek je er niks van aan.'

'Klootzakken!' siste hij.

'Dat zijn het en daarom hoef je je er niks van aan te trekken.'

'Ik een nigger?' Hij wees naar zichzelf. 'Ik ben zwart. Zíj zijn niggers!'

Ik slaakte een diepe zucht. 'Ik weet dat jij dat woord mag gebruiken, maar ik had toch liever dat je het niet deed. Wij blanken vinden het niet prettig om te horen.'

'Maar die achterlijke klootzakken zíjn niggers!'

'In ieder geval heeft Cerise ons geholpen.'

'Als ze blank was, zou je haar een *bitch* noemen!'

'Ik doe altijd mijn best om netjes te blijven.'

'Alleen omdat je zo bent opgevoed,' snauwde hij.

'Goed, jij je zin. Ze is een bitch! En die twee kerels zijn tuig, maar tuig heb je in alle huidskleuren.'

'Maar uitgerekend mijn volk slaat zulke beledigende taal uit.'

'Niet alleen zij. Koby, wij zijn verwend. Ons honk is Hollywood, waar alles kan en mag. Neem gisteravond, toen we om twee uur 's nachts in het Twenty-four/seven café zaten, met aan het tafeltje naast ons een agressieve lesbienne die haar hart uitstortte bij een travestiet. En dat Aziatische meisje met haar blauwe haar dat er zat met dat in leer gestoken speldenkussen. Jemig, ik geloof dat die gozer wel honderd piercings had. En die chassidische man die aan het onderhandelen was met een producer van pornofilms…'

'Je weet niet of hij dat was.'

'Hij was in ieder geval iets goors. Ik bedoel gewoon dat wíj daar het meest conventionele stel waren. Jaakov, er zijn plaatsen in de goeie ouwe Verenigde Staten waar ik nooit van mijn leven samen met jou naartoe zou gaan, en ik bedoel niet alleen het conservatieve Zuiden of het achterlijke Texas, maar stadjes met keurige huisjes en groene gazons en posters achter de ramen waarop staat: "Het Zuiden zal herrijzen".'

Ik zag zijn kaakspieren bewegen. 'Dat is nog geen reden dat mensen van mijn ras zich stompzinnig moeten gedragen!'

'Dat zeg ik ook niet. Ik zeg alleen dat alle rassen zich stompzinnig gedragen, inclusief de blanke liberalen in de West Side. Shit, Koby, neem nou Alans verjaardagsfeest. De uitdrukking op de gezichten van de gasten toen ik jou aan hen voorstelde. Als al die glimlachjes nog stijver bevroren waren geweest, had ik ze met een beitel van hun gezichten moeten hakken!'

'Zo erg was het nou ook weer niet.'

'Nee, het was érg leuk toen mevrouw Hauser je haar lege glas gaf en om nog een gekoelde Chardonnay vroeg, ondanks dat alle ingehuurde kelners blank waren, een smoking droegen en met dienbladen rondliepen.'

Hij liet de herinnering op zich inwerken en zei toen, met een duistere blik in zijn ogen: 'Ja, dat was een beetje gênant.'

'Koby, je was woedend.'

'Ze heeft uitgebreid haar excuses aangeboden.'

'Dat weet ik. Ze bleef er zowat in. Maar weet je waarom? Omdat de grootste fout die je in dat wereldje kunt maken, is dat je laat merken dat je je bewust bent van andermans huidskleur. En uiteraard zijn ze zich juist allemaal scherp bewust van andermans huidskleur! Ze vinden het geweldig dat Jan zo'n vooruitstrevende dochter heeft, maar geloof me, zelf hebben ze er liever niet zo een.'

'Ze zouden helemaal een beroerte krijgen als ze erachter kwamen dat je helemaal niet zo vooruitstrevend bent.'

'Op sociaal vlak ben ik dat wel.'

'Je zit bij de politie, Cynthia; je dénkt als een politieagent en gedraagt je als een politieagent.'

'In veel opzichten, ja. Ik kan er niet tegen wanneer mensen de wet overtreden.'

'Dat ben ik met je eens. Daarom ga ik de houding van die etters niet goedpraten.'

'Dat doe ik toch ook niet? Ik zit er alleen een beetje over te filosoferen. Zelfs mijn vader, die nu erg op je gesteld is, had een oerreactie toen hij je voor het eerst zag.'

'Je stiefmoeder niet.'

Ik aarzelde even en zei toen: 'Je moet dit niet opvatten als kritiek op Rina, want ik vind haar een geweldig mens, maar voor haar bestaat de wereld uit joden en niet-joden. Als je joods bent, hoor je erbij; als je geen jood bent, sta je erbuiten. Jij bent joods, dus hoor je erbij. Rina is kleurenblind, maar hecht weer aan andere normen. Als Sammy zou thuiskomen met een niet-joods meisje, ook al is ze het mooiste en intelligentste meisje op de hele wereld, dan zou het huis te klein zijn.'

Ik haalde diep adem en schudde mijn hoofd.

'We doen het allemaal. We denken allemaal in termen van "wij en zij". Ik verdeel de wereld in oppassende burgers en wetsovertreders. Zelfs in het ziekenhuis, waar je niemand zou mogen voortrekken, worden ongetwijfeld bevooroordeelde beslissingen genomen. Zeg eens eerlijk, als er een nier beschikbaar is, heeft een zeventigjarige dan net zoveel kans die te krijgen als een twintigjarige?'

'Misschien niet.' Hij zette de radio aan en draaide het volume omhoog om me te overstemmen. Dreunende bastonen van reggaemuziek vulden de auto.

Ik deed de radio uit. 'Reken maar,' ging ik door. 'Jonge mensen krijgen voorrang, en dat weet je best. Maar waarom? Waarom is het ene leven meer waard dan het andere? Stel dat de zeventigjarige een vooraanstaande professor is die onderzoek doet op het gebied van kanker, en de twintigjarige iemand met het syndroom van Down. Wie zou dan de nier krijgen?'

'Goed, goed, ik snap wat je bedoelt. Je zou advocate moeten zijn. Kun je al die mooie opvattingen voor de rechter verdedigen. Kunnen we nu een poosje niet praten en alleen naar muziek luisteren?' Weer zette hij de radio keihard aan.

Ik legde mijn hoofd tegen de hoofdsteun en keek naar het dak van de auto. We reden een poosje zwijgend door, luisterend naar de dreunende muziek. Na ongeveer een minuut deed hij opeens de radio uit. De stilte was oorverdovend.

'Sorry,' zei hij.

Ik legde mijn hand op zijn knie en sprak op sussende toon. 'Jaakov, die kerels waren schorem. En je weet hoe ik over schorem denk. Natuurlijk vond ik het niet prettig dat ze je vroegen hoeveel je voor je hoer wilde. Maar ergens vind ik het ook zielig. Die mensen moeten wel een erg laag gevoel van eigenwaarde hebben. Het beeld dat ze van zichzelf hebben, is zo negatief, dat ze zich onmogelijk kunnen voorstellen dat een gezonde, knappe, blanke vrouw verliefd kan worden op een zwarte man die geen beroemde basketballer, rapper, filmster, of haar pooier is. Voor hen is dat net zo ondenkbaar als dat de zon blauw zou zijn.'

Hij gaf geen antwoord, maar heel langzaam verscheen er een glimlach op zijn gezicht. 'Ben je dan verliefd op me?'

Ik staarde hem verbijsterd aan. 'Eh... eens even kijken. Ik breng al mijn vrije tijd samen met jou door, lig constant met je in bed, denk de hele dag aan je...' Ik tikte tegen zijn slaap. 'Hèhè!'

Hij gaf geen antwoord. Een volle minuut verstreek zonder dat er een woord werd gezegd.

Toen zei hij: 'Iedere ochtend bid ik de *sjachariet*, dat is een ochtendgebed.'

'Weet ik. Met die doosjes met de riemen.'

'De *tefilien*.' Hij likte aan zijn lippen. 'Een van de gebeden is de Sjmonee Esree, het gebed waarin je zwijgend je toewijding aan God betuigt. Je doet drie stappen achteruit; dan doe je drie stappen vooruit en begin je.

Maar voordat je naar voren stapt, is er gelegenheid voor een persoonlijk gebed, voor verzoeken.'

Hij glimlachte flauwtjes.

'Vroeger verzocht ik God om materiële dingen: geld, opslag, beter werk, een nieuwe, betaalbare auto, de hoofdprijs in de loterij, en dat ik maar veel losbandige vrouwen mocht ontmoeten.'

Ik gaf hem een mep. 'Heeft Hij je geholpen?'

'Niet met de loterij, maar wel met de vrouwen.'

Ik gaf hem nog een mep, een stuk harder.

'Ik vroeg om domme dingen.' Hij lachte nu hardop. 'Maar nu... nu vraag ik niet meer om materiële zaken. Nu zeg ik alleen: "Dank u, God, dat u Cynthia in mijn leven hebt gebracht." Meer niet.' Een korte stilte. 'En ik zeg nóg iets tegen God, maar niet tijdens het gebed. Ik bedank hem ook voor het voorrecht met jou naar bed te mogen.'

Ik barstte in lachen uit. 'Dat meen je niet!'

'Jawel.' Hij keek naar me met een ernstig gezicht. 'Ik kijk naar je en kan amper geloven dat ik mag vrijen met zo'n ongelooflijk mooie vrouw! Al mijn vrienden zijn jaloers, ook al zit je bij de politie. Ze vinden dat je eruitziet als een fotomodel.'

'Hou op...'

'Behalve dat je een flinke derrière hebt, maar wel een erg mooie, stevige...'

'Bespreck jij mijn derrière met je vrienden?'

Hij grijnsde schaapachtig. 'Het komt soms zomaar ter sprake.'

Ik gaf hem nog een mep. 'Dat is walgelijk!'

'Helemaal niet.' Hij werd weer serieus. 'Mijn vrienden plagen me ermee. Ze zeggen dat ik geschift ben. Dat ik je slaaf ben. Ze zeggen: "Wat heb je toch? Waarom doe je zo dom? Waarom laat je je door een vrouw op je knieën dwingen?" Maar wat weten zij ervan? Zij hebben niet met hun lippen de jouwe beroerd. Ze weten niet hoe het is om 's nachts je zachte lichaam te voelen. Ze hebben je nooit in hun armen gesloten... lichaam en ziel verenigd... verloren in een extase die van een doodgewone man tijdelijk een koning maakt. Ze hebben nooit het ware verbond van *kiddoesja* gekend, van heiligheid tussen twee mensen die *basjeert* zijn, voor elkaar bestemd.'

Zijn toon was gedaald tot een fluistering.

'God heeft deze *sjiddach* geregeld, ons tot elkaar gebracht. Alleen God is daartoe in staat. Ik ben... hopeloos verliefd op je, Cynthia Rachel Decker.'

Ik nam zijn woorden in me op en deed mijn best om niet te gaan huilen, maar tranen welden op in mijn ogen. Ik droogde ze snel voordat ze over mijn wangen rolden. Ik wachtte tot ik mijn stem terug had, maar toen ik sprak, klonk hij hees van de emoties. 'En ik ben hopeloos verliefd op jou, Jaakov Elias David Ben Aharon Hakohen Kutiel.' Ik boog me naar hem toe en kuste zijn wang. 'Dat is een hele mondvol.'

'Mijn vaders schuld.' Hij schraapte zijn keel. 'Ik geloof dat er voor ons samen een heel lange toekomst is weggelegd.' Hij trommelde nerveus op het stuur. 'Althans, dat zou ik graag willen.'

Ditmaal kon ik mijn tranen niet tegenhouden. We reden een paar minuten in stilte, terwijl we dit alles op ons lieten inwerken. Achtentwintig jaar lang had ik alleen mezelf gehad, me alleen om mezelf bekommerd; nu kon ik me niet eens herinneren hoe het leven zonder hem was geweest. Het was een beangstigende gedachte dat je zo afhankelijk kon zijn van een ander mens. En dat je zo afhankelijk kon zijn van een mán was nog veel angstaanjagender!

'Als je twijfels hebt, zal ik net zolang wachten als nodig is,' zei hij. 'Het enige wat ik wil, is jou gelukkig maken.'

Hij had mijn zwijgen verkeerd uitgelegd. Toch bleef ik terughoudend. 'Zul je echt zo lang wachten als nodig is?'

Hij zei niets, maar de teleurstelling op zijn gezicht was onbeschrijflijk. Het was tijd om de emotionele sprong te wagen, ook al vond ik het nog zo eng. Want als ik het nu verknalde, zou ik er mijn hele leven spijt van hebben. Ik haalde diep adem en streelde zijn dijbeen. 'Jaakov, ik heb absoluut geen twijfels. Ik wil precies hetzelfde als jij… heel lang bij elkaar zijn… ons hele leven, om precies te zijn. Maar één ding moet je goed in je oren knopen: als je mijn hart breekt, vermoord ik je.'

Hij keek naar me. 'Meen je dat echt?'

'Wat? Dat ik de rest van mijn leven bij je wil zijn, of dat ik je zal vermoorden als je me verdriet doet? Het antwoord is: allebei.'

Nu glimlachte hij weer als vanouds. 'Dat klinkt als de Cynthia die ik ken.' Hij begon hardop te lachen. 'O, ik ben zó blij.'

Ik bleef zijn dij strelen. 'En die stompzinnige hufters … Dit was niet de eerste keer en het zal ook niet de laatste keer zijn.'

Hij haalde zijn schouders op. Zijn ogen straalden weer. 'We moeten dus leren leven met stompzinnigheid.'

'Ja, maar laten we blij zijn dat we nu leven en niet vijftig jaar geleden.

En iedere relatie heeft haken en ogen. Niks aan te doen.'
'Zelfs relaties met God. Zoals Avraham Avinoe en zijn tien beproevingen.'
'Sorry,' zei ik, 'maar ik snap niet wat je bedoelt.'
'Avraham Avinoe is Abraham. Zijn geloof in God werd op de proef gesteld door middel van tien beproevingen.'
'O, net als Hercules?'
'Wie is Hercules?'
'Iemand die ook op de proef werd gesteld.'
'Was hij joods?'
'Grieks. Maar ga door. Wat is er met Abraham gebeurd?'
'Abraham leefde in de tijd dat Nimrod de leider van de beschaafde wereld was. Een goede leider, maar een wrede man. Hij maakte zich schuldig aan *avoda zara*... afgodverering. Avraham geloofde alleen in Hasjeem. Nimrod stelde Avraham tienmaal op de proef om zijn geloof in God te testen. Ik ben vergeten wat de beproevingen ook alweer waren, ik weet alleen nog dat ze steeds moeilijker werden en dat de laatste een vuurproef was. Nimrod gooide Avraham in het vuur.'
Hij hield op met praten.
'Ik neem aan dat God hem heeft gered?' vroeg ik.
'Natuurlijk. Anders was de bijbel er niet geweest.'
Ik wachtte tot hij zou doorgaan. Maar er kwam niets meer. Ik begon te giechelen. 'Is dit een paardenmop?'
'Een wat?'
'Een paardenmop. Een mop zonder clou.'
'Nee, helemaal niet. Ik wil ermee zeggen dat een relatie alles kan doorstaan als ze sterk genoeg is. En dat dit voor jou en mij zo is.'
Mijn hand lag nog op zijn knie. 'Dat geloof ik ook,' zei ik, en ik liet mijn hand tussen zijn benen glijden.
Zijn adem stokte. 'Als je dat doet, rij ik de auto aan puin. Je vader zoekt al tijden naar een reden om me een kopje kleiner te maken. Dit zou een mooie reden zijn.'
'Doe niet zo raar. Hij is gek op je!'
'Welnee. Ik vrij met zijn dochter. Ergo: hij wil me een kopje kleiner maken.'
Ik glimlachte, maar merkte dat hij mijn hand niet wegduwde. Hij was al hard. Ik vond het leuk om hem hard te maken. Maar nu trok ik mijn hand terug en ging weer recht zitten.

Hij kreunde. 'Wat ben je wreed.'

'Koby, heb je enig idee waar we zijn?'

'Nee, niets komt me bekend voor, maar als we een motel zien, kunnen we wel even stoppen.'

Ik glimlachte. 'Ik geloof dat we ergens verkeerd zijn afgeslagen.'

'In metafysische begrippen kun je niet verkeerd afslaan.'

'Ja, maar we leven in de échte wereld, dus kunnen we beter keren.'

Hij glimlachte, maar opeens vernauwden zijn ogen zich. Ik kende zijn stemmingen inmiddels goed genoeg om dit te herkennen als een restant van de woede van daarnet. Hij zei: 'Weet je, in Israël heb je geen last van deze racistische problemen.'

'Dat kan best zijn, maar we wonen niet in Israël, we wonen in Amerika. Welkom in de smeltkroes!'

42

Als een scheikundige een temperatuur van 40 graden Celsius zou combineren met het comfort van een kajuit in de buik van een schip, zou het resultaat de Cochise Penitentiary zijn. De gevangenis staat in het hart van de zanderige Mojavewoestijn, waarvan de oppervlakte beneden de zeespiegel ligt. Het was er zo heet als in het binnenste van de aarde, een vlak, troosteloos, bruin landschap, waar hier en daar alleen een armzalige cactus groeide of doodgereden dier lag. Brill en ik boften nog dat we tijdens de rit ernaartoe de airco in de Ford Escort bijna steeds hadden kunnen gebruiken, maar nu was het wijzertje gevaarlijk dicht bij de rode streep gekomen. Aangezien we niet meededen aan een survivalprogramma en ons geen cheque van een miljoen dollar wachtte, was het vooruitzicht om in dit afgrijselijke landschap te stranden, niet aanlokkelijk. Dus zette Brill de airco af en deden we de raampjes open.

Meteen werden we gezandstraald door hete lucht en gruis. Brill vloekte als een ketter en sloeg met zijn vuist op het dashboard. 'Had die klootzak niet een paar maanden kunnen wachten voordat hij in de fout ging?'

De klootzak in kwestie was Joseph Nicholas Fedek. Zoals alle rotte appels was hij uiteindelijk op de composthoop terechtgekomen. Hij was aangehouden wegens een inbraak door agenten in Rampart, bekend om het Rampart-schandaal en het Dodger Stadium.

'Je moet het positief bekijken,' zei ik opgewekt. 'Germando El Paso zal er heel wat voor overhebben om hier zo snel mogelijk weg te komen. Daardoor hebben wij een sterke onderhandelingspositie.'

'Ja, de stomme kaffer! Hij had maar zes weken gekregen en als hij zich koest had gehouden, was er niks aan de hand geweest. Maar nee, meneer moet zo nodig de grote xtc-dealer uithangen en nu mag hij anderhalf jaar in deze hel doorbrengen.'

'Hoe heeft El Paso het spul eigenlijk de gevangenis in gekregen?'

'Ik heb gehoord dat zijn vriendin het diep had weggestopt in haar je-weet-wel.'

'Is ze dan niet gefouilleerd?'

'Men kijkt alleen; men steekt er niet een hele vuist in. Jezus, mijn hele zaterdag naar de klote voor die lamstraal!'

'In elk geval krijgt u de overuren uitbetaald.'

'Ja, maar van deze hitte krijg ik ook uitslag in mijn kruis.'

Hij ging verzitten. Hij droeg een ecrukleurige linnen broek en een wit overhemd met korte mouwen, maar beide hadden nu al donkere zweet-plekken. Ik droeg een witte bloes op een donkerblauwe, halflange katoe-nen rok, en had mijn haar naar achteren geborsteld en strak gevlochten. Ik zag eruit als een kostschoolmeisje.

'Daar is de afslag.' Ik wees naar het bord.

Brill nam een slok water uit zijn fles. Op de achterbank stonden twee koelboxen met flessen water. 'Ja, ik zie het.'

Het duurde nog twintig minuten voor we er waren. De gevangenis was een uit lichtgewicht bakstenen opgetrokken gebouw, met rondom zes wachttorens en een gigantische hoeveelheid prikkeldraad. Het was geen grote gevangenis en hij was niet bestemd voor gewelddadige misdadigers. Er was een ziekenboeg, maar geen ziekenhuis en ook geen psychologische afdeling. Wanneer iemand amok maakte, werd hij doodgewoon naar San Quentin of een andere zwaar beveiligde gevangenis gebracht.

We meldden ons bij de man in het hokje bij het parkeerterrein, die Brills Escort naar een parkeerplaats dirigeerde op het gloeiend hete, met gruis en steentjes bezaaide, ongeasfalteerde parkeerterrein. Asfalt zou in deze hitte een kleverige massa worden.

'Laat de raampjes maar open,' zei Brill. 'En help me straks onthouden het stuur niet aan te pakken.'

De inschrijvingsprocedure nam een halfuur in beslag. Nadat we onze wapens hadden opgeborgen in een wapenkast, betraden we via een sluis met dubbele deuren het hoofdgebouw. Daar was airco, maar het was er evengoed warm en droog, en het stonk er naar zweet, pis en ingehouden razernij. De celdeuren stonden open, maar de gangen waren vrijwel ver-laten. De meesten van de in blauwe overalls geklede gevangenen lagen op hun bed naar het plafond te staren en naar een sportwedstrijd te luiste-ren, of deden lusteloos een spelletje patience.

Rustuur, vertelde de bewaker ons.

Hij bracht ons naar een spreekkamer, waar het al net zo warm was en even erg stonk. Er hing een klok aan de muur en er was een getralied raam met uitzicht op de zinderende lucht boven het zand. In de kamer stonden een metalen tafel en stoelen, alle aan de grond geklonken. We gingen zitten en dronken lauw water terwijl we wachtten.

Germando kwam tien minuten later binnen, gekleed in een gevangenispak dat niet veel verschilde van Koby's blauwe verpleeguniform, wat maar weer eens aantoonde dat alles relatief was. Hij transpireerde erg, waardoor het net leek alsof de getatoeëerde tijger in zijn nek in de vochtige jungle van Zuidoost-Azië een prooi besloop. El Paso's gezicht stond laatdunkend. Hij had nog steeds dat domme snorretje en het plukje haar onder zijn onderlip. Hij ging onderuitgezakt op een van de stoelen zitten.

Brill zette een bekertje water voor hem neer.

El Paso dronk er niet van.

Brill wreef in zijn ogen. 'Oké, moet je horen. We hebben Juice Fedek opgepakt wegens inbraak en hij gaat de bak in. We hebben al een huiszoekingsbevel aangevraagd voor zijn flat. Daar zullen we zijn pistool vinden, en dan gaat Juice voor heel lang achter de tralies. Niet in Cochise, maar in San Quentin. Wanneer we dat pistool eenmaal hebben, zie je, kunnen we hem aanklagen wegens poging tot moord. Hij zal extra lang worden opgesloten omdat hij zo stom is geweest op een juut te schieten. En iedereen die er iets mee te maken heeft, gaat óók de bak in.'

El Paso haalde zijn schouders op. 'Ik heb er niks mee te maken. Ik zit hier al twee maanden.'

Het was mijn beurt. 'De hufter heeft op me geschoten, omdat hij niet wilde dat er een onderzoek werd ingesteld naar de verkrachting van Sarah Sanders. Er is maar één persoon die hem over dat onderzoek kan hebben verteld. En diezelfde persoon heeft Fedek verteld naar welke auto hij moest uitkijken.'

Een glimlach verscheen om El Paso's lippen. 'Ik heb geen flauw idee waar u het over hebt.'

'Dan zal ik het je uitleggen. Toen ik je in hechtenis nam, heb je mijn vriend zien wegrijden in zijn auto en onthouden wat voor auto het was. Je hebt aan Fedek, je stiefbroer, verteld dat ik bezig was met een onderzoek naar de verkrachting van Sarah Sanders, en je hebt hem verteld naar welke auto hij moest uitkijken. Hij moest mij te grazen nemen!'

Een smalende grijns. 'U bent niet goed bij uw hoofd. Misschien kunt u niet tegen de hitte.'

'Maar weet je, Germando…' Ik glimlachte vals. 'Fedek zal jou met zich meeslepen. Weet je hoe ik dat weet? Omdat ik hem een voorstel ga doen voor een deal: onschendbaarheid in de zaak-Sarah Sanders in ruil voor zijn getuigenis tegen jou. Dat houdt in, Germando, dat je de vijf tot zeven jaar die je zult krijgen, niet hier in Cochise kunt uitzitten, want hier stuurt men eigenlijk alleen drugsdealers naartoe, maar dat je bij serieuze kontneukers terechtkomt.'

'Dat wil zij,' zei Brill. 'Ik heb een heel ander plan. Wil je het horen?'

El Paso gaf geen antwoord, maar zijn schichtige ogen zeiden genoeg.

'Nee? Dan niet,' zei Brill.

We stonden gelijktijdig op.

El Paso verroerde zich niet en zei geen woord.

We wachtten eventjes; toen riep ik de bewaker.

Nog steeds geen reactie van El Paso.

De bewaker kwam eraan.

Pas toen de sleutel in het slot werd gestoken en de bewaker op het punt stond ons eruit te laten, bezweek El Paso. 'Wacht! Ik wil het horen.'

Sarcasme droop van mijn stem: 'Je kans is verkeken, Germando.'

'Wacht! Wacht!' Hij schoot overeind. 'Ik zal luisteren.'

'Zitten!' beval Brill.

El Paso ging zitten. 'Ik zal luisteren,' herhaalde hij kleintjes.

Brill zuchtte theatraal en keek naar mij. 'Wat vind jij?'

'Ik vind dat we moeten gaan. Ik wilde al helemaal niet komen.'

'Maar we zijn er nu,' zei Brill. 'Dan kunnen we net zo goed met hem praten.' Hij keek naar de bewaker. 'Sorry dat we u voor niks hebben laten komen.'

'Geeft niks.' De bewaker liep weg.

We gingen weer zitten en namen allemaal een slok van het water dat smaakte naar afwaswater. Brill zei tegen mij: 'Ga je gang.'

'Ik?'

'Ja, jij.'

'Goed,' zei ik. 'Er was eens een zwakzinnig meisje…'

'Ik heb niks gedaan.'

'Mag ik uitpraten?'

Hij zweeg.

'Er was eens een zwakzinnig meisje,' herhaalde ik, 'dat door een stelletje jongens werd verkracht. Haar zwakzinnige vriendje werd mishandeld en in een vuilnisbak gestopt.' Ik leunde naar voren. 'Als het OM Fedek aanbiedt de beschuldiging inzake de poging tot moord op een politie-agent te laten vallen en hem alleen aan te klagen voor de verkrachting, in ruil voor een getuigenis over wie er nog meer hebben meegedaan aan de gangbang, wat denk je dat Fedek dan zal doen?'

'Ik heb haar niet aangeraakt!'

'Nee?' zei ik. 'Vertel ons dan maar eens netjes hoe het eraan toe is gegaan.'

'En wat krijg ik daarvoor?'

'Eerst moeten we het verhaal horen,' zei Brill. 'Maar voordat we eraan beginnen, zijn we verplicht je te vertellen dat je recht hebt op de aanwezigheid van een advocaat, omdat we je verklaring zullen gebruiken zoals ons goeddunkt. Maar als je er een advocaat bij haalt, is hij degene die de dienst uitmaakt. Dan glipt de hele zaak ons uit handen, omdat we dan zelf ook advocaten erbij moeten halen. Dan gaan de advocaten het onder elkaar uitvechten, snap je, in plaats van dat wij gewoon met jou praten.'

'Ik hoef geen advocaat. De vorige keer had ik er een, en ik zit evengoed hier.'

'Daar heb je gelijk in,' zei ik. 'Jij zit hier en hij niet.'

Brill zei: 'Als je met ons gaat praten, moet je eerst een document ondertekenen, waarin staat dat we je in het Engels hebben verteld waar je recht op hebt, en dat je dat in het Engels en Spaans hebt gelezen en besloten hebt van die rechten geen gebruik te maken.'

'Welk document?'

'Dit document.' Brill liet hem de kaart zien. 'Als je dit ondertekent, geef je te kennen dat je bereid bent met ons te praten zonder dat er een advocaat bij is, en dat het je duidelijk is dat alles wat je zegt, geciteerd kan worden tijdens de rechtszaak.'

'Er staat ook in dat je tijdens het verhoor evengoed nog om een advocaat kunt vragen, wanneer je maar wilt,' zei ik. 'Maar zoals rechercheur Brill al zei, geven wij de zaak dan feitelijk uit handen.'

'Ik hoef geen advocaat,' zei El Paso nogmaals.

Brill gaf hem een pen. 'Op de stippellijn.'

El Paso ondertekende de kaart.

'En de pen wil ik graag terug, Germando.'

El Paso gaf hem met een spijtig gezicht de pen terug. Een pen was een aardig wapen. Brill stak de kaart in zijn zak. 'Vertel ons over Sarah Sanders.'

'De achterlijke *muchacha*.'

'Ja,' zei ik. 'Wat heb je met haar gedaan?'

'Niks. Ik heb haar niet aangeraakt. Juice heeft het gedaan, niet ik.'

'En wie nog meer?' vroeg Brill.

'Leo.'

'Welke Leo?'

'Een vriend van Juice.'

'Achternaam?' vroeg ik.

El Paso haalde zijn schouders op.

'Schiet een beetje op,' zei ik.

'Ik noem hem altijd Leo de Lul.'

Leo's achternaam was Chatlin. Ik drong niet aan. 'Wie nog meer?'

'Pepe Renaldes.'

'Niet waar.'

'Hè?' zei El Paso.

Brill keek me vragend aan. Ik trok mijn wenkbrauwen op en voelde dat mijn hart op hol sloeg. Ik kende El Paso en ik kende Pepe Renaldes en ik wíst gewoon wie de verkrachter was en wie de uitkijk. Alleen was ik heel gevaarlijk bezig, omdat ik dit niet van tevoren met Brill had kunnen bespreken, omdat ik hem dan had moeten vertellen dat ik achter zijn rug om naar Renaldes was gegaan. Ik zei: 'Nog één keer. Wie heeft haar verkracht?'

'Dat zei ik toch?' antwoordde El Paso. 'Joey Fedek, Leo de Lul en Pepe Renal…'

'Nee, nee, nee.' Ik verhief mijn stem. 'Als je blijft liegen, El Paso, gaan we weg.'

'Wat wilt u van me?' riep El Paso. 'Ik spreek de waarheid!'

'Nog een keer van voren af aan,' zei ik.

Brill zei: 'Kan ik je even spreken, Decker?'

'Zo dadelijk,' zei ik tegen hem. Mijn hart klopte in mijn keel. Opeens gaf ik een harde klap op de tafel. 'Denk je soms dat ik achterlijk ben, Germando? Denk je soms dat ik mijn huiswerk niet doe? Denk je soms dat ik niet met andere mensen ben gaan praten, inclusief je-weet-wel, om hun versie van het verhaal te horen voordat ik naar deze godvergeten woestijn toe ga?' Ik probeerde me niets aan te trekken van Brills priemende blikken. 'Nog één keer, El Paso, en ditmaal wil ik de waarheid. Anders kun je die deal wel vergeten. Wie hebben Sarah Sanders verkracht?!'

Ik boorde mijn ogen in de zijne. Eindelijk kreeg hij het door. Hij wreef over zijn voorhoofd en zakte onderuit op zijn stoel. 'Ik zeg niks.'

'Dan wordt het een aanklacht wegens verkrachting.'

Hij hief met een ruk zijn hoofd op. 'En als ik praat?'

'Dan zullen we het met de officier van justitie overleggen,' antwoordde ik. 'Misschien is hij bereid het te houden op een aanklacht wegens seksuele mishandeling, dan krijg je nog een extra jaar hier in Cochise. Dat is altijd beter dan vijf tot zeven jaar in San Quentin.'

Germando streek over zijn kin; zijn ogen gingen nerveus heen en weer tussen Brill en mij. Brill was woedend op me, maar El Paso dacht natuurlijk dat hij kwaad was op hém. 'Oké. Juice en Leo en ik hebben die griet genomen. Pepe stond op de uitkijk.'

'Da's een stuk beter.' Ik durfde niet eens naar Brill te kijken. 'Vertel ons het hele verhaal.'

'Er valt niks te vertellen. Eerst hebben Leo en ik die jongen vastgehouden, en heeft Juice die griet gepakt. Alleen schreeuwde die jongen zo, dat Juice hem uiteindelijk maar een beetje heeft geslagen en in de vuilnisbak gedouwd. Toen heb ik die griet gepakt. En na mij Leo. En daarna zijn we weggegaan.' Hij haalde zijn schouders op. 'Dat was het.'

Nu pas durfde ik naar Brill te kijken. 'Mag ik u even spreken?'

Brill was laaiend. Een aanbeveling van hem voor de recherche kon ik wel vergeten. We riepen om de bewaker.

'Waar gaat u naartoe?' El Paso sprong overeind.

'We komen zo terug,' antwoordde ik.

De bewaker liet ons eruit en bracht ons naar een andere kamer, waar het nog warmer was, als in een sauna, omdat deze kamer geen tralies maar muren had. Brill droogde zijn bezwete gezicht met zijn zakdoek en zocht woedend naar woorden. 'Wat moest dat voorstellen?'

Ik antwoordde: 'Ik denk dat ik van Pepe Renaldes een bevestiging van het verhaal kan krijgen.'

'Ja, dat had ik al door, Decker. Je bent achter mijn rug om met Renaldes gaan praten…'

'Ik heb niets over Sarah Sanders gezegd.'

'Ik had gezegd dat je niet met hem mocht gaan praten. Stone heeft gezegd dat je niet met hem mocht gaan praten. De officier van justitie heeft gezegd dat je niet met hem mocht gaan praten!'

'Niet met zoveel woorden. Men heeft laten doorschemeren dat ik niet met hem mocht gaan praten.'

Brill viel woedend uit: 'Je hebt deze hele zaak verpest! Ik ben voor niks helemaal hiernaartoe gegaan!'

'Ik wilde niet dat Renaldes zou moeten opdraaien voor een verkrachting waar hij geen schuld aan heeft.'

'Je hebt alles verpest!' Zijn ogen boorden zich in de mijne. 'Heb je eigenlijk wel hersens in je kop, Decker?'

Ik sloeg mijn armen over elkaar en mijn ogen waren als dolken die zich in de zijne boorden. Ik sprak op een zachte, dreigende toon. 'Iemand heeft op me geschoten. U denkt toch niet dat ik ga zitten wachten tot een slome assistent-officier van justitie er eindelijk eens aan toekomt iets te doen, terwijl mijn leven op het spel staat? Ik ben met Renaldes gaan praten, ja. Ik wilde weten wie mij als schietschijf gebruikt. En als hij me dat niet kon vertellen, hoopte ik in ieder geval via hem meer te weten te komen over de Nova. En dat is gelukt.'

'Je bent niet goed bij je hoofd!'

'Nee, ik ben alleen nogal aan mijn leven gehecht. Maar waar het om gaat, is dat ik denk dat ik Renaldes wel zover kan krijgen dat hij tegen Fedek en Chatlin zal getuigen. Als we het voor elkaar kunnen krijgen dat Renaldes en El Paso hetzelfde verhaal vertellen, zullen Fedek en Chatlin heel lang worden opgeborgen wegens verkrachting en poging tot moord op een politieagent. Dát is wat ik wil, omdat die rotzakken geprobeerd hebben me te vermoorden!'

Ik baadde in het zweet. Brill keek nog steeds boos, maar niet meer zo woedend als daarnet. Hij zei: 'En wat doen we met de officier van justitie?'

'We vertellen hem dat we van El Paso een bekentenis en de namen van de medeplichtigen hebben losgekregen, en dat we nu naar Renaldes willen gaan om hem aan onze kant te krijgen. We zeggen erbij dat we zeker weten dat hij zal meewerken, omdat hij niet heeft deelgenomen aan de verkrachting. Dan kunnen we de getuigenissen en bekentenissen van El Paso en Renaldes inzetten tegen Fedek en Chatlin. We kunnen tegen de officier van justitie zeggen dat El Paso zelf met Renaldes is aangekomen.'

'Jezus... Als je het ooit nog een keer in je botte hersens haalt om zoiets te doen, zul je vele, vele jaren verkeersboetes mogen schrijven.'

'Oké, ik beschouw mezelf als gewaarschuwd...'

'Dat meen ik, Decker!'

Ik sloeg mijn ogen neer en keek toen weer op naar Brill. 'Dat weet ik. En ik ben u erg dankbaar dat u achter me staat.'

'Wie zegt dat ik achter je sta?' Weer laaide de woede in zijn ogen op. 'Als ik dit doe, sta je dik bij me in de schuld.'

Ik antwoordde op zachte en eerbiedige toon. 'Dat weet ik, en ik zal het u vergoeden. Want trouw ben ik, naast allerlei andere dingen.'

'Misschien kun je het me binnenkort al vergoeden.' Zijn blik gleed over mijn lichaam.

'Nee, nee, nee,' zei ik. 'Daar komt niks van in.'

Hij glimlachte flauwtjes. 'Waar heb je het over, Decker?'

Ik vond het niet grappig. 'Sorry. Ik ben een beetje in de war.'

'Dat geloof ik ook.' Hij wreef over zijn voorhoofd. 'Als hier heibel van komt, geef ik niet thuis.'

'Ik zal de schuld op me nemen.'

'Voor iemand die pas twee jaar bij de politie zit, sta je erg sterk in je schoenen. Dat verbaast me.' Brill bekeek me indringend. 'Weet je wat ik denk? Dat je hulp hebt gehad met Renaldes. En ik denk dat je wel weet wat voor soort hulp ik bedoel. Of liever gezegd, wie ik bedoel.'

'En ik vind dat u El Paso moet vragen naar Fedek en Belinda Syracuse.'

Een wazige blik.

'De aanrijding waarvan ik getuige was.'

'O, dat.' Hij had het niet meteen door. 'Waarom zou Fedek iets te maken hebben met Belinda Syracuse?'

'Belinda en Sarah Sanders woonden allebei in het Fordham Community Center. Misschien heeft Sarah Belinda over de verkrachting verteld. Misschien was Belinda van plan het aan de politie te vertellen.'

'Daar heb je geen enkel bewijs van. Het was een heel andere auto en een heel andere methode. En waarom zou een hufter als Fedek Belinda doodrijden in plaats van haar dood te schieten?'

'U hebt waarschijnlijk gelijk, maar het is evengoed mogelijk. Vraag El Paso en Renaldes er gewoon naar; laat ze het maar ontkennen.'

'Heb je nog meer van die goede ideeën?' vroeg hij met een zuur gezicht.

'Ik snap zelf niet waarom ik dit allemaal van je pik.'

'Misschien omdat u mij als partner wilt in plaats van die slome duikelaar met wie u nu al anderhalf jaar zit opgescheept?'

'Henry is geen slome duikelaar.'

'Henry gaat over twee maanden met pensioen. Wanneer heeft hij voor het laatst zijn nek uitgestoken?'

Brill fronste zijn wenkbrauwen. 'Ik wil jou niet. Je bent veel te wild. Je moet leren het kalm aan te doen.'

'Wees dan mijn mentor.' Ik zuchtte. 'Maar goed, we moeten eerst El Paso nog afwerken.'

'Ja, we zitten hier al zo lang dat hij waarschijnlijk denkt dat we een nummertje aan het maken zijn.' Hij glimlachte. 'Kan nog.'

Ik hield mijn ergernis voor me. 'Justice…' Dit leek me een goed moment om te beginnen hem bij zijn voornaam te noemen. 'Schei daarmee uit. Ik zit in een heel serieuze relatie; jij bent getrouwd; laten we gewoon constructief zijn, oké?'

Hij bleef me aankijken.

'Ik wil graag je partner worden. Dolgraag. Maar als je zo vervelend blijft doen, zal ik om overplaatsing vragen. En dan zullen ze willen weten waarom.'

Hij dacht erover na en haalde toen zijn schouders op. 'Je staat evengoed bij me in het krijt.'

'Weet ik, weet ik…' Ik klopte zachtjes op zijn arm. 'Geduld, Brill. Alles op z'n tijd. Zullen we maar weer?'

Hij wees naar de deur. 'Dames gaan voor.'

Ik ging voor.

Het was aardig om te weten dat hoffelijkheid niet was afgeschaft, maar alleen een nieuwe betekenis had gekregen.

43

De zomer liep ten einde. Het daglicht vocht tevergeefs tegen het korten van de dagen, en ook ik kreeg het gevoel dat de tijd begon te dringen, al lag dat helemaal aan mijzelf, omdat niemand me in welk opzicht dan ook opjutte. Ik stond op het punt een drempel te overschrijden, had één voet al in de lucht, gereed om de stap te zetten, maar toen ik op een zonnige zondagochtend naar het huis van mijn vader reed, was ik nog steeds niet helemaal zeker van mijn zaak. Is er iemand die ooit met gemak een moeilijke beslissing heeft genomen?

Mijn vader deed zelf open en zette een verbaasd gezicht toen hij me zag. 'Hallo, lieverd, had je gezegd dat je zou komen?'

'Nee. Ik kom zomaar binnenvallen, in de hoop je ongeschoren en in een vieze plunje te betrappen.'

Hij wreef over zijn kin. 'Ongeschoren, ja. Maar niet in een vieze plunje. Kom erin.'

Hij droeg een spijkerbroek en een wit T-shirt. Ik had een witte katoenen broek en een donkergroene bloes aangetrokken, een outfit die voor vele doeleinden geschikt was. Ik ging niet naar binnen. 'Hoe is het ermee?'

'Goed.' Hij begreep er niets van. 'Is er een reden waarom je niet binnenkomt?'

'Ik had gedacht dat we misschien een eindje konden gaan wandelen.'

De vragende blik veranderde in een onderzoekende. 'Als je een onderonsje wilt... er is niemand thuis.'

'In dat geval...' Ik liep de zitkamer in, waar het stil en vredig was. 'Waar is iedereen?'

'Rina is met de kinderen naar een Israël-bijeenkomst in de stad.'

'Moest jij dan ook niet?'

'Nou... mijn hartstocht voor het zionisme is nog altijd geen partij voor de zondagse honkbalwedstrijden.' Hij glimlachte. 'Soms heb ik er dringend behoefte aan iets te doen waarbij ik niet hoef na te denken. De strategie aan anderen overlaten en zelf lekker kritiek geven.'

'Ik weet precies wat je bedoelt. Je werkt hard, pap, je hebt recht op ontspanning.'

Hij bekeek me aandachtig. 'Je ziet eruit alsof je ergens mee zit. Is alles in orde?'

'Ja, hoor. Ik heb zelfs al twee maanden geen donkere dromen gehad. Niet gek, hè?'

Decker fronste zijn wenkbrauwen. 'Dat is heel fijn voor je, alleen wist ik niet eens dat je ze had.'

'Nou, ze zijn verdwenen, dus hoef je je er geen zorgen om te maken.' Ik glimlachte. 'Ik heb nog geen antwoord gekregen op mijn sollicitatie bij de recherche, maar ik hou het er maar op dat geen nieuws goed nieuws is.'

'Het is nog vroeg dag, en daarmee bedoel ik je loopbaan. Als het lukt, is het mooi. Zo niet, laat je dan vooral niet ontmoedigen, vooral niet na je succes met Chatlin en Fedek.'

'Brill heeft hen gearresteerd.'

'Jij hebt het eigenlijke werk gedaan. Dat ontkent Brill zelf niet eens.'

'Ja, hij is een goeie vent.'

'Ga zitten.'

'Eerlijk gezegd blijf ik liever staan. Ik ben een beetje ongedurig.'

Mijn vader bekeek me onderzoekend. 'Als het niet om je werk gaat, moet het iets persoonlijks zijn. Is alles in orde tussen jou en Koby?'

'Ja, prima.' Ik keek hem niet aan. 'We gaan binnenkort samen op vakantie.'

'Wat leuk. Waar naartoe?'

'Israël.'

'Wat?' vroeg pa geschokt. 'Juist nu?'

'Ja.' Ik zag de bezorgdheid in zijn ogen. 'Koby wil me graag voorstellen aan zijn familie. En ik wil hen graag leren kennen.'

Pa kreeg het een beetje te kwaad. 'En dat kan niet wachten tot het daar wat rustiger is?'

'Nee, want niemand kan in de toekomst kijken. Bovendien heb ik al enige kogels en waanzinnigen overleefd.'

'En dat moet mij geruststellen?'

Ik pakte mijn vaders hand. 'Ik moet dit doen. Ik wíl dit doen.' Mijn glimlach was een beetje triest. 'Pap, ik geloof dat Jaakov mijn ware Jacob is.' Ik haalde diep adem en blies die langzaam uit. 'Of eigenlijk weet ik dat wel zeker.'

'Meisje toch.' Pa kreeg tranen in zijn ogen. 'Weet je het heel zeker?' 'Ik kan me geen toekomst zonder hem voorstellen. Dus moet het wel zo zijn.'

Decker bracht zijn vuist naar zijn mond. Toen liet hij zijn hand zakken en glimlachte op een melancholieke manier. 'Hij is een prima vent, Cindy. Een prima vent en een goed mens. Je hebt een goede keuze gemaakt.' Hij omhelsde me kort maar met veel gevoel. 'Ik hou van je, prinsesje.'

'Ik ook van jou, pap. Niemand zal ooit jouw plaats innemen in mijn hart. De wereld is vol mannen, maar ieder meisje heeft maar één vader.'

'Je verdient de beste.' Hij sprak met een brok in zijn keel. 'En als hij je ooit verdrietig maakt, dan zeg je maar tegen hem dat ik een pistool heb en het weet te gebruiken.'

'Pap, ik heb zelf een pistool.'

Mijn vader schoot in de lach en ik lachte mee. Toen keek hij weer ernstig. 'Wanneer vertrekken jullie?'

'We willen Rosj Hasjana in Israël doorbrengen en dat is de reden waarom we zo snel vertrekken, maar we zijn vóór Jom Kippoer terug.' Ik schudde mijn hoofd. 'Moet je mij horen. Ik regel mijn vakantie naar de joodse feestdagen. Ik lijk jou wel.'

'Er zijn parallellen in ons leven,' merkte mijn vader op.

Ik dacht over die woorden na. 'Ja, je hebt gelijk, alleen is Koby soepeler dan Rina. Hij gaat weliswaar op de sjabbat niet naar een restaurant of een film, maar hij rijdt wel en doet ook het licht aan. En als er een belangrijke wedstrijd is, kijkt hij gewoon. Hij is zelfs bereid op zaterdag te werken als ze in het ziekenhuis mensen tekortkomen.'

'Toch is zijn leefwijze heel anders dan waar jij mee opgegroeid bent.'

'Dat is waar. Jouw huidige leefwijze heeft blijkbaar toch invloed op me. Een koosjere keuken lijkt me nu niet meer zo ingewikkeld als voorheen. Alleen is het wel zo dat mensen, wanneer ze eenmaal kinderen hebben, vaak terugvallen op hun eigen opvoeding. Het is nog maar afwachten hoe Koby dan zal zijn.'

'Zover is het nog lang niet.'

Ik beet op mijn onderlip om een glimlach te verdoezelen. Ik had een gevoelige snaar geraakt. Pa was nog niet klaar voor de rol van grootpapa. Ik zei: 'Ik wilde nog iets anders met je bespreken, over mijn werk.'

Hij schakelde meteen om naar zijn rol van inspecteur. 'Zeg het maar.'

'Er zit me iets dwars, wat ik graag aan je zou willen voorleggen.'

'Ga door.'

'Ik zit met wat losse eindjes met betrekking tot een onopgeloste misdaad waarvan ik aanvankelijk dacht dat die te maken had met de verkrachting van Sarah Sanders. Ik dacht dat die misdaad was gepleegd door Joseph Fedek of een van zijn maten. Maar na mijn gesprekken met hen, dat wil zeggen, na langdurige ondervragingen, ben ik van mening dat Fedek niet de dader is.'

'Over welke misdaad heb je het?'

'De dood van Belinda Syracuse. De aanrijding waar Koby en ik getuige van waren.'

'O, ja. Hoe staat het daarmee?'

'Slecht. We hebben geen idee wie het heeft gedaan.'

'Ze hebben de auto toch?'

'Ja, die hadden ze al snel opgespoord. Ze hebben zelfs het DNA van een bloedvlek op de nummerplaat, maar ze hebben geen verdachte, dus kunnen ze het DNA nergens mee vergelijken.'

Decker spreidde zijn handen en haalde zijn schouders op.

'Toen ik laatst op het Fordham Communal Center was, zag ik daar een foto van haar, van Belinda Syracuse. Het was heel eigenaardig om te zien hoe ze eruitzag toen haar gezicht nog intact was.'

Mijn vader knikte.

'Ik was ernaartoe gegaan voor een praatje met meneer Klinghoffner, om te informeren of David Tyler contact met hem opgenomen had. Maar zoals ik eigenlijk al wist, had hij niets van hem gehoord.'

'Ben je nog steeds naar hem aan het zoeken?'

'Bij tijd en wijle. In Klinghoffners kantoor hangen foto's van Belinda en David Tyler aan de muur. Een soort nagedachtenis.'

Hij wachtte. 'En?'

'Opeens schoot me te binnen dat ik haar een keer had gezien, toen ze nog leefde. De eerste keer dat ik naar Fordham was gegaan voor de informatie die me uiteindelijk naar Sarah Sanders heeft geleid, werkte Belinda Syracuse daar in de achtertuin.'

'Ze woonde daar, Cindy.'

'Dat weet ik, maar er viel me iets op toen ik haar zag. Een hunkerende blik in haar ogen… de blik van een meisje dat liefdesverdriet heeft. En nu laat die herinnering me niet los.'

Ik keek om me heen en stak mijn handen in mijn broekzakken.

'Het laat me niet los. Alsof ik iets weet, maar het niet kan aantonen. Een vibratie... alsof ze tegen me praat.'

'Leg eens uit.'

'Goed. Op de administratie van Fordham werkt een bijzonder onaangename man. Hij heet Buck. Toen ik er voor het eerst was en met hem zat te praten, zag ik opeens dat Belinda Syracuse door het raam naar ons stond te kijken. Ze had een hark in haar hand en stond met haar neus tegen het raam gedrukt. En ze had die gewonde blik in haar ogen...'

Ik zag haar weer voor me.

'Buck draaide zich om, glimlachte toen hij haar zag en stond op om even met haar te praten. En dat vond ik volkomen ongerijmd.'

'Ik begrijp niet wat je bedoelt.'

'Nou, hij gedroeg zich tegen mij bijzonder onaangenaam. Waarom deed hij tegen haar dan zo vriendelijk?'

'Misschien is hij minder onaangenaam dan je denkt.'

'Of misschien kan hij aardig zijn wanneer hij wil... wanneer het hem uitkomt.'

'Dat wil zeggen...'

Hij wist best wat dat wilde zeggen, maar hij wilde het van mij horen. 'Ik zal proberen een paar theorieën onder woorden te brengen.' Ik dacht even na. 'De laatste keer dat we Sarah Sanders hebben gesproken, vond ze het erg gênant om over seks te praten.'

'Klopt.'

'We dachten dat ze iets voor ons achterhield.'

'Ja.'

'Denk je dat zij en David... dat ze met elkaar naar bed zouden zijn gegaan als ze dat nog nooit eerder hadden gedaan?'

'Jazeker. Seks is iets natuurlijks. Dat iemand zwakzinnig is, wil nog niet zeggen dat de hormonen hun werk niet doen.'

Ik zei niets.

'Heeft iemand het jou moeten voordoen? Mij niet.'

'Pap, wij wisten al wat seks was voordat we seksuele gevoelens kregen. We wisten ervan omdat we een normale intelligentie bezitten en toegang hebben tot informatie die we kunnen bevatten.'

'Op Fordham krijgen ze seksuele voorlichting. Dat heb je me zelf verteld.'

'Maar dat is allemaal erg klinisch. Het heeft niets te maken met het ge-giechel en gefluister van tieners onder elkaar. Daarom vraag ik me af... of Sarah Sanders al ervaring met seks had gehad voordat ze het met David deed.'

'Dat de groepsverkrachting niet haar eerste gedwongen seksuele ervaring was?'

'Ja, waarom niet?' riep ik uit. 'Misschien is dat wat Sarah voor ons achterhield. Dat iemand van Fordham haar ertoe had gedwongen. Het zou niet de eerste keer zijn dat iemand misbruik maakt van een zwakzinnig meisje. En het is mogelijk dat ze er niet toe gedwongen is, maar ertoe verleid, en dat ze de man daarom niet wil verraden. Misschien denkt ze dat het ergens haar eigen schuld is.'

'En jij denkt dat die onaangename kerel de verleider is?'

'Ja, omdat hij echt walgelijk is.'

'Verleiders zijn vaak juist erg charmant, Cindy.'

'Dat bedoel ik! Hij is een etter, maar hij deed heel aardig tegen Belinda. Waarom?'

'Stel dat hij inderdaad misbruik maakte van Sarah, wat heeft dat dan met de aanrijding te maken?'

'Nou, misschien is het een beetje vergezocht, maar... misschien maakte Buck ook misbruik van Belinda.'

'Omdat hij is opgestaan om met haar te praten?'

'Laat me de rest even vertellen, goed?'

'Ga je gang.'

'Buck wist dat we contact hadden met Sarah. Hij wist ook dat we een onderzoek instelden naar een groepsverkrachting. Als Buck misbruik van haar maakte, was hij misschien bang dat ons onderzoek dat aan het licht zou brengen. En als dat zou gebeuren, zou het andere meisje, Belinda, misschien ook met een verhaal komen. Misschien dacht hij dat hij Sarah Sanders wel aankon, vooral omdat die op dat moment niet in een gunstig daglicht stond, omdat ze haar baby in de steek had gelaten. Ze zouden hem eerder geloven dan haar. Sarah vormde voor hem dus geen echte bedreiging. Maar als er nog meer meisjes waren...'

Decker zei niets.

'Oké, het is dwaasheid. Laat maar zitten.'

'Het is geen dwaasheid; het is... een theorie.'

'Pap, ik ben inmiddels goed bevriend geraakt met Louise Sanders. Ik heb haar in contact gebracht met David Tylers curator en ze krijgt via hem wat geld voor Ella. Zo heet de baby. Voluit heet ze Cinderella. Sarah mocht van Louise zelf een naam voor haar dochter kiezen, zie je. Hoe dan ook, Davids advocaat heeft haar geld gegeven, zodat ze een kindermeisje in dienst heeft kunnen nemen, en nu kan ik bij Louise geen kwaad doen. Bovendien zijn Koby en ik al een paar keer bij hen op bezoek geweest en is Sarah dol op Koby. Ik denk dat hij haar aan David herinnert. Kortom, ze vertrouwt ons veel meer dan de eerste keer dat we met haar zijn gaan praten.'

'Heel goed,' zei Decker. 'Dan kun je haar er best naar vragen.'

Ik haalde diep adem. 'Ik heb nog te weinig ervaring met dit soort dingen. Ik zou wel wat hulp kunnen gebruiken.'

'Geen punt. Ik heb tijd. Zullen we dan maar meteen gaan?'

'Ik weet dat het net zo goed een hersenspinsel van me kan zijn. Maar je zegt zelf altijd dat je op je intuïtie moet vertrouwen.'

'Vooral in deze waanzinnige wereld. Ik ga even iets anders aantrekken en een briefje schrijven voor Rina. En dan kunnen we gaan.'

'Fijn.' Ik glimlachte. 'Heel erg bedankt!'

'Waarvoor?'

'Dat je met me meegaat. En vooral dat je naar me hebt geluisterd.'

'Doe niet zo mal, zeg.' Hij woelde door mijn haar. 'Ik ben zo terug.'

'Neem gerust de tijd.' Ik glimlachte weer, heel oprecht, want tot mijn grote vreugde zag ik in zijn ogen een blik van respect, een blik die meer zei dan duizend woorden.

Louise omhelsde me spontaan. 'Kom erin, kom erin. We vinden het altijd fijn wanneer je langskomt.'

'Je herinnert je mijn vader zeker nog wel?'

'Natuurlijk. Komt u binnen... brigadier Decker, toch?'

'Inspecteur,' verbeterde ik haar. We gingen naar binnen.

De afgelopen maanden was Louise Sanders' zitkamer langzaamaan vol komen te liggen met babyspullen. Knuffeldieren hadden de plaats ingenomen van de sierkussentjes op de bruine, leren bank. De salontafel lag vol plastic piepbeesten en babyboeken. Naast de piano stond een box en overal lagen flesjes. Toch maakte de kamer een gezellige indruk, heerlijk licht op deze warme nazomerdag. De ramen stonden open en er was geen zuchtje wind te bespeuren.

Louise had highlights laten aanbrengen in haar grijze haar. Ze was ook een paar kilo afgevallen. Ze besteedde aandacht aan zichzelf en dat was een goed teken. Misschien was het een tikje overdreven van me, maar ik vond dat ik daarin een klein rolletje had gespeeld. Dit keer was Louise gekleed in een korte spijkerbroek en een wit bloesje met een boothals, en ze liep op sandalen.

'Thee? Koffie?'

Voordat ik antwoord kon geven, kwam Sarah binnen. Haar haar was vanwege de zomer een stuk korter geknipt, waardoor ze nu één en al wang was, rond en roze. Ze droeg een ruimvallende, blauwe, katoenen jurk, en de nagels van haar vingers en tenen waren zilverkleurig gelakt. Toen ze me zag, kneep ze haar ogen iets toe en keek ze om zich heen. 'Waar is…' Ze had moeite met de woorden, 'waar is… Ko-by?'

'Eerst gedag zeggen, Sarah,' zei Louise tegen haar.

'Hallo.'

'Hallo, Sarah,' antwoordde ik. 'Koby is vandaag gaan hardlopen.'

'Waar naartoe?'

Ik glimlachte. 'Hij loopt een wedstrijd.'

'Heeft hij gewonnen?'

'Niet zo'n wedstrijd. Het is alleen om te zien hoe hard je kunt lopen. Vandaag loopt hij twintig kilometer.'

Haar mond viel open. 'Wat veel.'

'Ja, hè?'

'Wilde je niet mee?' vroeg mijn vader aan me.

'Ze zijn om zeven uur al vertrokken, omdat het straks te warm is. Dat is mij te vroeg.' Aan Sarah vroeg ik: 'Slaapt Ella?'

Sarah knikte.

Louise zei: 'Ik heb haar net naar bed gebracht.'

'Ik heb haar naar bed gebracht,' zei Sarah parmantig.

'Ja.' Louise glimlachte naar haar. 'Die slaapt voorlopig wel.'

'Dat is prima, Louise. We zijn eerlijk gezegd gekomen om een praatje te maken met Sarah… als je het goedvindt.'

De oudere vrouw fronste haar wenkbrauwen. 'Waarover?'

Ik keek naar mijn vader. Hij had de spijkerbroek aangehouden en alleen zijn T-shirt verruild voor een poloshirt. Ik vond dat hij er zo niet al te intimiderend uitzag. Hij zei: 'O, gewoon een paar dingetjes die we willen ophelderen.'

'Zullen we erbij gaan zitten?' zei ik.

Louise gooide snel de knuffeldieren in de box om ruimte te maken. 'Ga je gang.'

'Kom jij er ook maar bij zitten, Louise,' zei Decker. 'Dit gaat jou net zo goed aan.'

'Wat is er aan de hand?' Louise ging zitten.

'Dat weet ik niet precies,' zei ik, 'maar je zult me moeten vertrouwen. Dit was namelijk mijn idee.'

'Maar wat is er dan?' Ze legde haar hand op haar hart. 'Is er wéér iets gebeurd?'

Mijn vader haalde zijn schouders op. Ik zei: 'Het zal wat tijd kosten, dus enig geduld is vereist. Ik wil het niet verknoeien.'

Louise keek me een beetje benauwd aan, maar knikte instemmend.

Mijn vader glimlachte naar Sarah. 'Dus jij mag Koby graag?'

Sarah knikte.

'Ik ook.'

Sarah knikte.

'Waarom mag je hem zo graag?'

Sarah giechelde. 'Omdat hij… leuk is.'

Decker glimlachte. 'Weet je waarom ik hem graag mag? Omdat hij aardig is.'

Sarah knikte weer.

'Speelt hij wel eens met je?'

Sarah dacht na. 'Soms wel.'

'Wat voor spelletjes?'

'Met een bal.'

'Wat voor bal?'

'Handbal.'

'Tegen de deur van de garage?'

Ze sloeg haar armen om haar heen en glimlachte. 'Ik win altijd.'

'Dan ben je erg goed in handbal.'

Sarah giechelde.

'Wat voor spelletjes doe je nog meer met Koby?'

Ze dacht lang na. 'Een keer ben ik met hem meegegaan naar de school om basketbal te spelen. We hadden mijn handbal bij ons. Ik heb hem één keertje in de basket gekregen, maar hij moest me optillen, anders kon ik er niet bij.'

Decker knikte. 'Hoe waren jullie naar de school gegaan?'

Sarah begreep zijn vraag niet.

'Met de auto of de bus? Of lopend?'

'Lopend.'

'Moesten jullie straten oversteken om er te komen?'

'Ja.'

'Heeft Koby je een hand gegeven toen jullie de straat overstaken?'

Sarah dacht even na en knikte toen.

'Dat is verstandig. Wat voor spelletjes speelt Koby nog meer met je?'

Sarah dacht diep na. 'Soms tekenen we droedels.'

'Dat is leuk. Vind je het leuk om te tekenen?'

'Soms wel.'

'Ik ook. Wat voor spelletjes doe je nog meer met Koby?'

Sarah haalde haar schouders op. 'Weet niet... van alles.'

'Doen jullie wel eens... tikkertje? Of elkaar kietelen?'

Ik wierp een blik op mijn vader. Hij negeerde me.

Plotsklaps betrok Sarahs gezicht en werd ze erg stil. Louise en ik keken elkaar aan. Ik haalde mijn schouders op. Geheel onverwachts brak het zweet me aan alle kanten uit.

'Je weet wel... dat je elkaar in je zij kietelt...' zei pa.

Sarah zweeg naar mijn gevoel een eeuwigheid en schudde toen haar hoofd. 'Ik...' Ze stokte.

'Zeg het maar, Sarah,' zei pa.

'Soms kietelde hij Ella onder haar voetje. Dan wou ik dat hij mij ook kietelde. Dus zei ik dat hij niet Ella moest kietelen maar mij.'

'En wat zei Koby wanneer je hem vroeg jou te kietelen?'

Ze kneep haar ogen stijf dicht. 'Hij zei dat grote jongens en grote meisjes elkaar niet mogen kietelen, behalve als ze vriendje en vriendinnetje zijn.' Sarah deed haar ogen open en keek naar mij. Ze wreef over haar armen. 'Ik heb gevraagd of hij dan mijn vriendje wilde zijn, maar hij zei dat hij al Cindy's vriendje was.' Ze kreeg tranen in haar ogen. 'En dus kietelde hij me niet.'

Decker knikte. 'Dat is logisch.'

Ze wendde haar gezicht af. Ze vond het zelf blijkbaar helemaal niet logisch.

'En David?' vroeg pa. 'Heeft David je wel eens gekieteld?'

Haar stem had een zachte klank toen ze antwoordde. 'Soms wel.'

'Maar David was je vriendje, hè?'

Ze knikte.

'Vond je het leuk wanneer hij je kietelde?'

Weer knikte ze.

'Dus je vond het goed dat David je kietelde.'

'Ja.'

'Zijn er nog meer grote jongens die je wel eens kietelden?'

Ze bekeek Decker achterdochtig en gaf geen antwoord.

'Je weet wel...' Pa glimlachte. 'Om je aan het lachen te maken?'

Ze zei niets. Ze was niet zo traag van begrip als de IQ-test had uitgewezen.

'Laten we nog even over David praten,' zei pa. 'David kietelde je dus wel eens.'

Ze knikte.

'En dat vond je goed... dat David je aanraakte?'

'Soms vond ik het fijn. Soms niet.'

'Wanneer vond je het niet fijn?'

'Nou, u weet wel...' Ze kreeg een hoogrode kleur. 'Wanneer hij seks deed.'

Louise wilde iets zeggen, maar hield zich in. Ik klopte zachtjes op haar knie. Ze keek me aan en probeerde te glimlachen, maar de glimlach bestierf op haar lippen.

Decker zei: 'Dat is ook zo. Je hebt me verteld dat je de seks niet leuk vond.'

Ze knikte.

'Nu moet je eventjes heel goed nadenken, Sarah. Kun je dat voor me doen?'

Ze gaf geen antwoord.

'Je moet terugdenken aan wanneer je seks had met David. Heb je ooit tegen hem gezegd dat je geen seks met hem wilde?'

Ze sloeg haar ogen neer. 'Nee.'

'Dat geeft helemaal niets, hoor. Maar ik ben een beetje nieuwsgierig. Als je het niet prettig vond, waarom deed je het dan?'

Lange tijd bleef Sarah zwijgen. Ik verwachtte dat mijn vader de vraag zou herhalen, maar dat deed hij niet. Uiteindelijk zei ze: 'Omdat hij mijn vriendje was.'

'Ah... dus seks mag als het met je vriendje is?'

'Dan moet het. Als je het niet doet, is hij je vriendje niet.'

'Nu snap ik het. Heeft David je dat verteld?'

Ze gaf geen antwoord. Ik zag dat Louise kaarsrecht zat en dat haar handen niet meer rustig op haar schoot lagen maar dat ze die nerveus wrong.

'Iemand anders?'

Ze gaf geen antwoord.

In de kamer ernaast liet Ella een kreetje horen. Misschien praatten we te hard.

Louise kwam meteen overeind. 'Ogenblikje.'

Sarah wilde ook opstaan, maar haar zus zei dat ze moest blijven zitten.

'Maar het is míjn baby,' protesteerde Sarah.

'Als ze wakker is, breng ik haar wel hier, goed? Blijf maar zitten.'

Sarah ging er niet tegenin, maar keek stuurs. Decker wachtte tot Louise de kamer uit was. Toen glimlachte hij en zei: 'Weet je, zo'n mooi meisje als jij heeft vast al... honderd vriendjes gehad.'

De uitdrukking op Sarahs gezicht werd zachter. 'Nee.'

'Vijftig?'

'Nee.'

'Vijfentwintig?'

Ze probeerde een glimlach te onderdrukken. 'Nee.'

'Maar meer dan één. Dat weet ik zeker.'

Ze glimlachte flauwtjes. 'Misschien wel.'

'En je andere vriendjes... kietelden die je wel eens?'

De glimlach verbreedde zich. 'Misschien wel.'

'Misschien wel?' Pa trok een sceptisch gezicht. Op een zangerige toon zei hij: 'Ik wil wedden dat ze je kietelden.'

Sarah begon te giechelen.

'Deden ze ook seks met je?'

Meteen was de vrolijkheid verdwenen.

'Sarah,' zei Decker. 'Weet je nog dat we hierover al eens gepraat hebben? Dat ik heb gezegd dat je geheimen best mag vertellen als het onaangename geheimen zijn?'

Ze zei niets.

'Als je seks hebt gehad met een andere man, mag je me dat best vertellen. Ook al heeft hij gezegd dat je het geheim moest houden.'

Ze wendde haar hoofd af.

'Je kunt me vertrouwen, Sarah. Vertel het maar.'

'Hij was mijn vriendje.' Er stonden tranen in haar ogen. 'En toen zei hij dat hij mijn vriendje niet meer wilde zijn.' De tranen maakten natte strepen op haar wangen.

'Wie, Sarah?' vroeg Decker. 'Wie wilde je vriendje niet meer zijn?'

Sarah schudde haar hoofd. 'Dat wil ik niet vertellen.'

'Sarah, onaangename geheimen hoef je niet te bewaren.'

'Dat weet ik wel, maar dat wil ik zelf.'

Decker keek naar mij en schudde zijn hoofd. 'Goed, Sarah. Als je er niet over wilt praten, hoeft het niet. Maar als je van gedachten verandert, moet je het zeggen. Goed?'

Ze knikte en even dacht ik dat ze het alsnog zou doen. Maar toen stond ze op. 'Ik wil naar Ella gaan.'

Ik hoorde weer mijn vaders woorden: verleiders zijn vaak juist erg charmant. Ze weten een enorme loyaliteit te kweken, zoveel dat ze een zwakzinnig meisje kunnen overhalen mee te gaan naar Hollywood en haar midden in de nacht in haar eentje over straat laten lopen. Weer zag ik Belinda voor me, toen ze met gebogen hoofd de straat was overgestoken. Zo triest en verloren. Een wanhopig kind, neergemaaid door pure kwaadaardigheid. Iemand moest dat kind naar behoren te rusten leggen!

'Sarah,' riep ik haar na.

Ze draaide zich om.

'Zou je het aan Louise kunnen vertellen?' vroeg ik.

Sarah staarde me aan, maar bleef koppig zwijgen.

Nog één, wanhopige poging van mijn kant: 'Koby dan? Zou je het aan Koby kunnen vertellen?'

Langzaam verscheen er een glimlach op haar gezicht. Toen begon ze te giechelen. 'Nou... heel misschien aan Koby.'

44

Halverwege de ochtend was de lucht bijna wit geworden en brandde de zon op mijn hoofd. Het was maar anderhalve straat naar de Strip, maar vanwege de hitte leek het een kilometer door de Sahara. Er was een café op de hoek van Sunset en Willem. Pa en ik gingen aan een tafeltje achterin zitten. We werden bediend door een serveerster met rood stekeltjeshaar, slaperige ogen en een openhangende mond, die onze bestelling door de war haalde, een opmerkelijke prestatie omdat we alleen maar om twee verschillende koffies hadden gevraagd. Uiteindelijk drong het tot haar door dat wat ze ons had gebracht, bestemd was voor een ander tafeltje en kwam ze even later met ónze koffie.

'Voor wie is de koffie verkeerd?'

'Voor mij,' zei ik.

Ze zette de koffie voor me op de tafel. 'En voor wie is de zwarte koffie?'

Mijn vader was de enige andere aanwezige aan onze tafel. Hij keek naar me en knipoogde. 'Die moet dan voor mij zijn.'

'Zes dollar, graag.'

'Moet ik u nu meteen betalen?' vroeg pa.

'Nu of straks.'

Decker fronste zijn wenkbrauwen en haalde een briefje van tien tevoorschijn. 'U mag het wisselgeld houden. En we willen niet gestoord worden.'

Ze staarde naar het bankbiljet. 'Bent u van de politie of zo?'

Mijn vader haalde zijn penning tevoorschijn. 'Ja.'

'Wauw! Te gek!'

'We willen dus niet gestoord worden,' herhaalde hij.

'Ja. Snap ik.'

'Dat wil zeggen dat u moet gaan.'

'O. Ja, natuurlijk.'

Eindelijk liep ze weg. Pa keek me aan. 'Ik heb niet zoveel zin om Koby erbij te betrekken.'

'Waarom niet?' vroeg ik. 'Hij doet het heus wel.'

'Dat weet ik. Dat is ook niet het probleem. Het probleem is dat hij in de verpleging zit. Als Sarah hem over een vorm van seksueel misbruik vertelt, is hij als verpleegkundige verplicht dat te rapporteren, net zoals wij dat als politiemensen moeten doen. Het verschil is dat zodra hij het rapporteert, de zaak in de ambtelijke molen gaat en wij er niets meer mee kunnen doen. Dat wil zeggen, we kunnen er wel bij betrokken blijven, maar dat zal erg lastig zijn. De Kinderbescherming zal ingeschakeld worden en dan gaat er een sociaal werker met Sarah praten en voor je het weet, wordt het feit dat Sarah de baby had gedumpt, weer opgerakeld. Je zei toch dat Louise zich in allerlei bochten had moeten wringen om de voogdij over Ella te krijgen?'

'Ja.'

'Dit zou de beslissing over het voogdijschap wel eens op losse schroeven kunnen zetten. Zodra het bekend wordt, is het hek van de dam, Cindy.'

Daar had ik niet bij stilgestaan.

'Bovendien,' ging pa door, 'kan een goede advocaat zeggen dat Koby een vooropgezette mening heeft over Buck of wie het ook is, en daar zou hij wel een beetje gelijk in hebben. Het zou eruitzien als een valstrik. En ergens zou het dat ook zijn, omdat wíj Koby erbij gehaald hadden. Ik zeg niet dat we hem niet zullen gebruiken, maar als we het doen zonder over de gevolgen na te denken, zou de dader alsnog kunnen ontsnappen.'

'Maar als we niet snel iets doen, pap, verandert Sarah misschien van gedachten en wil ze het zelfs niet aan Koby vertellen. Dan hebben we nóg niks. Zei je niet zelf dat ik de koe bij de hoorns moest vatten?'

'Cindy, er is nu niemand die een pistool op je richt. Dit is een misdaad van bijna een jaar geleden...'

'De moord op Belinda Syracuse is pas een paar maanden oud.'

'En daarmee kom ik op het volgende punt. Ook als er inderdaad misbruik is gemaakt van Sarah, heb je niets om dat in verband te brengen met de aanrijding waarbij Belinda Syracuse is gedood.'

'We hebben het DNA op de nummerplaat. Als Buck misbruik maakte van Sarah, kunnen we hem in hechtenis nemen en een DNA-monster eisen.'

'Waarom zou het OM een DNA-monster willen? Sarahs geval is geen recente verkrachting met fysiek bewijsmateriaal. Het zou neerkomen op ja tegen nee. We moeten eerst aantonen dat er een verband bestaat tussen de verleider en de aanrijding, aangenomen dat er een verleider ís. Het enige wat we zeker weten, is dat als Sarah Koby iets vertelt over ongeoorloofd gedrag, het allemaal voorbij zal zijn. Dus moeten we alle factoren goed in overweging nemen voordat Sarah haar bekentenis doet.'

'Maar het gaat om Sarah,' zei ik.

Decker zei: 'Nee, het gaat niet om Sarah. Het gaat om het DNA van het bloed op de nummerplaat. We moeten allereerst zien of we erachter kunnen komen van wie dat DNA is. Als dat lukt, en als het Buck blijkt te zijn, hebben we het verband gelegd tussen Buck en de auto. Dat wil nog steeds niet zeggen dat hij de schuldige is, maar het is genoeg om een verzoek in te dienen voor een huiszoekingsbevel en een dossier over hem aan te leggen. Daarna kunnen we waarschijnlijk zijn telefoonregister krijgen, zijn papieren doornemen, en naar getuigen gaan zoeken die Buck en Belinda samen hebben gezien op de avond van de aanrijding. Zó moeten we het aanpakken. Trouwens, zelfs als mensen hen samen hebben gezien, kan Buck altijd zeggen dat hij gewoon aardig wilde zijn voor Belinda, net zoals Koby aardig is voor Sarah.'

'Ik zat me net af te vragen waar je op aanstuurde.'

'Ik weet dat het je zenuwachtig maakt. Er zijn meerdere redenen dat ik daarstraks over Koby ben begonnen. Ten eerste, om Sarah aan het praten te krijgen. Het was me duidelijk dat ze Koby graag mag en ik wist dat ik dat kon uitbuiten. Een andere reden is, dat ik jou wil laten zien hoe gemakkelijk je een dergelijke zaak – over seksueel misbruik – kunt verknoeien; hoe gemakkelijk de feiten verdraaid kunnen worden als je niet weet wat je doet. Je begint met te zeggen dat hij haar meenam, het huis uit, om haar voor zich alleen te hebben. Verder: hij tilde haar zogenaamd op zodat ze de bal door de basket kon gooien, maar in werkelijkheid deed hij het om onder haar rok te kunnen kijken. En toen hij haar hand vasthield…'

'Ze moesten de straat oversteken!'

Decker zei: 'Cynthia, ik weet dat Koby geen kinderen verleidt, maar het feit dat jij nu al kwaad wordt, laat zien hoe eenvoudig het is om valse beschuldigingen rond te strooien. Koby wist wat hij deed. Waarom? Omdat hij een man is die dagelijks met kinderen en vrouwen werkt en waarschijnlijk tijdens zijn opleiding heeft geleerd hoe hij op seksuele toenaderingen moet reageren. Zijn antwoord op Sarahs verzoek haar te kietelen, was erg goed. Hij weigerde zich in te laten met dubieus lichamelijk contact met haar, ook al kwetste hij daarmee haar gevoelens. Wanneer je een getuige ondervraagt, moet je dat zonder vooroordelen doen. Daarom wil ik niet dat Sarah met hem praat. Want er is sprake van een vooroordeel.'

Ik werd helemaal gefrustreerd. 'Wat moeten we dan?'

Decker fronste zijn wenkbrauwen. 'Je haat die Buck, hè?'

'Ik ken hem niet goed genoeg om hem te haten.' Ik nam een teugje van mijn koffie. 'Maar mag ik je eraan herinneren dat er ten gevolge van die aanrijding nog meer mensen gestorven zijn, onder wie een baby? Degene die Belinda heeft doodgereden, heeft ook dat allemaal op zijn geweten.'

'Heb je woorden met hem gehad?'

'Ja, ik heb hem nogal afgesnauwd, maar daarna heb ik mijn verontschuldigingen aangeboden.'

Pa zette grote ogen op. 'Echt waar?'

'Ja, en daarna hebben we gepraat. Hij weet dat ik hem niet vertrouw.'

'Hoezo?'

'Omdat ik hem heb gevraagd waar hij was in de nacht dat Belinda is vermoord. Op het moment zelf was het een losse opmerking, maar nu wou ik dat ik hem uitvoeriger had ondervraagd.'

'Waar was hij die nacht?'

'Thuis met zijn hond. Hij had naar een film gekeken.' Ik haalde mijn schouders op. 'Hij vond het wel leuk om ondervraagd te worden. Ik geloof dat hij zich daardoor erg belangrijk voelde, in plaats van de worm die hij is.'

'Interessant.' Decker streek zijn snor glad. 'Dan zal ik je vertellen wat je moet doen, Cindy. Je belt hem op en nodigt hem uit voor een kop koffie om die avond nog een keer met hem door te nemen.'

Ik snapte het niet. 'Dan waarschuwen we hem dat we hem nog steeds als een verdachte beschouwen.'

'Pak het slim aan. Doe nonchalant. Wie gaat er over de zaak?'

'Brill.'

'Mooi. Ik ga wel even met hem praten om het plan uit te werken. Maar het zal ongeveer zo gaan: je gaat met hem naar een plek waar ze de koffie uitsluitend in kartonnen bekertjes verkopen. Je stelt hem een paar vragen. Algemene vragen. Hou het luchtig. Je mag zelfs een beetje met hem flirten. Wanneer je klaar bent, zeg je dat je zijn bekertje wel zult weggooien. Wacht niet op zijn antwoord, maar pak het gewoon en loop ermee naar de vuilnisbak. Brill zal zorgen dat er in de buurt van de vuilnisbak een paar mensen zitten met een verborgen camera, als back-up, zodat niemand later kan zeggen dat je zelf bewijsmateriaal hebt meegebracht. Je gooit je eigen beker in de vuilnisbak, maar die van hem in een bewijszakje dat pal achter de vuilnisbak klaarstaat. Als er nog koffie in het bekertje zit, moet je ervoor zorgen dat het niet over de rand klotst. En denk er goed om dat je de bekertjes niet verwisselt.'

Ik had het door. 'Er zal wat van zijn speeksel op het bekertje zitten. Dan hebben we zijn DNA.'

'Het hangt af van de hoeveelheid... hoe erg hij kwijlt bij het drinken. Je zou je een beetje sexy kunnen kleden.'

'Netkousen?'

'Dat is íets te veel voor een politieagente.'

'Denk je echt dat we zijn DNA van een kartonnen bekertje kunnen halen?'

'We kunnen het in ieder geval proberen.' Decker leunde achterover op zijn stoel. 'Geef me een minuutje de tijd om mijn gedachten op een rijtje te zetten.'

'Neem net zoveel tijd als je nodig hebt.'

Dat deed hij. Na een paar minuten ging hij weer rechtop zitten. 'Goed. We moeten het als volgt aanpakken. We hebben twee van elkaar onafhankelijke onderzoeken lopen. Het ene betreft Sarah Sanders en haar duistere geheim. We vermoeden dat ze misbruikt is, maar dat weten we niet zeker en we weten ook niet door wie. Ze wil het niet aan ons vertellen, maar is misschien bereid met Koby te praten. Op een bepaald moment ga jij of Brill met Koby praten: hem uitleggen dat we vermoeden dat er iets mis is en hem verzoeken er met Sarah over te praten. Maar geen woord over Belinda Syracuse! Je mag niet eens laten doorschemeren dat het er iets mee te maken heeft. Want officieel is dat niet zo.'

'Goed.'

'Intussen,' vervolgde hij, 'ben jij, Cindy, de arme Belinda niet vergeten. Je was getuige van de aanrijding en dat laat je niet los.'

'Dat is ook zo.'

'Dan hoef je niet te doen alsof en zul je Brill er gemakkelijk van kunnen overtuigen dat je het meent. Je weet dat je het DNA en een deel van een vingerafdruk als bewijsmateriaal hebt, maar geen verdachte om het mee te vergelijken. Je herinnert je dat Belinda's broer heeft gezegd dat iemand van Fordham Belinda zou afhalen om haar terug te brengen naar het instituut. Je hebt het telefoonregister van het instituut doorgenomen, maar daar is niets uit gekomen. En je weet dat je geen persoonlijke telefoonregisters mag doornemen, omdat je daarmee het recht op persoonlijke vrijheid zou schenden. Maar je neemt wel de hele lijst door van mensen die haar gebeld kunnen hebben, en daarbij begin je met Klinghoffner.'

'Met Klinghoffner?'

'Ik weet dat je hem niet verdenkt, maar begin evengoed met hem. Doe met Klinghoffner precies hetzelfde als wat je met Buck gaat doen.'

'Hem uitnodigen voor een kop koffie.'

'Juist. Op die manier laat je zien dat je niet bevooroordeeld bent. Daarna nodig je Buck uit; daarna iemand anders die er werkt. Je begint bij de top en werkt het rijtje af tot en met de klusjesman, ook de vrouwen, omdat je helemaal niet weet of er sprake is geweest van seksueel misbruik of niet. Je kunt de kartonnen bekertjes verzamelen en als bewijsmateriaal gebruiken zonder dat je de verdachten daarvoor om toestemming hoeft te vragen, omdat ze je die al hebben gegeven op het moment dat ze ermee instemden dat jij ze weggooide. Daarmee hebben ze afstand gedaan van hun tijdelijke eigenaarschap en zijn de bekertjes publiek bezit geworden.'

'Zal de politie al die DNA-onderzoeken betalen?'

'Dat is een heel goede vraag. Misschien wel, omdat de aanrijding zo gruwelijk was en er een baby bij omgekomen is.'

Decker stak zijn wijsvinger op. 'Het belangrijkste is, dat we dit op een onpartijdige manier voor elkaar moeten zien te krijgen. Dan weet Koby niet waar je mee bezig bent, terwijl jij niet weet wat Sarah Sanders hem heeft verteld. Het is een kwestie van timing – als het dirigeren van een orkest. De vioolpartij mag niet te vroeg inzetten en de hobo mag het ritme niet verliezen, anders krijg je een rotzooitje in plaats van muziek.'

'Heel slim van je.'

'Wees blij dat goede hersenen erfelijk zijn.'

Ze hadden besloten er een thee-uurtje van te maken, omdat dat minder formeel was dan een diner.

Het menu zag er als volgt uit:

Schaal 1: gemengde minisandwiches met eiersalade, gerookte zalm, tonijn, komkommer en tomaat, en kaas.

Schaal 2: cocktailhapjes, zoals kleine aardappelkroketjes en spinaziequiches, vegetarische loempia's en dim sum. Bij deze hapjes werden sojasaus, zoetzure saus en ketchup geserveerd.

Schalen 3 en 4: verschillende soorten brood, waaronder croissants, brioches, sesamrolletjes, minibagels, brood met olijven en basilicum en roggebrood met karwijzaad. Daarbij kon men kiezen uit boter, margarine, dikke room, en aardbeienjam.

Schalen 5 en 6: gebak: piepkleine notencakejes, diverse fruitgebakjes, éclairs, petitfours, tompoezen, koekjes, muffins, scones en cakejes.

Schaal 7: vers fruit, met een jasje van witte of pure chocolade.

Schaal 8: gewoon vers fruit.

Ergens in Magda's eetkamer stonden ook thee, koffie en mineraalwater klaar.

Rina's vader deed een dutje en de vrouwen dribbelden rond terwijl ze hun best deden elkaar niet op de zenuwen te werken. Decker had het zich gemakkelijk gemaakt in een leunstoel in de zitkamer. Hij was gekleed in een lichtbruine broek en een blauw overhemd, geen jasje, en instapschoenen zonder sokken. Zelfs in de stad was het warm. Hij zei: 'Ik dacht dat het iets informeels zou worden.'

'Gewoon wat hapjes.' Magda liep onrustig heen en weer. 'Ik snap niet waarom je me dit aandoet, Ginny.'

'Wat heb ik nu weer gedaan?' vroeg Rina.

'Oude koeien uit de sloot gehaald.'

'Ik was enthousiast geworden nadat ik je over je jeugdjaren had horen praten.'

'Als jij over je jeugd praat, haal ik toch ook niet meteen je vriendinnen van toen over de vloer?'

'Mamma, ik héb gevraagd of je het goed vond. Je had nee kunnen zeggen.'

'Maar dat zou niet netjes zijn geweest.' Magda bleef staan en richtte haar felle blauwe ogen op haar dochter. 'Het is míjn leven, Ginny! Je had het met me moeten bespreken voordat je naar Marta ging!'

'Je hebt gelijk,' antwoordde Rina rustig. 'Nogmaals mijn verontschuldigingen.'

'Daar is het nu te laat voor. Nu zit ik ermee! Een hele week heb ik in de keuken staan sloven…'

'Ik heb aangeboden je te helpen, mam.'

'En ze laten denken dat ik niet eens een eenvoudige theemaaltijd kan maken?' Magda keek Rina nijdig aan. 'Ik ben wel oud, maar ik heb mijn trots.'

'Dat weet ik, mam, en het is maar goed ook dat je alles zelf hebt gemaakt. Vooral het gebak. Jij bent daar veel beter in dan ik.'

'Welnee…' Ze maakte een wapperend gebaar. 'Jij kunt uitstekend bakken!'

'Ik kan het, maar nog steeds niet zo goed als jij.'

Decker glimlachte voor zich uit. Zijn vrouw was erg diplomatiek bezig. Hij besloot haar een handje te helpen. 'Dat pakje staat je goed, Magda.'

Ze keek naar Decker en streek over haar mantelpakje, een St. John Knits, blauw met witte randjes. 'Dit ouwe ding?'

'Je figuur komt er goed in uit,' zei Decker. 'En je ogen lijken nog blauwer. Je zou je dochter eens moeten meenemen wanneer je gaat winkelen.'

Dat leverde hem een glimlach op.

'Je zou dat niet zeggen als je het prijskaartje had gezien,' zei Rina.

'Jij ziet er trouwens ook heel mooi uit,' zei Decker tegen Rina. 'Rood staat je goed.'

Rina lachte. 'Wat ben jij in een gulle bui. Maar dank je voor het compliment. Ik ben blij dat je vindt dat ik er goed uitzie.'

'Ik vind die jurk anders een beetje aan de lange kant, Ginny.'

'Ga nu niet zeuren, mam.'

'Nee, laat haar alsjeblieft zeuren,' zei Decker vanuit zijn fauteuil. 'Dan vergeet ze tenminste hoe nerveus ze is.'

Beide vrouwen schoten in de lach.

'Wil je soms een kopje thee, Akiva?'

Het was altijd een goed teken wanneer Magda hem bij zijn Hebreeuwse naam noemde. Decker zei: 'Nou, graag.'

'En wil je er ook iets bij?'

'Nee, dat zou zonde zijn van die mooi opgemaakte schalen.'

'Ik heb in de keuken nog wel iets.'

'In dat geval lust ik wel wat. Ik heb trouwens een vraag.'

'Ja?' zei Magda.

'Er komen twee vrouwen van dik in de tachtig op bezoek, twee bijzonder magere vrouwen. Wat ga je straks met alle spullen doen die overblijven?'

'O, ze kunnen wat mee naar huis nemen, en de rest nemen jullie mee. De jongens weten er wel raad mee.'

Dat was waar.

Magda trok haar rok en jasje recht. 'Ik zal thee en wat sandwiches voor je halen. Wat wil je erop?'

'Doe maar met ei.'

'En eentje met tonijn? Ik doe wel van alles wat.'

'Goed.'

Ze liep naar de keuken.

Rina zei: 'Sinds wanneer ben jij zo'n charmeur?'

'Ze heeft gelijk. We hadden het eerst met haar moeten overleggen. We hebben haar voor het blok gezet.'

'Ze had nee kunnen zeggen.'

'Niet echt. Dan zou ze de indruk hebben gewekt verbitterd of ongastvrij of bang te zijn. Je kent je moeder. Imago is alles.' Decker glimlachte. 'En ik vind die rode jurk echt heel mooi.'

'Dank je.' Ze streek er met haar handen overheen. 'Vind jij hem ook te lang?'

'Ik wilde het niet zeggen waar ze bij was, maar nu je het vraagt, moet ik zeggen dat er best een paar centimeter af kan.'

Rina sloeg haar armen over elkaar. 'Goed. Dan zal ik dat doen.'

'Ik zeg niet dat het moet…'

'Waarom voeren we zo'n zinloos gesprek?'

'Omdat je zenuwachtig bent? Om de tijd te doden tot de dames er zijn? Om de stilte te vullen?'

'Heel grappig.'

'Rina, je wilde dit zelf. Ga dus geen ruzie zoeken met mij.'

'Ik heb het voor mijn moeder gedaan.'

Decker zei niets.

'Echt waar,' zei ze nadrukkelijk.

'Ik zeg toch niet dat het niet zo is?'

'Ik wilde alleen maar… een stukje van haar jeugd dat niet is bedorven door tragedie en dood! Ik wilde haar de gelegenheid geven de cirkel te sluiten.'

'Ik weet dat je het goed bedoelde, maar je weet wat ze zeggen over de weg naar de hel.'

'Hou alsjeblieft op! Weet je wat? Ik ga naar buiten.'

'Rina...'

'Nee, ik wil echt liever naar buiten.'

'Goed. Tot zo dan.'

Rina verliet verbolgen de kamer en Decker bleef achter in een kamer zonder enig vrouwelijk gebabbel. Hij hield veel van vrouwen, maar soms had hij behoefte aan stemmen op baritonniveau.

Of helemaal geen stemmen.

Magda kwam binnen met een dessertbord waarin een speciaal kuiltje zat voor een theekopje. Ze gaf hem het bord en een servet. 'Waar is Ginny?'

'Buiten.'

'Zijn ze er dan al?'

'Nee, ik geloof dat ze...'

'Waarom wacht ze dan buiten? Dan denken ze dat ik op spelden zit.'

'Ik denk dat ze zelf een beetje op spelden zit.'

Magda trok een gezicht. 'Waar maakt zíj zich nu druk om? Het is háár leven niet.'

'Dat is zo,' zei Decker. 'Maar jij bent haar moeder en ze wil zo graag dat alles naar wens verloopt.'

Magda slaakte een zucht. 'Dan had ze het van tevoren met me moeten bespreken!'

'Dat is waar.'

Weer zuchtte de oude vrouw. 'Ik ben nog altijd haar moeder. Ze is nog steeds mijn dochter. Ik ga wel even naar buiten om haar op haar gemak te stellen.'

'Je bent een goed mens,' zei Decker.

'Als je dat na dit bezoek nog zegt, geloof ik je.'

Ze ging naar buiten.

Weer kon Decker genieten van de stilte. Hij voelde dat zijn oogleden zwaar werden en zijn gedachten traag en vaag. Hij was net ingedut toen hij wakker schrok van een dichtslaand portier. Half slapend stond hij bijna op terwijl hij het bord nog op zijn schoot had, maar gelukkig besefte hij het net op tijd en greep het vast voordat de inhoud op Magda's Aubusson-vloerkleed terechtkwam. Hij zette het bord op een bijzettafeltje en keek uit het raam.

De chauffeur maakte het portier open.

Anika stapte als eerste uit, gekleed in een witte bloes en een groene, linnen klokrok. Daarna kwam Marta, in een geel, katoenen mantelpakje. Beide vrouwen droegen een parmantig zomerhoedje op hun grijze lokken. Decker kon niet verstaan wat er werd gezegd, maar hoorden wel de kreten.

Magda en Marta vielen elkaar pardoes om de hals, knelden hun armen om elkaars nek en snikten het uit. In één seconde was voor beiden een heel leven aan tussenliggende herinneringen weggevaagd en waren ze weer twee schoolmeisjes. Lachend en huilend liepen ze gearmd over het pad naar het huis. Rina sloeg haar arm om de schouders van Anika, die een beetje gegeneerd keek om de emotionele uitbarsting van haar zus.

Druk kwebbelend kwamen ze binnen.

'Ach, wat mooi, Marta,' zei Marta Wallek tegen Magda. '*Sehr schön!*'

Rina zei: 'Dames, u herinnert u mijn man zeker nog wel? Inspecteur Decker?'

'*Bestimmt*... natuurlijk. Het is me een genoegen u weer te zien.' Marta glimlachte naar hem, nog steeds arm in arm met Magda. 'O, wat mooi allemaal. Maar jij was altijd al de *Künstlerin*... de kunstenares.'

'Ik?'

'Weet je niet meer hoe je voor iedereen op school tekeningen maakte? *Die Modedesignerin.*' Marta wendde zich tot Rina. 'We noemden haar "de modeontwerpster". Tijdens de tekenles tekende ze altijd prachtige japonnen.'

'O, dat!' Magda wuifde het weg. 'Dat kwam door mijn moeder. Die ontwierp schitterende japonnen.'

'En jij tekende die!' zei Marta lachend.

Magda straalde. 'Kom. Jullie hebben vast honger.'

'Ik lust wel iets,' zei Anika. 'Het was een lange rit.'

'Dat viel wel mee,' sprak Marta haar tegen.

'Tot aan de snelweg viel het mee. Daarna duurde het erg lang.'

'Spitsuur,' zei Rina.

'Ach,' riep Magda uit. 'Daar had ik aan moeten denken.'

'Het geeft niets,' antwoordde Marta. 'De auto had airconditioning.' En tegen haar zus: 'Jij hebt geslapen.'

'Welnee, ik zat met gesloten ogen te denken.'

'Je sliep. Ik hoorde je snurken.'

Decker kwam tussenbeide. 'Ik heb trek, dames. Laten we aan tafel gaan.'

'Deze kant op,' zei Magda. Ze keek achterom en zag op Ginny's blije gezicht een uitdrukking die liet zien hoe dankbaar ze was dat alles in orde was gekomen voor haar moeder. Ondanks haar aanvankelijke twijfels wist Magda dat Ginny iets heel bijzonders tot stand had gebracht: dat ze Magda een klein beetje troost had geschonken over een tijdperk in haar leven waarin angst en onheil dagelijks haar metgezellen waren geweest. Met betraande ogen glimlachte ze naar haar dochter en zei geluidloos: 'Dank je.'

45

Er was meer dan genoeg technologie beschikbaar voor een betaalbare videofoon, maar de mens, met al zijn zwakheden, angsten en complexen, is er gewoon nog niet klaar voor. Ik doel nu op mijn telefoongesprek met Buck. Het verliep verrassend soepel, maar alleen omdat hij me niet kon zien ijsberen en transpireren en niet wist dat het water me in de handen stond. Hij hoorde slechts mijn gevatte reacties op zijn sarcastische opmerkingen, die de indruk wekten dat ik ad rem en beheerst was. Hij stelde een café voor; ik zei Starbucks; uiteindelijk werd het Coffee Bean and Tea Leaf, op de Strip in West Hollywood.

Zoals mijn vader me had aangeraden, had ik eerst geoefend met Klinghoffner en nog een paar anderen als proefkonijn, en waren we erachter gekomen dat er veel mis kon gaan. Aangezien mijn afspraak met Buck pas voor zondag was, om elf uur, hadden we ruimschoots de tijd voor nauwkeurige voorbereidingen, maar ik had evengoed vlinders in mijn buik toen het zover was. De laatste keer dat ik zo de zenuwen had gehad, was toen ik in de vierde klas van de middelbare school zat en moest optreden in *Guys and Dolls*, als plaatsvervangster van Helen Karp, die griep had. Dat was goed afgelopen, dus was er geen reden waarom het ook vandaag niet goed zou gaan.

Ik was vroeg, maar hij nog vroeger. Het café was vrij groot en de tafel waaraan hij was gaan zitten, was niet de meest geschikte voor ons doel, maar kon ermee door, dus leek het me verstandiger gewoon bij hem te gaan zitten dan te moeten uitleggen waarom ik liever ergens anders zat. Buck was nog altijd even mager, maar zijn gezicht zag er een stuk beter uit nu hij zomers bruin was. Zijn huid was redelijk glad, met slechts hier en daar nog een puistje. Zijn donkere haar was gemillimeterd en zijn bruine ogen stonden gemaakt onverschillig toen hij me zag. Hij was gekleed in een spijkerbroek en een mouwloos zwart T-shirt, misschien om te pronken met zijn pezige armen. Hij las de *Sunday Times* en dronk een Ice-Blended. Zijn wangen werden hol wanneer hij een slok nam, met zijn dikke lippen stevig rond het rietje geklemd. Ik dacht meteen aan alle DNA die aan dat rietje kwam te zitten.

'Je bent vroeg,' zei ik toen ik was gaan zitten.

Hij legde niet eens de krant neer. 'O, ja?' Een achteloze blik op zijn horloge. 'Ja, een beetje. Ik heb honger. Je mag een bagel voor me halen.'

'Doe het zelf!'

Hij bekeek me verveeld. 'Jíj hebt me uitgenodigd. Dus betaal jij. Dat wil zeggen, het LAPD. Hou dus maar op met die flauwekul.'

Ik grinnikte. 'Een gewone bagel of een met kaneel?'

'Mag ik kiezen?'

'Het LAPD geeft honderd procent service.'

Ik zag dat hij me nu pas goed bekeek. Zijn blik gleed over mijn lichaam. Ik droeg een korte, mouwloze zomerjurk met een tikje decolleté. Er verscheen een lichte blos op zijn wangen en hij dook snel weg achter zijn krant.

'Doe maar een gewone. Met twee kuipjes smeerkaas.' Hij dronk snel de rest van zijn Ice-Blended op. 'En nog iets te drinken.' Hij hief het lege bekertje op. 'Ik ben uitgedroogd van mijn conditietraining.'

Mooier kon het niet. 'Wat wil je drinken?'

'O... ik weet niet. Doe maar een *latte* met sojamelk, cafeïnevrij.'

'Prima.' Ik stond op, hing mijn tas over mijn schouder en pakte zijn bekertje. 'Ik gooi dit onderweg wel even weg.'

Ik liep naar de afvalbak, duwde de klapdeur open, en liet het bekertje in het plastic zakje vallen dat aan de rugleuning van Justice Brills stoel hing. Buck kon het niet zien, omdat ik met mijn lichaam zijn uitzicht op Brills stoel blokkeerde. Ik had erop geoefend en had de manoeuvre goed onder de knie, maar de voorzorgsmaatregelen bleken overbodig te zijn, want Buck negeerde me nadrukkelijk.

Ik liep naar de toonbank en deed mijn bestelling. Tien minuten later kwam ik naar buiten met een dienblad met twee bagels, vier kuipjes smeerkaas, een latte van sojamelk voor hem en een gewone latte voor mezelf. Hij was in de krant verdiept en maakte geen aanstalten me te helpen. Ik ging zitten en zette zijn koffie en bagel voor hem neer. Hij pakte zijn beker en nam een slokje terwijl hij bleef lezen. 'Kun je mijn bagel even smeren?'

'Nee,' antwoordde ik.

Hij keek over de rand van de krant. 'Wat een onbeleefd antwoord.'

'En het is niet onbeleefd me te verzoeken je bagel voor je te smeren?' Ik nam een slokje van mijn latte. 'Alles wat ik smeer, eet ik zelf op.'

Met een loom gebaar legde hij de krant weg. 'Nu weet ik het weer. Juffrouw Kribbekat.'

'Tja, in drie maanden verandert een mens niet veel.'

'Is het pas drie maanden geleden? Waren het er maar zes.'

'Als je me niet wilde zien, had je nee kunnen zeggen toen ik je belde.'

'En een staaltje van de wervelende wijsheden van het onvolprezen LAPD mislopen? Zeg eens, wat voeren de dames en heren in het blauw in hun schild?'

'Hoe bedoel je?'

'Je hebt me niet uitgenodigd omdat je me zo charmant vindt. Wat moet je van me?'

'Nou, Buck, ik kan jou blijkbaar niets wijsmaken.' Ik smeerde mijn bagel en nam een hap. 'Mmm, lekkere bagel.'

Buck deed een dikke laag smeerkaas op zijn bagel, nam een flinke hap, slikte hem door en dronk wat koffie. 'Als je spelletjes wilt spelen, vind ik het best. Ik vind het helemaal niet erg om ondertussen naar je te kijken.'

'Goeie hemel!' Ik glimlachte. 'Was dat een compliment?'

Weer kreeg hij een kleur. 'Een feit.'

Nu glimlachte ik oprecht. 'Dank je.'

Buck nam nog een hap en staarde naar me.

Ik staarde terug. 'Goed, je hebt gelijk. Ik heb je niet zomaar uitgenodigd.'

Hij wachtte af.

'We zijn bezig openstaande dossiers af te werken, gestagneerde zaken nieuw leven in te blazen, onder andere die van Belinda Syracuse. Men heeft mij gevraagd alle horden nog een keertje te nemen.'

'Wat wil dat zeggen?'

'Nou, gewoon, dat ik iedereen die haar heeft gekend en haar regelmatig zag, nog een keer aan de tand moet voelen. Ik ben begonnen met Klinghoffner, daarna zijn secretaresse Jamie Hostetter, toen Myra Manigan. En nu is het jouw beurt.'

'Waarom verkwist je je tijd aan mensen van Fordham?' vroeg Buck. 'Ze is aangereden toen ze een weekend weg was.'

'Maar haar broer heeft gezegd dat iemand haar had gebeld, iemand van Fordham die had aangeboden haar een lift terug te geven naar het instituut.'

Buck haalde zijn schouders op.

'Heb jij haar wel eens meegenomen ergens naartoe?'

'Ik?' Hij keek alsof hij dat volslagen belachelijk vond. 'Ik zit er alleen om formulieren aan te vragen, in te vullen, op te sturen. Ik heb verder niets met de bewoners te maken.'

'Je gaat nooit met een van hen ergens een kopje koffie drinken...'

'Ik neem wel eens donuts mee. Telt dat?'

'Mijn doel is niet je op stang te jagen, Buck, maar gerechtigheid te zoeken voor dat meisje.'

We keken elkaar aan tot Buck het oogcontact verbrak. Hij had de ene kant van zijn bagel op en begon aan de andere kant. 'We hebben het hier toen al over gehad. Ik zou niet weten wie Belinda of een van de anderen kwaad zou willen doen.'

Een interessant antwoord, vooral omdat ik de vraag niet had gesteld.

'Ze vertrouwen je nooit iets toe?' vroeg ik.

'Ik ga niet met hen om. Mijn baan is puur administratief.'

'Maar je zit daar iedere dag. Je praat vast wel eens met hen.'

'Dat zou je tegenvallen.' Hij haalde zijn schouders op en stopte het laatste stukje van zijn bagel in zijn mond. 'Hooguit "hallo" of "nee, het is nog geen etenstijd" of "wie heeft mijn nietmachine gepikt". De kinderen hebben nauwelijks erg in me. Ik hoor gewoon bij het interieur, net als de koffiepot.'

Dat was niet wat ik had gezien. Ik zei: 'Ik vind dat je jezelf tekortdoet.'

'Ach, was dat een poging aardig te doen?'

Maar mijn opmerking raakte hem toch.

Ik lachte. 'Waar was je ook alweer op de avond dat Belinda is doodgereden?'

'Dat weet ik niet meer.'

'Je zei iets over een vriendin, met wie je die dag was gaan brunchen. In Café Romano.'

'Als jij het zegt.'

'Hoe heet die vriendin'?'

'Dat moet Erica Tross zijn geweest. Maar die jongedame is inmiddels teruggekeerd naar New York.'

'Wanneer?'

'Een week of vier geleden.' Hij glimlachte. 'Kijk niet zo hoopvol. Ik heb al een andere vriendin. Eet je de rest van je bagel niet op?'

Ik schoof mijn bord naar hem toe. 'Indertijd zei je dat je die avond een film had gehaald. *In the Bedroom*.'

Hij beet gretig in mijn bagel. 'Waarom al die vragen?'

'We moeten alles uitpluizen. Als je dus nog even wilt meewerken…'

Hij keek op zijn horloge. 'Heel even dan. Ik heb zo dadelijk een andere afspraak.'

'Waar haal je je films altijd?'

'*In the Bedroom* zal ik wel bij Crystal Video hebben gehaald, maar die zaak is een paar maanden geleden opgedoekt. Nu is het een Blockbuster.'

'Je vriendin keert terug naar New York, je videowinkel gaat over de kop…'

'Ja, ik breng overal geluk en voorspoed.' Hij stond op en pakte de delen van zijn krant bij elkaar. 'Bedankt. Het was erg gezellig, maar nu moet ik gaan.' Voordat hij wegliep, zei hij: 'Jij ruimt de boel zeker wel op?'

Ik keek hem na. Toen stond ik op en pakte zorgvuldig zijn bord, bestek en beker bij elkaar.

Of ik de boel wilde opruimen?

Ja, hoor, Buck. Graag zelfs.

Buck heette in werkelijkheid Bradley Durvain.

Zijn DNA kwam niet overeen met dat op de nummerplaat.

Daar zat ik dan met mijn instinct.

Aangezien ik de aanstichtster was van het plan om iedereen te verhoren, ging ik er plichtsgetrouw mee door en werkte alle medewerkers van het Fordham Communal Center af. Toen het de beurt was van José, de man die er nu twee jaar als conciërge werkte, ging ik met hem praten tijdens zijn koffiepauze. Daarna nam ik het schuimplastic bekertje en de peuken van de twee sigaretten die hij had gerookt, in twee aparte zakjes mee.

Pas toen ik hoorde dat zijn DNA overeenkwam met ons monster, herinnerde ik me Sarahs woorden en kon ik mezelf wel schieten. Ze had me de informatie al gegeven toen we voor het eerst iets over de groepsverkrachting hadden gehoord, maar ik had er geen aandacht aan besteed. Toen pa en ik haar hadden verzocht de daders te beschrijven, had ze gezegd dat het

Mexicanen waren… net als José, de conciërge van het instituut. Maar hij is een aardige Mexicaan. Soms geeft hij ons snoep en cadeautjes. Hij heette in het echt Hasan Fazul Al-Liby en hij kwam niet uit Mexico, maar uit Irak. Hij had de naam José aangenomen omdat je wegens de huidige politieke situatie meer kans hebt een baan te krijgen als latino dan als Arabier. Dat hij een vuile schoft was, was niet bevorderlijk voor de reputatie van zijn volk.

Hasan gaf de meisjes niet alleen snoep en cadeautjes, maar ging ook met hen naar de film. Daarna nam hij hen mee naar zijn flat in de binnenstad van Los Angeles, waar hij seks met hen had en dat op de film opnam. Een huiszoeking leverde een voorraad snoep en zes films op waarop hij met de in de val gelokte vrouwen te zien was – twee geestelijk gehandicapte meisjes, onder wie Belinda (het andere meisje zat niet op Fordham), en vier vrouwen die vermoedelijk daklozen waren. Gelukkig geen kinderen. Nu we de films als bewijsmateriaal hadden, kon Brill de zaak aan het OM voorleggen zonder dat Sarah Sanders een bekentenis hoefde te doen, wat haar een hoop narigheid bespaarde. Met zijn weloverwogen en methodische werkwijze had mijn vader wederom in de roos geschoten.

Toen het nieuws over Hasans aanhouding bekend werd op Fordham, kwam er tot groot verdriet van Klinghoffner nog een meisje naar voren – zijn huidige 'vriendin'. De zaak kreeg razendsnel bekendheid en haalde alle kranten. Brill verscheen een paar keer op tv, samen met de assistent-officier van justitie. Ikzelf werd nauwelijks genoemd, behalve als de agente die als eerste op de plaats van de fatale aanrijding was geweest. Ik vond het best. Van mij mocht Brill met de eer strijken. Hiermee had ik mijn schuld aan hem dubbel en dwars afbetaald. Tegen de tijd dat ik naar Israel vertrok, zat Hasan in voorarrest. Zijn verzoek om op borgtocht vrijgelaten te worden, was afgewezen. Hij zat in het huis van bewaring in afwachting van de rechtszaak, en werd door zowel de FBI als de CIA ondervraagd om te zien of hij betrokken was bij terroristische activiteiten. Maar als je het mij vroeg, was Hasan alleen maar een smerige kerel zonder politieke connecties.

Hij had Belinda meegelokt om haar te kunnen doodrijden, omdat ze van plan was te gaan vertellen wat hij met haar had gedaan, toen hij 'haar vriendje niet meer was'. Mijn redenatie was correct geweest, maar ik had de verkeerde verdachte voor ogen gehad.

En ik was zo zeker van mijn zaak geweest.

Dit drukte me weer eens met mijn neus op het feit dat het maar goed was dat de wet voorschreef dat je altijd bewijzen moet hebben om intuïties hard te maken. Op een goede dag – hopelijk zo snel mogelijk – zou ik rechercheur worden en de bijbehorende gouden penning krijgen. Hasans aanhouding was een leermoment, een van de levenslessen die ik niet snel zou vergeten, ook niet wanneer ik al heel lang rechercheur zou zijn.

Een week later zaten Koby en ik in de krappe toeristenklasse van El Al op weg naar het Heilige Land. Nerveus repeteerde ik denkbeeldige gesprekken met zijn familieleden. Uiteindelijk bleek dat overbodig te zijn. Ik hoorde bij Koby, dus werd ik automatisch goedgekeurd. Ik was meteen wég van zijn familie, alleen was die zo verschrikkelijk omvangrijk. Als enig kind was ik daar niet aan gewend. Op het moment dat we de flat van zijn ouders binnengingen, raakten mijn hersenen overbelast.

Het was te vergelijken met het oude mopje: hoeveel mensen passen er in een huiskamer van vier bij vier? Dat waren twee ouders, negen broers en zussen, inclusief de tweelingzusjes die me constant naar alle filmsterren vroegen die ik volgens hen dagelijks zag omdat ik in Hollywood werkte, de echtgenotes en echtgenoten van de broers en zussen, neven en nichten, en tientallen kinderen van vele gemengde rassen en etnische variaties. Een stiefbroer was getrouwd met een Russin, een andere met een Frans-Marokkaanse, een derde met een Amerikaanse tandarts. Zijn twee broers hadden elk een Ethiopische echtgenote, maar zijn zus was getrouwd met een Jemenitische jood wiens vader bij de politie zat. Het was net de Verenigde Naties. Gelukkig spraken ze allemaal een beetje Engels, maar hun aantal bleef overweldigend.

We kregen niet veel tijd om iets van het land te zien, brachten alleen een gehaast tweedaags bezoek aan Jeruzalem, omdat iedereen zei dat ik Jeruzalem echt moest zien. Het was oud, exotisch, soms net een doolhof, maar ook een stad vol auto's waar je nergens een parkeerplaats kon vinden. Het was helemaal geen oorlogsgebied, lang niet zo gevaarlijk als ik had gedacht. Mensen liepen gewoon over straat, al kregen we op ons hart gedrukt 's avonds niet over bepaalde wegen te rijden, en wanneer we dat toch deden, zorgden we ervoor gewapend te zijn.

Over het algemeen holden we van het ene familielid naar het andere, werden we overal te eten gevraagd, en eindigde iedere maaltijd met de licht beschuldigende woorden: 'En wanneer kom je nou terug?' Nu ik zijn familie leerde kennen, kreeg ik een nieuwe kijk op mijn geliefde. Zijn ouders waren dol op hem, zijn vijf oudere broers verwenden hem, zijn vier jongere zusjes aanbaden hem. Koby was de favoriet, de lieveling van de familie en wanneer de gesprekken niet over politiek gingen – wat meestal zo was – werden er verhalen over Koby verteld. De oudste broer, Jafet, vatte het op een avond tijdens de maaltijd fijntjes samen. Jafet leek erg op Koby, alleen was hij vijf centimeter kleiner en tweemaal zo breed. Hij had een zware, raspende stem en sprak nogal moeizaam Engels.

Maar wat hij wilde zeggen, was duidelijk.

'Jaakov,' baste hij, 'is knap om te zien... intelligent... hij heeft lichamelijke ... *gevoera...*'

'Kracht,' fluisterde Koby.

'Volgens mij is hij geadopteerd,' riep Jafet uit. 'Of is mijn moeder stout geweest!'

Iedereen begon te lachen... Koby's vader het hardst van allemaal. En Koby fluisterde in mijn oor: 'Hoog tijd om terug te gaan naar Amerika.'

We waren allebei dolbij toen we landden op het goeie, ouwe, met smog overtrokken vliegveld van Los Angeles. Na een dag om bij te komen van de jetlag, ging Koby weer aan het werk. Ik trok 's middags, ondanks de warmte, impulsief de binnenstad in om het straatvolk te bekijken. Terwijl ik door de ene na de andere straat liep en de trieste, moedeloze gezichten bekeek, deed ik mijn best me niet te laten meeslepen door mijn innige medelijden. Ik had de hoop bijna opgegeven toen het lot beschikte.

Ik herkende hem meteen. Hij zat op het trapje van een onbewoonbaar verklaard pand in een straat vol pakhuizen en at iets uit een blikje. Zijn kroeshaar was een wilde bos geworden, maar op de een of andere manier was hij erin geslaagd zich te scheren, en dat was boffen, want een baard zou de trekken van zijn herkenbare Down-gezicht hebben verdoezeld. Hij had open zweren op zijn handen en aangekoekt vuil op zijn gezicht. Ondanks de hitte droeg hij diverse lagen kleren over elkaar heen.

Mijn hart bonkte toen ik langzaam naar hem toe liep. Hij keek op en boog meteen zijn arm over het blikje heen om zijn voedsel te beschermen. Ik stak mijn hand naar hem uit, maar hij reageerde niet op het gebaar.

'Kom, David,' zei ik. 'We gaan naar huis.'

Hij keek me aan met gelige ogen, maar verroerde zich niet.

'Er zijn veel mensen die op je zitten te wachten, David.'

Geen antwoord.

'Sarah… meneer Klinghoffner… meneer Paxton… Je herinnert je meneer Paxton toch wel?'

Op grommende toon antwoordde hij: 'Ik ben niet achterlijk.'

'Sorry als dat beledigend overkwam,' zei ik. 'Sarah heeft een baby gekregen. Een meisje. Met andere woorden, je hebt een dochter. Ze heet Cinderella, maar we noemen haar Ella. Ik geloof…' Ik bekeek hem aandachtig. '… ik geloof dat ze Sarahs ogen heeft, maar jouw mond.'

Hij begon weer te eten.

Ik zei nogmaals: 'Kom, David, laten we gaan.'

'Ik kan nergens naartoe. Ik heb geen huis.'

'Als je wilt, kun je een huis krijgen.'

'Maar nu heb ik geen huis.'

'Je hebt op het moment geen huis, maar daar kunnen we wel voor zorgen.'

'Ik wil Sarah zien.'

'Dat kan.'

'Nee. Het mag niet van haar zus.'

'Heb je dat aan Sarahs zus gevraagd?'

David gaf geen antwoord.

'Misschien mag het nu wel, vanwege de baby. Je kunt het in ieder geval proberen.'

Weer stak ik hem mijn hand toe. Ditmaal pakte hij die en trok ik hem overeind. Hij stonk erg, zelfs in de openlucht. Hij was klein en leek breedgebouwd, maar dat kwam misschien door al die kleren. Hij begon meteen zijn handen, armen en hoofd te krabben. Ik kreeg al jeuk door alleen maar naar hem te kijken. 'Die wonden en zweren… doen die pijn?'

'Soms.'

'Het lijken beten.'

'Kan best zijn. Er zijn veel ratten en ongedierte wanneer ik slaap.'

'Er moet iemand naar kijken, en je moet ook in bad. Ik heb een kennis die in een ziekenhuis werkt. Vind je het goed als ik je daar naartoe breng?'

'Welk ziekenhuis?'

'Mid-City Pediatric.'

'Dat is een kinderziekenhuis.'

'Er komen ook wel volwassenen. En er zijn veel goede artsen.'

'Goed dan.'

'Zullen we nu dan maar gaan?'

'Goed.'

Ik keek naar de stapels kleren op de grond. 'Wil je iets meenemen?' Hij dacht even na en schudde toen zijn hoofd. 'Het is allemaal rotzooi.' 'En jij verdient iets beters.'

Daar gaf hij geen antwoord op. Hij liep geconcentreerd. Ik begreep dat zijn voeten hem pijn deden. Langzaam liepen we naar mijn auto en ik liet hem instappen. In de besloten ruimte van de auto was zijn stank niet te harden. Het was niet alleen de stank van iemand die zich niet waste, maar ook van infecties. Ik draaide de raampjes open, startte de auto en trok op.

'Wanneer mag ik naar Sarah?' vroeg hij.

'Je moet eerst verzorgd worden.'

'Hoelang duurt dat?'

'Dat weet ik niet. We moeten zeker weten dat je niet ziek bent, voordat je naar Sarah gaat. Vanwege de baby.'

'Hoe is het met de baby?'

'Prima. Het is een schatje.'

'Fijn.'

'Heb je honger?'

'Ja.'

'In het ziekenhuis is een McDonald's. Als het mag van de dokter, zal ik daar iets voor je kopen.'

'Dank u.'

Onderweg naar Mid-City belde ik Koby via mijn mobieltje. Het was heerlijk wanneer je connecties had; dat maakte alles een stuk gemakkelijker. Toen ik voor de hoofdingang van het ziekenhuis stopte, stond Koby al te wachten, in zijn blauwe pak met een mondkapje voor, handschoenen aan en een muts op. Hij had een rolstoel klaarstaan. Ik hielp David van de auto naar de rolstoel.

'Dit is David.'

'Hallo, David,' zei Koby. 'Ik ga je een mutsje opzetten, goed?'

'Goed.'

'Het mag straks weer af.'

'Goed.'

'Misschien knippen we je haar wel kort, zoals in het leger.'

'Goed.'

Koby pakte de handen van de jongen en ik zag zijn wenkbrauwen omhooggaan. 'Er zal een dokter naar je kijken, David, maar ik kan je nu al vertellen dat je een nachtje in het ziekenhuis moet blijven.'

'David, ik zal meneer Paxton bellen,' zei ik tegen hem. 'Hij zal je helpen.'

'Goed.'

'Je dochtertje is naar dit ziekenhuis gebracht nadat ze was geboren,' zei Koby. 'Ik heb toen voor haar gezorgd.'

David keek op naar Koby en eindelijk brak er een glimlach door. Zijn gezicht begon ervan te stralen en ik kreeg een brok in mijn keel.

Koby zei: 'Ik neem het verder wel van je over, Cindy.'

'Hij heeft honger, Jaakov.'

'We zullen goed voor hem zorgen. Ik zal met de arts gaan praten en ervoor zorgen dat hij iets te eten krijgt. Ik zie je na mijn dienst wel… om een uur of elf.'

'Ik zal op je wachten.' Ik liep naar mijn auto.

'Cindy,' zei Koby.

Ik draaide me om.

'Hij zit onder de luis. Ga naar een apotheek en koop een shampoo tegen luis. Maakt niet uit welk merk. Ga thuis meteen onder de douche en was je haar zoals op de fles staat aangegeven. Bij de apotheek kun je ook een speciale spray kopen voor het interieur van je auto. Je zult die moeten desinfecteren.'

Ik keek naar mijn mooie Lexus, die onlangs nog helemaal was schoongemaakt en in de was gezet, en trok een gezicht. Niks aan te doen. Altruisme heeft bepaalde nadelen, maar alles bij elkaar genomen wegen er veel meer voordelen tegen op.

46

Voor T.S. Eliot was april de wreedste maand, en voor de bewoners van Los Angeles was september de warmste. Volgens Rina viel de warmste dag van het jaar altijd op Jom Kippoer, de dag waarop religieuze joden zesentwintig uur lang niet eten en drinken. Vandaag was het niet Jom Kippoer, maar het was een gruwelijk hete dag, al was dat zelfs eind september niet ongebruikelijk.

Tegen zessen 's avonds lag de temperatuur in West Valley nog steeds rond de dertig graden. Koby's nieuwe auto, een tien jaar oude, zwarte BMW 323, had een redelijke airconditioning, maar al op de snelweg was het wijzertje langzaam gaan stijgen. Zodra we de woonwijk in reden, zette hij de airco uit en deden we de raampjes open. Toen we voor het huis van mijn vader stopten, was de zon een oranje bol die langzaam onderging. Ik keek op mijn horloge. We waren mooi op tijd.

We hadden ons luchtig gekleed, maar toch netjes genoeg voor de sjabbat. Koby droeg een beige linnen kostuum met een wit T-shirt. Geen stropdas natuurlijk, maar die droeg hij vrijwel nooit, zoals ze in Israël gewend waren. Om toch iets kleurigs te dragen, had hij een gehaakt keppeltje op in rood, groen en geel, de kleuren van de Ethiopische vlag. Vanavond was hij mijn stamhoofd – lang, slank, aristocratisch en ongelooflijk knap: een lust voor het oog. Iedere keer dat ik naar hem keek, ging mijn hart iets sneller kloppen. Ik droeg zelf een mouwloze, lichtblauwe zomerjurk, maar had een witte katoenen blazer bij me zodat ik mijn blote armen kon bedekken als ik mee wilde gaan naar de synagoge.

Ik wachtte even voordat ik aanklopte en keek Koby in zijn mooie ogen die in het licht van de zonsondergang een gouden tint hadden. 'Zing je vanavond "Esjet chajil" voor me?'

Hij grinnikte. 'Uiteraard. In mijn hart zing ik het iedere avond voor je.'

'Maar vanavond is een speciale avond.'

'Dat is waar. En als je wilt, zing ik het honderd keer voor je.'

Ik legde mijn hoofd tegen zijn arm. 'Eén keer, met gevoel, is genoeg.' Ik haalde diep adem en glimlachte. 'Daar gaat-ie dan.'

Ik klopte aan. Mijn vader deed open. Hij keek eerst naar Koby, toen naar mij en zei op strenge toon: 'Wat komt u hier op uw vrije avond doen, rechercheur?'

'Goedenavond, inspecteur,' antwoordde ik, 'Jaakov en ik hebben erover nagedacht hoe we mijn promotie het beste kunnen vieren. We hebben diverse plannen in ogenschouw genomen. Een daarvan was een sjabbatdiner met u en uw gezin.'

Pa glimlachte, barstend van trots. 'Ik zal even aan Rina gaan vragen of we champagne in huis hebben.'

Koby liet hem een fles Kedem zien. 'Ik ben u een stapje voor, meneer.'

'Hmm...' Pa bekeek mijn vriendje argwanend. 'En wat heb je persoonlijk gedaan om de promotie van mijn dochter te vieren?'

Koby tilde mijn linkerhand op. 'Ik ben u alweer een stapje voor, meneer.'

Mijn vader zette grote ogen op. Zijn blik ging van mijn hand naar mijn gezicht, naar Koby en weer naar mijn hand.

Koby zei: 'Ik heb voor alle zekerheid een vergrootglas meegebracht.'

'Zo klein is hij nu ook weer niet. Hij is helemáál niet klein. Is het één karaat?'

'Eén punt vier.'

'Hij flonkert mooi, moet ik zeggen.'

'Het is een erg goede steen, kwaliteit E, volkomen zuiver. Ik had een grotere kunnen kopen, maar uw dochter had er liever een van goede kwaliteit. Ik heb goede vrienden op de diamantbeurs in Israël.'

'Ik ben daar geweest, dus doe maar niet alsof je er alles van af weet.' Hij keek hem met een zuur gezicht aan. 'Wil dit zeggen dat je hier een permanent aanhangsel wordt?'

'Zo te zien wel.'

Pa begon te grinniken.

Toen omhelsde hij Koby.

Niet mij. Koby.

Ik tikte hem op zijn schouder. 'Hallo, ik ben er ook nog. Je dochter, weet je nog wel?'

'Ja, ja.' Hij liet Koby los, omhelsde me stevig en greep me toen bij mijn armen. Toen er tranen in zijn ogen kwamen, wendde hij zijn blik af en zei: 'Kom erin.' En tegen mij: 'Heb je het al aan je moeder verteld?'

'We komen net bij haar vandaan. Zij mocht het als eerste weten.'

'Heel verstandig. Hebben jullie al een datum geprikt?'

'Daar is mam mee bezig,' antwoordde ik. 'Ze probeert een gaatje te zoeken tussen haar reis naar het Verre Oosten en het "Food is Life"-banket.' Ik lachte. 'Nee, dat is gemeen van me. Ze is bereid haar reis naar het Verre Oosten te annuleren, maar ik heb gezegd dat we er wel iets op zullen vinden. We zijn nogal gemakkelijk.'

Koby zei: 'Eerlijk gezegd wilde ik graag in Israël trouwen, om u tijd en geld te besparen, maar Cindy zegt dat Jan haar zou vermoorden.'

'Dat zou ze inderdaad,' zei Decker knikkend.

'Dan krijgt u wel mijn hele familie op uw dak. Mijn ouders, mijn broers en zussen, neven en nichten en alle aanhang. Alles bij elkaar zijn dat er zesendertig.'

Decker deed zijn mond open en weer dicht. 'Juist.'

'Zijn vader en stiefmoeder zijn streng orthodox, pap,' zei ik.

Mijn vader trok wit weg. 'Nog orthodoxer dan Rina?'

Koby dacht daar even over na. 'Niet orthodoxer, maar anders. Rina... heeft haar eigen stijl. Mijn stiefmoeder komt uit Canada, maar mijn vader is heel erg ouderwets. En hij spreekt niet erg goed Engels.'

'Hij spreekt helemaal geen Engels,' verbeterde ik hem. 'Maar hij verstaat het wel. Het is een reuze aardige man, onvoorstelbaar mager. En Koby's stiefmoeder is een schat. Kunnen ze soms bij jullie logeren? Rina weet alles van de religieuze gebruiken en ze spreekt ook Hebreeuws. Als zijn ouders bij mam zouden moeten logeren, zouden ze zich doodongelukkig voelen. En mam zou niet weten wat ze met hen zou moeten beginnen.'

'Eh... ja, natuurlijk.' Decker glimlachte flauwtjes. 'Maar alleen als je moeder het ermee eens is, Cindy.'

'Ik had gedacht een paar van Koby's minder religieuze, Engelssprekende familieleden bij haar onder te brengen. En misschien kunnen er een paar bij opa logeren.'

'Je moeders vader?'

'Ja, pap. Ik bedoel niet jouw vader in Florida.'

'Wil je Jack Cohen loslaten op Koby's familie?'

'Doe niet zo lelijk!' zei ik verwijtend. 'Ik ben dol op opa.'

'Ik mag Jack ook graag,' antwoordde pa. 'Ik ben blij dat ik hem aan je moeder heb overgehouden, maar hij is nogal apart.' Hij schudde zijn hoofd. 'Heb je hier wel goed over nagedacht?'

Ik zag dat mijn vader zo ongeveer groen begon te worden. 'Weet je wat? We hebben het er nog wel over. Vanavond vieren we alleen mijn promotie, goed?'

'Goed idee.' Mijn vader zag eruit alsof hij migraine kreeg. Op dat moment kwam Sammy binnen. 'Pap, kun jij… o, hallo.' Hij stapte meteen op mijn verloofde af. 'Koby, ik moet je spreken. Ik zit met een noodsituatie. Een basketbalwedstrijd zondag.'

'Zondag werk ik, Shmuel.'

'Hoe laat begin je?' vroeg Sammy.

'Om drie uur.'

'Geen punt. De wedstrijd is om tien uur.'

'Sammy, laat hem met rust,' zei Decker.

'De grootmoeder van onze beste speler is overleden. Je staat om één uur weer buiten. Erewoord. Want om twee uur gaan we allemaal naar de begrafenis.'

'Sammy, je bent niet goed wijs,' zei ik.

Mijn stiefbroer negeerde me. 'Koby, we hebben je nodig, man. Anders hakken ze ons in de pan.'

'Er zijn vast nog wel andere zwarten in de buurt die je kunt gebruiken.'

'Niet meer. Ze zijn allemaal al ingepikt door andere teams. Toe nou, joh. Ik ga volgende week terug naar New York. Doe je het?'

'Ik moet Cindy helpen met pakken.'

'Ik help haar na de begrafenis wel.' Sammy keek opeens naar mij. 'Waarom ga je pakken?'

'Ik ga verhuizen,' antwoordde ik.

'O, ja? Waar naartoe?'

Koby trok zijn wenkbrauwen op.

'Ah.' Sammy keek naar pa en had moeite niet te grijnzen. 'Oké, ik help je met pakken, Cin. Echt.'

'Ik red me wel. Zoveel spullen heb ik niet.' Ik keek naar Koby. 'Ga maar basketballen.' Ik porde mijn stiefbroer in zijn ribben. 'Dan houdt hij tenminste zijn mond.'

Koby wreef over zijn voorhoofd. 'Je bent een zeur, Shmuel.'

'Een doorzetter.'

'Alleen deze ene keer dan.'

'Dank je!'

'Je moet geen wonderen verwachten.'

'Koby, het is een kwestie van imago! En dat je talent hebt, is meegenomen.'

Decker hief waarschuwend zijn vinger op. 'Je gaat te ver, jongeman. Ik laat het alleen toe omdat hij nu familie is. Mag ik je officieel voorstellen aan je zwager?'

Ik liet Sammy mijn ring zien.

'Echt waar? Cool!' Hij kuste mijn wang. 'Ik ga gauw Jossi bellen, voordat de sjabbat begint. Die gaat uit z'n dak. Reuze bedankt, Koby.'

'En *mazal tov*?' vroeg Koby.

'Ja, natuurlijk. Mazal tov, hoewel het niet echt onverwachts komt. Maar het is evengoed te gek.'

Hij holde weg.

'Nou, díé is enthousiast,' merkte ik op.

Mijn vader lachte. 'Als je een politiek incorrecte persoon nodig hebt, moet je bij Sammy zijn.'

Rina kwam de kamer in. 'Ik dacht al dat ik stemmen hoorde.' Ze droogde haar handen aan haar schort. 'Wat zien jullie er netjes uit. Dan blijven jullie zeker eten?'

'Als je het goed vindt.'

'Natuurlijk.' Ze gaf me een zoen. 'Sjabbat sjalom.'

Zonder een woord te zeggen liet Koby haar mijn vinger zien. De ogen van mijn stiefmoeder begonnen te stralen. 'O, wat een prachtige ring!' Ze sloeg haar armen om me heen. 'Heb je het al aan je moeder verteld?'

'Ja, zij mocht het als eerste weten.'

'Perfect!' Rina omhelsde Koby en gaf hem een zoen. 'Mazal tov, mazal tov! Wat enig!'

'Verloofd en ook nog een gouden penning,' zei ik.

'Ja, dat is waar ook! Daar moeten we een glaasje champagne op drinken!'

Koby hief de fles op.

Rina zei: 'Ik zal hem in de koelkast zetten.' Ze straalde van blijdschap, in tegenstelling tot mijn vader, die een beetje melancholiek keek. 'Hebben jullie al een datum geprikt?'

'Daar hadden we het net over,' zei ik. 'Ik heb aan pappa gevraagd of Koby's ouders soms hier mogen logeren omdat ze…'

411

'Natuurlijk!' zei Rina. 'Er mogen net zoveel mensen komen logeren als je wilt.'

'Hij heeft tussen de dertig en zesendertig familieleden, schat,' merkte mijn vader op.

'Geeft niks. Zodra jullie de datum geprikt hebben, hoor ik het wel, dan zal ik de catering bellen voor het sjabbatdiner en voor de lunch op de dag van de *Aufruf.*' Ze vroeg aan Koby: 'Ik neem aan dat jullie in onze sjoel gaan trouwen? Tenzij je liever je eigen sjoel hebt.'

'Uw beit knesset is prima.'

Rina straalde. 'Wat opwindend! Wat zal het leuk zijn om kennis te maken met je familie. Maak je geen zorgen, Koby. We zullen voor iedereen onderdak vinden. Het is helemaal geen probleem.'

Sammy kwam weer binnen en gaf zijn moeder een zoen. 'Ima, ima, jij hebt er een zoon bij en ik een basketbalspeler!' Hij bekeek Koby onderzoekend. 'Kun je haar wel ima noemen? Ze is niet veel ouder dan jij. Tien jaar of zo?'

'Nee, ze is tien jaar ouder dan ik,' zei ik. 'Ze is pas…'

'Kunnen we ergens anders over praten?' kwam pa tussenbeide.

'Het doet er niet toe, want "moeder" is een kwestie van instelling,' verklaarde Rina. 'Bovendien zou Cindy's moeder voor Koby "ima" zijn.'

'Nee, nee, mijn moeder is "mam",' zei ik. 'Die is allesbehalve een "ima".'

'Mijn stiefmoeder is ima,' zei Koby. 'Voor mij bent u Rina, omdat Cindy u zo noemt. En Rina past echt bij u.'

'Wat mij betreft is dat prima, Jaakov.'

Hij richtte zijn ogen op pa. 'De vraag is… hoe ik u moet noemen, meneer?'

'Hoe je mij moet noemen?'

'Ja.'

Decker wreef zijn handpalmen tegen elkaar en dacht na. 'Zeg maar gewoon Decker.'

'Peter!' riep Rina verwijtend.

'Zo noemt iedereen me.'

'Misschien iets wat een beetje minder afstandelijk klinkt, pap?'

'Goed dan.' Hij sloeg zijn arm om de schouders van mijn verloofde. 'Koby, beste jongen… jij mag me pa noemen.'

Verklarende woordenlijst

aufruf	de zaterdag vóór het huwelijk, waarop de bruidegom naar de tora wordt geroepen
avoda zara	afgodverering
Avraham Avinoe	letterlijk: onze vader Avraham; de aartsvader Avraham
baroech Hasjeem	letterlijk: gezegend de Naam; goddank
basjeert	'soul mate', ware Jacob
beit knesset	synagoge
beitsim	letterlijk: testikels, ballen; figuurlijk: lef
Beresjiet	'In het begin'; de beginwoorden en tevens de naam van het bijbelboek Genesis
beseder gamoer	heel goed
Beta Israël	de joden uit Ethiopië
birkat hamazon	zegenspreuk bij het voedsel; dankgebed na de maaltijd
chevre	vrienden; makkers
choemasj	letterlijk 'vijftal'; Thora, de vijf boeken van Mozes, in de vorm van een gebonden boek
esj	vuur
esjet chajil	sterke vrouw; ook een lied dat op de sjabbatavond wordt gezongen
Gemara	verzameling van de amoraïtische discussies bij de Misjna, deel uitmakend van de Talmoed
gojim	meervoud van goj, niet-jood

gojisch	met betrekking tot gojim
gomel	gebed voor wanneer iemand aan de dood of een ramp is ontsnapt
Hasjeem	benaming voor god (letterlijk: de Naam)
ima	moeder; mamma
jesj li gam ken	ook ik heb
jesjiva	talmoedhogeschool
jim'ach sjmo	zijn naam zij vervloekt
Jom Kippoer	Grote Verzoendag
kehoena	priesterschap
kiboed ha'em	eerbetoon aan je moeder
koes amak	(Arab.) zware vloek
Koheen	joodse priester; nakomeling van joodse priester
ma nisjma	hoe gaat het ermee
mezoeza	deurkokertje met een tekst uit het boek Deuteronomium erin
mila	besnijdenis
minhag hamakom	plaatselijk gebruik
mizrachi	oriëntaals
oelpan	Hebreeuwse school voor immigranten
Poeriem	Feest waarop de bevrijding van de joden wordt gevierd zoals verteld in het bijbelboek Ester; Nederlandse naam: Lotenfeest
Rosj Hasjana	het joodse nieuwjaar
sjabbat sjalom	goede sjabbat
sjachariet	ochtendgebed
sjalhevet	vlam

sjiddach	huwelijksbemiddeling
sjmiera	wacht (houden)
Sjmonee Esree	'achttien'; andere benaming voor Amida
sjomeer sjabbat	iemand die de sjabbatgeboden en -verboden in acht neemt
tefilien	gebedsriemen